АЛЕКСАНДР КАБАКОВ / ЕВГЕНИЙ ПОПОВ

АКСЕНОВ

АСТ
АСТРЕЛЬ
Москва

УДК 821.161.1-31
ББК 84(2Рос=Рус)6-44
   К12

Художник *Андрей Рыбаков*

В книге использованы фотографии из семейного архива
В.П.Аксенова, А.П.Аксеновой, В.Л.Кондырева, из личного архива Е.А.Попова
и А.А.Кабакова, а также работы В.Ф.Плотникова.

Авторы благодарят за помощь
Светлану Васильеву (Москва), Эдуарда Русакова (Красноярск),
Анну Сафонову (Южно-Сахалинск).

Кабаков, А.А.

К12   АКСЕНОВ / Александр Кабаков, Евгений Попов. – М. :
      АСТ : Астрель, 2011. – 509, [3] с.

      ISBN 978-5-17-075118-1 (ООО «Издательство АСТ»)
      ISBN 978-5-271-36728-1 (ООО «Издательство Астрель»)

Книга «АКСЕНОВ» Александра Кабакова и Евгения Попова –
больше чем мемуары. Это портрет Художника на фоне его Времени, свободный разговор свободных людей о близком человеке,
с которым им довелось дружить многие годы бурной, гротескной,
фантасмагорической советской и постсоветской жизни. Свидетельства из первых уст, неизвестные истории и редкие документы
опровергают устоявшиеся стереотипы восприятия и самого писателя, и его сочинений.

УДК 821.161.1-31
ББК 84(2Рос=Рус)6-44

Подписано в печать 13.08.11. Формат 84х108/32.
Усл. печ. л. 26,88. Тираж 7000 экз. Заказ № 7618.

Общероссийский классификатор продукции
ОК-005-93, том 2; 953000 – книги, брошюры

ISBN 978-5-17-075118-1 (ООО «Издательство АСТ»)
ISBN 978-5-271-36728-1 (ООО «Издательство Астрель»)

ОГЛАВЛЕНИЕ

ГЛАВА ПЕРВАЯ
О ЧЕМ, СОБСТВЕННО, РЕЧЬ?

АЛЕКСАНДР КАБАКОВ: Итак, мы начинаем... Скажи мне, Женя, зачем в этот предпраздничный вечер тридцатого декабря две тысячи девятого года, когда, так бы я выразился, на улицах творится конец света, а именно идет ужасный снег... Ужасный! Скользко. Прохожие бегут, спотыкаясь о собственные же елки, которые они только что купили на елочном базаре и теперь заплетаются за них ногами... Ничего не едет. Довольно-таки холодно, а будет еще холодней, говорят... И вот, спрашиваю я, скажи мне, Женя, какого же хрена в этот вечер, когда все нормальные кто чем – кто водочкой, кто, Бог послал, винишком, по нынешним временам, может, даже хорошим, – встречают приближающийся праздник, а мы вот сели и начали с тобой писать книгу, точнее, не писать книгу, потому что писать книгу – это, во-первых, *писать*, и, во-вторых, *книгу*. Мы же не пишем, а говорим, записываем то, что мы наговорим, с помощью этой вот изумительной техники, цифрового диктофона, который, я решительно не понимаю, как устроен. У нас ведь не книга получается, а просто такие еженедельные разговоры...

Евгений Попов

Так вот, в двадцатый раз спрашиваю: *зачем*?! С какой целью начинаем мы в такой прекрасный вечер конца света эту деятельность? И сам отвечаю на этот несколько искусственный вопрос: чтобы понять, наконец, кто же это такой был – писатель Василий Аксенов. Что же за человек был Василий Павлович, Вася, с которым мы с тобой дружили больше тридцати лет каждый. Для меня, например, в этих беседах, о которых мы с тобой условились, самое главное... самая главная тайна, которую я хочу раскрыть, это вот какая тайна – ты сейчас будешь надо мной, конечно, смеяться, как тебе свойственно, издеваться, но я не сдамся, – да, главная тайна: что ж такое есть писательская судьба? Это просто человеческая судьба или особым образом устроенная именно писательская судьба? И каким особым образом? И как человеческая судьба определяет судьбу писательскую? Что задано, что не задано? Должен ли писатель много переживать, или, наоборот, он может ничего не переживать? Знаешь, один из любимых мною писателей Уильям Фолкнер, который создал своими сочинениями и какими-то такими намеками на свою жизнь собственный образ южного полковника, эдакого благородного южанина... все придумал! Он свою человеческую судьбу придумал вокруг писательской судьбы. А был просто сильно пьющим американским разночинцем, который добывал любой приработок, чтобы как-то прожить. И эти полковники, судьи, бывшие рабовладельцы, потомки рабовладельцев, всякие выродки, которые бывают только в аристократическом обществе, и, напротив, простодушные негры – это все выдумано, все выдумано! Как связана писательская судьба, собственно то, что он прожил, с тем, что он написал?.. Так вот, Вася, царствие ему небесное, меня, надеюсь, простит, но мне он сейчас интересен как пример, пример писательской судьбы. На мой взгляд, одной из наиболее писательских. Если можно так выразиться, из всех, кого я знал, он самый писательский писатель. И мне кажется, поскольку мы с тобой оба пожилые уже люди, на закате дней, как раньше говорили, неплохо бы понять заодно что-то еще и про себя в этом смысле, а?

Александр Кабаков

Е.П.: Но мы же гадости говорить не будем! Ни в коем случае.

А.К.: Нет уж, Женечка, раз мы решили этим заниматься, то что в голову приходит, то и говорим. Ничего дурного мы про Васю все равно не скажем, потому что мы его любим. А сдерживать себя и цензуру вводить я не хочу.

Е.П.: Никто нас и не заставит. Мы – друзья, что хотим, то о друге и говорим, а чего не хотим – того и не скажем.

А.К.: Значит – про писательскую судьбу вообще через судьбу Василия Павловича Аксенова. Так?

Е.П.: Так.

ПРИЛОЖЕНИЕ

ВАСИЛИЙ ПАВЛОВИЧ АКСЕНОВ

(20.08.1932, Казань – 06.07.2009, Москва)

Василий Аксенов родился 20 августа 1932 года в Казани, в семье партийных работников, Евгении Семеновны Гинзбург и Павла Васильевича Аксенова. Был третьим, младшим ребенком в семье (и единственным общим ребенком родителей). Отец был председателем Казанского горсовета и членом бюро Татарского обкома партии. Мать работала преподавателем в Казанском педагогическом институте, затем – заведующей отделом культуры газеты «Красная Татария». Впоследствии, пройдя сталинские лагеря, во времена разоблачения культа личности Евгения Гинзбург написала книгу воспоминаний «Крутой маршрут» – одну из первых мемуарных книг об эпохе сталинских репрессий и лагерей, рассказ о восемнадцати годах, проведенных в тюрьме, лагере и ссылке.

В 1937 году, когда В.Аксенову не было еще и пяти лет, родители (сначала мать, а затем вскоре и отец) были арестованы и осуждены на десять лет тюрьмы и лагерей. Старших детей – сестру Майю (дочь П.В.Аксенова) и Алешу (сына Е.С.Гинзбург от первого брака) – забрали к себе родственники. Вася был принудительно отправлен в детский дом для детей заключенных (его бабушкам не разрешили оставить ребенка у себя). В 1938 году дяде В.Аксенова (брату П.Аксенова) удалось разыскать маленького Васю в детдоме в Костроме и взять его к себе. Вася жил в доме у Моти Аксеновой (его родственницы по отцу) до 1948 года, пока его мать, выйдя в 1947 году из лагеря и поселившись в ссылке в Магадане, не добилась разрешения на приезд Васи к ней на Колыму. Встречу с Васей Евгения Гинзбург описала в «Крутом маршруте».

Спустя много лет, в 1975 году, Василий Аксенов вспомнил свою магаданскую юность в автобиографическом романе «Ожог».

В 1956 году Аксенов окончил 1-й Ленинградский медицинский институт и получил распределение в Балтийское морское пароходство, где должен был работать врачом на судах дальнего плавания. Несмотря на то что его родители уже были реабилитированы, визу моряка ему не дали. В дальнейшем Аксенов работал карантинным врачом на Крайнем Севере, в Карелии, в Ленинградском морском торговом порту и в туберкулезной больнице в Москве (по другим данным, был консультантом в Московском научно-исследовательском институте туберкулеза).

С 1960 года Василий Аксенов – профессиональный литератор. Повесть «Коллеги» (написана в 1959 году; одноименная пьеса совместно с Ю.Стабовым – в 1961-м; одноименный фильм – в 1962-м), роман «Звездный билет» (1961) (по нему снят фильм «Мой младший брат», 1962), повести «Апельсины из Марокко» (1962), «Пора, мой друг, пора» (1963), сборники «Катапульта» (1964), «На полпути к Луне» (1966), пьеса «Всегда в продаже» (постановка театра «Современник», 1965); в 1968 году опубликована сатирико-фантастическая повесть «Затоваренная бочкотара», в 1970–1972 годах – приключенческая дилогия для детей «Мой дедушка – памятник» (1972) и «Сундучок, в котором что-то стучит» (1976). Экспериментальный роман «Поиски жанра» был написан в 1972 году. Также в 1972 году – совместно с О.Горчаковым и Г.Поженяном – Аксенов написал роман-пародию на шпионский боевик «Джин Грин – неприкасаемый» под псевдонимом Гривадий Горпожакс (комбинация имен и фамилий реальных авторов). В 1976 году перевел с английского роман Э.Л.Доктороу «Рэгтайм».

Приложение

В 1960-х годах произведения В.Аксенова часто печатаются в журнале «Юность». Несколько лет он входит в редколлегию этого журнала.

В марте 1963 года на встрече с интеллигенцией в Кремле Хрущев подверг Аксенова и поэта Вознесенского публичному разносу.

В 1970-х годах после свертывания оттепели произведения Аксенова перестают публиковаться в Советском Союзе. Романы «Ожог» (1975) и «Остров Крым» (1979) с самого начала создавались автором без расчета на публикацию в СССР. В это время критика в адрес В.Аксенова и его произведений становится все более резкой: применяются такие эпитеты, как «несоветский» и «ненародный». В 1977–1978 годах произведения Аксенова начали появляться за рубежом (прежде всего в США).

В 1979 году В.Аксенов совместно с В.Ерофеевым, Е.Поповым, А.Битовым, Ф.Искандером стал одним из составителей и авторов бесцензурного альманаха «МетрОполь». Так и не изданный в Советском Союзе, альманах был издан в США. В знак протеста против последовавшего за этим исключения Попова и Ерофеева из Союза писателей СССР в декабре 1979 года В.Аксенов (а также Инна Лиснянская и Семен Липкин) заявил о своем выходе из СП.

Двадцать второго июля 1980 года вместе с женой Майей Кармен Аксенов выехал по приглашению в США, после чего был лишен советского гражданства и до 2004 года жил в Америке.

С 1981 года В.Аксенов – профессор русской литературы в различных университетах США: Институте Кеннана (1981–1982), Университете Дж. Вашингтона (1982–1983), Гаучерском университете (1983–1988), Университете Джорджа Мэйсона (1988–2009).

В США вышли написанные Аксеновым в России, но впервые опубликованные лишь после приезда писателя в Америку романы «Золотая наша Железка» (написан в 1973-м, издан в 1980-м), «Ожог» (1975, 1980), «Остров Крым» (1979, 1981), сборник рассказов «Право на остров» (1981). В США Аксенов написал и издал новые романы: «Бумажный пейзаж» (1982), «Скажи изюм» (1983), «В поисках грустного бэби» (1986), трилогию «Московская сага» (1989, 1991, 1993), сборник рассказов «Негатив положительного героя» (1995), романы «Новый сладостный стиль» (1996) и «Кесарево свечение» (2000).

Роман «Желток яйца» (1989) написан В.Аксеновым по-английски, затем переведен автором на русский.

Впервые после девяти лет эмиграции Аксенов посетил СССР в 1989 году по приглашению американского посла Дж. Мэтлока. В 1990 году Аксенову возвращают советское гражданство.

В 1980–1991 годах В.Аксенов в качестве журналиста активно сотрудничал с «Голосом Америки» и с «Радио Свобода». Аксеновские радиоочерки были опубликованы в авторском сборнике «Десятилетие клеветы» (2004).

В последнее время жил с семьей во Франции в Биаррице и в Москве.

Трилогия «Московская сага» экранизирована в России в 2004 году А.Барщевским в многосерийном телевизионном фильме.

В 2004 году в журнале «Октябрь» был опубликован роман «Вольтерьянцы и вольтерьянки».

Книга воспоминаний «Зеница ока» (2005) написана в форме личного дневника. Последние публикации В.Аксенова – роман «Таинственная страсть» и незаконченный роман «Ленд-лизовские».

Пятнадцатого января 2008 года в Москве В.Аксенов внезапно потерял сознание за рулем автомобиля, был госпитализирован в больницу № 23, где был диагностирован инсульт. Только через несколько часов Аксенов был перевезен в НИИ им. Склифосовского, где ему провели операцию по удалению тромба сонной артерии, затем Аксенова перевели в НИИ им.Бурденко. Позже Аксенова снова перевели в НИИ им. Склифосовского, где он скончался 6 июля 2009 года.

Василий Аксенов был похоронен 9 июля 2009 года на Ваганьковском кладбище в Москве. В Казани восстановлен дом, где в отрочестве жил писатель, создается музей Аксенова.

В США В.Аксенову было присвоено почетное звание *Doctor of Humane Letters*. Он являлся членом ПЕН-клуба и Американской авторской лиги. В 2004 году В.Аксенову была присуждена премия «Русский Букер» за роман «Вольтерьянцы и вольтерьянки». В 2005 году Василий Аксенов был удостоен французского ордена Искусств и литературы.

Почетный член Российской академии художеств.

Приложение

ПРОЗА

- 1958 – «Полторы врачебные единицы» (рассказ)
- 1959 – «Коллеги» (повесть)
- 1961 – «Звездный билет» (роман), экранизация – «Мой младший брат» (1962)
- 1962 – «Апельсины из Марокко» (повесть)
- 1963 – «Пора, мой друг, пора» (повесть)
- 1964 – «Катапульта» (повесть и рассказы)
- 1965 – «Победа» (рассказ с преувеличениями)
- 1965 – «Жаль, что вас не было с нами» (повесть)
- 1966 – «На полпути к Луне» (книга рассказов)
- 1968 – «Затоваренная бочкотара» (повесть)
- 1969 – «Любовь к электричеству» (повесть о Л.Б.Красине)
- 1971 – «Рассказ о баскетбольной команде, играющей в баскетбол» (очерк)
- 1972 – «Поиски жанра» (поиски жанра)
- 1972 – «Мой дедушка – памятник» (повесть)
- 1973 – «Золотая наша Железка» (роман)
- 1975 – «Ожог» (роман)
- 1976 – «Сундучок, в котором что-то стучит» (повесть)
- 1979 – «Остров Крым» (роман)
- 1982 – «Бумажный пейзаж» (роман)
- 1983 – «Скажи изюм» (роман)
- 1986 – «В поисках грустного бэби» (записки)
- 1989 – *"Yolk of the Egg"* (англ., перевод на русский – «Желток яйца», 2002)
- 1993 – «Московская сага» (роман в трех книгах)
- 1996 – «Новый сладостный стиль» (роман)
- 2000 – «Кесарево свечение» (роман)
- 2004 – «Вольтерьянцы и вольтерьянки» (роман, премия «Русский Букер»)
- 2006 – «Москва Ква-Ква» (роман)
- 2007 – «Редкие земли» (роман)
- 2007 – «Таинственная страсть. Роман о шестидесятниках»
- 2008 – «Ленд-лизовские. Неоконченный роман»

КИНОСЦЕНАРИИ

- 1962 – «Когда разводят мосты»
- 1962 – «Коллеги»
- 1962 – «Мой младший брат»
- 1970 – «Хозяин»
- 1972 – «Мраморный дом»
- 1975 – «Центровой из поднебесья»
- 1977 – «О, этот вьюноша летучий»
- 1978 – «Пока безумствует мечта»
- 2007 – «Татьяна»
- 2009 – «Шут»

ПЬЕСЫ

- 1965 – «Всегда в продаже»
- 1966 – «Твой убийца»
- 1968 – «Четыре темперамента»
- 1968 – «Аристофаниана с лягушками»
- 1980 – «Цапля»
- 1998 – «Горе, горе, гореть»
- 1999 – «Аврора Горелика»
- 2000 – «Ах, Артур Шопенгауэр»

ГЛАВА ВТОРАЯ
КОГДА БЫЛ ВАСЯ МАЛЕНЬКИЙ...

ЕВГЕНИЙ ПОПОВ: Давай для начала поговорим о семье Аксенова, о его происхождении, о его корнях. Ты знаешь, что в 1938 году Андриан Васильевич Аксенов после посадки своего родного брата написал в Казанский НКВД довольно странное письмо относительно судьбы своего племянника?

АЛЕКСАНДР КАБАКОВ: Дядя Васин? Брат Павла Васильевича?

Е.П.: Ну да. Написал, подчеркиваю, в Казанский НКВД, хотя в это время наш Василий Павлович уже пребывал в доме для детей «врагов народа» в славном городе Костроме. Это письмо недавно в Казани опубликовали, я его раньше не читал, но знал о его существовании от самого Василия. Дело в том, что в начале 90-х мы с ним частенько ездили в Самару на фестиваль «Из века XX в век XXI». И вот однажды возвращаемся в Москву, ведем для избывания дорожной скуки всякие разговоры. Я его вдруг ни с того ни с сего спрашиваю – с какого времени он помнит себя? Он мне четко отвечает: «С 20 августа

Евгений Попов

1937 года, потому что меня в этот день увезли чекисты в детдом». Все, говорит, помню. Еврейскую бабушку, русскую няньку. Тряпичного львенка, ему только что подаренного. Машину «эмку», чекистку в кожаном реглане, которая его все уговаривала: «Поехали, мальчик, тебе будет хорошо, маму увидишь».

А.К.: Маму, естественно, уже арестовали к тому времени тоже.

Е.П.: Ее еще раньше Павла Васильевича арестовали. Васина еврейская бабушка окаменела, как соляной столп, а русская нянька, когда упирающееся «дитё» чекистка тащила в машину, вдруг по-звериному завыла – вот как звери воют, а не люди.

А.К.: Вася описал это в рассказе «Зеница ока».

Е.П.: «Зеница ока» – это проза. Ведь это же проза, ты понимаешь?

А.К.: «Зеница ока» – чистая хорошая проза. Прекрасная по качеству.

Е.П.: Чистая, хорошая, прекрасная – это понятно. Но мы ведь с тобой, извини за выражение, тоже писатели. Мы же с тобой понимаем: одно дело проза, *белль летр*, литература, писанная на бумаге. А другое дело, когда мужик мужику в поезде рассказывает о пережитом, о том, что с ним было.

А.К.: Идентификация достоверности – вещь спорная. А писательская, образная точность в «Зенице ока» стопроцентная. Когда под русский плач уводят внука испуганной еврейской бабушки, сына Евгении Семеновны (настоящее имя-отчество Евгения Соломоновна)... Это очень многое говорит о двойственности, тройственности, многомерности Васиной натуры.

Е.П.: Из Казани, из так называемого детприемника ребенка Василия уже перевезли в Кострому, когда дядя Андриан накатал это письмо, довольно агрессивное, надо сказать, где именовал племянника – и это в официальном докумénte! – Васильком! Василий Павлович выдвинул тогда предположение, что это письмо Андриан Васильевич писал под мухой. Что-то там еще было такое, что, дескать, клянусь воспитать сына врага народа настоящим советским человеком. Я об этом немного писал в предисловии к книжке «Логово льва»... Я Василия тогда спросил, а что с тряпичным львенком стало, вместе с которым его арестовали в пять лет. Он ответил, что заснул в слезах, прижимая львенка к сердцу, а утром обнаружил, что игрушку уже украли. Это в Казани. А костромской детдом он хвалил, говорил, что там к ним, «вражьим детям», ласково относились. И ты правильно говоришь об истоках многомерности его натуры: лихой дядя, сделавший практически невозможное, – вытащивший его из этого гулаговского приюта, скорбная бабушка, нянька. Тут дело в двух мощнейших ветвях: одна еврейская материнская, другая отцовская, не менее мощная рязанская, прямо из самой что ни на есть глубинки.

А.К.: С одной стороны – интеллигентная московская еврейская семья во главе с дедушкой-аптекарем, с другой – русские крестьяне, *народ*. Да?

Е.П.: Да.

А.К.: Но вот смотри, что интересно. Дальше эта двойственность проявляется самым странным образом. С одной стороны, он рожден в номенклатурной семье, с другой – в пять лет он вдруг уже не сиятельный отпрыск партийно-хозяйственного деятеля республиканского масштаба, а сын врага народа. Причем даже не из самых крупных врагов, не из тех, кого судят в Колонном зале в присутствии прессы и иностранцев. Это – рядовая посадка в провинции. Согласно чекистской разнарядке. Была, допустим, разнарядка взять за эту ночь тысячу человек, их и брали. Одна из типичных провинциальных посадок. Ну, может, чуть-чуть погромче это прозвучало в городе – все-таки Павел Васильевич Аксенов был местным начальником.

Е.П.: В Казани, извини, и Евгения Семеновна была известной персоной.

А.К.: Ну да. Они были в масштабах Татарстана люди заметные.

Е.П.: Главные люди в городе! Ведь он был председателем горсовета, по-нынешнему – мэром.

А.К.: Ничего такого особенного. Начальник, но не очень большой. Председатель горисполкома – все-таки не секретарь обкома.

Евгений Попов

Е.П.: Он карьеру в Казани довольно быстро сделал. 1928–1930 годы – секретарь Кировского райкома партии, с 1930 по 1935 годы – председатель Татарского областного совета профсоюзов, крупный профсоюзный босс. Потом – глава города.

А.К.: Но это, еще раз говорю, не те, от кого пытками добивались показаний, а потом устраивали шумные процессы, где они публично каялись. Он не из тех. Он из нормальных коммунистических функционеров, посаженных в рамках сплошных посадок коммунистических функционеров. Это отец. А сын, наш Василий Павлович, казалось бы – да, вот он, сын коммунистического начальника, сын коммунистических «врагов народа», не кулаков, которых в ГУЛАГе бессчетное множество, а сын внутрипартийных «врагов народа» сталинского времени... Казалось бы... А на самом деле, получается, судя по отцу и дяде, «из простых». И оставался «из простых» до шестнадцати лет, когда опять вернулся в элиту, приехав к матери в Магадан. Ведь там Евгению Семеновну окружала элита.

Е.П.: Согласен. Хоть и лагерная, но элита.

А.К.: А какая тогда еще была элита? Вся элита была тогда лагерная! Сегодня она Полина Жемчужина, жена Молотова и крупнейший деятель женского движения, завтра – лагерница. Всё! Сегодня она Русланова, величайшая певица, награжденная по всем линиям и с заоблачной оплатой, да еще миллиардерша советская, коллекционер бриллиантов, а завтра и она на нарах. Вся элита была – что в Москве, что в Магадане – лагерная. Сегодня – здесь, завтра – там, в лагере. Или на том свете. Это и была элита. А Вася до шестнадцати лет рос в простой русской семье.

Е.П.: Согласен.

А.К.: И поэтому, как ни странно, Вася при всем его таком столичном блеске был до самых своих последних дней простой и народный, может быть, поэтому – народный писатель.

Е.П.: Вот интересно ты разводишь... Хотя есть примеры, как говорится, из практики, которые вполне укладываются даже и в эту твою теорию. Майя Афанасьевна Аксенова была как-то в Биаррице, а он жил один в этом самом гигантском сталинском доме на Котельнической набережной, который попал потом в «Москву Ква-Ква», и, когда я к нему пришел, простодушно рассказал мне, как сам стирает себе белье – трусы, майки, носки, рубашки, сам себе нехитрую еду готовит. И что ему это *нравится*! Светка (естественно, моя жена, сообщаю это не тебе, а грядущему читателю), когда он как-то у нас был, угощала его вкусным рыбным пирогом, и он вдруг стал подробно ее расспрашивать, как такой пирог печь. Светка думала, что это он из вежливости интересуется. А потом выяснилось, что он и на самом деле – взял да испек себе такой пирог.

А.К.: Такие мелочи очень важны. Понимаешь, вот смотри: дети лагерной элиты, в дальнейшем – «прорабы перестройки». Это все одни и те же люди.

Е.П.: «Дети Арбата», что ли?

А.К.: Ну да. Почти все они были из советской аристократии. Ставить им это в вину или в заслугу очень глупо, но констатировать этот факт необходимо. Пора признать, что в большинстве своем они были детьми не просто «Ивана Денисовича», а той части коммунистической партноменклатуры, которая потерпела поражение во внутрипартийной, *внутрисоветской* борьбе, была социально уничтожена или уничтожена физически...

Е.П.: Совершенно верно, я об этом тоже думал.

А.К.: И вот маленький Вася оказывается в нищете, в бараке казанском, который мы с тобой видели. Нищая семья! Ботинок нет, жрать нечего, родители в лагере, далеко. А может, их и вообще уже нет.

Е.П.: Ну, все-таки это не совсем барак. Скорей, жуткая коммуналка. И все-таки он в семье живет, а не в детском доме.

А.К.: Это да.

Е.П.: И ему не сменили имя, фамилию, как это тоже весьма часто бывало тогда в подобных случаях.

А.К.: И это, кстати, его отличает от многих других. То есть я вот к чему веду: он не типичный, не очень типичный.

Е.П.: И когда говорят, что он – знамя шестидесятничества, то, может быть, оно и так, но только на первый взгляд.

Евгений Попов

А.К.: Судьба человеческая (это я все тащу в свою сторону) может и вовсе не определять писательскую судьбу. Возьмем для примера Юрия Валентиновича Трифонова, бесконечно любимого и почитаемого мною писателя. Вот у него папа начальник действительно был большой, уж побольше Павла Васильевича Аксенова. Председатель Военной коллегии Верховного суда, если не ошибаюсь. Один из создателей советской судебной системы, которая основывалась не на следовании закону, а на «революционном правосознании»...

Е.П.: Ни фига себе!

А.К.: В 1938-м Валентин Андреевич Трифонов расстрелян. Мать Юрия Валентиновича – в АЛЖИРе, Акмолинском лагере жен изменников Родине. А сам будущий писатель Трифонов, не сообщив о своем происхождении, после войны поступает в Литинститут. В институте начинается дикий скандал, когда выясняется, что он сын «врага народа».

Е.П.: Я даже не знал об этом.

А.К.: И вот коллизия, очень странная коллизия, разрешающаяся совершенно невероятным образом для тех, да и, пожалуй, для последующих лет. А именно: Трифонов остается в Литинституте, заканчивает его в 1949-м, в 1951-м получает Сталинскую премию за повесть «Студенты». А повесть-то о чем? А повесть о комсомольском собрании, исключающем студента за сокрытие анкетных данных. Есть тут хоть какая-нибудь логика или нет?

Е.П.: Не знаю. Вот взять хотя бы судьбу диссидента Юрия Гастева. Он был сыном Алексея Гастева, революционера, поэта, того самого знаменитого зачинателя НОТ, научной организации труда в СССР. Отца расстреляли в 1939-м, сына посадили в семнадцать лет за какую-то студенческую чепуху под названием «Братство нищих сибаритов». Всё, вся жизнь изломана.

А.К.: Но здесь по крайней мере *логичная* судьба была. А вообще-то у всех у них, у *детей*, жизнь была изломана. Пожалуй, без исключения.

Е.П.: Гастев был 1928 года рождения. Если бы наш Василий Павлович был бы этого же года или тридцатого, его бы, пожалуй, тоже посадили. Сто процентов.

Александр Кабаков

А.К.: Ну да. В 1948 году уже сидел бы.

Е.П.: Это ведь тогда песня возникла, этих самых детей «врагов народа»:

А ну-ка, парень, подними повыше ворот,
Подними повыше ворот и держись.
Черный ворон, черный ворон, черный ворон
Переехал мою маленькую жизнь.

А.К.: Так Васю уже и взяли тогда гэбэшники в «разработку». Однако не успели. Он из Казани уехал в Питер, а потом и Сталин помер. «Маленькая жизнь», да... Знаешь, я вот что думаю: всё, без исключения, что с ним в жизни происходило, – это была писательская судьба. Господь *вел* его, берёг как свой инструмент, чтобы он стал писателем, а не просто там спился или бичом стал в Магадане, понимаешь.

Е.П.: Талантливейшим, замечу, бичом! Мне среди них великие таланты попадались, когда я геологом работал.

А.К.: Талантливейшим, но бичом.

Е.П.: А ты не допускаешь мысли, что, наоборот, мог бы наш Василий Павлович обернуться талантливейшим функционером, например?

А.К.: Вряд ли. Ну, смотри, куда ему прямая дорога в семнадцать лет? Ему семнадцать лет, он живет в Магадане, в интеллигентном кругу освободившихся и ссыльных «политиков», наблюдает, рассуждает. Один из его героев рассматривает, как мы знаем из романа «Ожог», возможность бежать в Соединенные Штаты, подняв бунт заключенных. Думаю, эти сцены в «Ожоге» не на пустом месте появились.

Е.П.: Совершенно верно. Кстати, прецеденты таких побегов имелись, судя по мемуарам и документам. И даже – в редких случаях – все заканчивалось хорошо.

А.К.: Нет, это все мечтания, не получается куда-то там бежать... Тогда – выпил – и в теплотрассу, к бичам. Навсегда. Тоже прямая дорога для семнадцатилетнего. Непонятно, как и когда человеческая судьба превращается в писательскую.

Евгений Попов

Е.П.: Но ведь ты сам вспоминаешь роман «Ожог». А Казань и это нищее детство преобразовались в «Завтраки сорок третьего года», в «Рыжего с того двора»... Кстати, двоюродный брат Юрия Валентиновича Трифонова, писавший потом под псевдонимом Михаил Демин, именно по этому «пути теплотрассы» и пошел. Стал блатным, вором. Правда, потом все равно писателем стал...

А.К.: Здесь все взаимосвязано. Ведь если бы Аксенов в свое время не перевелся из Казанского мединститута в Ленинградский, не было бы «Коллег», ничего бы не было. Потому что вот этот «западный ветер с Невы», «ледяная рябь канала», смутные питерские призраки робкой свободы – вот что его сделало писателем.

Е.П.: Ты знаешь, я тут как-то даже пофантазировал – я попытаюсь сформулировать сейчас, хотя плохо получается, – что у него могло бы быть, если *тогда* у него было бы что-нибудь другое. Не худое, а вот именно что *другое*. Ты ведь знаешь, когда у него состоялась первая публикация?

А.К.: В 1958 году, два рассказа в «Юности» Катаев напечатал.

Е.П.: А вот и нет! Первая публикация – это его стихи, посланные на конкурс в газету «Комсомолец Татарии», когда он еще был студентом Казанского меда. Сюжет: как студент, окончив университет, уехал по велению сердца на одну из строек *Дальнего Востока*(!). Ну, типа «Едем мы, друзья, в дальние края». В дальние лагерные края.

А.К.: Надо же, я этого не знал!

Е.П.: Василий рассказывал, что занял на конкурсе какое-то там место и даже получил за это гонорар неплохой, который тут же пропил с товарищами и подругами. То есть вот и такая судьба могла быть. Мог бы быть советский поэт казанского происхождения Василий Аксенов.

А.К.: Так бы и прожил всю жизнь в родном городе. Стал бы казанским классиком.

Е.П.: Или еще вариант. Помнишь, во Франкфурте, когда была книжная ярмарка, ты приболел, и я его к тебе привел с идиотским возгласом: «Кабаков! Вот доктор пришел, тебя лечить будет!» И вдруг я увидел, что это действительно пришел *врач*, а не писатель или друг Вася. Это когда он деловито нащупал у тебя пульс, велел показать язык, даже таблетка у него для тебя почему-то тут же нашлась. Я вдруг увидел *профессионала* и понял, что и он мог быть таким же превосходным лекарем, как его казанские однокашники – Ильгиз и Ринат.

А.К.: Он и в медицине недурно начал: карантинный врач, скорая помощь, сельская больница. Такой опыт и для врача незаменим, не только для писателя.

Е.П.: Ну, был бы врач, который пишет стихи. Как врачи Юлий Крелин и Владимир Найдин, которые прозу писали, не порывая с основной профессией.

А.К.: Советский врач, советский поэт, член советского Союза писателей...

Е.П.: Вариантов-то, конечно, еще много можно напридумывать, но...

А.К.: ...судьба, судьба его тащила, писательская судьба.

Е.П.: И, конечно же, два мощные крыла возносили – еврейское и русское.

А.К.: Вот почему я и считаю его – ну, нетипичным. Хотя... люди нередко преодолевают свое происхождение. Возьми, опять же, советских функционеров, разрушивших КПСС и СССР. Вот покойный Лен Карпинский, царствие ему небесное. Сын ленинского соратника, сделал карьеру по комсомольской линии, в «Правде» работал, потом оказался в диссидентах, потом – в героях перестройки. Сверстник Васи, кстати, ну, 1929 год рождения.

Е.П.: А у него разве отец был репрессирован?

А.К.: Ты что? У него отец был почетный революционер, Герой Соцтруда, друг и соратник Ленина...

Е.П.: Ну да...

А.К.: Готовили эти люди вроде Лена Карпинского, с которым я в «Московских новостях» работал и очень его полюбил, готовили перестройку, сделали перестройку, но Вася и туда не вписался...

Евгений Попов

Е.П.: Ты меня извини, я тебя сейчас перебью. Ты, конечно, правильно говоришь про уникальность Васиной судьбы, но, понимаешь в чем дело, закон больших чисел таков, что и таких вот *уникальных* судеб было если и не очень много, то много. Однако писателями мало кто стал из таких людей. Я хочу сказать, что тут на первом месте Божий дар писателю...

А.К.: Так я и говорю – Господь вел! Ему зачем-то нужно было этого писателя вытащить. Вот из этого пацана пятилетнего надо было вытащить писателя. И Он его тащил.

Е.П.: Ну, мы об этом будем в других главах рассуждать, хотя... почему бы и не сейчас? Если взять любой его текст – роман ли, повесть, рассказ, – все, что туда заложено, – из детства.

А.К.: Да, вот «Затоваренная бочкотара», знаковое, как говорится, произведение. Скажи, пожалуйста, кто из писателей-шестидесятников мог бы придумать и так написать старика Моченкина?

Е.П.: А кто бы мог ввести в текст такой как бы фольклорный ряд, всю эту «гутень, фесонь, мотьву купоросную»?

А.К.: Ну, кто б еще такое смог? Друзья Васины? Так они все писали только про горожан... Кто писал про бедных этих «стариков Моченкиных»? Хотя бы всерьез, как принято говорить, со «звериной серьезностью»? Кто? Только деревенщики, вот кто. То есть – другие шестидесятники. А эти шестидесятники, условно говоря Васины шестидесятники, они о существовании старика Моченкина понятия не имели. Они вообще не знали, что *такое* существует. Рядом. А Вася знал. Не будучи деревенщиком. И, будучи шестидесятником, не ограничивался горожанами, интеллигенцией...

Е.П.: Да, да. Шукшин потом стал таких Моченкиных писать.

А.К.: Шукшин?

Е.П.: Да, но чуть позже. После выхода сборника «Сельские жители» в 1963 году.

А.К.: Ну, во-первых, Шукшин в широком смысле писал *только* Моченкиных. У него такого героя нет, как в «Жаль, что вас не было с нами»... в иорданских брючках...

Е.П.: Почему? У него во многих рассказах есть «городские».

А.К.: Но он их всегда изображает несколько отрицательно, с непониманием сути жизни этой городской... А у Аксенова – полное понимание и тех, и других. Ему понятно все, да? Но ты правильно вспомнил Шукшина. Шукшин, может быть, был второй человек, который смог бы все это, о чем я говорю, понять со временем. Но ему, увы, времени не хватило. И хочешь не хочешь, а у Аксенова герой его книг – всех, от первой до последней, – народ. Народ.

Е.П.: Вот это да... Это очень интересно, конечно, но боюсь, что мэтр с тобой не согласился бы. Он ведь и Шукшина, мне кажется, не очень жаловал.

А.К.: А мне это все равно. Писатель сам про себя не все знает. Тема Аксенова – народ, герой – народ. Родословная – вот что у Аксенова определяет и тему, и героя. Ведь «Завтраки сорок третьего года» – рассказ про простых, очень простых людей.

Е.П.: Между прочим, даже этот его рассказ, который кажется кафкианским, набоковским, изысканным, – «Победа», рассказ про бродячего гроссмейстера, – тоже оттуда, из скудного казанского детства, рассказ все про них же, про простых.

А.К.: Конечно! И «На полпути к Луне» – это ведь про русский народ.

Е.П.: Да. Потому что ведь Кирпиченко из этого рассказа – абсолютно шукшинский герой. Однако рассказ «На полпути к Луне» появился на два–три года раньше, чем «чудики» у Василия Макаровича. Эх, и где, спрашивается, здесь исследователи? Был бы я помоложе, непременно подался бы в филологи, сопоставил бы вообще двух Больших Василиев русской литературы второй половины XX века – Аксенова и Шукшина – хотя бы на примере этого рассказа. Чтобы наконец понять – в чем они схожи, чем отличаются... У Аксенова здесь ведь уже *превалируют* лагерные, магаданские мотивы: ВОХРа, УСВИТЛ, ГУЛАГ.

А.К.: Все это уже после шестнадцати, когда он к Евгении Семеновне уехал. Ну, как он жил в Магадане у мамы, мы довольно хорошо знаем благодаря «Ожогу», где масса достоверных,

Евгений Попов

невыдуманных историй, которые можно соотнести и с ее «Крутым маршрутом». А вот как он жил с пяти до шестнадцати лет? Что ел, как ходил в школу, в какой степени нищеты пребывала приютившая его семья? По кусочкам что-то, конечно, собирается из упомянутых уже рассказов, но цельной картины нет, да и мелкие подробности ускользают. Его студенческая ленинградская жизнь в этом смысле более открыта благодаря каким-то воспоминаниям. Деталей последующей жизни, уже в качестве восходящей молодой звезды, – навалом. И от него лично, и из его сочинений. А вот как он учился в первом, втором, третьем, четвертом... восьмом классе?

Е.П.: И свидетелей тому все меньше и меньше. Вот писатель Георгий Садовников с ним, оказывается, еще в школе учился, но вспомнил об этом лишь через долгие годы. Ибо никак не мог ассоциировать всемирно известного писателя Василия Аксенова с тем вечно голодным Васькой в штанах из «чертовой кожи». И интервью у Аксенова начали брать, когда он уже стал звездой, в 60-е годы. Ты их почитай, там уже совершенно о другом идет речь: о *времени и о себе*, как говорится. Там в лучшем случае какой-нибудь вольномыслящий, чуть-чуть диссидентствующий интервьюер спросит что-нибудь разрешенное про матушку.

А.К.: Ну да.

Е.П.: Кстати, то, что она отсидела нечеловеческий срок, тоже, мягко говоря, не афишировалось. Я помню в журнале «Юность» кусочки ее «революционных мемуаров» о «тревожной комсомольской молодости». Создавалось впечатление, что это не она, а кто-то другой написал книгу «Крутой маршрут». И в интервью ее спрашивали всякую неинтересную чепуху вроде того, видела ль она Ленина. В гробу она его видела, извини за плоский каламбур.

А.К.: Еще об аксеновском происхождении. Смотри, ведь его мать, сначала молодая троцкистка, затем кандидат исторических наук, преподаватель университета, сотрудник газеты «Красная Татария», стала в результате жизненных перипетий замечательным писателем...

Александр Кабаков

Е.П.: Писателем-публицистом?

А.К.: Писатель – это писатель.

Е.П.: В энциклопедиях о ней до сих пор пишут «российская советская журналистка, известная мемуаристка».

А.К.: Она литературно была одарена, и этот дар, я думаю, перешел к Васе. Три составляющих все-таки в Васином происхождении.

Е.П.: Ну, два крыла я еще могу себе представить, а вот третье...

А.К.: Если бы не литература, если бы не эта *литературная наследственность*, у Васи была бы прямая дорога туда же, куда подались потом Петр Якир, Виктор Красин, Павел Литвинов.

Е.П.: Павел Литвинов – это уже другое поколение диссидентов. Он 1940 года рождения.

А.К.: Или наоборот – в безвестность, тишину. Извини, но мы тогда вряд ли имели бы шанс с ним познакомиться.

Е.П.: Ну да, не случайно же он вдруг начал сочинять стихи.

А.К.: И эта студенческая поэзия – она ведь не из воздуха возникла. Евгения Семеновна Гинзбург, повторяю, была не просто заурядная интеллигентная девушка, а высокой пробы литератор. Какой она была бы, оставаясь просто интеллигентной девушкой из хорошей семьи, читай в «Московской саге». Революционная гражданка Циля Розенблюм – это Евгения Семеновна, но без литературной составляющей собственной натуры. А с литературной составляющей – совсем другое дело. Я ведь почему в эту тему уперся? Потому что ведь нам он в конце концов интересен только как писатель.

Е.П.: Как и ему, пожалуй, в жизни интересно было в конечном итоге только писательство. А там... да... марксистка Розенблюм... командарм Градов... двадцатые годы.

А.К.: Революционная свобода нравов. Свободные отношения, коммунистические такие. «Здравствуй, товарищ!» – «До свидания, товарищ!»

Е.П.: Товарищ! У товарища уже дети были. У Павла Васильевича была дочка по имени Майя от первого брака.

А.К.: Так и у Евгении Семеновны до встречи с Павлом Васильевичем был сын. Алеша. Он в Ленинграде во время блокады

Евгений Попов

погиб. Очень свободный был взгляд на брак: главное – коммунистическое товарищество, а любовь, любовь сама по себе. Слава богу, Вася все это сам прекрасно описал в «Московской саге». Хотя... если бы я заговорил с Васей на эту тему, он бы нахмурился – ведь это литература, при чем здесь мама?

Е.П.: Но ведь он сам упомянутую Цецилию Розенблюм описывает иногда в несколько... иронических тонах.

А.К.: Не иногда в иронических, а почти всегда. В трагических – уже когда все наперекосяк пошло, когда сажать стали, когда героя революции Градова арестовали. Ну а как этот текст *воспринимать* – на то мы и читатели вольные, воспринимаем адекватно тексту. А то, что мы еще и Васины друзья, это как бы... ну, нам это всегда надо помнить, но в данном случае это – второе дело.

Е.П.: Не понял. Почему?

А.К.: Потому что достоверность возникает только на уровне максимальной писательской открытости. Хорошему писателю скрыть что-либо *личное*, о чем ему не очень хочется говорить, невозможно. Не получается. Это вот как кот, который хочет что-нибудь стащить, маскируется, пригибается, не подозревая, что за ним сверху наблюдают и все его уловки – как на ладони.

Е.П.: То есть писатель пишет и радуется, что *его никто не видит.*

А.К.: А его видят. Чаще всего – потом.

Е.П.: Не знаю зачем, но я вдруг вспомнил Васину историю, как они с отцом приехали на свою рязанскую родину, в деревню, и им утром в качестве завтрака подали четверть самогона и яичницу из тридцати яиц. Пояснили при этом уважительно: «Вы ж на отдыхе!» А я, слушая про это, понял, «из какого сора» возник великолепный рассказ «Дикой».

А.К.: У него цельное восприятие мира было, не только индивидуальное. Он мог понять и нам доказать, что старик Моченкин из «Бочкотары» вполне мог бы быть в услужении у старшего Лучникова из «Ожога». Он знал досконально, кто его персонажи, что думают, чем профессионально заняты.

Александр Кабаков

то был дом 20, квартира 21. Либо дом 21,

Точно! Потому что я больше года прожил
вартире покойной Евгении Семеновны, ког-
анах «МетрОполь». И была она рядом с Ва-
рвом этаже дома № 23 по улице Красноар-
этаже около лифта.

, который углом стоит?

Там в другом подъезде жил тогда Фазиль
у нас разговор забуксовал, уперся в квар-
ожет, настала пора подвести итоги нашей
ническим, намекающим на известное стихо-
нина названием «Когда был Вася малень-

вообще можно было бы назвать «Удивитель-
я В.П.Аксенова в стране большевиков, рас-
узьями». Ведь такая жизнь, как у него, мало
ей выпала. Вот смотри, у тебя, например,
шестнадцати лет ничего такого уж особенно
ичного не было. И моя жизнь до шестнадцати
сказать, не была, никак не протекала.

принципе. Обычное детство городского маль-

ознал за эти шестнадцать лет и богатство, и ни-
енное уважение, и горечь сиротского изгойст-
то практически с самого начала его жизнь бы-
ой, его ситуация с детства была уникальной. Ну
ь имя какого-нибудь другого маленького маль-
доучиваться в школе отправили на каторгу?

е я поостерегся бы сравнивать наши биогра-
ое поколение, мы росли совсем в иной социаль-

му не сравнить? Ты писатель, я писатель, он пи-
есть детская биография, у тебя и у меня. Она
т дело не в поколениях, а в том, что кому при-
и какие из этого испытуемым сделаны выводы.

Е.П.: Эту историю помнишь, когда Бунин юному Катаеву сказал: «Что-то у вас персонажи какие-то безликие. Дали бы вы
им хоть какую-нибудь профессию»? Катаев, гордясь собой,
приносит ему в следующий раз рассказик, где фигурирует зуб-
ной врач. Но никаких других следов врачебной деятельности
персонажа больше в рассказе нет, и мог бы этот дантист быть,
в принципе, кем угодно: студентом, гимназистом, присяжным
поверенным...

А.К.: Это ты к чему?

Е.П.: А к тому, что уж если у Аксенова в «Бочкотаре» матрос
Глеб, так он и думает по-матросски, и сны видит про боцмана
Допекайло и манную кашу. Или вот там же старуха, которая
ловит неведомого фотоплексируса и страдает от «игреца». Аксенов не эрудицией обладал, а неким писательским *знанием*,
почти мистическим.

А.К.: Что и позволяло ему быть точным практически везде.
Вот у него тот же Кирпиченко – характер магаданский, который в другом социальном слое, такой простодушный, невозможен. Это разве будет человек даже с немереными деньгами ле-
тать взад-вперед в Москву с Дальнего Востока? Но в это сразу
веришь. Потому что это Вася сказал. Тот самый Вася, который
дело знает. Ибо еще в детстве, когда вообще формируется человек, нахлебался этой дивной простонародной жизни в русской казанской нищей семье.

Е.П.: Да уж, нахлебался! Не случайно родственники писали его матери, когда узнали, что она уже освободилась: «За-
бирай Васяту, Женя, мы не знаем, что с ним вообще делать,
никого не слушается». 1948-й. Мне тогда было два года. А тебе сколько?

А.К.: Мне? Пять. Я тогда первый раз полетел на самолете.

Е.П.: Так ведь и он в первый раз полетел, но только ему уже
было шестнадцать. Но он летел самостоятельно! Для него ж
путешествие из Казани в Магадан с миллионом посадок – это
первое в его жизни большое, почти американское, как у Фени-
мора Купера, приключение. Аэропорт, небеса, мальчик в небесах. Сценарий «О, этот вьюноша летучий» не отсюда ли?

А.К.: И какое развитие все это *новое* получило в Магадане? Какие люди приходили в гости к матери и отчиму Антону Вальтеру! Он таких людей раньше вообще не видел в Казани! Там таких людей не водилось в его школьном и дворовом окружении. Окружении, хочешь не хочешь, *советском*. А здесь он увидел, скорей всего впервые, как в лагерном краю люди тайно, но и *свободно* молятся. Не боясь! Ты понимаешь, что для советского пацана было увидеть, как молятся не старушки старорежимные, а в общем-то молодые еще тогда друзья матери?

Е.П.: Или этот эпизод в «Ожоге», наверняка биографический, когда подросток напивается в теплотрассе среди «откинувшихся» политических и шлюх. И Антон, в романе Мартин, вытаскивает его оттуда. Ты об этом уже говорил, и ты прав: уникальный опыт. И, кстати, имперский, хотя бы географически. Шукшин ведь более локален, у него, пожалуй, только Алтай да Москва. Ну, еще черноморский курорт, куда прибывает отпускник из фильма «Печки-лавочки». У Шукшина нет этого магаданского ощущения огромнейшей страны…

А.К.: В «Печках-лавочках» как раз есть. Этот поезд, идущий через всю Россию…

Е.П.: У Шукшина есть один рассказ, как приезжает в алтайскую деревню богатый мужик с Дальнего Востока и покупает бедному родственнику мотоцикл с коляской. А за это, говорит, можно я на тебе покатаюсь? На твоей спине. Замечательный рассказ, но этот богатый дальневосточник описан глазами человека, всю жизнь прожившего у себя в деревне и о лагерных краях, «где золото моют в горах», знающего только понаслышке.

А.К.: Да ведь этот дальневосточник – практически аксеновский Кирпиченко, но только совсем чужой, несимпатичный и не *романтичный*. Вот она, литература!

Е.П.: А вот еще один эпизод из жизни даже не самого Василия, а Евгении Семеновны и Антона Вальтера. Они ведь после Магадана не сразу в Москву переехали, а сначала почему-то во Львов. Евгения Семеновна пыталась, значит, после того, как помер Сталин, восстановиться в партии и вообще реабилита-

Как сейчас помню, квартира 20.

Е.П.: Дом № 21. в однокомнатной к да мы делали альм синым домом, на пе мейской, на первом

А.К.: Это тот дом

Е.П.: Правильно Искандер… Что-то тирный вопрос. М первой главы с ёр творение про Ле кий…»?

А.К.: Этот текст ные приключения сказанные его др кому из писател с рождения и до яркого или экзот лет тоже, можно

Е.П.: Ну да, в чика.

А.К.: А Вася п щету, и обществ ва. Дело в том, ла очень стран скажи, ты знае чика, которого

Е.П.: И все фии. Мы – друг ной среде.

А.К.: А поче сатель. У него у всех есть. Ту шлось испыта

Центральная колонка (частично видна):

цию получит но, а во Льво

А.К.: Дума риторий СССР

Е.П.: Как т

А.К.: Да зас войны.

Е.П.: Вальте в 1959 году.

А.К.: За год гами».

Е.П.: Ты, кста если здесь не п

А.К.: Да по зн катилось.

Е.П.: А где он

А.К.: Не знаю.

Е.П.: Писательс «Аэропорт» позже

А.К.: Думаю, пр тидесятых.

Е.П.: Там квартир сти? Как матери зна

А.К.: Я думаю, ей ла очень известной.

Е.П.: Я тоже.

А.К.: Утешу тебя. знает. А знаем мы мн

Е.П.: Замысловато,

А.К.: Время ушло, помню, но могу ошиба ропорте» была двухко дения Кита, Алешки, он ловий» трехкомнатную. ваемую мастерскую. Ма большую комнату с низк

Е.П.: Выводы он сделал такие, что не случайно его считали к концу жизни то левым, то правым. Ибо и это тоже было заложено в детстве, где не было у него однозначных решений. А в дальнейшем – и черно-белого изображения окружавшей его действительности. В Магадане половина жителей были освободившиеся зэки. Если бы Евгению Семёновну арестовали второй раз не в Магадане, а в Казани, то ее сын был бы в городе как зачумленный, от него бежали бы, понимаешь? А здесь классная руководительница как ни в чем не бывало его спрашивает: «Вася, а почему ты не вступаешь в комсомол»?

А.К.: Это та, которая в жизни именовалась младшим лейтенантом Гридасовой? Колымская жена всесильного начальника Дальстроя генерала Никишова?

Е.П.: Да. И одноклассники его совершенно не чурались, хотя прекрасно знали, что его матушка уже в магаданской тюрьме, в «доме Васькова». Вот почему он столь ярко, хотя и неоднозначно описывал гэбэшников и «сталинских палачей», вообще всех, кто связан с репрессивными органами...

А.К.: Я все пытаюсь представить себе хоть кого-нибудь, кто поехал бы доучиваться в школе к матери на каторгу.

Е.П.: Но Евгению Семёновну к тому времени уже отпустили.

А.К.: Это неважно. Кто ж по доброй воле *из гражданских* ехал в Магадан: из Казани, из Москвы, из Ленинграда – откуда угодно? Кто ехал в Магадан? В Магадан везли! Странная судьба! Странная судьба...

Е.П.: Песня у Высоцкого была:

Мой друг уехал в Магадан.
Снимите шляпу, снимите шляпу!
Уехал сам, уехал сам,
Не по этапу, не по этапу.

А.К.: Ну, это уже шестидесятые. Хрущевская вольница.

Е.П.: А что тут, собственно, странного? Сидела бы его мать в Таджикистане, он в Таджикистан бы поехал. В Норильске – в Норильск.

Евгений Попов

А.К.: То есть он уже в шестнадцать лет принимал ГУЛАГ как часть своей жизни, как объективную реальность.

Е.П.: Я его как-то спросил: а как он в Казани отвечал на вопросы любопытствующих детей, где его родители? Вася втюхивал одноклассникам, что родители в длительной командировке на Севере. Помнишь «Судьбу барабанщика» Гайдара? Там у пионера Сережи отца, старого большевика, посадили, а мальчику сказали, что за растрату...

А.К.: А еще «Чук и Гек», помнишь?

Е.П.: Тоже подозрительный сюжет для эсэсэсэрии тридцатых годов. Мама с деточками живет в Москве, а папочка у них на далеком Севере, геолог, видите ли, в тайге. И они к нему едут на поезде через всю страну.

А.К.: В ссылку они к нему едут. Как наш Вася к маме.

Е.П.: Вот именно.

А.К.: Врастал. Это моя идея фикс. Аксенов врастал в страну, в народ. Он *проникал*, по всем линиям, повсюду проникал. Вот почему он и писатель такой. Не певец города, но и не писатель – чистый деревенщик. Не совсем писатель-модернист.

Е.П.: Не писатель чисто интеллигенции...

А.К.: А еще про него многие годы говорили, что он – молодежный писатель. Какой на хрен молодежный, если он до семидесяти пяти лет писал? Причем и про молодых, и про своих ровесников, и про стариков, которые живут триста лет. Молодежный? Нет. Народный? Нет! Интеллигентский? Нет. Он – просто писатель, каковым и должен быть настоящий писатель. И сформировало его таким – детство.

Е.П.: Детство и отрочество.

А.К.: Пожалуй, да. Юность у него была уже другая. Юность его писательская не очень-то отличалась от юности, например, Анатолия Гладилина, кумира второй половины пятидесятых. Недаром Василий Павлович и Анатолий Тихонович подружились. А что – московская молодая богема, бунтари! Но какое разное, подчеркиваю, у них было детство!

Е.П.: А вот с Трифоновым интересно получилось у Аксенова. Познакомились они как писатели, а подружились из-за общности судеб. Оба – дети репрессированных. И у Окуджавы отца расстреляли.

А.К.: А у многих других пишущих все складывалось куда благополучнее. Ну, например, у Роберта Ивановича Рождественского, когда-то известного не менее Аксенова. Понимаешь, многие люди, несмотря на то что в нашей стране творилось черт знает что, прожили в общем-то нормальную жизнь. И детство у них был нормальное. Никакое.

Е.П.: И когда я в «Бочкотаре» читаю полубредовый монолог Володи Телескопова, я вижу, что это невозможно написать, не проживши такую жизнь, как Вася...

А.К.: В том-то и дело.

Е.П.: Помнишь то место, где Телескопов хвастается, что когда он читал Есенина, то главбух рыдал? Так и видишь этого главбуха, расконвоированного в том же Магадане, где его некогда встретил школьник Аксенов и запомнил на всю жизнь. Пьянь и рвань декламирует «Не жалею, не зову, не плачу», растроганный главбух вспоминает всю свою несчастную жизнь...

А.К.: Я тебе скажу вот что: из меня вдруг лезут слова советского учебника литературы – «он вышел из гущи народной». Ты совершенно прав, не придумаешь ни с того ни с сего такую фразу. И не придумаешь, что плакал не кто-нибудь, а именно главный бухгалтер. Подобное нужно не один раз увидеть, услышать. С пьянью этой пожить надо, эта пьянь – люди, а не просто некая странная массовка, понимаешь? Надо угадать судьбу этого главбуха. Почему он в зэках выбился в придурки, а не застрял на общих работах? Подлец ли он? Если подлец, то почему прослезился, да? Это все надо видеть, это... Вася родился сразу в *своей стране*, не чужой. Не было бы писателя Аксенова без этого знания! Многие писатели, даже очень хорошие, страны не чувствуют, понимаешь? Не стану называть фамилий. Не из трусости умолчу, а потому, что это получится как бы в укор вполне уважаемым мною личностям.

Е.П.: Да и не надо. Я и так догадываюсь, кого ты имеешь в виду.

Евгений Попов

А.К.: И тут речь не идет о прозаиках, единственным достоянием которых был членский билет СП СССР. Те про людей вообще не писали. Я имею в виду, что они не писали о *советских* людях, пока эти люди еще существовали. О советских людях во всей их красе и о бочкотаре, которая у них «затоварилась, зацвела желтым цветком, затарилась, затюрилась и с места стронулась»... Но и многие люди с крупным писательским даром страну не чувствуют. Или не чувствуют *своей.* А Вася чувствовал. Хотя и был почти двадцать лет официальным советским писателем, а потом вообще эмигрантом.

Е.П.: Официальным – да. Но советским ли?

А.К.: Быстро же ты все забыл! А кем еще мог быть тогда официальный писатель, если не советским? Советский писатель со склонностью к инакомыслию, стандартный посетитель ЦДЛа, отдыхающий в Дубултах и Коктебеле, время от времени милостиво отпускаемый начальством за границу. «Ожог», ты скажешь? А кто тогда «Ожог» в стол не писал? Каждый советский писатель имел в столе свой «Ожог», включая деревенщиков и борцов «за возвращение к ленинским нормам».

Е.П.: Ну, допустим. Но откуда такая цифра – «почти двадцать лет»?

А.К.: Знаешь, когда он перестал быть советским писателем? Когда возвратил свой писательский билет в 1979 году в знак протеста против вашего с Ерофеевым исключения. Семьдесят девятый минус пятьдесят девятый равняется двадцать лет. Пятьдесят девятый – год его первой публикации.

Е.П.: И все-таки я думаю, что он, обладавший при Советах официальным признанием и неслыханной популярностью, всегда помнил бабушкин завет. Он мне рассказывал, что бабушка частенько говорила сыну, то есть Аксенову-отцу, нечто вроде: «Ты, Павлушка, высоко-то не возносись, падать больно будет». Ты представляешь, как вся эта деревенская аксеновская родня гордилась тем, что Павлушка – начальник Казани?

А.К.: Вот почему Васе не нужны были все эти «творческие командировки» – в колхоз, на завод. В смысле знания людей, знания страны его можно было бы сравнить только с лучшими из деревенщиков. Но и тем был ведом лишь один вид людей – крестьяне, которых большевики загнали в колхоз. А у него в жизни кого только не было – и врач Антон Вальтер, и бичи, и мужики вроде деда Моченкина, и столичная «золотая молодежь». Он не определенный слой людей знал – деревенских или интеллигенцию, – а весь народ. Поэтому я еще раз скажу: в этом смысле он был универсальным и уникальным русским писателем.

Е.П.: Но при этом в масштабах страны он был именно что *столичной штучкой*. Казань – столица Татарстана, Магадан – столица зэков, Питер, как нам нынче вдруг стало известно, – культурная столица, а Москва вообще столица столиц. Он и в эмиграции в столице поселился, в Вашингтоне. И везде он был *свой*. Это я говорю, как бы почетче выразиться, *для унификации* писательской *универсальности* и *уникальности*. А вот Виктор Петрович Астафьев, например, всю жизнь избегал столиц и умер в Красноярске. Это не для сравнения, не для выяснений, кто лучше, кто хуже. Это к тому, что Бог каждому свое судил. У Астафьева, кстати, отец тоже сидел «за вредительство». Я Астафьева очень уважаю, считаю его великим писателем, особенно после чтения его последней книги «Прокляты и убиты». Но вот у него в «Царь-рыбе» фигурирует некий московский хлюст Гога Герцев, которого он изображает в тонах, достойных советского сатирического журнала «Крокодил». Он явно не знает таких людей, а они, может быть, еще подлее, чем он думает.

А.К.: Или вот тебе другой пример – изумительно одаренный Василий Белов. Он когда своих, деревенских, описывает – все замечательно, все тонко, органично, весомо. И «Лад», и «Плотницкие рассказы», и «Привычное дело», и «Кануны». Но как только берется за горожан, например, в романе «Всё впереди», – неизбежно получается несмешная пародия неизвестно на что.

Е.П.: Беда. Беда. Хотя Астафьев этого своего Гогу в конце концов убивает. Понимаешь, гибнет человек, а жалости к нему никакой.

Евгений Попов

А.К.: А потому что эти гоги и беловские столичные ублюд-ки – чужие для Астафьева и Белова люди.

Е.П.: О, точно! Чужие! А для Аксенова все персонажи – свои. Даже вся эта гэбэшная и гулаговская сволота, которую он опи-сывает в «Ожоге». Даже ничтожный Фотий Феклович Клезме-цов из романа «Скажи изюм». Не говоря уже о положительных персонажах вроде Володи Телескопова или Вадима Раскладуш-кина. Аксенова и в этом упрекали, что он не злится, а улыбает-ся. Считали это признаком несерьезности, легковесности.

А.К.: Добродушная писательская улыбка – это тоже или да-но, или никогда. Действительно, почти все, написанное Аксе-новым, написано с добродушной улыбкой.

А.К.: Что ж, действительно пора подводить итоги. Писателя Аксенова с детства воспитала жизнь. Какая жизнь была – так и воспитала. Жизнь с деревенской нянькой, с мамой Евгенией Семеновной Гинзбург, троцкисткой, интеллигентной еврейкой, с папой – большевиком из крестьян...

Е.П.: ...и тоже большим любителем Троцкого.

А.К.: Верующая нянька, папа, мама, пацаны во дворе, шпа-на – всё это вместе. Стиляги, шанхайские джазмены, выпавшие в Казань, сама Казань с ее Волжской флотилией и Свияжском, инвалиды-фронтовики, эвакуированные, книги, стихи, предве-стие первой любви, «Рыжий с того двора», тоска по матери, от-цу – всё вместе!

Е.П.: Всё! На сегодня заканчиваем.

ПРИЛОЖЕНИЕ

Из заявления А.В.Аксенова в Управление детскими домами НКВД ТАССР

28 января [19]38 г.

Я – брат врага народа П.В.Аксенова, находящегося в настоя-щее время в Казанской тюрьме № 2. У П.Аксенова был сын Василий Павлович Аксенов – пятилетний мальчик, которого 20 авг[уста] 1937 г. органы НКВД взяли и распределили в детский распределитель НКВД. В настоящее время мальчик находится в одном из детских домов Костромского районо. Вот я и хочу просить вашего распоряжения о том, чтобы мне дали разрешение взять на себя заботу за содержание племянника, Васю. Тем более что в настоящее время органы НКВД возвращают детей репрессированных родителей их родственникам. Следовательно, я заверяю вас, что имею законные основания вернуть его к себе. Васильку будет у меня неплохо, ибо я педагог, люблю детей вообще, а его в особенности. Я обязуюсь обеспечить его всем необходимым, посвятить свою жизнь его образованию и коммунистическому воспитанию.

О себе сообщаю вам следующее.

В начале сен[тября] 1936 г. [...] ЦК ВКП(б) командировал меня в г. Сталинабад (Таджикистан) на педработу. В Сталинабаде я работал в Таджикском и вечернем пединститутах и в 9–10 классах средней школы в качестве преподавателя истории народов СССР и новой истории. [...]

1 июля я приехал к сестре в Казань, где имел в виду провести свой отпуск. 3 и 4 июля мне пришлось встретиться с П.Аксеновым. Он был тогда членом партии и работал на стройке гортеатра. 7 июля, после постановления президиума ВЦИК о предании суду П.Аксенова, последнего арестовали.

18 авг[уста] я вернулся из Казани в Сталинабад. 19 авг[уста] я сообщил секретарю парткома т. Назарову и члену парткома т. Кульчину о том, что мой брат и его жена репрессированы. Это заявление послужило причиной моего исключения из партии... [...] После исключения из партии 8 сентября последовал приказ дир[ектора] ин[сти]ту]та о снятии меня с препод[авательской] работы. [...]

С 19 авг[уста] я не работаю. После постановления январского пленума ЦКС ВКП(б) мне разрешают работать в средней школе, правда, не по специальности. Думаю, что в Москве мне дадут работу по моей специальности. Я 14 лет работал преп[одавателем] истории. Никогда я не имел взысканий за свою работу... С братом

Приложение

с 1934 г. абсолютно никакой связи не имел... За его преступные действия, о которых ничего не знаю, кроме газетного материала, я несправедливо несу бездушное надругательство.

Вот, кажется, и все.

А.Аксенов (подпись).

P.S. Если в Москве разрешится вопрос о моем назначении на работу в тот или другой край, то я прошу вас разрешить Васильку жить в Казани у моей сестры.

ГЛАВА ТРЕТЬЯ
СТИЛЯГА ВАСЯ

ЕВГЕНИЙ ПОПОВ: Даже интересно, что после темы судьбоносной – детство – писателя, мы говорим о пижонстве Аксенова.

АЛЕКСАНДР КАБАКОВ: А это тоже судьбоносное…

Е.П.: Да, я полагаю, что его стиль, одежда, и не только одежда, много могут сказать о нем. Я здесь очень надеюсь на тебя, потому что, извини, ты тоже пижон, тряпичник. Потому что у тебя…

А.К.: Хорошо, я тряпичник. Какой я тебе тряпичник?! Я вообще моду не признаю.

Е.П.: Извините, пожалуйста, Александр Абрамович.

А.К.: И прошу впредь…

Е.П.: Все, все, я признаю, полностью разоружился. Я только хочу сказать, что у тебя тоже, как и у Аксенова, цепкая память на детали, на названия, одежды в том числе. То есть внимание к вещному миру вообще.

А.К.: Да, это есть. Но что касается Васи – он был при этом странным образом невнимательным к вещам, я бы так сказал, меньше определенного масштаба.

Евгений Попов

Е.П.: Интересное наблюдение. Ведь его, наоборот, упрекали многие за внимание именно к мелочам.

А.К.: У меня есть этому, настаиваю, невниманию к мелочам объяснение. Когда Вася перестал быть сыном советского начальника, у которого было много всяких вещей, игрушек например, он стал сиротой, у которого не было ничего. Бедные люди не помнят деталей, потому что у них ничего нет, нечего помнить...

Е.П.: Ну как это у них ничего нет?

А.К.: А что, у Васи игрушек было много? Тряпичный львенок — он его на всю жизнь запомнил.

Е.П.: Вот именно! У бедных вещей мало, вот они их и запоминают. Я не могу сказать, что жил в богатой семье, но я, например, помню прекрасно с шестилетнего возраста свои вельветовые штаны, которые застегивались на...

А.К.: ...пуговичку под коленкой?

Е.П.: Совершенно верно, на пуговичку под коленкой. Вельветовые, и цвет их помню, такие коричневатые. Что ж мне еще помнить, если не их? Именно потому, что небогатые, все запоминалось. Так что твое объяснение твоему же наблюдению, что Вася был невнимательным к особо мелким вещам, не проходит.

А.К.: Ты был небогатый, а он был нищий. Надо отдавать себе отчет: когда он по родственникам скитался, он нищий был, у него не было ничего. У него не было игрушек или почти не было игрушек.

Е.П.: По-моему, если прочитают это родственники Аксенова, они обидятся. Его дядя был не разнорабочим, он был все-таки преподаватель чего-то там, какого-то марксизма-ленинизма.

А.К.: Его, когда взяли Павла Васильевича, погнали с работы.

Е.П.: Но все-таки, если у мальчишки была крыша над головой, то были и игрушки, хоть какие-то. Львенка, правда, у него в детдоме в первую ночь украли.

А.К.: Вот я и говорю... А игрушки развивают в человеке внимание к мелким вещам, они мелкие сами, они соразмерны мелкому человеку. И Васе в детстве было не на чем развивать такую память. А возникла и развилась эта память на вещи, в том числе и мелкие, у Васи, когда он стал подростком и юношей. Когда он стал стилягой. Потому что из этого и возникали стиляги – из неприятия окружающего мира и его мелких, даже мельчайших вещей. И потом Васино это стиляжество стало знаменитым. Спроси у среднего читателя: Василий Аксенов – кто такой? Это знаменитый человек, писатель и стиляга. Это просто вторым идет после писательства.

Е.П.: Чтобы все понять, достаточно посмотреть на фотографии Василия Павловича за многие годы. И на них видно, что он, конечно, стиляга. Но мне кажется, что вообще-то он не был типичный стиляга...

А.К.: Вот это правильно и довольно тонко. А был типичный – знаешь кто?

Е.П.: Кто?

А.К.: «Комсомолец примодненный» – это оголтелых стиляг выражение. И это было определение не нравственное, тем более не политическое, а чисто стилистическое, эстетическое, внешнее. В моей молодости было, и до меня было. «Комсомолец примодненный» – это что такое? Так, на вид не придерешься, комсомолец: костюмчик, галстучек, причесочка... А посмотришь внимательно – а причесочка-то с коком!

Е.П.: Во-о как...

А.К.: С небольшим, но коком. А небольшой кок – это, между прочим, куда круче, как теперь говорят, чем большой, потому что большой носили только сумасшедшие, оголтелые, которые по Броду, по Пешков-стрит, то есть по улице Горького в Москве ходили взад-вперед и больше ничем не занимались, ничего собой не представляли. И вкус у них был так себе, не вкус, а только протест – вот, не хочу быть как все вокруг. А небольшой кок носили студенты Гарварда. И костюмчик – вроде наш он, костюмчик, да не наш, а съездили его сшить в город Таллин, который теперь пишется с двумя «н» вопреки правилам не только русской, но и всякой человеческой орфографии, да, в Таллин съездили, и он весь совершенно не наш костюмчик. А то это и вообще чудом долетевший из самого города Нью-Йорка костюмчик от *Brooks Brothers* — чудом, через двадцатые руки — и осевший на таком счастливчике... А такой скромный, вроде бы и наш костюмчик, понимаешь?..

Е.П.: Совершенно верно, и ботиночки соответствующие. Гэдээровские ботиночки или чешские.

А.К.: Вот и видно по тебе, что ты маленький мальчик сорок, значит, шестого года рождения, и сиди, когда старшие говорят. Не было в конце сороковых в нашем обращении ни гэдээровских, ни чешских ботинок «Цебо»... А было две вероятности. Либо это были ботиночки «на тракторах», иначе говоря, «на манной каше», то есть знакомый сапожник наклеивал пластину сантиметра в три из белого каучука на подошву обычных ботинок. Но это был дурной вкус, был свой дурной вкус у стиляг. Либо надо было пойти в магазин «Военторг» и использовать совершенно противозаконные методы, а именно: уговорить старшего лейтенанта, который там что-то себе покупал. Милый такой молодой человек, красивый, прилично одетый, как я сказал, примодненный комсомолец, подходит и говорит: «Товарищ старший лейтенант, мне же не продадут, у меня же офицерского билета еще нет, я вот пока только в медицинском институте учусь в Ленинграде, возможно, попаду врачом на военно-морской флот, вы мне не купите, вот денежки, на ваш офицерский билет форменные морские ботинки?»

Е.П.: Что за ботинки?!

А.К.: Сейчас узнаешь... Ну, старший лейтенант покупает ботинки, а ботиночки-то эти хоть советского изготовления, а почти ничем не отличаются от хороших американских, которые теперь малосведущие люди называют стиль инспектор, и которые на самом деле называются *"wings type"*, то есть «типа крыльев», и которые в те времена назывались «шузы с разговорами». Ну, с узором таким на носах... Конечно, кто побогаче или у кого родители ездили за границу бороться за мир, те могли и настоящие американские заполучить. Можно было в случае удачи и фарцануть у иностранца, изловив его возле гостиницы... Но мы говорим не о профессорском сынке и не о бездельнике уличном, а о сыне «врага народа», студенте-медике с литературными интересами, да? Какие у него были возможности? С помощью подручных материалов создавать неброский, университетский гарвардский стиль… Я этого ничего точно не знаю, я это, так сказать, реконструирую, насколько вообще знаю такую среду и то время… А Вася-то как в воду глядел! Готовился – и попал-таки в американский университет…

Е.П.: Ну, я же говорю, ты тряпичник. Я вот этого не знаю ничего.

А.К.: Правильно, премного вам благодарны. За хорошую работу всегда получаешь по роже.

Е.П.: Ты же сам себя называл барахольщиком. И вот какие детали замечаешь, я вполне верю в эту сцену.

А.К.: То есть я ее, конечно, придумал, но она реально могла быть. Итак, что получается? Вася стал пижоном, стилягой, и вот с того времени он начинает запоминать вещи. В детстве этой памяти не было, поэтому мелкие вещи детства он не помнит и ошибается часто, в сочинениях ошибается. А вещи, соразмерные взрослому человеку, он хорошо помнит и никогда в них не ошибается.

Е.П.: Ты, наверное, прав, потому что он сам об этом пишет. О том, что он стыдился джинсов, которые из американской посылки во времена ленд-лиза получил, он смотрел на джинсы с отвращением потому, что это была рабочая спецодежда, вместо шевиотовых нормальных штанов ему дали джинсы. То есть понятно, что он тогда ничего такого, что отличало бы его от других ребят, никаких вещей, полных мелких интересных деталей, не хотел. Интересно, как он выглядел до пижонства?

А.К.: Есть фотография. Обычный мальчик из небогатой интеллигентной семьи.

Е.П.: А потом одежда огромнейшую роль играла в его жизни. Он и старик был элегантный, даже неправильно употреблять это слово – «старик» – по отношению к нему. Он до самой смерти был элегантный и умирал элегантный… Прекрасно одет был всегда, вернее, я даже не знаю, прекрасно или не прекрасно, я в этом не понимаю, но он всегда одет был стиль-

Евгений Попов

но в том смысле, что у него всегда все было продумано: рубашечка, галстучек, жилеточка...

А.К.: Вася был... Вот я себе не представляю такую сцену: Вася очень плохо себя чувствует – а в последние годы такое бывало, и нередко, – и вот он встал и натянул что попало. Не могло такого быть никогда! Извини, не следует, наверное, тут о себе говорить, но раз уж ты меня назвал барахольщиком, а до этого тряпичником...

Е.П.: Ты себя сам назвал барахольщиком.

А.К.: Так вот: я посмею сказать, что когда я буду помирать, если в этот день я все-таки еще смогу одеться, я не надену на себя случайное, что попало. Не могу, физически не могу! Вот физически не мог так поступить и Вася. И это просто такой тип мужиков, кстати сказать, интернациональный, не связанный так уж жестко с советским дефицитом всего и потому вещевым голодом, с нехваткой джинсов для трудящихся, – нет, это интернациональный тип.

Е.П.: Ну да, вот я смотрю на тебя и на себя – понимаешь, я-то как раз ровно наоборот: что есть под рукой, то и надену. Вот сейчас, например, я сижу в валенках, в старых джинсах, в непонятном свитере, который я откопал неизвестно где. А ты у нас сидишь в жилеточке, в рубашечке фирменной, в вельветовых брючках, да еще у тебя такая куртка сверху – уж не знаю, как на вашем языке это называется, может быть, «с разговорами» тоже куртка у тебя?

А.К.: Ты насчет себя если хочешь повыступать, то выступай, конечно, это дело твое, и право твое, ты человек свободный, в свободной стране живешь, в одной из самых свободных стран, если не самой свободной. А относительно твоих обобщений я замечу, что ты зря обобщаешь. Мало тебя партия учила...

Е.П.: Вот не люблю, не надо крутить. Что ты хочешь этим сказать?

А.К.: А вот что: я таких людей знал, которые точно так же, как и ты, плевали на продуманную элегантность, а получалось неплохо. И про себя ты придумываешь... Вот знаешь, кто именно такой человек был? Который как бы настолько забил на всю элегантность, что был сама элегантность? Это был Довлатов.

Е.П.: Ну, я бы не сказал, что он забил. Вот забил на всю элегантность художник Зверев, это да.

А.К.: Ну, он бомжем был. И тоже ведь, если присмотреться, был как-то элегантен!

Е.П.: Ну уж я не знаю, какая это элегантность...

А.К.: А такая, что он кирзовые сапоги даже носил стильно.

Е.П.: Я-то его видел в таких пэтэушных ботинках, без шнурков.

А.К.: А я его видел в кирзовых сапогах. И вот так выглядел! Знаешь, что я тебе скажу, Жень? Одаренные люди неэлегантными не бывают.

Е.П.: Это верно, но дело в том, что ведь Василий-то Павлович поддерживал стиль вполне сознательно, а не то что ему это было все равно...

А.К.: Правильно, я ж говорю, бывают такие люди, которые просто не могут одеться непродуманно. А Вася из этого вообще идею сделал.

Е.П.: Сделал идею. В его сочинениях нетрудно найти множество мест, где описано, как одеты люди, описано со значением. Например, он описывает какого-то известного поэта, называя его, извини, «дурно одетый марксистский пиздючок, весь пропахший ссаками»...

А.К.: Думаю, что это портрет.

Е.П.: Под такое описание многие советские писатели подходили. И вот за это Васю всякая критика, и советская, и антисоветская, порицала. Советская ругала за то, что он тряпичник, барахольщик, что он западник и преклоняется, обязательно у него марка рубашечки указана. И за это же, в сущности, его порицало суровое диссидентство: тут народ страдает, а он...

А.К.: Даже более строго порицало, чем советская критика.

Е.П.: Ну, может быть, и более строго. Советская власть, я думаю, вот почему на самом деле его порицала: она вообще боялась реалий.

Евгений Попов

А.К.: Несанкционированных? «Как в жизни»?

Е.П.: Она боялась любых реалий. Я сейчас тебе пример приведу. Казанский же человек Роман Солнцев мне жаловался. Он печатался при советской власти вовсю, но как же его мучили редакторы в «Молодой гвардии», где он издавался! Например, он пишет «налил стакан кисленького винишка "Мицхет"», а ему – убрать «Мицхет» и написать «налил стакан сухого белого вина». Почему-то у них были секретами все реалии жизни.

А.К.: Ну, это понятно почему. Потому что ты либо описываешь жизнь со всеми реалиями, с названиями и так далее, либо ты описываешь союзписательскую херню, никакого отношения к жизни не имеющую, а придуманную особыми писательскими головами. Они хотели, чтобы все описывали союзписательскую херню.

Е.П.: То есть вымышленный мир, где какие-то вымышленные советские люди ходят не в рубашках таких-то или таких-то, а ходят в некой мистической *вообще* одежде советского человека. Ты прекрасно помнишь, как выглядела толпа в пятидесятых годах, – сейчас она резко отличается: это, во-первых и в-главных, серо-черный цвет, во-вторых, всё одинаковое, как форма. Вот сейчас, какая ни была бы жизнь отвратительная, но одно уж точно хорошо – разноцветье...

А.К.: Давай мы вернемся вот к чему. Итак, Вася стал стилягой. А как он стал стилягой? Я считаю, что в два этапа... Нет, в три. Первый этап – оркестр Олега Лундстрема, джаз репатриантов из Шанхая приехал в Казань. Вася их увидел – а музыку такую он уже слышал по радио, на пластинках довоенных – и тут он увидел, как выглядят люди, соответствующие этой музыке, причем это же были почти свои люди, русские. Ведь это же был не Дюк Эллингтон, про которого Вася уже что-нибудь, может, знал, имевший имя-прозвище Дюк – то есть «герцог» – за благородство, который, как известно, дважды не надевал один костюм, а костюмы шил исключительно на заказ у одного портного, а когда этот портной умер, он продолжал носить эти костюмы независимо от моды; и не красавец Каунт («граф») Бэйси в безумно дорогих шмотках! Нет, Вася увидел русских шанхайцев – да еще где? В Казани. Где они, будучи русскими людьми, уже вовсю жрали водку, а в залог, если не было денег, оставляли дорогие, но сношенные фирменные шмотки. И вот возникает история верблюжьего пальто, описанная Васей, – как он купил в комиссионке верблюжье американское пальто, которое сдал один из лундстремовских музыкантов, как доносил его до марлевого состояния и не хотел с ним расставаться…

Е.П.: Это первый этап?

А.К.: Да. Вася впервые увидел то, что из него сделало стилягу. Второй этап – когда он приехал в Ленинград. Все эти много раз описанные им ветры Невского проспекта, задувающие с Запада, да? А на самом деле он, будучи человеком талантливым, в Питере немедленно сошелся с такими же талантливыми молодыми людьми. Вот этот вошедший в историю детдом ахматовский… А они, в свою очередь, будучи талантливыми молодыми людьми, были обязательно, это неизбежно, питерскими стилягами. Это второй этап. Вася почувствовал нечто новое: ну, шанхайцы понятно, они приехали хрен его знает откуда, Шанхай, но вот он, Питер, русский город, Ленинград – а совершенно другая, не советская имеется жизнь, совершенно по-другому, не по-советски выглядят некоторые люди. И там, почти в это же время, формировался почти что вечный, в высоком смысле, Васин антипод – Бродский Иосиф Александрович.

Е.П.: Совершенно верно. Как раз я хотел сказать, что это был общий их стиль. Сейчас напечатаны мемуары одной итальянки, она жила в Венеции, очень интересные мемуары. Так она пишет, что так с ними со всеми, с питерскими гениями, и познакомилась, потому что она Иосифу Александровичу привезла две пары джинсов. И не любят, не любят вспоминать «ахматовские сироты» – впрочем, они, естественно, и это название не любят, ну, прошу прощения… Да, не любят вспоминать, что Иосиф Александрович имел в компании звание «гений комиссионок».

Евгений Попов

А.К.: И наш Василий Павлович не чужд был комиссионным магазинам. Его рассказ «Две шинели и Нос» – именно про то, как он в казанской комиссионке покупает пальто лундстремовского музыканта, американское верблюжье пальто, а потом, доносив его до рядна, в ленинградской комиссионке покупает пальто, сшитое из офицерского шинельного отреза... Ну, мы об этом еще вспомним. И третий этап – переезд в Москву и ЦДЛ. Три этапа – шанхайцы, питерская золотая литературно-художественно-невскопроспектная молодежь, переезд в Москву и ЦДЛ, «пестрый» буфет. В ЦДЛе, при всем том, что там сидел Суров, при всем том, что там витала...

Е.П.: Путаешь, не Суров, а Васильев там сидел.

А.К.: Суров.

Е.П.: Поэт?

А.К.: Драматург, критик Суров. Антисемит, который сидел и жидов считал. Как сосчитает, так стакан выпьет и еще злее станет.

Е.П.: Но был другой еще, про которого написано было: «Поэт горбат, стихи его горбаты. Кто виноват? Евреи виноваты». Это не про Сурова?

А.К.: Не знаю, про кого... Неважно, это не по теме. Итак, ЦДЛ, Центральный дом литераторов имени Фадеева, цитадель праведной идеологии и стукачества, и, как правильно заметил Василий Павлович, пахло там ссаками – от этих людей. Там бывали люди, которые считали, что чистить зубы – это антисоветский выпад. Но при этом бывал и Симонов с английской трубкой из огромной своей коллекции, с хорошим английским табачком, в куртке кожаной летной американской... А? «Над утлым носом нашей субмарины...» И Илья Григорьевич Эренбург редко, но бывал. И с трубочкой не хуже, чем у Симонова, а костюмчик-то просто сшит, извини за выражение, в Париже...

Е.П.: А другие борцы за мир? Не столь элегантные, но тоже хорошо одетые.

А.К.: А другие, как ты совершенно верно заметил, извини, почти процитировав мое сочинение «Подход Кристаповича», другие «борцы за мир» тоже не отставали. И таких борцов за мир там было немало. И они были отвратительны Васе, потому что, конечно, ничего общего, допустим, между советским агентом влияния Ильей Эренбургом, известнейшим агентом влияния, и примерно таким же Константином Симоновым – и Васей тогда быть не могло. А тут еще где-то и Полевой в приличном твидовом пиджачке, тоже пиджачок не из «Москвошвея», ты понимаешь...

Е.П.: Полевой? Не Катаев?

А.К.: Конечно, Катаев, это я заболтался. Полевой тут ни при чем, он потому у меня всплыл, что Катаева на «Юности» сменил... И ничто так не шло к английскому твиду Валентина Петровича, как золотая звезда Героя Соцтруда.

Е.П.: Это точно! Именно очень шла золотая звезда...

А.К.: А с такой золотой звездой на твиде бывал не только Катаев, а и Сергей Владимирович Михалков, царство ему небесное. Этого я сам несколько раз наблюдал, и по-другому, кроме как в дорогущих, первосортных, заоблачных английских твидовых пиджаках и с золотой звездой Героя Соцтруда, в другом виде он там, в ЦДЛе, не появлялся. Зайдет, возьмет коробку пирожных – и домой, через дорогу, на Воровского, то есть, конечно, на Поварскую... И вот Вася оказывается среди этих не худо одетых, но совершенно ему чуждых монстров, богатырей совписа. А с другой стороны – и ровесники Васины не отстают, шлюзы оттепелью открыты, пошли у них публикации, гонорары, заграничные поездки – ну, у кого больше, у кого меньше – появились соответствующие и возможности приодеться. А поскольку мы договорились, что всякий талантливый человек по-своему элегантен, стилен, то появились и чемпионы элегантности. Вот, пожалуйста, – Евгений Александрович Евтушенко. В этом случае, конечно, не столько об элегантности следует говорить, сколько об экстравагантности, но экстравагантности первосортной... А Андрей Андреевич Вознесенский! Человек, показавший всему СССР, что такое шейный платок! А Белла Ахатовна Ахмадулина в скромненьком черном платьице, которое вечно в моде и называется маленькое чер-

ное платье, в точно таком же платье, как Эдит Пиаф! А Евтушенко тогда все-таки еще стеснялся носить вышитые латино-
американские рубахи, но он носил, например, темно-синий
джентльменский костюм с ярко-алой подкладкой, что очень
стильно, ничего не скажешь.

Е.П.: Ну и память у тебя...

А.К.: А Андрей Андреевич выходил в Политехническом просто в клетчатом сером пиджаке, клетка пье-де-пуль, то есть
«куриная лапка», и это был та-акой вызов... Как думал стукач,
который сидел в первом ряду? Ты советский человек, тебе до-
верили сцену Политехнического музея, вот справа Кремль, вот
слева – ЦК КПСС, вот прямо – КГБ, а куда ж ты, вражина, в таком
пиджаке вышел, да еще и с платочком на шее? А иногда и того
хуже – в свитере, как работяга, и эта Ахмадулина тоже в свитере, неприлично даже. Разве что скромный, да и бедноватый по
тем временам Окуджава, недавно вернувшийся из Калуги, выглядел по-советски...

Е.П.: Его верх элегантности был, я помню, твидовый же пиджак с замшевыми заплатками на локтях...

А.К.: Это уже много позже было... И вот, понимаешь, оказывается наш Вася, казанский, потом питерский парень, в такой
среде. И формирование стиляги заканчивается. А начинается
то, что вообще очень характеризует Аксенова: он быстро становится первым литературным стилягой, первым, как он и во всем
становился первым... Надо представить себе, отчасти вспомнить тогдашний литературный быт. Существовала новая, молодая, русско-советская литература: прозаики Гладилин, Кузнецов, поэты Евтушенко, Вознесенский, Ахмадулина, Рождественский... Яркие все люди, просто в быту яркие, стильные,
шикарные... В этой среде не то чтобы стиляги все, но все заметные, стильные и, не в последнюю очередь, уже неплохо зараба-
тывающие, за границей бывают... И тут: здрасьте, я Вася. А что
происходит дальше? А дальше Вася становится номер один – ну,
или около того, – среди них как автор, и Вася становится номер
один среди них как стиляга! Суть вот в чем: Аксенов может жить
только номером первым, он просто сориентирован с молодости

на это, он возмещает Казань, нищету, всю эту как бы второсортность сына «врага народа» – и теперь он номер один. Будем откровенны: вот Гладилин, с которым они очень дружили всю жизнь. Толя ведь начинал ту прозу своей «Хроникой времен Виктора Подгурского», помнишь, в «Юности»?

Е.П.: Неужели ж не помню...

А.К.: И вот Вася Толю Гладилина «сделал на повороте» – Анатолий Тихонович, как любитель скачек, мне это выражение, надеюсь, простит.

Е.П.: Интересная у тебя мысль... А не полагаешь ли ты, не подходишь ли ты таким образом к причине его смерти, например?

А.К.: До смерти еще доживем, Жень, поговорим еще об этом... А пока – первый, первый номер.

Е.П.: Ты говоришь, а у меня все в голову лезут различные наблюдения и воспоминания. О том, кто хорошо был одет в среде советскописательской. И вывод такой: дело не в том, кто был хорошо одет, а кто отвратительно, а в том, что одежда Аксенова всегда была еще и протестом.

А.К.: Вот у вас, товарищ секретарь Союза советских писателей, твидовый пиджак с золотой звездой, а я буду еще покруче. И даже подороже.

Е.П.: Да, и подороже, потому что знайте, что эта страна наша, а не ваша. И мы не хуже вас, а лучше, и одеты даже лучше. Это такой конформизм, но как-то так... наоборот. И в этом много подросткового, юношеского. А в позднем Аксенове, в поздней прозе, исчезли названия марок и всего прочего, он уже не пишет, какой сорт виски пил. В жизни стиляга остался, а из литературы это ушло.

А.К.: Я тебе даже скажу, на чем это кончилось. Это кончилось на его первом, на мой взгляд, настоящем американском романе «Новый сладостный стиль».

Е.П.: Согласен. И вот еще что: все это внимание к вещам, к брендам, как теперь говорят, ведь было у него вначале наивно и в литературном смысле старомодно, традиционно. У писателей XIX века все это было.

Евгений Попов

А.К.: Правильно, начнем хоть с Пушкина.

Е.П.: Да, еще не было человечество развращено, не видело в каждом упоминании какого-нибудь предмета и его марки скрытую рекламу. Да ее и не было вообще…

А.К.: Поэтому у Пушкина чуть ли не в каждом стихотворении – бренд.

Е.П.: И никто не упрекал его в этом, никому в голову не могло прийти… А Василию Павловичу, кроме естественного для писателя стремления описать реальную жизнь, а не совписовскую – ну, мы уже об этом говорили, – было наслаждением упомянуть марку, потому что он ее знает, понимаешь? Мне кто-то сказал из славистов еще в восьмидесятые, что поэтому чувствуется в Аксенове советский человек, а мы, он сказал, просто не замечаем этих марок.

А.К.: Со славистом не согласен. А Пушкин тоже был советский человек? Или он другой рифмы к «обед», кроме как «брегет», придумать не мог?

Е.П.: При чем здесь Пушкин-то?

А.К.: Пушкин тоже советский человек?

Е.П.: Брегет – это уже стало нарицательным названием часов.

А.К.: После Пушкина.

Е.П.: Да, факт, признаю.

А.К.: После Пушкина, дружок мой, а во времена Пушкина «Брегет» был просто фамилией производителя и новомоднейшей маркой очень дорогих швейцарских часов. Собственно, и до сих пор…

Е.П.: Ну да, и, кстати, эта, как ее, шляпа-то…

А.К.: Боливар.

Е.П.: Точно, боливар. Пожалуйста.

А.К.: «Надев широкий боливар…» Что это значит? Это значит, что, во-первых, Онегин – модный человек, он носит широкополую шляпу модного фасона. И, во-вторых, какого именно модного? Вольнодумного, революционного, названного в честь южноамериканского революционера Симона Боливара. Это примерно так, как в разгар левацкой моды – майка с Че Геварой. Или как в семидесятые – джинсы аксенов-ские, хипповые, клеши...

Е.П.: Ты себя цитировал, а мне-то ведь тоже хочется... Я придумал ставшее популярным выражение: мол, вся современная русская проза вышла из аксеновской джинсухи... Это очень относится к нашему нынешнему разговору. И сейчас я тебе расскажу о происхождении этой, возможно, спорной мысли, понимаешь. Значит, дело в том, что, когда я жил в квартире... в квартире покойной Евгении Семеновны Гинзбург, там висела Васина куртка джинсовая, очень красивая, такая, с беленьким воротничком, примерно в таких сейчас ходят многие бомжи... понимаешь.

А.К.: Воротник из искусственного меха.

Е.П.: Да, из искусственного меха. И мне эту куртку страшно хотелось поносить, понимаешь, но я боялся, что я курточку-то возьму, выйду – и Васю встречу. Нехорошо. Я поделился сомнениями...

А.К.: Да и затрещит тулупчик-то...

Е.П.: Нет-нет, еще все о'кей было тогда, тогда еще у меня был вес примерно на пятнадцать килограммов меньше. И вот я поделился этими сомнениями с другом, Виктором Владимировичем Ерофеевым, а он человек добрый, значит, не прочь дать совет товарищу, и он мне дал совет.

А.К.: Бесплатный.

Е.П.: Да, бесплатный. Он сказал: ты курточку-то бери и иди в ней гулять в метро, и там можешь гулять в ней хоть весь день.

А.К.: Потому что Вася там не бывает.

Е.П.: Ну да, Вася уже тогда в метро не ездил.

А.К.: Так ты надел эту курточку-то?

Е.П.: Нет. Здесь уже возникает тема моих отношений с Василием Павловичем Аксеновым – не только духовных, но и материально-одежных. А эти отношения тоже много говорили о нем, о его вкусе. Я помню, он на какой-то день рождения подарил мне замечательную элегантную жилеточку, такую красную.

А.К.: А, я помню ее...

Евгений Попов

Е.П.: До сих пор мой сын Вася носит ее.

А.К.: Я помню ее, стильная. Наверняка куплена в Лондоне.

Е.П.: Нет, это он подарил еще до того, как уехал.

А.К.: Ну и что? Что, он до отъезда в восьмидесятом году в Лондоне не бывал?

Е.П.: Да, может, и привез... А уже после его отъезда, через какое-то время, мне звонит одна иностранная дама и говорит: вам от вашего друга Василия есть одна вестчь, так примерно она произнесла. Теперь-то она без акцента говорит, вышла замуж за русского и здесь живет... Да, и вот мы встречаемся с ней в лютую стужу около гостиницы «Пекин», я получаю сверток, а там так называемый дутик – пальто тогда модное.

А.К.: Ни фига себе! Это ж объемный был подарок...

Е.П.: И вот я в Васином дутике хожу...

А.К.: Хорошая вещь, во-первых, элегантная, во-вторых, полезная, теплая.

Е.П.: И сапоги мне Вася же прислал, называлась фирма вроде «Билли Джеймс», эта надпись была на подошве, идешь, а на снегу отпечатывается – «Билли Джеймс», «Билли Джеймс», «Билли Джеймс»... Я это даже в рассказ один вставил. Да... Слушай, раз уж мы Бродского упомянули, есть история и о нем в связи с передачей одежды из-за бугра. Это ведь прямо ритуал такой был... Как только отъехал наш дорогой Юра Кублановский, его вышибли, и примерно проходит полгода, мне звонит француз какой-то, назначает встречу, я, значит, покупаю две бутылки шампанского, встречаю его на метро «Университет» – он жил в университетской гостинице, – мы идем с ним в какой-то гнусный шалман, выпиваем две бутылки шампанского, француз пьянеет и говорит, что вот на нем дубленка, она такая потертая, прямо надо сказать, но очень дорогая, не сомневайтесь, и это ваш друг Кублановский вам послал, и он просил, чтобы вы мне дали взамен, ну, какую-нибудь любую одежду. А я был тогда в стужу, прямо надо сказать, одет в китайский плащ, причем очень старый. И я говорю, вы знаете, у меня вот только китайский плащ. А он говорит: «Это настоящий китайский плащ? И вы мне можете его отдать?!» Он был в восторге. А плащ синего такого мерзкого цвета и продувается насквозь... К изумлению пьяни в этой пивной, которая удивлялась, чего два придурка сначала пили шампанское в пивной, а потом один снял дубленку дорогущую и отдал другому, который ему плащ поганый взамен отдал... Ну, подумали ханыги, или допились, или в карты проиграл.

А.К.: Хорошая сцена, очень литературная.

Е.П.: А происхождение этой дубленки похлеще даже будет, чем того знаменитого Васиного пальто. Потому что я выяснил, что когда-то ее носил какой-то лютый белый эмигрант, князь-граф, в общем, когда она была еще совсем новая, потом она была у Бродского...

А.К.: О, ты дубленочку-то не выкидывай...

Е.П.: А Бродский передал ее Кублановскому, а Кублановский передал мне.

А.К.: Не выкидывай, не выкидывай, музейная вещь.

Е.П.: Вон она висит в прихожей, порвалась вся...

А.К.: Эта дубленочка есть воплощение того, чем была одежда в целой эпохе русской культуры. То есть когда эта культура была советской или антисоветской... Вот ты мог бы надеть ту Васину жилетку, а сверху надеть эту рваную дубленочку на получение, допустим, премии «Триумф», и пришли бы тогда с тобой на получение премии и Вася, и Бродский! И Кублановский, и князь Голицын какой-то... Вот что значит одежда.

Е.П.: Духовно они были бы со мной. Незримо, так сказать.

А.К.: Вот что такое одежда, когда она не просто одежда, а вокруг нее выстраивается миф. Вот у Васи всегда было такое, немного мифотворческое отношение к одежде.

Е.П.: Я еще одну историю расскажу, связанную с Васей и моей одеждой, подаренной им. Это история такая, немного мистическая... Как ты, конечно, помнишь, в две тысячи восьмом году пятнадцатого января с Аксеновым случился тот самый ужасный инсульт... А пятого января он был у меня на дне рождения. Выходит он из лифта и сразу стал мне пенять, что я растолстел, стал говорить, что мне надо бегать. А я сказал, что я не бегал, не бегаю и бегать не буду.

А.К.: Да подожди, что ты мне рассказываешь, я же был там у тебя, на этом дне рождения.

Е.П.: Ну да, разумеется, но, может, не видел, что он мне подарил опять потрясающую жилетку, жилетку и одновременно тоже дутик. Такой известной спортивной фирмы, не буду ее называть, чтобы не попрекали рекламой. Такая элегантно-полуспортивная жилетка. Но мне такие спортивные вещи... ну, не очень, понимаешь... Так она у меня и висела, я поблагодарил его, но жилетку эту не надевал. И вот, когда это несчастье случилось с Васей... И прошло еще, наверное, с полмесяца... Я однажды думаю, дай-ка я, уже тепло стало, надену жилеточку. Я ее беру, лезу в карман, а там лежит Васина записка, квадратик такой, написанная в стихах, типа пиши рассказ, та-ра-ра-раз... Я лезу в другой карман — и там лежит записка: пиши роман, та-ра-ра-рам, пришла пора романов... Я лезу в третий карман, а там «пиши спектакль, та-ра-ра-раль», что-то там такое, я потом тексты эти найду обязательно. То есть меня аж холодом прошибло, потому что я знаю, что он лежит без движения, а я это читаю, когда он уже где-то между этим светом и тем. Вот я и говорю, что история взаимоотношений между мною, Васей и одеждой, она имела еще, так получается, и какую-то мистическую сущность.

А.К.: Знаешь, надо эту главу заканчивать на этой истории, потому что у меня аж, честно говоря, мурашки от нее побежали по коже. Как вы с ним через жилетку поговорили...

Е.П.: Понимаешь, во всем этом очень много литературы. И очень много неприятия советской жизни. Вот как называли Солженицына-то? Литературный власовец?

А.К.: А Аксенов — литературный стиляга. Тоже чуждый, антисоветчик... Но! Была одна существенная вещь, которая отличала Аксенова-стилягу от обычного антисоветчика: Аксенов как бы играл на том же поле, что и советские штатные литературные генералы. Вот Михалков с золотой звездой на твиде по ЦДЛу проходит... А вот и Аксенов тоже в твиде, да еще и подороже... Он мне рассказывал такую историю: когда он поехал в Лондон, он там купил себе пиджак твидовый серый, то есть серо-черный все в ту же клеточку пье-де-пуль, «куриная лапка», тогда это очень модно было. В этом пиджаке он почти на всех фотографиях конца семидесятых, в том числе на одной фотографии, где мы с ним сидим. Изумительный, надо сказать, был пиджак. И вот Вася рассказывает: знаешь, я когда купил этот пиджак в Лондоне и пришел в гости к английскому профессору какому-то, литературоведу или писателю, Вася тогда назвал к кому, но я уже не помню, так вот тот сказал: «О, какой хороший пиджак, сколько ты за него отдал?» А Вася сказал правду – пятьсот фунтов. И англичанин говорит – таких пиджаков не бывает. А Вася ему говорит – я знаю, что Михалков покупает по четыреста... Вот какие сложные отношения были между одеждой и советско-антисоветскими писателями. А английскому интеллектуалу это все по фигу, он знает, что таких пиджаков не бывает, потому что дороже ста фунтов он за пиджак не платил в своей жизни и считал, что дороже – неприлично.

Е.П.: В этом было нечто такое... пролетарское. У нас, советских и антисоветских, собственная, мол, гордость. Вот вы можете ходить в ваших за сто, а у меня за пятьсот, поскольку говорят, что у Михалкова за четыреста, то у меня за пятьсот...

А.К.: Знаешь, как и твои истории с Васей и тряпками имеют продолжения, так и моя история с этим пиджаком, в котором Вася был, когда мы с ним фотографировались, имеет развитие тоже почти мистическое. Примерно полгода спустя иду я по старому Арбату, по которому еще тогда ходил троллейбус тридцать девятый и перекрывал поле зрения, мешал смотреть через улицу. И вот я иду по левой стороне, а по правой стороне – знаменитый комиссионный магазин, который потом закрыли, был огромнейший уголовный процесс... И я в окне этого магазина вижу: там висят пиджаки вот так вот, знаешь,

Евгений Попов

подборочкой – вижу рукав пиджака серого в клеточку пье-де-пуль! Я перебегаю, сразу прикинул, смотрю, нет, не Васин, но почти такой же и почти новый! Тридцать пять рублей, огромные деньги.

Е.П.: Все-таки есть небольшая разница между пятьюстами фунтами и тридцатью пятью рублями, а?

А.К.: Так между мною и Васей тогда разница была еще больше. Я был рядовым журналистом тогда, соответственно зарабатывал...

Е.П.: В те времена пятисот фунтов вообще ни у кого из обычных людей не было и быть не могло.

А.К.: И вот я бегом побежал на улицу Станкевича, она же теперь Вознесенский переулок, где я работал в редакции газеты «Гудок», там у трех человек наодалживал в сумме тридцать пять, нет, сорок рублей, точно так же бегом вернулся...

Е.П.: Откладывал пиджак-то?

А.К.: Да, а как же, именно за лишние пять рублей. Купил пиджак, надел – счастье. Вот что такое была одежда в те уже баснословные времена... А пиджак этот куда-то исчез, ну, я из него и вырос, естественно... Пиджак был потрясающий, «Джон Слим» – марку помню спустя без малого сорок лет. И вот я тогда думал: пиджак, конечно, то, что надо, но как же я в нем появлюсь, допустим, с Васей Аксеновым? Как-то странно будет, и так все посмеиваются, что я Аксенову подражаю, рассказики юмористические – которые к тому времени уже печатались – написаны под очевидным его влиянием, скажут, ну, совсем офигел – усы, рассказы, а теперь еще пиджак... Так многие говорили даже в глаза мне... А знаешь, в чем тут мистика? Вася тот свой пиджак больше никогда не надел. Во всяком случае, я не видел. Притом что я купил не его пиджак, точно. У меня был на две пуговицы, а у него на три...

Е.П.: Он видел тебя в пиджаке?

А.К.: Видел, говорил: «О, какой у тебя пиджак хороший, у меня такой был». А я говорю: «А где твой, давай как-нибудь повыдрючиваемся, вместе наденем». А он говорит: «Да...» Ты же хорошо помнишь Васины манеры? На прямой вопрос, если не хотел отвечать, говорил так: «Да...» – и рукой вел так влево, и все. Через некоторое время я у него спросил: «Не сжег ли ты его?» – он же тогда много курил. И он опять так ответил: «Да...» Ты говоришь, все мы вышли из его джинсовки? А я вот из пиджака, который передался мне мистическим образом.

Е.П.: Все-таки что это означало? Повел ли он себя, как красавица, которая пришла на бал, а там другая в таком же платье?..

А.К.: Нет. Он просто не надевал больше свой.

Е.П.: Мистика? Что-то тут не так...

А.К.: Жень, ну что же ты ведешь себя как последний реалист?

Е.П.: А я и есть последний реалист, больше нет.

А.К.: Нет, Женя, это «Шинель» тогда у нас разыгралась.

Е.П.: Да я просто так тебя завожу, я и сам говорю, что в этом, в его одежде, была мистическая сущность. А я в качестве аппендикса... В качестве аппендикса тебе сейчас расскажу историю, которую я вспомнил вдруг. Я вспомнил, что не только Василий Павлович мне посылал одежду из-за границы, но и я ему посылал. Я однажды, шатаясь где-то в районе Пахры или еще где-то под Москвой, купил Василию Павловичу нашему дорогому кирзовые сапоги сорок третьего размера, десять пачек папирос «Беломорканал» и телогрейку.

А.К.: Очень фирменная советская передачка.

Е.П.: И все это я с помощью журналиста какого-то передал Василию Павловичу. И Вася с восторгом принял подношение и в сапогах кирзовых, как он мне рассказывал, бегал! Ты представляешь? Он же полжизни бегал по утрам. Подворачивал голенища и бегал, и ему дико завидовали, его хипповости, американские студенты. В каких-то бегает не в кроссовках, а в странных русских ботинках...

А.К.: А еще надо бы вспомнить про стиль старого Аксенова. С возрастом Аксенов перестал быть просто стилягой, а, как ему и подобало, стал пожилым элегантным профессором американского университета, никаких следов от советского стиляги не осталось, жизнь сломала стилягу, и стал он профессором. Он стал носить довольно дорогие, чрезвычайно солидные, а не только элегантные костюмы, он стал по странной прихоти повязывать или не повязывать галстук, он стал безумно элегантным. Но стиляга – это была принадлежность к некоторому клану, и молодой Аксенов вполне принадлежал к клану стиляг, вполне. Посмотри на знаменитую его фотографию, где они с Лешей Козловым. В Коктебеле сидят два стиляги, два длинноволосых стиляги конца шестидесятых годов, август шестьдесят восьмого года, вот сейчас танки в Прагу пойдут... А посмотри на фотографии Аксенова последних лет! Это уже не один из стиляг, это Аксенов и никто больше, он ни на кого не похож. Он стал настоящим денди, он стал по-настоящему зрительной индивидуальностью, он стал элегантен, как только Аксенов и никто больше. Я помню его очень странное приобретение, и таких новелл можно бесконечно навспоминать... Он приехал в Москву зимой, а зима было довольно холодная даже для Москвы. У него была дубленка, но он ее где-то оставил там, в Биаррице или в Америке. В общем, в результате у него здесь не было теплой одежды, была какая-то курточка. И он пошел в ГУМ, ставший уже бешено дорогим универмагом, дороже какого-нибудь «Мэйсис», и купил бешено дорогое пальто, просто пальто демисезонное, светлосерое...

Е.П.: А, я помню, да.

А.К.: Которое было скроено как шинель, и он его и называл «шинель», видимо, вспоминая историю своего пальто из шинельного отреза, которое он купил в комиссионке на Невском. Из рассказа «Две шинели и Нос»... И в этом пальто он ходил до самой, можно сказать, смерти, года три. Раньше ему в голову не пришло бы такое купить, потому что такое никто не носил. А теперь никто, кроме него, не носил, а он носил... И однажды вдруг появляется он зимой, снимает эту «шинель» и оказывается не в пиджаке, не в свитере, хотя он вообще одевался, после того как уехал в Америку и в Вашингтоне там нажарился, очень тепло...

Е.П.: Тепло, да. Обязательно жилеточка была...

А.К.: Ему в России было холодно всюду и всегда. Он обязательно носил вязаную жилетку под пиджак... А тут он оказался под шинелью в одной рубашке. Я говорю: «Вася, чего ты?..» А он мне: «Да ты посмотри, какая рубашка!» Рубашка оказалась очень толстая, шерстяная, клетчатая с отдельной, не клетчатой кокеткой, известной такой фирмы с французским названием «Фасонабль». Я говорю: «Вась, а ничего тебе эта рубашка не напоминает? Детство там, то-се, пятое-десятое, ничего не напоминает? Вась, а ведь это типичная "бобочка". Сама бобочка клетчатая, а кокеточка – гладкая...» И он так расхохотался, ему так понравилось, что это бобочка, потому что это подсознание вылезло. Помнишь, были такие курточки-бобочки, на молниях, с кокетками? Сама куртка клетчатая, а кокетка гладкая, или наоборот... Потому что их из обрезков у нас шили. Это конец сороковых... У Васи подсознание было очень сильным, очень сильным и близко лежащим, как положено писателю, и не надо было его вскрывать с помощью психоаналитиков...

Е.П.: Я вспоминаю, насколько появление Аксенова в любой толпе – толпе самой что ни есть стильной, модной, изысканной и по меркам советским, цэдээловским, и по меркам несоветским – насколько появление Аксенова его выделяло. Вот как... ну, допустим, в зоопарке, я не знаю, кто в общей вольере – козы, собаки, волчонок, обезьяна прыгает, – и входит вот – не бросается ни на кого, просто входит – лев! И вокруг него это пространство напрягается, понимаешь. Не в обиду Васе будет сказано, какие обиды между покойниками, говорят, что так же элегантен был Бродский. Да, Бродский был элегантный человек, но по-другому.

А.К.: У Бродского была элегантность такая, на ленинградской закваске приобретенная, элегантность нью-йоркского интеллигентного еврея.

Е.П.: Точно. Включая прическу: всегда немножко нестрижен.

Евгений Попов

А.К.: И эти очки, и этот всегда полураспущенный галстук… Мне это нравится, это такой немножко Вуди Аллен…

Е.П.: И всегда очень дорогие ботинки.

А.К.: Да-да, это мне нравится, это очень стильно! Но это не стиль льва, который входит мягкой походкой – и вокруг него пространство напрягается. А Вася был именно лев, ты совершенно прав.

Е.П.: У него и манеры были соответствующие. Он ими выделялся везде: что здесь, что в Америке, что в Европе… Люся Петрушевская когда-то жила около площади Гагарина, и там никак нельзя было перейти – машины все время шли потоком. И вот она однажды просто никак не могла перейти, с ребенком, с нынешним, между прочим, великим редактором Кириллом Евгеньевичем Харатьяном… И вдруг, рассказывал мне бывший ее муж, царство ему небесное, Борис Павлов, машина останавливается, а там за рулем сидит Аксенов и элегантным жестом показывает: проходите, дескать. Это не просто вежливость, это элегантность во всем.

А.К.: И эта элегантность была и в том, как Аксенов принимал гостей, как сам ел и пил, как водил машину, как шел среди людей, среди толпы… Настоящий стиляга – это пожизненно.

ПРИЛОЖЕНИЕ

Текст трех записок, обнаруженных Евгением Поповым в трех разных карманах черной «дутой» жилетки *"Nike"*, подаренной ему В.П.Аксеновым 5 января 2008 года ровно за десять дней до ухода Василия Павловича в тот таинственный мир, откуда он уже не возвратился. Орфография автора записок сохраняется.

ЗАПИСКА № 1

Пиши рассказ;
все будет в срок;
придет пора рассказу.

ЗАПИСКА № 2
Пиши роман;
не трать чернил;
скорее будут сроки.

ЗАПИСКА № 3
Пиши спектакль;
Играй в театр;
И наслаждайся с нами.

ГЛАВА ЧЕТВЕРТАЯ
АКСЕНОВ-БЛЮЗ

ЕВГЕНИЙ ПОПОВ: Итак, зачем Аксенову нужен был джаз и почему именно джаз? Но сначала я хотел бы поговорить о музыкальности писателей вообще. Вот смотри: два крупных писателя второй половины XX века – Астафьев и Аксенов. Почему-то Астафьева я вообще часто вспоминаю в связи с Аксеновым – пожалуй, потому, что их я знал лучше, чем других больших писателей современности, так сказать... Пару лет назад вышла книжка переписки Астафьева и Колобова, где очень много о музыке, и к книжке приложена пластинка с любимой музыкой Астафьева. А к аксеновским «Редким землям» тоже приложен диск с любимыми джазовыми мелодиями автора... Почему же Астафьев, несмотря на то что он возрос совершенно в гуще блатного сибирского народа, обожал классическую музыку? И разбирался в ней прекрасно. Тот же Колобов приводил какую-то цитату из Астафьева и говорил, что лучше, чем он, Астафьев, о музыке не сказал никто. Так почему же у Астафьева классическая музыка, а у Аксенова – джаз? Я перебирал других заметных писателей второй половины XX века, рус-

Александр Кабаков

ских – я не вижу особой связи между писателями и музыкой. Как ни странно, даже у Казакова, Юрия Казакова, который сам был музыкант, на контрабасе играл, как-то музыка присутствовала, но не очевидно. Такой определяющей увлеченности, как у Астафьева классикой и у Аксенова джазом, я ни у кого больше не могу вспомнить...

АЛЕКСАНДР КАБАКОВ: Нет, вообще-то русская литература с музыкой очень связана, не новейшая, но классика. Вот «Крейцерова соната» – уникальное явление: произведение литературы называется *так же*, как музыкальное. Невозможно себе представить, чтобы, например, литературное произведение называлось, скажем, «Бурлаки на Волге». А с музыкой связь обозначается прямо.

Е.П.: Ну, есть пример... Пожалуйста: «Не ждали». Рассказ так называется, а не только знаменитая картина.

А.К.: Чей рассказ?

Е.П.: Мой!

А.К.: Интересно... Ну ладно. Но ты ведь использовал название как пародию, как способ остранения. А «Крейцерова соната» у Толстого названа всерьез вслед за Крейцеровой сонатой... В общем, чтобы не расплываться в примерах, я сформулирую прямо: музыка в русской литературе играет важнейшую роль. Русские писатели пытались всегда через музыку уйти из... из этого своего повседневного существования. И благодаря музыке, ее высшей образности у них возникала возможность высказаться чуть прямее, чуть яснее, чуть выразительнее, чем без музыкальной ассоциации, и они использовали музыку как способ высказаться. И когда Василий Павлович упоминает названия джазовых стандартов, он использует таким образом дополнительное средство выразительности. Другой вопрос – почему же именно джаз? Вот у Астафьева, ты говоришь, классическая музыка, я этого не знал, потому что в текстах у него музыка не присутствует... А у Аксенова джаз – почему?.. Вот начало пятидесятых годов, когда Аксенов формируется, когда формируются его вкусы. Весь мир – Франция, Германия, Скандинавия, Италия – попал под

Евгений Попов

сильнейшее влияние Америки. Вместе с планом Маршалла, с экономической помощью Европе пришел американский джаз. А в Советском Союзе популярность джаза в это время объяснялась по-другому. Это было стремление какой-то части молодежи к другой жизни. Какие-то кусочки этой жизни показались, когда было сближение с американским союзником, потом железный занавес все закрыл, а молодежь это не устраивало. Появились стиляги, «Час джаза» по «Голосу Америки» по ночам и так далее… Вот так получилось, что в СССР джаз оказался модным тогда же, когда во всей Европе. И то, что Вася был… ну, если угодно, продуктом этой моды, – это нормально! Это так же нормально и закономерно, как то, что он выглядеть хотел не по-здешнему… Так и появился джаз в жизни Аксенова, там не было никакой метафизики, там была обычная, в сущности, бытовая ситуация.

Е.П.: Я тоже сейчас вспоминаю, хотя это много позже, другое время: Красноярск, улица Лебедевой, где я жил, снега кругом, приемник «Рекорд», светится в нем, подмигивает такой «кошачий глаз» настройки… *This is the Voice of America from Okinawa…*

А.К.: Это вам сообщали, вы к Японии ближе. А нам транслировали из Танжера…

Е.П.: Ну, сколько мне тогда было… одиннадцать-двенадцать лет, наверное…

А.К.: Вот. И Вася в свое время, как позже и я, и ты, попал в эту… в это обволакивание, понимаешь, под тлетворное влияние…

Е.П.: Интересно, в Магадане, у Евгении Семеновны и Вальтера, когда Вася там жил, был приемник? В конце сороковых…

А.К.: Конечно, был! В «Московской саге» описано, там целая история с приемником. Вряд ли Вася ее выдумал… Там самодельный приемник и история вокруг него.

Е.П.: Что, коммунисты с ума сошли, что ли? Почему они с приемниками не боролись? Только во время войны запретили и отобрали, а потом снова – пожалуйста. Потом глушилок наставили, энергии на них тратили черт его знает сколько…

А надо было просто приемники запретить и сажать за них по статье.

А.К.: Потому что идиоты были. С одной стороны, придавали большое значение пропаганде, а с другой – не понимали, что этот «Голос Америки» для них опасней атомной бомбы. Приемники не запрещали, только короткие волны, короче двадцати пяти метров запрещали, и приемников с такими волнами не было в производстве. Но умельцы переделывали, конечно. Так было до восьмидесятых годов! А надо было вообще приемники запретить или только с длинными и средними волнами.

Е.П.: У меня был приемник… транзисторный, как он назывался… не помню… и за двадцать рублей мне поставили диапазоны 11, 13, 16 и 19 метров…

А.К.: Вот что я тебе скажу независимо от того, о чем мы сейчас говорим: знаешь, почему рухнула советская власть? Не слушались начальства. Никаких запретов. Никто.

Е.П.: Народ не слушался руководителей партии и правительства? Это верно. Им, народу, говорят – коммунизм надо строить, а они ханку жрут…

А.К.: Им говорят: осваиваем целину. Хорошо – едут на целину, но и там пьют водку и совершенно не думают о том, что они строят коммунизм. И так далее… Ну что ты с этим народом сделаешь?

Е.П.: Да. Надо ему капитализм разрешить…

А.К.: Разрешили? Убедились? Ничего с этим народом не сделаешь. С ним ни коммунизм не построишь, ни капитализм… Помнишь, такое выражение было у начальства: «С этим народом коммунизм не построишь»? Оказывается – и капитализм тоже. Ему говорят: «Хоть какая-то совесть у тебя, народ, есть?» – «Есть, есть». – «Что ж ты воруешь и взятки берешь?» – «А это не я»…

Е.П.: Далековато мы ушли от джаза.

А.К.: Итак, Вася Аксенов, нормальный юноша своего времени, как ты или я, наслушался джаза по радио да плюс еще, живя в Казани, наслушался там джаза Олега Лундстрема, репатриантов из Шанхая, сосланных в Казань, и подсел, как теперь го-

Евгений Попов

ворят, на джаз. Но почему же, спрашивается, русский, советский человек, комсомолец, сын Павла Васильевича Аксенова и Евгении Семеновны Гинзбург, вдруг оказывается повернутым именно на джазе? А не, допустим, на романсе? Или я, например: какое мне дело до джаза? А у меня ведь вся жизнь прошла под знаком, если можно так выразиться, джаза...

Е.П.: Так мы же на этот вопрос уже полностью ответили! Потому что джаз не одобряло начальство и называло его с легкой руки Горького «музыкой толстых», потому что джаз был американской музыкой. И в этом была простая бравада – раз вы джаз запрещаете, так я его буду слушать!..

А.К.: То есть, кроме бравады, ничего не было? А если с другой стороны зайти – что же такое было в джазе, что советские коммунисты в нем почувствовали врага? И почему на Кубе, при всем тамошнем кастровском антиамериканизме, джаз даже поощрялся, а в самой Америке... ну, скажем так, джаз, особенно современный джаз, начиная с бибопа, был связан с протестными движениями, битниками?

Е.П.: Ну и откуда я знаю, в чем дело?

А.К.: У меня есть такой... самодеятельный вариант ответа: джаз, особенно так называемый современный джаз, был музыкой, с одной стороны, разрушающей систему понятий... старую эстетическую систему, а вместе с ней и всякую устоявшуюся систему вообще, как и любое современное искусство. А с другой стороны, джаз, традиционный джаз, в отличие от традиционного рока – это музыка компромисса. Вот рок – это музыка протеста, войны с истеблишментом. А старый джаз – это музыка компромисса. В ней заложено вот это: примирение, давайте будем все жить хорошо, черные, белые... Джаз стоял несколько в стороне от истеблишмента, но не противостоял ему. Правда, и с той и с другой стороны – и со стороны, условно говоря, истеблишмента, и со стороны искусства – были люди, которые говорили: не будем мириться! никакого примирения! Со стороны музыки эти люди проявились, когда возник новый джаз, бибоп и дальше – фри-джаз, авангард... Вот тогда джаз стал непримиримым, бунтарским, как все новое искусство. И истеблишмент ответил сначала подозрительностью, потом враждебностью. Соответственно, в свободных странах враждебность истеблишмента – это вольная отверженность музыкантов, а при коммунистах, особенно когда они уже коммунистические мещане, – просто запрет. Кастро, как революционеру, джаз был близок, а какому-нибудь Подгорному... он кожей чувствовал – что-то не то, свободой пахнет, Венгрию пятьдесят шестого года напоминает... И вот с этим джазом был связан Аксенов.

Е.П.: Ну, то есть джаз как восстание. А восстание у него некоторое время одной из любимых тем было... Ты тогда вот что скажи, поскольку сам в этом понимаешь: он в джазе разбирался вообще?

А.К.: Да. И очень хорошо.

Е.П.: Я читал его репортаж знаменитый в «Юности» о первом таллинском джазовом фестивале...

А.К.: Да, «Баллада о тридцати бегемотах» – кажется, так назывался. Отличный был репортаж. И очень компетентный по отзывам самих музыкантов. Вася хорошо разбирался в джазе, и это объяснялось не только, не столько его социально-психологическим отношением к джазу, а просто тем, что он был чрезвычайно музыкальным человеком.

Е.П.: А я вспоминаю, как он пел... Значит, в последний раз мы с ним пели... Мы стояли около памятника Надежде Константиновне Крупской на Сретенском бульваре. Он в это время дописывал роман «Редкие земли», один из его «комсомольских» романов, и мы с ним стали вдруг петь комсомольские песни, текст которых он беспощадно перевирал, конечно. Но не только текст. Я бы не сказал, что он очень был музыкальным. Немножко он фальшивил...

А.К.: Ну, слух и способность воспроизвести мелодию голосом – это разные вещи. Я говорю «музыкальный» в смысле, что он очень хорошо в этом разбирался. Он очень хорошо разбирался вообще в музыке. В последние лет восемь, а то и больше он уже гораздо меньше слушал джаз, он слушал симфоническую и камерную классическую и современную музыку.

Евгений Попов

Е.П.: Так это потрясающе! Получается, что разные совершенно пути, разные люди, а пришли к одним интересам. Астафьев, значит, в молодости слушал блатные песни и всякую чушь, которую по радио передают, по черной тарелке, по радиоточке, Вася слушал «Серенаду Солнечной долины» и Лундстрема, а под конец-то... То есть им было бы о чем поговорить.

А.К.: Но в то же время, когда, бывало, в последние годы я его подвозил куда-нибудь и в машине включал джаз, какой-нибудь старый уже боп, всегда была одна и та же история: он оживлялся, вспоминал и начинал подпевать. Я чувствовал, как он... как он поймал кайф. А потом раз – и терял интерес, начинал скучать. Понимаешь? Ему было приятно вспомнить джазовые времена, но ему уже тесно было в джазе.

Е.П.: Когда я был у него в Вашингтоне, он меня привел в некий джазовый клуб, какую-то джазовую пивную... названия не помню... он мне сказал, что однажды в этой пивной слышал самого Гиллеспи. Как ты думаешь, Гиллеспи мог там играть?

А.К.: Отчего же нет, мог и Гиллеспи...

Е.П.: Вот, и Вася рассказывал: пришел он как-то в это заведение, а там всё как обычно, только великий Гиллеспи играет. Как на пластинке... Я был очарован этим рассказом, посидели мы, послушали музыку, потом поехали, и Васю мент американский оштрафовал. Вернее, хотел оштрафовать, но не оштрафовал. Он проехал на желтый свет, и мент ему говорит: «На желтый проехали, сэр». Вася: «Ну, проехал, что ж делать...» – «Пивком пахнет, – говорит мент, – где пили?» Ну, Вася говорит – мол, там-то, и называет эту джазовую пивную. «Джаз любите?» – говорит ему мент и отпускает, представляешь?

А.К.: Ничего себе, это в законопослушной Америке! А вообще отношение Васи к джазу – это отношение очень многих наших людей его и чуть более молодого поколения. Ну, его и моего поколения. Это отношение, во-первых, протестное, то есть джаз как символ протеста против советской системы, поскольку система не принимала джаз; во-вторых, это музыка, которая при всем том примиряла с жизнью, с жизнью вообще, очень жизнелюбивая музыка... Но и то и другое – это живет в душе, пока душа еще молодая, пока она еще гуляет. А дальше, когда уже гуляние кончилось, когда уже все всерьез, когда душа уже к встрече с Господом готовится, тогда от этого отходишь... Вот Вася и полюбил симфоническую музыку.

Е.П.: Тем не менее он продолжает все-таки быть в джазовом космосе. Ну, дружить с Козловым, например...

А.К.: О нет, они просто дружили сорок лет – естественно, и продолжали дружить. Впрочем, мы с Васей однажды вместе ходили слушать Козлова в клуб, где он постоянно играл, провели прекрасный вечер...

Е.П.: Ты знаешь, мне пришла вот какая мысль сейчас: ведь во всем XX веке, кроме Аксенова, немного было в литературе таких певцов джаза.

А.К.: А Керуак?

Е.П.: Керуак... Керуак уже битник, всё уже, это уже к року ближе...

А.К.: Да у него рассказ прямо так называется – «Ночь бибопа»!

Е.П.: Ну, и король был в этом – Скотт Фицджеральд...

А.К.: Еще Кортасар. Его рассказ «Преследователь» о Чарли Паркере... И вообще он джазовым критиком был... Конечно, Борис Виан, он и сам на трубе играл... Пожалуй – все. И Аксенов в этом ряду, единственный русский писатель.

Е.П.: Так что получается – Аксенов ввел джаз в русскую литературу. Например, через роман «Ожог».

А.К.: А в чем отличие его джазовой литературы от всякой другой, связанной с музыкой? В том, что есть литература о музыке, с музыкой как предметом изображения, а Вася писал джазовую литературу *джазовым способом*. У него именно *джазовая* литература, а не о джазе. У него джазовая проза, она звучит особым образом. Это очень существенно. Таких музыкальных, а не «о музыке писателей» вообще мало, не только в России – в России он точно один, – но таких писателей мало и где бы то ни было.

Е.П.: Я не знаю, в английской литературе есть?.. По-моему, нет.

Евгений Попов

А.К.: И при том, что литература Аксенова интонационно джазовая, а не только и не столько даже по теме, при этом в жизни его джаз был существенной темой. Я же сто раз рассказывал, как мы с ним познакомились в очереди за билетами на джазовый концерт... И потом я его стал таскать на концерты. Звонил – вот, мол, интересный сейшн ожидается... И вот году в семьдесят восьмом... или девятом... собираемся мы с Васей ехать на большой концерт в рамках джазового московского фестиваля во Дворце культуры «Москворечье». Это Каширка...

Е.П.: Знаменитое место.

А.К.: Встречаемся же мы таким образом: мы с женою моей Эллой выходим из газеты «Гудок», где оба работали, а «Гудок» тогда помещался вблизи улицы Герцена, она же Большая Никитская, идем по улице Станкевича, проходим мимо храма Воскресения на Успенском Вражке, выходим к углу Центрального телеграфа... И там стоит автомобиль писателя Аксенова, ВАЗ-2104, универсал, и задние дверцы его не закрываются, поэтому связаны изнутри веревкой! И люди, которые сидят внутри, всю дорогу эту веревку должны держать и натягивать. То есть сзади натягивать веревку садятся моя жена и Васин сын Алеша, и вот в таком виде, с натянутой веревкой, мы едем долго, долго-долго до Дворца «Москворечье». Там приезжаем, завязываем изнутри веревку, кое-как вылезаем все... Вот пожалуйста, концерт не запомнился абсолютно, а такая чисто джазовая поездка – на всю жизнь... Идем во дворец, у входа толпа, все знакомые, такое джазовое братство фанатиков. Леша Баташев, Гера Бахчиев, близнецы Фридманы, Саша Петров, последний «штатник»... И в этом братстве присутствует такая фронда, вот примерно как «нас много, нас, может быть, четверо», а тут тоже... ну, сотни две на Москву... Да. Не помню, кто именно играл, это был какой-то день фестиваля, где играли одни авангардисты, и мы от этого сверхавангардного джаза с Васей офигели и вышли в буфет. И сидим там, пьем фруктовую воду...

Е.П.: Ну, Вася – понятно, он за рулем и вообще в завязке, а ты-то чего?

Александр Кабаков

А.К.: Женя, кругом советская же власть, там больше ничего и не было!

Е.П.: А, правильно, я совсем уже...

А.К.: И в это время открывается дверь, выходят из зала Алеша Аксенов с моей женой, которые терпеливо слушали авангард, и Алеша твердо говорит: «Это больные люди» – про авангардистов. Вася хотел было с ним заспорить, но тут подходит к нам и Алеша Козлов, тогда с длинными волосами, с длинной такой козлиной бородкой, и говорит неожиданно то же самое, собственно, что сказал и Алешка Аксенов, а именно: «Шарлатаны!» Тут уж не поспоришь, с самим-то Козловым. В этот момент нас троих сфотографировал известный джазовый фотограф-летописец, есть такая фотография...

Е.П.: Мне это ужасно интересно как человеку, далекому от джазовой жизни... Почему такое неприятие авангардного искусства?

А.К.: Ну, потому что... потому что убогий был авангард... И мы так захохотали страшно все! Это было какое-то такое... такое понимание и друг друга, и общее понимание музыки, понимание всего. И вот едем мы опять в том же составе в этой машине с дверями, связанными изнутри веревками, и Вася, я и Алешка Аксенов во весь голос поем джазовые стандарты без слов... А жена моя стеснялась... И это было чистое джазовое счастье, и оно, думаю, немало значило в жизни Аксенова, уже даже не в литературе, а в самой жизни. Как говорится по-американски, *all that jazz* – значит, вся эта веселая суета, весь этот шум. В этой истории очень много про свободу, которая была в джазе и за которую его любили – и Аксенов, и все мы.

Е.П.: А у меня про джаз история опять будет литературная и с уже много раз упомянутым персонажем. Значит, когда уже Василий Павлович был в опале, приехал какой-то знаменитый американский джазовый человек, и американское посольство Васе выдало билет на концерт не помню где, не в резиденции посла, а в каком-то престижном зале. И Аксенов идет на этот концерт слегка взволнованный, потому что музыкант этот был легендой его юности джазовой... Приходит, садится – а место-то его рядом с Феликсом Кузнецовым. Скорей всего, разнарядку американцы на Союз писателей дали, а места распределили сами. Среди уважаемых людей, разной, конечно, степени значимости, но ведь советские же все писатели... И уж не знаю, кто из них больше мучился весь концерт – Вася или Феликс.

А.К.: Теперь моя очередь, и я расскажу про Аксенова и джаз еще одну историю. Не слишком короткую. Году в шестьдесят четвертом...

Е.П.: Ничего себе, издалека начал ты.

А.К.: ...отдыхал я, как принято было говорить у советских людей, которые любили и до сих пор любят слово «отдыхать», – отдыхал я в городе Феодосии. В Феодосию же я попал со своим закадычным университетским другом Марком – теперь даже не знаю, жив ли. Мы шлялись, у нас не было денег ни хрена, и мы, совершенно как герои «Звездного билета», только уже сильно запоздавшие, шлялись не по Прибалтике, правда, а по Крыму. Однажды ночью... В общем, мы познакомились с девушками, гуляли с ними ночью по Феодосии. Жили же мы в прихожей... не в прихожей, а в зале, в огромном зале таком, в него был вход с первого этажа старого особняка по скрипучей деревянной лестнице, потом там был этот зал, и в нем нам поставили хозяева две раскладушки по рублю за ночь, там мы спали, а дальше были комнаты, двери из этого зала, в этих внутренних комнатах жили сами хозяева. И они по ночам мимо нас ходили в сортир во дворе... Так что позвать девушек нам было некуда. Поэтому-то однажды ночью, выпив крымских портвейнов, мы гуляли по Феодосии. Куда-то, до их раскладушек – девушки были из Москвы, так же шлялись, как мы, – проводили девушек, идем к себе и встречаем на довольно пустой улице одинокого, не очень уже молодого – то есть по нашим меркам, – лет тридцати человека. Внешность его не помню, хоть убей... Посмотрел он на нас и довольно громко сказал... Не поверишь – вот что он сказал: «Аксеновские дети». Мы, конечно, обижаемся – какие еще аксеновские дети, какие дети? А он так спокойно говорит: «Конечно, аксеновские дети. Все при вас – курортные районы СССР, странствия... Вам только джаза не хватает...» Так и сказал – «курортные районы СССР». И дальше стало похоже вообще на сказку, точнее, на аксеновский же рассказ «Жаль, что вас не было с нами». Потому что на этих словах «вам только джаза не хватает» он вдруг откуда-то извлек какой-то ящик, открыл его, это оказался проигрыватель, который надо было включать в электрическую сеть, и он его куда-то включил. На улице! И поставил пластинку, тяжелую такую, еще не долгоиграющую виниловую, а такую, на 72 оборота, кто помнит, из такой тяжелой черной смолы, бьющуюся... И раздалось!.. Поставил звукосниматель, и раздался *American Patrol*, «Американский патруль», любимый свинговый стандарт!.. Мы, конечно, очумели. Ночь в Феодосии, электрическая розетка на улице, *American Patrol*... «Ну что, аксеновские дети?» – повторил он. Мы молчали, чего скажешь... Тогда он сложил все и пошел. И тут обнаружилось, что он стоял все это время у маленькой будки уличного сапожника, в которой и розетка была, а сам он был невменяемо пьяный. И он скрылся в темноте так, качаясь... Начитанный, джазовый, совершенно аксеновский уличный сапожник. Помнишь, в «Жаль, что вас не было с нами» такой же кричит герою: «Продай иорданские брючки!» И после этой истории меня уж никто не мог убедить в том, что любая аксеновская фантазия не есть реальность. Я эту историю совершенно забыл, а вот сейчас вспомнил...

Е.П.: История замечательная, на ней и закончим.

А.К.: Погоди... Вот что мне еще в голову пришло, и это – довольно существенное соображение. Я знаю людей аксеновского поколения, которые джаз терпеть не могли, причем знаешь почему? Потому что пролетарская музыка!

Е.П.: Пролетарская музыка... А какая же им была не пролетарская тогда?

А.К.: Симфоническая. А джаз – пролетарская музыка. А люди это были... я тебе скажу, какого толка – такого белогвардейского толка, как бы аристократического. И они к джазу были в лучшем случае равнодушны. Ты вспомни в знаменитом романе главу про бал у сатаны. Вспомни, как там карикатурно, с издевкой и даже с отвращением описывается игра джаз-банда. Как там главный джазмен ударил другого по голове тарелкой… Полная презрения карикатура на пролетарскую, клоунскую музыку. И в этом главном джазмене легко угадывается Кеб Кэллоуэй – такой знаменитый джазовый эстрадник того времени, и по этому выбору видно, насколько Булгакову джаз был чужд. Человек старой русской культуры… А вот Аксенов джаз принял сразу, как свое. Означает ли это, что он был меньше… в меньшей степени связан со старой культурой, с культурой вообще?

Е.П.: Возможно. Вполне даже возможно. А откуда могла бы взяться такая связь в его семье? Это не булгаковские профессора духовной академии… И вот на такую основу и легло то, что джаз – антисоветский. То есть ничто не мешало этой музыкальной антисоветчиной увлечься, никакое культурное воспитание. Антисоветчина – это и власть понимала. Хрущев не был такой уж дурак, когда определял молодых художников, поэтов и писателей, джазовых музыкантов как врагов… ну, потенциальных врагов советской власти.

А.К.: Власть в своей логике была совершенно права, когда с ними боролась. И правильно, что «сегодня он играет джаз, а завтра родину продаст». Именно *социалистическую* родину. Он джаз-то слушает по вражескому «Голосу Америки»… К сожалению, на многих из нас, советских любителей джаза, все это наложило отпечаток навсегда… на наше восприятие джаза – восприятие музыки как формы протеста. Постепенно начали слушать собственно музыку – прежде всего те, кто сами стали музыкантами. Вот тот же Алеша Козлов – он стал настоящим большим музыкантом, и ему стало безразлично это «против советской власти»… Его советская власть касалась только тем, что она иногда мешала ему его музыку играть. Ну так она мешала и Шостаковичу, она всем мешала… А Вася, когда эта социально-политическая составляющая из отношения к джазу ушла, когда он вообще оказался в Америке, где такой составляющей и не было, – он стал к джазу сначала спокойно... ну, скажем так, привержен, а потом со временем, по мере освобождения Аксенова вообще от всего советского и антисоветского в душе, стал почти равнодушен. Как всякий западный интеллектуал: да, джаз – хорошо, классическая музыка – хорошо, современная экспериментальная музыка – тоже интересно... Джаз стал для него эстетическим явлением в ряду других эстетических явлений. Это только в старом Советском Союзе все было так устроено, что, куда человек ни кинется, он налетает... он вылетает в антисоветчики. Абстракционизм невиннейший, никакого отношения к антисоветизму не имевший, – нет, антисоветский, художники – враги. Поэзия формалистическая – антисоветская. И это при том, что весь авангард художественный коммунизму сочувствовал! Джаз – буржуазная музыка, а какой он, к черту, буржуазный? Американские джазмены, может, и хотели бы обуржуазиться, да у них не получалось... Но как только вся эта советско-антисоветская паранойя кончилась, джаз стал для Аксенова просто музыкой.

Е.П.: А начиналось все именно с протеста, и в этом смысле советские любители джаза не отличались от советских же стиляг вообще. Мне рассказывал опять же Козлов, как московские стиляги развлекались тем, что просто шли по улице Горького, то есть по Тверской от Манежной до Пушкинской площади с целью вызвать возмущение прохожих. Когда же прохожие начинали стыдить их за то, что они стиляги, то Алешин товарищ отвечал – это в пятидесятом году, в ста метрах от Лубянки! – «Красная сволочь!» он отвечал! Вот откуда все росло...

А.К.: Весь этот джаз... И вот Аксенов, который и сам был из таких, но обладал литературным талантом и вкусом, он оказался литературным... представителем любителей джаза, американских тряпок и Америки вообще, антисоветчиков молодых. Вот и всё. Что бы он там ни писал, каких бы там... «Коллег»... Так получалось, что советская власть делала из всей молодежи своих противников. Про это, между прочим,

Евгений Попов

есть сильное место в романе Сергея Юрьенена «Дочь генерального секретаря»... нет, кажется, в «Нарушителе границы»... Прекрасная сцена! Герой приезжает к своей любимой девушке в Минск из Москвы, он учится в московском университете, она – в минском; не застает ее, а застает ее брата-остолопа. Брат работает на заводе, притом что у них отец – высокопоставленный военный, но даже он не смог сына никуда, кроме завода, приткнуть. Герой приезжает, а девушки нет. Брат ничего не понимает с похмелюги: «О, заходи!» А у него девка какая-то спит... Герой заходит, на нем джинсы – он же из Москвы, из общежития МГУ. А на дворе начало семидесятых... И похмельный этот братец-остолоп тут же начинает приставать: «Продай джинсы! Ну, че ты хочешь? Ну, продай... Ты ее оттянуть хочешь? Пожалуйста... У меня, вот видишь, из брезента, самострок, херня, а тут настоящие фирменные. Продай! Ты в Москве еще купишь, продай!» Герой говорит: «Ну, хрен с тобой, мне нужно вот денег до Крыма, – он думает, что девушка его в Крыму, – давай денег до Крыма, а я тебе отдам штаны...» Ну, они меняются штанами, и этот парень... Между прочим, молодой советский рабочий и сын советского начальника... Он натягивает джинсы, и дальше делает несколько боксерских движений перед зеркалом, и орет во весь голос такую песню на популярную эстрадно-джазовую мелодию: «Шестнадцать тонн – смертельный груз, а мы летим бомбить Союз!..» Сколько же здесь отрицания, неприятия всего советского! То есть в широком смысле: любовь к джазу... ко всему этому джазу и тому подобному... и любовь к Советскому Союзу оказались несовместимы. И джаз стал не просто увлечением Аксенова в свое время, а в значительной степени вырос из его антисоветизма и сформировал этот антисоветизм.

Е.П.: Это важно понять. Потому что молодой читатель может подумать: а собственно, о чем вообще идет речь? Ну джаз, ну и что? Ну скучнейшая музыка...

А.К.: А джаз в наше время, во времена Аксенова, – это был выбор всей будущей судьбы. Вот как.

Александр Кабаков

Из романа Василия Аксенова «ОЖОГ»

Это было в ноябре 1956 года на вечере Горного института в Ленинграде в оркестре первого ленинградского джазмена Кости Рогова.

Тогда в танцзале стояли плечом к плечу чуваки и чувихи, жалкая и жадная молодежь, опьяневшая от сырого европейского ветра, внезапно подувшего в наш угол. Бедные, презираемые всем народом стиляги-узкобрючники, как они старались походить на бродвейских парней – обрезали воротнички ленторговских сорочек, подклеивали к скороходовским подошвам куски резины, стригли друг друга под «канадку»...

Костя Рогов снял пиджак и остался в своей знаменитой защитного цвета рубашке с наплечниками и с умопомрачительным загадочным знаком над левым нагрудным карманом *SW-007*.

– Сегодня, мальчики, начинаем с *"Sentimental Journey"*! – сказал он.

– Между прочим, здесь типы из Петроградского райкома комсомола, – предупредил осторожный ударник Рафик Тазиддинов, Тазик.

– Плевать! – Рогов засучил рукава, словно собирался драться, а не играть на пиано. – Слабаем «Сентиментл», а потом *"Lady Be Good"*, а потом рванем «Бал дровосеков», и гори все огнем! Самс, за мной! – Он подтащил меня за руку к рампе и закричал в зал: – Тихо, ребята! Всем друзьям нашего оркестра представляю нового альт-саксофониста. Самсон Саблер! Не смотрите, что у него штаны мешком, – он хороший парень! Можете звать его просто Самс!

Зал зашумел. Я остался один и сжал саксофон. У меня уже текло из-под мышек, лицо покрылось пятнами, и колени затряслись. Нет, не сыграть мне «Сентиментл», я сейчас упаду, я еще перну, чего доброго... Нужно испариться, пока не поздно, кирнуть где-нибудь в тихом месте, и всё, ведь нельзя же стоять вот так одному, когда столько девочек сразу смотрят на тебя.

Я сделал какое-то суетливое полуобморочное движение, как вдруг увидел в нескольких метрах от себя, в толпе, длинные светлые, грубо обрезанные внизу космы, падавшие на вздернутые груди, и маленькие глаза, смотревшие на меня с необычным для наших девочек выражением, и полуоткрытый рот... это была она – Колдунья, Марина Влади, и я вдруг напружинился от отваги и неожиданно для себя заиграл.

О, Марина Влади, девушка Пятьдесят Шестого года, девушка, вызывающая отвагу! О, Марина, Марина, Марина, стоя плывущая в лодке по скандинавскому озеру под закатным небом! О, Марина, первая птичка Запада, залетевшая по запаху на оттепель в наш угол! Стоит тебе только сделать знак, чувиха, и я мигом стану парнем, способным на храбрые поступки, подберу сопли и отправлюсь на край света для встречи с тобой. О, Марина – очарование, юность, лес, голоса в темных коридорах, гулкий быстрый бег вдоль колоннады и затаенное ожидание с лунной нечистью на груди.

Я заиграл, и тут же вступил Костя, а за ним и весь состав, а она подпрыгнула от восторга и захлопала в ладоши – все тогда обожали «Сентиментл».

А у нас в России джаза нету-у-у,
И чуваки киряют квас... –

завопила в углу подвыпившая компания хозяев бала – горняков. Теперь было ясно – скандала не миновать.

Тогда еще запрещалось молодежи танцевать буржуазные танцы, а разрешались только народные, красивые, «изячные», патриотические экосезы, менуэты, па-де-патенеры, вальсы-гавоты. В чью вонючую голову пришла идея этих танцев, сказать трудно. Ведь не Сталин же сам придумал? А может быть, и он сам. Наверное, сам Сталин позаботился, сучий потрох.

В последнее время, увы, гнилые ветры оттепели малость повредили ледяной паркет комсомольских балов, и в разводья вылез буржуазный тип с саксофоном, то есть прыщавый Самсик, стриженный под каторжника, в нелепо обуженных штанах с замусоленным рублем в кармане, двадцатилетний полу-Пьеро, полухулиган, красивый Самсик собственной персоной.

Приложение

Дух непослушания, идея свободы мокрой курицей пролетела от стены к стене, и все затанцевали, и закачались люстры, и плюшевые гардины криво, словно старушечьи юбки, сползли с окон – в зал перли безбилетники.

Мы тогда еще почти не знали бибопа, только-только еще услышали про Паркера и Гиллеспи, мы еще почти не импровизировали, но зато свинговали за милую душу.

Вдруг я увидел, что моя Марина Влади танцует с одним фраером в длинном клетчатом пиджаке, и вспомнил, что у фраера этого есть машина «Победа», и прямо задрожал от ревности и обиды, а сакс мой вдруг взвыл так горько, так безнадежно, что многие в зале даже вздрогнули. Это был первый случай свободного и дикого воя моего сакса. Костя Рогов мне потом сказал, что у него от этого звука все внутри рухнуло, все органы скатились в пропасть, один лишь наполнился кровью и замаячил, и Костя тогда понял, что рождается новый джаз, а может быть, даже и не джаз, а какой-то могучий дух гудит через океаны в мою дудку.

ПЕСНЯ ПЕТРОГРАДСКОГО САКСА ОБРАЗЦА ОСЕНИ ПЯТЬДЕСЯТ ШЕСТОГО

Я нищий,
нищий,
нищий,
И пусть теперь все знают – я небогат!
Я нищий,
нищий,
нищий,
И пусть теперь все знают – у меня нет прав!
Пусть знают все, что зачат я в санблоке, на тряпках
Двумя врагами народа, троцкистом и бухаринкой, в постыдном акте,
И как я этого до сей поры стыжусь!
Пусть знают все, что с детства я приучался обманывать все общество,

Лепясь плющом, и плесенью, и ржавчиной
К яслям, детсаду, школе, а позднее к комсомолу
Без всяких прав!
Я нищий,
нищий,
нищий,
И пусть теперь все знают, что
Я девственник в обтруханных трусах!
Я девственник, я трус с огрызком жалким, но,
О Боже Праведный, я не гермафродит!
Мужчина я! Я сын земли великой!
Я куплен Самсиком на бешеной барыге у пьяного слепца
За тыщу дубов, которые собрал он донорством и мелким во-
ровством.
Но, Боже Праведный, мне двадцать лет, а скоро будет сорок!
Я тоже донор, и кровь моя по медицинским трубкам
Вливается в опавшие сосуды моей земли!
И пусть все знают – я скорее лопну, чем замолчу!
Я буду выть, покуда не отдам моей искристой крови,
Хотя я нищий,
нищий,
нищий...

Я сам тогда перепугался, сил нет, и вдруг заметил, когда последние пузыри воздуха с хрипом вылетали из сакса, что в зале никто не танцует, а все смотрят на меня: и Марина Влади, и ее клетчатый фраер, и все пьянчуги-горняки, и все молчат, а из глубины, расширяясь и устрашающе заполняя вакуум, прокатилось гусеницей:

– Прекратить провокацию!

Тогда в глазах у меня вспыхнули солнечные полосы и квадраты, прозрачный сталактит и черное пятно воспоминаний, я покачнулся, но Костя Рогов поддержал меня объятием и выплюнул в зал одно за другим наши полупонятные слова:

– Целуй меня в верзоху! Ваш паханок на коду похилял, а мы теперь будем лабать джаз! Мы сейчас слабаем минорный джиттербаг, а Самсик, наш гений, пусть играет, что хочет. А на тебя мы сурляли, чугун с ушами!

И мы тогда играли. Да разве только в джазе было дело? Мы хотели жить общей жизнью со всем миром, с тем самым «свободолюбивым человечеством», в рядах которого еще недавно сражались наши старшие братья. Всем уже было невмоготу в вонючей хазе, где смердел труп пахана, — и партийцам, и народным артистам, и гэбэшникам, и знатным шахтерам, всем, кроме нетопырей в темных углах. И мы тогда играли.

ГЛАВА ПЯТАЯ
АКСЕНОВ
И НАЧАЛЬНИКИ СТРАНЫ

ЕВГЕНИЙ ПОПОВ: Значит, сегодня мы согласно нашему плану толкуем на тему «Аксенов и начальники страны (Ленин, Сталин, Хрущев, Брежнев, Андропов, Черненко, Горбачев, Ельцин, Путин, Медведев)». Я думаю, может быть, поговорить шире? То есть про реальные взаимоотношения нашего героя с Хрущевым, Брежневым, Горбачевым и т. д. И про *мистические* связи В.П.Аксенова с такими историческими персонами, как, например, царь Николай II, Ленин, Троцкий, которых он не видел даже в гробу.

АЛЕКСАНДР КАБАКОВ: Скажу тебе немножко с опаской такую вещь, что мне Васино отношение к дореволюционной России не очень нравилось. Его безумная, беззаветная любовь к Серебряному веку и очень сдержанное отношение к русской монархии, которое можно вывести, предположим, из «Любви к электричеству», его отношение к русской дореволюционной истории, русскому дореволюционному обществу – все это казалось мне достаточно стандартно-либеральным. Он исходил из того, что Россия не только сейчас, но и сто, сто пятьдесят,

Александр Кабаков

двести лет назад должна была быть такой же, как другие европейские страны. Я с этим не согласен. Я считаю, что Россия и не должна, и *не могла* быть такой вот «европой» даже после петровских реформ. Россия была страной несомненно европейской, но своего рода. Это как если бы утверждать, что вот все в истории Германии было хорошо – но почему же она была раздроблена на княжества? А потому, что это была такая страна, которая, объединившись, немедленно взорвала Европу. Так что это вопрос еще, нужно ли было Германии объединяться в XIX веке. Знаешь, то же самое и в России. Я боюсь, что если бы Екатерина II, *положительная* героиня романа «Вольтерьянцы и вольтерьянки», не дай Господь, последовала советам Вольтера, то здесь бы кровь до сих пор еще не высохла, вместо России осталась бы залитая кровью пустыня... Это если говорить об отношении Аксенова к дореволюционным начальникам страны.

Е.П.: А как ты думаешь, это его отношение менялось в течение жизни или было неизменным?

А.К.: Полагаю, оно менялось в том смысле, что до какого-то времени он, как и многие из нас, об этом не думал. А потом стал думать. И как единственно близкое себе, по его же признанию, выделил из всей дореволюционной истории России: *первое* – царствование *императриц*, женщин, которые, на его взгляд, облагораживали дикую Россию, и *второе* – Серебряный век. Я же считаю, это мое личное дело в конце концов, что царствование императриц для России было изнурительным и особой пользы стране не принесло, а Серебряный век при всех высочайших его художественных достижениях стал началом уничтожения и разложения классической культуры. Что взрыхлило почву как для авангардистских, так и для неоклассицистских направлений, связанных с большевизмом, и подготовило в общем-то ответ на идиотский вопрос: «С кем вы, мастера культуры?»

Е.П.: Мне кажется, что у него до какого-то момента был общий *шестидесятнический* взгляд на историю России. Всем казалось, что та история – все это было слишком давно и есть более актуальные темы: Ленин, Сталин, ГУЛАГ, «социализм с человеческим лицом» и так далее. Пересмотри сейчас многие фильмы или записи спектаклей шестидесятников, там очень много... как бы это политкорректней высказаться... уничижительного по отношению к дореволюционной России, понимаешь? Я помню один *прогрессивный* спектакль, где по сцене шлялись карикатурные попы и почему-то пели, кривляясь, «Боже, царя храни». Это в зале вызывало хохот. Среди публики, настроенной явно против советской власти!

А.К.: Я тебе сейчас скажу одну вещь очень важную. Был короткий период в жизни Васи, когда он написал одно из своих величайших сочинений, увлеченный дореволюционной Россией. Это было связано с тем, что, поездив, он познакомился с людьми первой эмиграции. Они его очаровали, они не могли его не очаровать, и он на короткое время плюнул на свой Серебряный век, на либерализм и написал «Остров Крым» – гимн дореволюционной России, вернее, не гимн, а похоронный марш...

Е.П.: Гимн, переходящий в похоронный марш.

А.К.: Да. Это было уникальное для него явление.

Е.П.: Как бы тебе сказать... Художник в нем, извини за глагол, все равно *превалирует*. Когда читаешь «Вольтерьянцы и вольтерьянки», да еще сопоставляешь текст с реальными историческими деталями, которые ты знаешь в силу своей там образованности или необразованности, то понимаешь, что всё здесь – прекраснодушная фантазия...

А.К.: Конечно. И он этого не скрывает.

Е.П.: Потому что вообще-то известно, кто такая Екатерина была, каков был ее, так сказать, нравственный уровень... Юра Кублановский писал в стихотворении «Потемкин, Зубов и Орлов» еще совсем молодым человеком: «Уж лучше это свинство, да водка, да балык, / Чем кровь и якобинство парижских прощелыг».

А.К.: Да, все было сказано.

Е.П.: Поэтому я думаю, что сначала у Василия Павловича вообще не было никакого отношения к истории России, потому что были вещи хоть и сиюминутные, но более важные. И он был прав скорей всего: есть вопросы срочные, есть – вечные. А потом, когда уже, значит, он обратился к *истокам*, тогда уже пошла такая вот мифология, как в «Вольтерьянцах и вольтерьянках»...

А.К.: ...с одной стороны. С другой – как в «Острове Крым». Это разного уровня мифологии.

Е.П.: И знаешь, я бы даже не упоминал «Любовь к электричеству», потому что давай все-таки признаем, что вещь эта была сугубо конъюнктурная.

А.К.: Но «Остров Крым»... Там ведь если и была мифология, то с *обратным знаком*, чем в этой «Любви». Мифология русского белого движения, апологетика царской России. То есть он на какое-то время отошел от своего либерального ухмылочного отношения к тому нашему прошлому.

Е.П.: Понимаешь, он настолько качественный прозаик, что мог позволить себе иметь *любые* взгляды, любую историю *сочинять*. И, кстати, нельзя сказать, что в «Вольтерьянцах...» он Запад возвеличивал. Там все эти отрицательные персонажи, все эти разбойники, жулики, шпана – *западные*. А положительные персонажи – парочка юных русских дворян.

А.К.: Будучи либералом и разумным талантливым западником, он Запад никогда не идеализировал. Даже в ранних сочинениях. Помнишь, какой у него Запад был в «Круглые сутки нон-стоп» или «Под знойным небом Аргентины»? Живой, энергичный, но... не рай.

Е.П.: Я помню и то, как меня резануло осуждение Запада в романе «Пора, мой друг, пора», где какой-то пошляк утверждает, что сейчас такая мода и «весь Запад» носит браслеты. Герой представляет, как миллионы людей трясут браслетами, и ему становится немного дурно. Я думаю, что комсомол Аксенову даже вот так вот чуть-чуть похлопал «браво, браво» в благодарность за эту фразу.

А.К.: Да, там ведь какие-то подонки фигурируют с этими браслетами, подонки в толстых свитерах на голое тело. Помнишь?

Евгений Попов

Е.П.: Помню.

А.К.: Аксенов их называет «зондеркоманда», и это вовсе не реверанс в сторону Совка. Он просто хорошо знал эту подловатую среду.

Е.П.: Ну, и хватит этих лирических отступлений, давай по порядку истории перейдем к товарищу Ленину.

А.К.: Ленина, я думаю, Василий Павлович ненавидел, как ненавидели и ненавидят его все люди…

Е.П.: Нормальные?

А.К.: Ну по крайней мере не криминально-политического или душевно-нездорового склада. Думаю, у Аксенова к вождю отношение было личное. Потому что его родители были близки к власти, за что, собственно, и поплатились. Знаешь, как планеты сгорают, приближаясь к мощному светилу? Они были слишком близки к центру большевистской вселенной, поэтому и сгорели. И, конечно, Ленин, а в особенности Сталин были для Аксенова абсолютно ненавидимыми преступниками, не более.

Е.П.: Это верно. Вася с отцом – перед самым отъездом на Запад, когда Павел Васильевич приехал из Казани в Москву попрощаться с сыном, – спорил, а потом мне жаловался: «Ну, не могу я с папашей! Брежнев плохой? Плохой. Хрущев говно? Говно. Сталин – убийца, мерзавец? Да. А Ленина не трожь, Ленин – это святое!» Понимаешь, ведь и Василий в какой-то степени так воспитан был. В той среде, где он возрос, даже магаданские заключенные больше интересовались новейшей политической историей, чем сутью России…

А.К.: Их интересовали идеи, идеология, их не очень интересовали личности. Дело в том, что они со многими из этих личностей были знакомы лично. Хрена ли им было разбираться, кто такой Сталин, если многие из них его знали как Кобу?

Е.П.: Вот-вот… Это они и передали маленькому Васе свое неприятие, например, монархизма. Или белогвардейщины.

А.К.: Какой такой монархизм, если все они были опальные революционеры?

Е.П.: Ну, Антон Вальтер и из жизни, и из «Ожога», он не был революционером или политиком. Он был просто врач.

А.К.: Врач-то врач. А по убеждениям он кто был? Монархист, что ли? Скорей всего социалист.

Е.П.: Там все в основном социалисты были, понимаешь?

А.К.: Вот почему Вася и не мог проникнуться любовью – ни к старой истории России, ни к старым ее правителям.

Е.П.: Я недавно прочитал, как сибирские большевики в самом начале тридцатых посадили кадета Лаппо, признали, что он неисправим, но все же тут же выпустили его. И он не дожил до тридцать седьмого расстрельного года, потому что в тридцать втором году помер естественной смертью... У старых большевиков, у них все же другое было отношение к реальности, чем у новых.

А.К.: Не идеализируй. Боюсь, что чем дальше, тем чаще нам придется в разговоре об Аксенове прибегать, увы, к метафоре булгаковской повести «Собачье сердце». Ведь зэки ГУЛАГа уже к концу тридцатых, к середине тридцатых, даже к началу тридцатых поделились, на мой взгляд, на две категории. Одна – это были профессора Преображенские, доктора Борментали и так далее – ну, понятно, дворяне, монархисты, поклонники дореволюционной России, помнящие, как должна быть устроена нормальная жизнь, достойные люди, не принимавшие советскую власть... А другая категория – это швондеры, про которых Преображенский говорил, что вот когда Шариков ополчится на Швондера – вот тогда начнется настоящий ужас. И это произошло. Кто такие швондеры? Это так называемая ленинская гвардия. Кто такие шариковы? Это так называемые тонкошеие вожди, о которых писал Мандельштам. Швондер – это Троцкий, а шариковы – это Ворошилов, Молотов, вся эта шелупонь сталинская. И закавказские люди, которые неизвестно откуда взялись, вроде Берии. Просто из бандитов.

Е.П.: Как Афродита из пены.

А.К.: Вот и оказались в конце тридцатых, условно говоря, две категории зэков: монархисты и троцкисты. Преображенский уже сидел, а тут, глядишь, к нему в камеру и Швондера ки-

Евгений Попов

нули. «Здравствуйте, – говорит, – господин Преображенский», – а тот: «Не имею чести быть с вами знакомым, товарищ!» Или наоборот. Преображенский, будучи воспитанным, говорит: «Здравствуйте, господин Швондер». А тот отвечает: «Я вам не господин и беседовать с вами не намерен. То, что меня арестовали, – это временная ошибка». А бьют их на допросах одинаково.

Е.П.: Смотри на эту тему соответствующие главы антисоветского сочинения «Архипелаг ГУЛАГ». Например, «Зэки как нация».

А.К.: Естественно, что в революционной семье Аксеновых Васина мама, Евгения Семеновна Гинзбург, представляла собой троцкистов, то есть, грубо говоря, людей, которые непрерывно поют хором (пусть простит меня покойная Евгения Семеновна за такую иронию!), а папа, Павел Васильевич, – рабоче-крестьянский класс, который в юности ходил без галош. Откуда ж здесь мог взяться пиетет к дореволюционной России? Ниоткуда. Вот почему многие советские либералы, дети репрессированных, к дореволюционной России относились без всякой любви, без всякого сожаления.

Е.П.: Но отчего юношеская фронда не привела Васю, например, в стан монархистов? Я без иронии это спрашиваю.

А.К.: А там не было фронды, вот в чем дело. Об этом нам еще придется говорить. Где была фронда? В чем фронда? Он хотел писать, как раньше не писали, эта фронда была литературная, а не политическая. Он хотел поступить в институт и гулять по Невскому в американском пальто – это что, фронда? В американском пальто, между прочим, не в белогвардейской форме.

Е.П.: И не в зипуне и валенках.

А.К.: А были такие затаившиеся *враги*, надевшие партийную униформу, френчики, галифе, протырившиеся в большевистские райкомы, но не забывшие своих раскулаченных родителей. Например, вроде писателя Василия Белова, отчества не помню. По-моему, Петрович.

Е.П.: Петрович – это был Виктор Петрович Астафьев. Белов – Василий Иванович. И был он, в отличие от антисоветчика Астафьева, инструктором райкома комсомола, коммунистом, естественно. При Горбачеве – даже членом ЦК КПСС. Всю жизнь таился, только по «Канунам» видно, как он ненавидел большевиков.

А.К.: А Вася был однозначно, прямо и безусловно из «детей Арбата», если говорить в терминах перестроечного времени.

Е.П.: Пошире все-таки был, чем эти типичные «дети».

А.К.: Ну, потому что он в первую очередь был талантливейшим писателем. А как *человек*, как обычный человек, обычный советский интеллигент он являл собой типичнейшее «дитя Арбата».

Е.П.: А что, собственно, это означает – «обычный советский интеллигент»? Интеллигенты все разные. То есть ты Васе шьешь классовое определение: «сын Арбата».

А.К.: Да, классовое определение.

Е.П.: Напрасно. Я и Белова так категорично не взялся бы определять, хоть он и провел почти всю жизнь в коммуняках.

А.К.: А куда ты без классовых градаций денешься?

Е.П.: Подумать надо.

А.К.: Другое дело, что и Белов, и Аксенов, и Абрамов, и Шукшин, и троцкист Шаламов, становясь крупными писателями, оказывались шире своей человеческой сущности. Кто такой был Пушкин? Дворянин, камер-юнкер. И остался бы камер-юнкером, если бы не великий литературный талант. Вот и Вася – остался бы в памяти родственников и друзей обычным врачом умеренно диссидентских взглядов, если бы не пробился в нем сквозь все это выдающийся талант прозаика. Что не мешает мне именовать его типичнейшим «сыном Арбата», хоть и родился он в Казани.

Е.П.: То есть классовое происхождение – все равно как прописка. Ты где прописан? В Москве. Значит, ты москвич, *по закону*.

А.К.: Мы просто боимся это говорить, нам страшно признавать такие вещи.

Е.П.: Да не то что страшно, а как-то хочется острые углы-то обойти, чтобы была гармония. И так у нас в России вечная гражданская война.

Евгений Попов

А.К.: А я намерен в этой книге все острые углы не только не обходить, но искать и в них утыкаться. Хватит двойную бухгалтерию разводить: это для своих, это для чужих.

Е.П.: Да, антагонизм наблюдался даже внутри одной *коммунистической* семьи. Например, у Евгении Семеновны и у Павла Васильевича было разное отношение к тому же Ленину-Ульянову.

А.К.: Естественно. Евгения Семеновна из троцкистского кружка, а старший Аксенов – из простых крестьян, сделавший крупную партийную карьеру, – как может быть не разное?

Е.П.: Так вот, продолжая твою мысль, я хочу сказать, что к тому времени, когда Евгения Семеновна стала писательницей, она оказалась выше своей троцкистской сущности.

А.К.: Да, да, да...

Е.П.: А Павел Васильевич, несмотря на то что сидел страшнее и больше, чем она, писателем не был, отчего и остался...

А.К.: ...остался, условно говоря, партработником.

Е.П.: Мне Вася рассказывал, что, когда они встретились перед ее смертью и у каждого давным-давно была своя семья, Павел Васильевич от растерянности не нашел ничего лучшего, чем спросить: «Женя, а ты партийный билет обменяла?» Та аж ахнула. «Я, – говорит, – Паша, тут помираю, а ты у меня такую чушь спрашиваешь». Лев Копелев писал в своих воспоминаниях, что в партии она сначала не хотела восстанавливаться, но ей объяснили, что в этом случае она до конца дней своих будет носить клеймо троцкистки. Ее муж Антон Вальтер это восстановление, кстати, не приветствовал. Прикрепилась, как пенсионерка, к партгруппе при ЖЭКе, два раза в год выпускала стенгазету, тайно дописывала «Крутой маршрут», напечатала первую часть его на Западе... Павел Васильевич тоже мемуары сочинил, но его вызвали в казанскую гэбуху и попросили *как коммуниста* отдать их им на сохранение, чтобы ими *не воспользовались враги*. Ты ведь знаешь эту историю?

А.К.: Как не знать? Вот и получается, что «детей Арбата» советская власть ненавидела больше, чем «детей Шарикова».

Потому что «дети Арбата» говорили: «Чего? На Запад мемуары попадут? Повредят делу партии? Да плевать мне на ваше дело партии! Ваше дело партии – это вот мое дело: десять лет без права переписки». А на инструкторов райкомов из раскулаченных этот аргумент действовал. Ведь им-то партия хоть что-то, но *дала*, а у детей репрессированных коммунистов только *отняла*. Швондеры расстреляли царя, а шариковы в свою очередь уничтожили швондеров.

Е.П.: Так ты куда Павла Васильевича, участника Гражданской войны, относишь, к швондерам или шариковым?

А.К.: Сам соображай!

Е.П.: Почему ты с таким хитрым видом это мне советуешь?

А.К.: Да потому что я, по совести сказать, сам не знаю, как классифицировать старшего Аксенова. Я полагаю лишь, что были люди, которые партии все простили, – это были простые люди, их партия подняла. А были люди, которые партии ничего не простили, потому что партия у них все отняла с самого начала! У супругов Аксеновых эта партия отняла большую часть жизни... Но дала в свое время власть...

Е.П.: Я сейчас скажу страшную вещь, которую должен сказать...

А.К.: А мы давай не бояться говорить страшные вещи...

Е.П.: Здесь получается прямо по Булгакову. У Павла Васильевича – «шариковский» корень, у Евгении Семеновны – «швондеровский». Кстати, ты заметил, что Шариков и Швондер примерно одного и того же возраста?

А.К.: Конечно. И доктор Борменталь – скорей всего тоже их сверстник, относительно молодой человек.

Е.П.: Так что вот здесь, наверное, и прошел водораздел. Мы видим, что Евгения Семеновна коммунистическую идею отринула начисто. Кстати, ее подруги тоже. Я застал еще в живых ее близкую знакомую, лагерницу Вильгельмину Германовну Славуцкую, бывшую коминтерновку. Она о своих прежних идеологических увлечениях отзывалась брезгливо.

А.К.: Во-во. Это – одна категория *обманутых*, а другая – упомянутый Василий Иванович Белов, честный человек, не простивший советской власти раскулачивания, что не мешало ему служить в райкоме и даже попасть в ЦК.

Е.П.: Или Федор Абрамов.

А.К.: Что Федор?

Е.П.: Федор не в масштабе захолустного вологодского райкома существовал, а возглавлял перед оттепелью кафедру советской литературы в Питере, активно боролся с космополитизмом. Инструктор райкома комсомола – это так, мелочь.

А.К.: Мелочь-то мелочь, но все ж не лопатой махать, а массами руководить. Хоть и в глубинке. И не в сельской школе преподавать.

Е.П.: Да как-то там и тогда все это рядом было. Сегодня ты учитель, завтра – инструктор. Инструктор, конечно, покруче, но учитель – тоже интеллигенция.

А.К.: А я никого не осуждаю, но и не оправдываю. Я только говорю: господа, будем отдавать себе отчет в том, как власть обходилась с различными категориями своих же подданных.

Е.П.: Многие это забыли. Или делают вид, что забыли.

А.К.: Зададимся тогда простым вопросом: кем был Василий Павлович Аксенов? А был Василий Павлович Аксенов типичнейшим представителем шестидесятников высшего ранга. Высший его ранг обеспечивался в первую очередь литературным талантом. Кроме того, он имел уникальное для шестидесятника синтетическое происхождение. С одной стороны – Евгения Семеновна Гинзбург со всем, о чем мы говорили, с другой – Павел Васильевич Аксенов со всем, о чем мы говорили. В этом смысле Вася был просто квинтэссенцией шестидесятничества во всех отношениях. Возьми вот другого шестидесятника, Окуджаву, в его родословной отсутствует крестьянское направление, он был из очень *непростонародной* семьи. Или, например, там, я не знаю... Евтушенко. Вообще не поймешь, из каких он.

Е.П.: Ну, у него-то как раз семья простая. Отец – геолог в тайге, мать – певица в кинотеатре.

А.К.: Ладно. Давай все-таки от родословной Евтушенко вернемся к нашей основной теме: Вася и начальники страны.

Александр Кабаков

Е.П.: Ну, со Сталиным его взаимоотношения понятны. Сталина он ненавидел.

А.К.: Тогда и с Лениным все ясно. В лучшем случае – терпеть не мог.

Е.П.: Да, здесь *градация нелюбви*. В описаниях Сталина, в мыслях, словах о нем – голая ненависть. Вплоть до последних романов.

А.К.: Ненависть?

Е.П.: А ты сомневаешься?

А.К.: В последних романах ненависть такая усмешливая, с попытками... как бы это сказать... *мифогенного анализа*.

Е.П.: Ты, конечно, имеешь в виду «Москву Ква-Ква»?

А.К.: Да. Но об этом, я думаю, мы еще поговорим, когда будем беседовать об этой и других его книжках.

Е.П.: Хорошо. Ну а сейчас я ничего нового не скажу: самая реальная, жизненная, судьбоносная встреча с начальником страны была у Василия Павловича, конечно же, с Никитой Сергеевичем Хрущевым, когда Хрущ его и Вознесенского громил с кремлевской трибуны.

А.К.: Конечно.

Е.П.: Тут даже не надо долго рассусоливать, достаточно поднять стенограмму этого малопочтенного сборища или перечесть соответствующие сцены из романа «Ожог». Как Никита с его «бычьим глазом» мечется на трибуне, поливая «формалистов» и одновременно испытывая жгучую злобу к своим «партайгеноссе», готовым сожрать его с потрохами.

А.К.: Думаю, что как *живого* человека, реального врага Вася тогда даже не Сталина ненавидел, а именно Никиту. Ведь они с Вознесенским, что тут скрывать, были элементарно *напуганы* Хрущевым. После его воплей они шли через Манежную площадь, держась за руки и ожидая ареста. Это Вася прекрасно в «Ожоге» описал. Они вышли из Кремля, ожидая ареста, а что такое арест, они знали, это каждый советский человек тогда знал. Ведь тогда, в шестьдесят третьем, еще только десять лет со дня смерти Сталина прошло, у всех еще в памяти было, как по ночам и средь бела дня забирали. Вот и их вполне могли бы взять прямо на улице, на Манежной площади, и – до свиданья!

Е.П.: В шестьдесят третьем исполнилось десять лет со дня смерти Сталина, а в шестьдесят пятом уже Синявского с Даниэлем арестовали.

А.К.: И в шестьдесят пятом, и в шестьдесят третьем «политических» тоже сажали, но только масштабы уже не те были, что при Усатом.

Е.П.: А вот с Бровастым, то есть с дорогим Леонидом Ильичом Брежневым, у Васи практически уже не было таких тесных отношений.

А.К.: С Брежневым, я считаю, у него вообще никаких отношений не было.

Е.П.: Как так? А письма жалобные мы кому писали в разгар «дела "МетрОполя"»? Обрати внимание, дорогой Леонид Ильич, какие безобразия творит Союз писателей, позоря наше советское царство-государство!

А.К.: Это были отношения не с Брежневым, а с брежневской властью. А с Хрущевым у него были личные ужасные отношения.

Е.П.: Согласен. Однако ты не хуже меня знаешь, что после хрущевского погрома нашего Васю вместо того, чтобы арестовать на Красной площади, через три дня отправили в Аргентину с делегацией.

А.К.: Вот это и есть пример *амбивалентности* хрущевского правления. Никита «пидарасов и абстрактистов» терпеть не может, но, с другой стороны, понимает, что они – еще не самое страшное по сравнению с его товарищами, «соратниками». И Вася тоже понимал, что Никита – *уже* не самое страшное по сравнению со Сталиным, например.

Е.П.: Мне Вася говорил, что в тот осенний день 1964 года, когда Никиту выперли из начальников страны, он встретил в ресторане ВТО хрущевскую внучку Юлу и попросил ее передать дедушке, что он ему сочувствует и кланяется. Юла потом рассказывала, что дедушка был очень растроган и сказал: «Вообще-то я зря тогда на этих ребят попер, мне их *эти сволочи подставили*». Как ты думаешь, действительно подставили?

Александр Кабаков

А.К.: С одной стороны – подставили, с другой – он сам бунта боялся, хорошо помня, что в Венгрии все началось в 1956 году с «Кружка Петефи». А вообще-то, конечно, подставили – «ильичовская» эта компания в Политбюро и подставила.

Е.П.: Да, я помню из газет. Хруща завела коммунистическая прекрасная полячка писательница Ванда Василевская, трижды лауреат Сталинской премии, пожаловавшаяся на Аксенова, что он дал на Западе антисоветское интервью.

А.К.: Ясно, что все это было организовано. Что, сама бы она полезла выступать? Ей это нужно было?

Е.П.: Да не сама она вызвалась, все по сценарию шло. Ну, ты понимаешь, в чем дело, я хочу тебе сказать, что никакого шанса не было тогда у Василия Аксенова слиться в экстазе с Никитой Хрущевым.

А.К.: Не было.

Е.П.: Равно как и не было у него шанса стать противником Хруща, понимаешь?

А.К.: Да. Для Аксенова Хрущев все равно был лучше, чем Сталин. Хрущев миллионы из лагерей выпустил, прежде чем снова начать сажать. Однако уже совершенно не в тех пропорциях, что раньше.

Е.П.: Ну да. Василий это всегда ценил. Отсюда и его знаменитый ответ Никите, когда тот завопил: «Мстите за смерть ваших родителей, Аксенов!» Василий Павлович ему скромно ответил, что Вождь ошибается: родители живы, реабилитированы – и что это в их семье с благодарностью приписывают Никите Сергеевичу Хрущеву.

А.К.: И хотя при Брежневе он прожил здесь порядочно, война, которую он вел за «МетрОполь», была не с Брежневым. И выпихивал Васю из страны не Брежнев, а Союз писателей, КГБ, кто угодно, но только не *лично* дорогой Леонид Ильич.

Е.П.: Совершенно верно. В «Бумажном пейзаже» Брежнев – Лёня, Лёка, Лентяй, Бровеносец, Мистер Броу, как его придумал называть Аксенов, – изображен даже, я бы сказал, саркастически-добродушно. Помнишь, он получает жалобу от персонажа Велосипедова, написанную одними глаголами или

Евгений Попов

существительными, не помню, после чего изрекает: «А что, парень вроде неплохой, хорошо пишет». – «Да он – антисоветчик», – ему отвечают. «А-а, антисоветчик? Ну, тогда нужно ему дать лет пятнадцать. Ничего, молодой еще выйдет, когда отсидит...» То есть он не злодей, а такой это... коммунистический сибарит, имя которого совершенно ничего не значит, но вовсю используется.

А.К.: Вот я и говорю: Аксенов воевал уже не с Брежневым, а с Союзом писателей, ГБ, с системой, с инструментами системы, которой и сам Брежнев в какой-то степени подчинялся. И вот пришел Андропов...

Е.П.: Ну уж с Андроповым у него отношений вообще не было, потому что, когда Андроп пришел к власти после смерти Лени в 1982-м, Аксенов уж два года был в эмиграции, знакомил любознательных американских студентов с поэзией Серебряного века и прочей русской декадентщиной. Последнее, что я изложу по теме «Леня и Вася», это то, что у меня после обысков случайно сохранилась Васина открытка, где он описывает день и час, когда он узнал о смерти Брежнева. Это было в Нью-Йорке, он был приглашен на какой-то авангардистско-диссидентско-антисоветский спектакль, где актер в маске Брежнева неуклюже двигался на сцене под шаманскую этническую музыку. Пораженный этим зрелищем Вася пришел домой, включил радио и узнал, что Брежнев вот-вот, только что умер. Бывают же такие *странные сближения*!

А.К.: Бывают. А вот какие отношения были у Василия Павловича с *новым начальством* страны, не забоимся мы с тобой рассуждать?

Е.П.: Поздно нам, ветеранам, бояться. Значит, так: товарищ Горбачев, дай ему Бог здоровья, он ведь примерно одного возраста с Аксеновым, чуть-чуть его постарше, на годик всего, тоже шестидесятник, говорил мне, когда я делал с ним беседу для «Огонька», что сильно был увлечен Аксеновым как писателем, очень сильно. Я рассказал об этом Василию, а тот в ответ мне поведал дивную историю. На Северном Кавказе давным-давно он однажды кутил в горной гостинице для альпинистов с местным поэтом и прозаиком Валентином Гнеушевым, который вдруг вспомнил, что пригласил к ним в гости славного парня, первого секретаря Ставропольского крайкома КПСС Мишу Горбачева – тот просил познакомить его со столичной знаменитостью...

А.К.: Что хорошо говорит о Михаиле Сергеевиче.

Е.П.: Согласен. Но Аксенов знакомиться с видным коммунистом совершенно не пожелал, да к тому же были они с Гнеушевым в... определенном состоянии, вследствие чего из гостиницы смотались другой дорогой. Аксенов утверждал, что они видели как на ладони горбачевский кортеж черных машин, поднимавшихся по серпантину.

А.К.: Горбачев по возрасту вполне мог бы стать персонажем «Ожога», понимаешь?

Е.П.: Да, в «Ожоге» у героя есть *знакомый иностранец*, венгр, который потом участвует в Венгерской революции-56. И у Горбачева был такой иностранец, с которым они жили в одной комнате, но только чех. Звали его Зденек Млынарж, и он тоже участвовал в революции против коммунистов, но в чехословацкой, 1968 года, получившей название «Пражская весна».

А.К.: То есть никаких отношений у Аксенова с Горбачевым не было. Ни до эмиграции, ни после. Ведь когда Вася снова появился в Москве, Горбачева Ельцин уже *задвинул*. А вот Ельцина, насколько я могу судить, Аксенов очень поддерживал. Он ведь несколько раз писал и говорил, что вот в эти дни августа девяносто первого года, когда был путч, Богородица покрыла Россию Своим Покровом. То есть он ельцинский бунт против советской власти полностью одобрил, поддержал и счел святым.

Е.П.: Совершенно верно. Смотри соответствующие сцены в романе «Новый сладостный стиль».

А.К.: И я даже не пойму, что именно его попутало связаться с Березовским. Ведь он до этого к Ельцину относился очень даже одобрительно.

Е.П.: А Березовский *до этого* тоже к Ельцину относился, как ты выражаешься, «очень даже одобрительно», и тот к нему –

Евгений Попов

адекватно. Здесь, боюсь, смелости-то у нас хватит рассуждать, а информации не хватит.

А.К.: Ошибаешься. Тут как раз информация в моих руках. Вася ведь советовался со мной – сотрудничать ему с Березовским или нет. Это была странная история. Он как раз из Штатов прилетел, позвонил мне из аэропорта и попросил о немедленной встрече. Мы устроились в одном из любимых его заведений – ресторане «Шатры» на Чистых прудах, и он начал свою «исповедь Аксенова» о том, что Березовский предлагает ему альянс, что, дескать, я по этому поводу думаю. Я тогда сказал: «Вася, знаешь, ты все-таки живешь *там*, а я живу *здесь*. Входить в какие бы то ни было политические союзы я бы тебе не советовал». Он покивал, покивал и – вошел.

Е.П.: Вот интересно! Мне он об этом также рассказал, но уже не советовался.

А.К.: Ну он и меня-то спрашивал как *осведомленного журналиста*, а не как товарища или коллегу.

Е.П.: А меня он тоже весьма таинственно вызвал по телефону, и мы с ним сели в гнусненьком кафе кинотеатра «Иллюзион». И он о своем альянсе с Березовским сообщил мне как об уже свершившемся факте. Думаю, что он воспринимал Березовского как человека Ельцина, полагая, что Березовский, продолжая дело Ельцина по линии демократии, придумал такой замечательный проект с какими-то там народным телевидением и Общественным Советом, состоящим из уважаемых людей.

А.К.: Увы, но в это время Березовский уже вовсю оппонировал Ельцину.

Е.П.: Да? Значит, я все забыл. Меня, впрочем, и тогда это не сильно интересовало. Но я думаю, Васе показалось в тот момент, что Ельцин это... подустал насаждать в стране демократию, как Екатерина II – картошку, и Березовский решил прийти к нему на помощь. А Вася – на помощь Березовскому. Как в русской сказке «Репка»...

А.К.: За такие сказки...

Е.П.: Жаль, что мы уже не можем сейчас Васю спросить, что ему тогда почудилось. Может, то, что *враги* хотят поссорить

Ельцина и Березовского, а интеллигенция тут как тут придет на помощь, и демократия вновь воссияет, как начищенный сапог? Ладно, давай потом вернемся к этой теме. Борис Абрамович все-таки не был начальником страны. По крайней мере формально.

А.К.: Тут на Васином скорбном пути возникает фигура Путина. Путин – последний начальник российской страны, с которым он общался.

Е.П.: Неправда ваша, дяденька! А нынешний президент – Дмитрий Анатольевич Медведев?

А.К.: Вася Медведева уже не застал.

Е.П.: Здравствуйте! А с кем мы были на ужине в ЦДЛ в 2007 году, когда Медведеву было подарено американское русское издание альманаха «МетрОполь»?

А.К.: Тогда Медведев был еще не начальник страны, а всего лишь ее вице-премьер. Он президентом стал, когда Вася уже балансировал между жизнью и смертью в больнице имени Бурденко.

Е.П.: Ну Вася же с ним разговаривал тогда, в 2007-м. Мы сидели за круглым столом в бывшем писательском парткоме, в ЦДЛ...

А.К.: Это ничего не значит, потому что Аксенов общался, говорю тебе, не с *президентом* Медведевым, а с вице-премьером. И не мог он стопроцентно знать, что тот президентом станет, хотя такие слухи тогда по Москве уже гуляли, что Медведев – будущий президент.

Е.П.: Тут позволь с тобой поспорить. Вот смотри, если вот ты, например, станешь в 2012 году президентом, разве кто-нибудь посмеет утверждать, что я с тобой не общался?

А.К.: С *президентом* Кабаковым не общался, с литератором – да.

Е.П.: Да... А я что-то никак не могу ничего внятного сообразить по теме взаимоотношений Аксенова и Путина. Были ль они вообще?

А.К.: А я могу.

Е.П.: Тогда тебе и карты в руки.

Евгений Попов

А.К.: Прежде всего это связано с взглядами Аксенова на чеченскую войну. Вася относился к этой войне совсем не так, как большинство либералов. Он не считал ее борьбой чеченского народа за освобождение, он считал чеченских боевиков бандитами, он считал борьбу с ними борьбой с террористами и, таким образом, оказывался на одних позициях с Путиным... По крайней мере по этому вопросу, для Путина – наиважнейшему. У Путина ведь есть несколько таких пунктов, на которых он твердо стоит, не сдает никогда ничего... ни одного сантиметра. Чеченский вопрос – один их них. Сказал, что будет мочить боевиков в сортире, и баста. И Вася оказался с ним на одних позициях. Это очень важно.

Е.П.: Пожалуй!

А.К.: И вдруг – о, чудо! Аксенов, который никогда не поддерживал оголтелых антипутинцев, внезапно становится совершеннейшим противником Путина по делу Ходорковского. Помнишь, как, получая Букеровскую литературную премию, Василий Павлович поднял руку в приветственной речи и вдруг, сжав кулак, сказал: «Свободу Ходорковскому!» Помнишь, как литературные люди оцепенели? Ведь это был разгар *того* Ходорковского дела. К тому же Вася рисковал еще и тем, что упомянутые люди его неправильно поймут. Ведь Ходорковский был тогда спонсором Букеровской премии. Помнишь?

Е.П.: Помню.

А.К.: И тогда это могло выглядеть для тех, кто Васю недолюбливал, так, что, дескать, Ходор тебе денег дал, вот ты и стараешься.

Е.П.: Ну уж это – вряд ли! Всем прекрасно было известно, что Вася – человек небедный. Плевать он хотел на эти деньги!

А.К.: Тем не менее он вот так поступил. Прекрасно, я думаю, понимая, что переходит в оппозицию Путину, которого он во многом поддерживал.

Е.П.: Да. И линии этой «ходорковской» Василий придерживался твердо. Он даже посетил знаменитое судилище, Мещанский суд. Он рассказывал мне, что Ходорковский узнал его, что узнику приход в суд маститого писателя был приятен. Впрочем, не только мне рассказывал. Он и многочисленные интервью на эту тему давал. Даже, по-моему, в телеящике засветился. Не говоря уж о том, что Ходорковский – стартер его последнего законченного романа «Редкие земли».

А.К.: Вот. Об этом я и толкую. Он твердо стоял на том, что чеченская война есть усмирение бандитов, его поносили за это, я читал одну статью, где его даже назвали фашистом. И точно так же твердо, когда пришло время, Василий выступил в поддержку Ходорковского.

Е.П.: Ты знаешь, что здесь интересно в связи с пропутинской – если ее таковой можно считать – чеченской позицией Аксенова? Что вообще-то *реакция* (во всех смыслах этого слова) на его рассуждения о Чечне совершенно Васю не волновала. Хотя статейки о нем появлялись – будь здоров. Одна, которую ты скорей всего и читал, написанная в 2001-м, называлась просто «Фашизм в идеологии, ежовщина на практике». Мило? А Валерия Новодворская, поздравляя его уже в 2007-м с семидесятипятилетием, сообщила с диссидентской «последней прямотой», что ее любимый автор «Ожога» и «Острова Крым» «уже не жжот» и что «наш старый товарищ по оружию нам изменил». Не удержусь добавить, что в пример Аксенову Валерия Ильинична ставит подлинно героических, по ее мнению, людей: Булата Окуджаву, Юрия Левитанского и Александра Галича. Правда, в этой же статье она клеймит за предательство Солженицына, а также делает литературоведческое открытие, приписывая Василию Павловичу неизвестное сочинение под названием «Превратности метода», но это, думаю, издержки жанра. Тем более что в некрологе, посвященном Василию, она благородно его простила и не обосрала, даже великодушно признала, что он «пошел гораздо дальше своей матери». А ведь могла бы и «бритвой по глазам», как в анекдоте про бреющегося Ленина и любопытных деревенских деточек! Это я так, на всякий случай напоминаю забывчивым. А другим страдающим амнезией могу рассказать, как я однажды включил телеящик и увидел, что Евгений Киселев бе-

Евгений Попов

рет для НТВ интервью у нашего героя примерно во время памятного ПЕНовского конгресса...

А.К.: ...когда Гюнтер Грасс пытался засудить Россию?

Е.П.: В этом интервью речь вообще не шла об этом воспитаннике гитлерюгенда, танкисте-эсэсовце и Нобелевском лауреате за «антивоенную направленность произведений», которого Аксенов однажды ехидно назвал «прусским фельдфебелем, знающим только "лево" и "право"». Равно как почему-то не было разговора и о конгрессе ПЕНа, где этот эсэсовец-антифашист председательствовал. Киселев беседовал с Аксеновым *вообще* о жизни, но, видать, плохо подготовился телеведущий, мало ему дали информации о собеседнике, Аксенов его *делал* по всем статьям. Речь когда зашла о чеченской войне, то Аксенов ему и говорит: «Странная любовь у этих "чеченских повстанцев" к отрезанию мягких конечностей у мирного населения». Киселев спрашивает: «Как вас понять?» – «А буквально, – Аксенов отвечает. – Очень любят эти ваши борцы за свободу у пленников мягкие конечности отрезать – пальцы, уши и так далее». А эфир идет прямой, тогда это еще часто практиковалось, не то что сейчас. И разговор уходит явно *не туда*. Киселев свое гнет, Аксенов – свое, чем дальше в лес, тем больше разногласий. Киселев наконец восклицает: «Странно все это слышать от вас, ведь вы же сын репрессированных Сталиным родителей!» Аксенов ему тут же, мгновенно отвечает в эфире, в прямом эфире: «Моих-то родителей Сталин репрессировал, а меня – этот самый... этот самый... ваш вице-президент компании». – «Кто такой?» – спрашивает Киселев. «Филипп Денисович Бобков, бывший начальник 5-го Управления КГБ по борьбе с диссидентами», – отвечает Аксенов.

А.К.: Да, Бобков действительно занимал некоторое время должность начальника службы безопасности в империи Гусинского...

Е.П.: ...И Киселев ничего не мог сказать в ответ ясного, лишь промямлил нечто вроде: «Ну, он у нас уже больше не работает».

Александр Кабаков

А.К.: Достойный ответ!

Е.П.: Я почему эту байку рассказываю, потому что мне наутро звонит Василий Павлович и говорит: «Хорошие дела у нас творятся! Вчера была в прямом эфире моя беседа с Киселевым, а при сегодняшнем утреннем повторе *ее уже нет*, вырезали. Вот тебе и отсутствие цензуры!» Я, цитируя аксеновские слова, заранее прошу у всех прощения, если в чем-то оказался неточен... Но я хочу всем сказать, что Аксенов вел себя настолько независимо и честно, что это вызывало уважение даже у самых злобных персон, не хочу называть их имена, много им чести будет...

А.К.: Вот ты и произнес два ключевых слова: «независимо и честно». Да, отношение Василия Павловича к начальникам страны было связано с воспитанием, с собственными пристрастиями, принципами, иллюзиями, но оно никогда не было связано с зависимостью от этих начальников. Вот что я хотел бы подчеркнуть в конце нашего сегодняшнего разговора! Потому что – ну где же логика? Если ты поддерживаешь Путина по чеченскому вопросу, то чего же ты против него возникаешь по поводу Ходорковского? А потому что – тут поддерживаю, а тут не поддерживаю. И все. Вася был совершенно независимый человек.

Е.П.: Да. Если ты говоришь Никите Сергеичу Хрущеву, что связываешь освобождение и реабилитацию родителей с его именем, то что ж ты на Никиту прешь? А он на него прет, да потом сам же над собой и над ним смеется в «Ожоге», именуя Хруща «Кукитой Кусеевичем», помнишь?

А.К.: Да. Это где он предлагает Вождю: «Позвольте вам, Кукита Кусеевич, спеть "Песню варяжского гостя"?» Да. Он был абсолютно независим в своих отношениях к властям. Он, в отличие от многих других именитых шестидесятников, хорошо усвоил пушкинское «Зависеть от царя, зависеть от народа...» Он не зависел от царей, внутренне не зависел. Они могли его в тюрьму посадить, но внутренне он не зависел от царя и, надо отдать ему должное, не зависел и от народа, о чем, я надеюсь, мы еще поговорим.

Евгений Попов

Е.П.: Ну, у меня тут чуть-чуть иное мнение на сей счет. «Зависеть от царя, зависеть от народа...» Как он мог зависеть от народа, если он сам и был этот народ?

ПРИЛОЖЕНИЕ

Открытка, посланная Василием Аксеновым Евгению Попову и его жене Светлане Васильевой из Америки поздней осенью 1982 года непосредственно после того, как умер БРЕЖНЕВ ЛЕОНИД ИЛЬИЧ (1906–1982), политический и государственный деятель, Генеральный секретарь ЦК КПСС, Председатель Президиума Верховного Совета СССР, Маршал Советского Союза (1976), Герой Социалистического Труда (1961), четырежды Герой Советского Союза (1966, 1976, 1978, 1981), кавалер ордена «Победа» (1978, указ о награждении отменен в 1989-м как противоречащий статусу ордена), лауреат Международной Ленинской премии «За укрепление мира между народами» (1973) и Ленинской премии по литературе (1979):

Дорогие Женя и Света, разрешите мне рассказать вам одну нью-йоркскую историю. В день кончины Мистера Броу, еще не зная об этом (и никто еще в Новом Свете не знал), мы пошли большой компанией на представление в Сохо. Представление называлось «Страсти по Казимиру», имелся в виду Казимир Малевич. Мы сильно опоздали, а когда вошли, увидели на сцене обнаженного Мистера Броу, который танцевал медленно и со щемящей бессмысленной печалью под аккомпанемент дикой якутской песни без слов. Sic transit gloria mundi, дорогой ты наш Евгений...

ГЛАВА ШЕСТАЯ
АКСЕНОВ И ЕГО ПОЛИТИКА

ЕВГЕНИЙ ПОПОВ: Итак, сначала Василий Павлович, будучи ребенком, был вне политики – родители сидели в тюрьме, а ему рассказывали, что они на Севере где-то, в командировке... Естественно, после Магадана, после встречи с матерью, он стал антисоветчиком, вернее, антисталинцем, я бы так сказал...

АЛЕКСАНДР КАБАКОВ: Мне кажется, что ты начал немножко сбивчиво. Приделал сюда детство, которое вообще никакого отношения к предмету разговора не имеет... А разговор сегодня о политических взглядах Аксенова, вот о чем. Действительно, сначала, я думаю, он сделался просто антисталинистом под влиянием Евгении Семеновны, потом – резким антисоветчиком уже непонятно под каким влиянием, по инстинктам, что ли...

Е.П.: Потому что он стал информацией большей владеть... В Питере, потом в Москве...

А.К.: И по инстинктам стиляги. А дальше пошло... Так что теперь, в двух словах формулируя, каковы были, на мой взгляд, политические взгляды... ну, так скажем, зрелого Аксенова,

Евгений Попов

я могу заявить твердо: он был последовательным *атлантистом*. Так у нас было раньше принято и теперь снова принято называть людей, исповедующих традиционные принципы западного мира и прежде всего американского... ну, истеблишмента, не американской интеллигенции, которая «левая» в большой степени и в большой части, а истеблишмента, столпов общества. И этим *атлантизмом* объясняется абсолютно всё: его антисоветизм и вообще антикоммунизм, его взгляды на все политические проблемы. Например, его позиция по отношению к поздней советской власти – какая она была? Точно такая, какой она, меняясь, была у американского истеблишмента, у Америки и, если угодно, у НАТО. Если же он расходился с американским истеблишментом, то... не подберу выражения... в тех случаях, когда он был еще больше атлантистом, чем американцы. Например, в его позиции по отношению к чеченской проблеме.

Е.П.: О, это интересно...

А.К.: И довольно широко известно... Я же сказал: у Аксенова были взгляды классического атлантиста, традиционного. А в последние десятилетия Америка – в том числе все больше, вслед за американской интеллигенцией, и американский политический истеблишмент – перестала быть той Америкой, которая когда-то сформировала его взгляды.

Е.П.: Объяснись!

А.К.: Пожалуйста: он твердо и непоколебимо выступал «за Запад», против агрессивного коммунизма, против всякой угрозы Западу – в том числе и такой очевидной для него угрозы, как напор Юго-Востока, исламского фундаментализма, азиатчины. В свое время против этих угроз твердо выступали и Америка, и НАТО. Но западные подходы постепенно поменялись из тактических соображений, под давлением политического прагматизма и проникающей всюду политкорректности, а он не поменялся. Он считал такую новую политику изменой западным принципам. Этим объяснялась эволюция его отношений к новой советской... к новой русской власти. Этим же объяснялся важный и, к счастью, не имевший практических последствий

Александр Кабаков

эпизод его биографии: он сошелся с Борисом Абрамовичем Березовским и едва не возглавил партию, которую Березовский хотел создать как альтернативу уже начинавшей тогда свое существование партии власти, как либеральную, западническую альтернативу. Аксенов этим увлекся, потому что всегда и во всем стоял на позициях традиционного, классического западного «правого» либерала, атлантиста. И был даже готов за эти свои взгляды бороться...

Е.П.: Атлантист, атлантист... Я насторожился при слове «атлантист». Но когда ты сказал «правый либерал», то я абсолютно с этим согласился. Только я еще хочу сказать, что, как ни странно это звучит, он ухитрялся быть при этом русским патриотом. Не в том дурном смысле этого слова, которое возникло в 90-е годы, когда одни ругались словом «пидриоты», а другие – словом «либерасты», нет, он был патриотом в том смысле, в каком нормальный русский человек должен быть...

А.К.: И никакого противоречия тут на самом деле нет. Потому что настоящий атлантизм предполагает патриотизм. Классический атлантист всегда патриот, допустим, Америки или Великобритании – он не может быть таким беспристрастным интернационалистом...

Е.П.: Ты знаешь, я с уважением отнесся к твоей схеме относительно его атлантизма, но схема есть схема, а жизнь есть жизнь. Как атлантист может быть русским патриотом?

А.К.: А как правый либерал может не быть патриотом своей страны? «Правый» – обязательно патриот...

Е.П.: Ну, не знаю... Правильно писали в восемьдесят восьмом в журнале «Крокодил» под руководством этого самого, забыл его фамилию, сатирика-то...

А.К.: Пьянова.

Е.П.: Да, правильно. Под общим заголовком «Мы, штатские». Именно насчет атлантизма, как ты выражаешься. То есть его уличали в том, что он патриот Америки, а не России...

А.К.: Вот в этом и было противоречие его атлантизма. Будучи гражданином Америки и вообще западником, *атлантистом*, он не мог не быть американским патриотом. Но, будучи

Евгений Попов

правым либералом, он не мог не быть патриотом своей настоящей родины, то есть России. «Правый» и «патриот» – это почти одно и то же. Другое дело, что у нас такая вывернутая вся действительность, в которой коммунисты, например, провозглашают себя патриотами, в то время как их предшественники, коммунисты-интернационалисты, Россию замучили, уничтожили, половину народу перебили и мечтали о мировой революции, в которой Россия сгорит, как фитиль. И еще разные люди, которые хотят превратить Россию опять в зону, в ГУЛАГ, объявляют себя патриотами на том основании, что они инородцев ненавидят. Так они русских не меньше ненавидят... А Вася был настоящий патриот, каким должен быть правый либерал.

Е.П.: Не хочется себя цитировать, но придется. В предисловии к одной его книге я написал, что тоска по России богатой, веселой, открытой – вот патриотизм Аксенова.

А.К.: Мы говорили про «Остров Крым»: вот скажи, кто, кроме атлантиста с одной стороны и при этом русского патриота с другой, мог написать такой роман?!

Е.П.: И все равно слово «атлантист» мне не нравится.

А.К.: Хорошо, я легко сдаюсь. Тогда так: кто, кроме западного правого либерала и русского патриота в одно и то же время, мог написать такой роман? У него там крымская Россия – абсолютно западная страна. Которую он любит до слез – вспомни финал романа.

Е.П.: Пожалуй... И на этой позиции он стоял всю жизнь.

А.К.: В ранней молодости позиция не была такой твердой. Как почти все шестидесятники, он прошел эволюцию: антисталинист – антисоветчик – далее кто как... В молодости довольно быстро прошел.

Е.П.: Не все шестидесятники эту эволюцию прошли до конца.

А.К.: Антисталинизм прошли все, конечно, хотя некоторые потом вернулись. Зиновьев покойный...

Е.П.: Мне кажется, что это, как говорил про себя многажды помянутый Феликс Кузнецов, «ролевое сознание»... Я сейчас вспомнил один случай к месту, как мне кажется.

Александр Кабаков

Вася мне рассказывал, как он выступал еще в Западной Германии, еще в советские времена, значит. И там нашелся у него ярый оппонент из местных, обычный такой европейский левый интеллигент, который все говорил, что Аксенов клевещет, что в Советском Союзе жизнь замечательная… А когда Вася привел ему в ответ факты и аргументы различные, достаточно убедительные, тот в ярости вскочил и ушел. Вася думал, что это какой-нибудь маргинал, а оказалось, что это был кто-то из преподавателей и богатый человек. Он вышел, там какая-то стояла роскошная машина, в которую он злобно сел и уехал…

А.К.: Когда он столкнулся с западными леваками, он оказался к этому хорошо подготовлен. Магаданским ссыльным обществом, мамой…

Е.П.: Мама вообще играла большую роль в его жизни, когда он уже был вполне взрослым.

А.К.: И он, надо сказать, советской власти не простил смерти Евгении Семеновны — он советскую власть после этого еще больше возненавидел, вот мое глубокое убеждение… Может быть, грех об этом говорить, кто-то кощунством сочтет, но я вспоминаю один эпизод… Я ведь в то время, на которое попал «МетрОполь» и потом его отъезд, был от него, в общем, далек, мы общались редко, в основном по телефону. Я теперь думаю, что он сознательно меня… немного отодвинул, так скажем. Он знал, что я не хочу рисковать работой, что не хочу вступать с властью в прямой конфликт… Тем более что никакой стоящей литературы, которую я мог бы предложить «МетрОполю», у меня в столе тогда еще просто не было. Ну вот, и в это как раз время, когда началось это отдаление, умерла Евгения Семеновна. Как-то я ему позвонил… ну, не помню, в семьдесят восьмом, весною, кажется… И Кира мне сказала, что только что умер пес, ирландский красный сеттер, который был у Васи. Они пошли с ним гулять, Вася спустил его с поводка там в парке, тот убежал и приполз назад с раскроенной головой. И умер. Убили. И Вася сделался совершенно не в себе. Он хватил, кажется, даже водки, че-

го с ним тогда уже давно не бывало, прыгнул в машину и ум-
чался куда-то. И она очень волнуется, Вася может в таком состоянии разбиться. И я уже не помню, то ли тогда, то ли позже, но у меня возникла мысль, я говорю, такая кощунственная
мысль… что вот этого всего вместе – а перед этим умерла Евгения Семеновна – Вася не простит советской власти. Он стал
как поплавок без якоря. Смерть Евгении Семеновны его полностью развела с советской властью – полностью. Все, идите
все в жопу, меня больше ничего не держит, и я ничего не боюсь. И вот эта вот история с собакой… И еще примерно тогда же он ушел от Киры к Майе… Все. Он отвязался, якорей не
стало. И он ушел в свободное плавание – в «МетрОполь», потом в отъезд… Я к чему это говорю? Он советской власти
сначала многое прощал. Он ей прощал, допустим, посадку родителей: ну, посадили, ну, вышли оба живыми. Он прощал
преследования, разгромы хрущевские… И как-то все обхо-
дилось. Вот в этом известном его последнем сочинении,
в «Таинственной страсти», он описал, как они, молодые-
опальные, идут из Кремля и ждут, что их просто арестуют на
Манежной площади… И они резонно предполагали. По логике прежней советской власти так и должно было произойти!
А не арестовали. Никого не тронули. А они, только что обру-
ганные самим вождем, пришли в ресторан, начали, как обычно, выпивать… Ну, мы об этом уже говорили… Так что он
многое советской власти прощал. Но когда – так он это воспринял – советская власть начала убивать тех, кто ему был
дорог, вот этого он не простил…

Е.П.: Так, я тебя слушал внимательно, теперь буду возражать
категорически. Во-первых, Евгения Семеновна умерла в семьдесят седьмом еще году, и умерла она все-таки не от советской
власти, а от рака. Теперь еще: как ты мог звонить Кире, когда
в последний год уже он не жил там?

А.К.: Я же говорю, это было не в восьмидесятом, а скорей
всего в семьдесят восьмом.

Е.П.: Но вообще-то в твоих размышлениях что-то есть.
Смерть матери имела для него огромное значение, у него дей-

ствительно оказались развязаны руки. Потому что Алеша к тому времени вырос, стал вполне самостоятельной персоной.

А.К.: А я тот случай со смертью собаки хорошо запомнил. И потом, когда прогремел «МетрОполь», я уже не удивлялся такому Васиному... отчаянности такой. Я ж вообще на животных повернут, как и Вася, к слову. С последней своей собакой, тибетским спаниелем Пушкиным, он постоянно целовался. А тогда, в семьдесят восьмом, я еще подумал – ну, Вася озлобится теперь совсем... Так и вышло.

Е.П.: Да, и можно было предположить, что в ответ на эту непримиримость власть начнет выдавливать его из страны. Они бы за один «Ожог» Васю выдавили бы, даже если б не было «МетрОполя». Потому что посадить тогда всемирно известного писателя Аксенова они уже не могли.

А.К.: Да, после Солженицына уже не могли посадить никого из знаменитых людей. Начали выдавливать. Вот Марченко могли держать в лагере, пока он не умер там, а знаменитостей не могли. Ну и следует заметить, что тех, кого в тюрьмах и лагерях держали – тех держали все-таки за реальные политические действия, а не за литературу. То есть за «Хронику текущих событий», еще за что-нибудь в этом роде, но не за роман, не за интервью. То есть за то сажали, что по действовавшему тогда уголовному кодексу считалось преступлением...

Е.П.: Да что ты говоришь такое! И за романы сажали, и массу людей таскали за их рукописи. В провинции сажали прекраснейшим образом – и за стишки, и просто за чтение!

А.К.: Но Аксенова им упрятать было слабо. Аксенова подверстать под статью они не могли.

Е.П.: Они не могли подверстать под статью, например, даже Кублановского. Потому что у него уже книжка вышла на Западе, там были такие резкие, просто нагло антисоветские стихи. А он мне рассказывал, что когда на него дело передали из КГБ в прокуратуру, его таскали на допросы и спрашивали, например, кто такой «симбирский шакал» у него в стихах? А он объяснял, что это отец Керенского, директор гимназии! И это следователя удовлетворяло – формально ответ получен... Однажды он пошел на допрос, и мы с ним договорились после допроса в два часа встретиться у памятника Пушкину. Два часа – его нет… Но у нас была договоренность, что если в два нет, то еще в три прийти. Я прихожу в три часа – уже появился Кублановский с вытаращенными от изумления глазами: ему сообщил следователь, что не нашел в его книге состава преступления!.. Так что сажать они уже действительно… ну, не то чтобы опасались, но сдерживались.

А.К.: Дело в том, что, хотя уголовный кодекс советский был вполне людоедским законом, его хватало, только чтобы бороться с людьми, прямо обнаружившими себя как враги системы. Сталинский уголовный кодекс был посерьезней. В советские времена в рамках борьбы с культом личности писали «нарушения социалистической законности». А я всегда стоял на том, что никаких нарушений социалистической законности не было, а была законность такая: по уголовному кодексу сталинскому можно было за антигосударственные преступления расстреливать детей с двенадцати лет. А потом все смягчилось, и уголовный кодекс уже стал такой, что не всегда срабатывал. Уголовный кодекс с семидесятой статьей – «Распространение заведомо ложных измышлений, порочащих советский государственный и общественный строй»…

Е.П.: Семидесятая статья была «Антисоветская агитация и пропаганда»…

А.К.: А, правильно! «Распространение» была… сто девяностая прим, да… смотри, основополагающие вещи забылись уже… И вот это все не всегда срабатывало. Они не всегда решались давить до конца. Причем чем дальше было от Сталина, тем меньше решались. Никита Сергеич мог в закон задним числом ввести статью и расстрелять за валютную фарцовку Рокотова и Файбишенко. А уж Леонид Ильич на такие вещи не решался… В общем, Васе непосредственно от советской власти угроза такая страшная не исходила. Но могли просто выгнать. И я тебе говорю – примерно с семьдесят восьмого-семьдесят девятого года Вася был к этому готов. Он на все махнул рукой: ну выгонят, так выгонят, не выгонят – останусь. И он пошел до конца. Выход из Союза писателей, когда вас с Ерофеевым исключили, – это предусматривало продолжение. Не может быть просто так: демонстративно, со скандалом, вышел из Союза писателей и живи себе...

Е.П.: Липкин и Лиснянская вышли тоже из Союза писателей, и никакого продолжения у них не было, кроме того что их выкинули из Литфонда, из поликлиники...

А.К.: Да, тоже правда...

Е.П.: Я пока с интересом тебя слушал, думал вот о чем: в те времена власть решила сортировать писателей. Вот сочинитель, чего в нем больше: литератора или политика? Если политика – сажать, а если литератора – посмотреть еще...

А.К.: Есть и другие способы воздействия, как они говорили.

Е.П.: Например, высылка за границу. Пожалуйста...

А.К.: Или просто совсем перестать публиковать в СССР, совсем, подчистую.

Е.П.: Я не буду называть фамилию, одновременно с Кублановским таскали еще одного литератора. И вот однажды Кублановского вызвали и говорят, что тот литератор уже сидит, брали на испуг, потому что на самом деле его посадили гораздо позже. Но посадили, а Юру Кублановского – нет. Потому что они точно высчитали, что тот литератор больше политик, а на Юру посмотрели – так этого же сукина сына в лагерь посади, он и там будет... стишки кропать. И сказали: вот тебе подорожная, быстро отсюда вали...

А.К.: Думаю, что их многому научил случай Бродского, которому они «сделали биографию», как было сказано. Они были, конечно, идиоты, но не совсем полные.

Е.П.: А с тем человеком – уж я закончу – а с тем человеком они четко рассчитали. Они его посадили, там объяснили, что ему сто девяностую прим быстро переквалифицируют на семидесятую, по которой гораздо больше можно получить, рассказали, как он при их помощи весело будет жить в лагере, и быстренько его поломали... А для Василия Палыча писательство было на первом месте, и сажать его им было невыгодно и бесполезно. А политика для него была никак не на первом месте. То есть он ею интересовался, как всякий нормальный человек, но не больше.

А.К.: И с советской властью он поссорился лично, а не политически. И с конца семидесятых он от этой власти полностью отвязался. Он не стал с ней по-настоящему воевать, а проявил такую полную и абсолютную самостоятельность. И вот это в нем мне всегда, многие годы спустя, уже в последнее время, очень нравилось, удивляло и, я бы даже сказал, восхищало – его абсолютная самостоятельность по отношению к любому социально-политическому явлению. Вот его уже много раз вспоминавшаяся мною позиция по отношению к чеченской проблеме. Ведь он был такой один в своем кругу – кругу, так скажем, либеральных интеллигентов. Он один жестко противостоял всяким разговорам о геноциде, о чеченских борцах за свободу и так далее, считал их мятежниками, извергами, бандитами, об этом писал, чем заслужил от некоего автора упомянутой нами статьи название «фашист»...

Е.П.: А о чем вся статья-то была?

А.К.: Об этом и была. Что он фашист, что он проделал путь от шестидесятника к фашисту... А он стоял на своем. И история с попыткой создания оппозиционной партии Березовского то же самое подтверждает – независимость, я бы сказал, одиночество Васи в его политических взглядах и связанных с ними поступках...

Е.П.: Ну-ка, расскажи эту историю подробней, мы уже ее вспоминали, но я подробностей не знаю.

А.К.: Эта история показывает, насколько Вася был в политике самостоятельный, твердый человек, но, с другой стороны, романтик с почти детским сознанием. Я об этой идее узнал от него. Он прилетел из Америки и прямо из аэропорта...

Е.П.: Это какой год?

А.К.: Не помню... Ну, конец девяностых... Когда Березовский начал активную борьбу с властью. Он же до этого власть поддерживал всячески, а после начал с ней силами меряться...

Е.П.: Так это было после двухтысячного? Уже когда Путин был, что ли?

А.К.: НЕ ПОМНЮ!

Е.П.: Но это же очень важно!

А.К.: А я не помню, понимаешь? Ну, рассказывать?

Е.П.: Ну ладно.

А.К.: И вот Вася мне позвонил, прилетев, чуть ли не прямо из аэропорта: «Давай встретимся, надо поговорить». Я перепугался, так никогда не бывало, он всегда отдыхал какое-то время после перелета... Ну, я примчался, мы сидели в любимом им ресторане «Шатры» – лето было – на Чистых прудах. И он сказал, что Березовский зовет его... ну, фактически возглавить или по крайней мере осенить своим присутствием новую партию оппозиционную. Должна быть такая партия интеллигенции...

Е.П.: Он слово «партия» употребил?

А.К.: Да, партия интеллигенции. У нее уже даже было название какое-то... такое глуповатое какое-то – «Возрождение», что ли... Не помню. Я сразу сказал, что этого делать не следует, что он вдалеке от наших политических и социальных реалий находится, а я здесь живу и знаю, что связываться ни с какой партией в нашей стране нельзя, его репутация как писателя сильно пострадает. Он выслушал меня внимательно и, как обычно, не спорил, а молчал. И, как я узнал через несколько дней, немедленно дал Березовскому согласие. В деталях, что происходило потом, не знаю, знаю только, что какое-то время он с Борисом Абрамовичем, пусть меня извинят за грубое слово, хороводился, ездил к нему в его дом приемов на Ордынке...

Е.П.: И получается, что это было в девяносто седьмом году, потому что именно в том году Борис Абрамович посетил Василия Павловича в его день рождения! Помнишь?

А.К.: Конечно, помню. С букетом... Значит, в девяносто седьмом... Я Васе тогда, в «Шатрах», говорил: ты пойми, у Березовского совершенно другие задачи, чем у тебя. А тебя он привлекает как имя... В политике если двое связываются, то из двух один – использует, другого – используют...

Е.П.: Он тебе отвечал что-нибудь?

Евгений Попов

А.К.: Нет, он внимательно слушал. Выслушал – и поступил по-своему.

Е.П.: То есть в своем стиле поступил.

А.К.: Ездил на Ордынку, встречался...

Е.П.: На Новокузнецкой улице-то было все дело, Дом приемов-то... На углу с Пятым Монетчиковым переулком, где я жил одно время...

А.К.: На Новокузнецкой? А, да, правильно... Ну, в общем, потом как-то так все рассосалось... Очень странно это закончилось – абсолютно ничем. Но до того как закончилось, произошла еще одна история, крайне для меня неприятная. Значит, возник некий список как бы ЦК этой партии. Я такое презрение испытываю к политике вообще и к российской политике в частности, что весь список не запомнил, но открывался он Аксеновым и где-то дальше и я оказался в этом списке! И мне этот список присылают по факсу в «Коммерсантъ», где я тогда работал... Это после того, что я Васе сказал! Я себе сотрясал воздух, а Вася взял и вписал меня в этот список. Он просто не посчитался со мной. Я тогда сильно разозлился. Значит, он – самостоятельный человек, а я просто так болтал?! Ну, мне присылают этот список и как бы манифест этой организации. Манифест – с просьбой опубликовать его в «Коммерсанте»... И прямой телефон Березовского. И я немедленно по этому телефону сообщаю Борису Абрамовичу – к которому, кстати, относился и тогда, и потом с личной симпатией, – сообщаю, что повлиять на публикацию в «Коммерсанте» я не могу. Такие вещи решает главный редактор, я ему передам, а повлиять не смогу. При этом деликатно замечаю, что из чисто стилистических соображений я выкинул бы начало этого манифеста – а там было примерно такое начало: «Россия сейчас находится в положении человека, занесшего ногу для шага, но так и не ставшего на две ноги...» Я сказал: «Борис Абрамыч, нельзя начинать политический манифест с ног». А дальше он меня прямо спрашивает, согласен ли я войти в этот список ЦК или учредителей, в общем, в список. И я очень быстро отреагировал. Я вообще-то туг на ум, у меня «лестничное остроумие», я все прекрасные аргументы нахожу, когда беседа уже кончилась. Но тут я сообразил как-то очень быстро, чем можно отговориться так, чтобы не обидеть. В моей отговорке была правда некоторая: «Борис Абрамыч, что касается моего участия, то оно невозможно». – «Почему? Вас не устраивает такая... общеинтеллигентская, общедемократическая, нормальная общегуманитарная такая позиция?» – «Нет, устраивает, устраивает, но дело в том, что я ваш служащий. И если я, ваш служащий, участвую в вашей организации, это странно выглядит».

Е.П.: Служащий в каком смысле?

А.К.: А я в «Коммерсанте» работал, а «Коммерсантъ» уже принадлежал Березовскому... Нет! Это не могло быть в девяносто седьмом году! В девяносто седьмом «Коммерсантъ» еще не принадлежал ему! И значит, Березовский к Аксенову на другой день рождения приходил, не на шестидесятипятилетие...

Е.П.: Вероятно... А появился этот манифест в «Коммерсанте»?

А.К.: Конечно нет. «Коммерсантъ» прокламации не печатал. Только на правах рекламы, но как рекламу Березовский, наверное, не хотел печатать такой документ. Хотя бывало, что он свои тексты в «Коммерсанте» печатал как рекламу. И за деньги...

Е.П.: Несмотря на то, что «Коммерсантъ» куплен был Березовским...

А.К.: А это сплошь и рядом бывало, когда Березовский вступал в некую переписку с властью. Тексты Березовского появлялись в «Коммерсанте» на правах рекламы, и Березовский своему «Коммерсанту» платил.

Е.П.: Потрясающе просто.

А.К.: Это я тебе достоверно говорю. Вот тем и был велик «Коммерсантъ»... Да. И вот, значит, я говорю: «Понимаете, я ваш служащий, это будет выглядеть некорректно...»

Е.П.: Это ты быстро придумал такую отмазку?

А.К.: В какой-то степени отмазку, но вообще-то это была правда.

Евгений Попов

Е.П.: Недавно была телевизионная передача, в которой я участвовал, и меня там объявили революционером, а когда я сказал, что не революционер, а эволюционер, сказали: «Ну как же, вы же вышли на площадь с "МетрОполем"?» А я сказал, что меня вытолкали на площадь эту...

А.К.: Во-первых, вытолкали. Во-вторых, издание «МетрОполя» – это не выход на площадь. На площадь выходят с транспарантами «долой» или «да здравствует», а не с романами и стихами. «МетрОполь» – это было профессиональное писательское дело. И Вася тоже вел себя так всегда – по-писательски. Вот случай с партией Березовского – единственный, который я могу вспомнить, когда он повел себя... ну, как вроде бы политик.

Е.П.: А отмазка твоя тогда подействовала?

А.К.: Да. Надо отдать должное Борису Абрамовичу, во-первых, он принял смысл этого аргумента сразу же, во-вторых, это не повлияло на отношения, а они, конечно, не тесные, после этого еще были. В частности, он мне заказывал большую статью, такую обзорно-историческую, которая вышла в альбоме к десятилетию его премии «Триумф»... Корректно очень себя вел Борис Абрамович. А я, значит, тогда отговорился. Вскоре же и вся затея рассосалась. И Вася как бы освободился, я увидел в нем заметное облегчение. Притом что с Березовским и у него хорошие отношения сохранились... И тоже постепенно рассосались.

Е.П.: Я тебя с большим любопытством слушал, потому что я ведь тоже знал об этом. Потому что Василий Павлович с несвойственной ему, как он сам называл, «звериной серьезностью» позвонил и мне таинственно и назначил встречу. Ну, не в роскошном ресторане «Шатры», а в «Иллюзионе», в буфетишке, я уже упоминал об этом. Там он мне рассказал все то же, что тебе, плюс еще горячо утверждал, что сейчас будут большие дела, что это очень полезно для страны, что телевидение будет, общественный совет какой-то... Я уж не помню подробно, там какие-то им акции дал Березовский, которые потом куда-то исчезли... Или не акции... В общем, все, как ты выражаешься, рассосалось. А тогда он сказал, что это очень важное дело и что он в нем непременно будет участвовать. Я, поскольку мне все, что про политику, было безразлично, я даже не высказывал сомнения, а сказал вроде того, что ну, твое дело, вдруг получится что-то... Больше к этому разговору мы никогда не возвращались.

А.К.: И я повторю, что это была единственная, довольно нелепая и даже комичная попытка прямого участия Васи в политике... Не считая еще одного случая, когда он доказал, с одной стороны, что он человек смелый, с другой стороны, что человек очень самостоятельный и независимый, с третьей стороны, что романтик и, с четвертой стороны, что не совсем последовательный. Ведь он в какой-то степени если не одобрительно, то нейтрально, доброжелательно-нейтрально относился к Путину...

Е.П.: Да, нейтрально.

А.К.: И вот, как я уже говорил, получая Букеровскую премию, он заканчивает свою речь лауреата, вскидывая кулак со словами: «Свободу Ходорковскому!» То есть тут была и простая порядочность – в конце концов, это организация Ходорковского «Открытая Россия» тогда финансировала Букера, но был и принцип – поддержать человека в тюрьме...

Е.П.: Да, это я помню.

А.К.: Надо сказать, я оцепенел. Только-только Ходорковского взяли, еще не было коллективных протестов. Я застыл не от страха, а... как бы от неуместности такой демонстрации в чинном литературном собрании. И все застыли. Это было очень неожиданно, потому что это было очень уж благородно, от таких жестов наша литературная общественность отвыкла.

Е.П.: Да, я тоже помню этот случай, но объясняю его элементарной порядочностью Васи, а не политическими взглядами.

А.К.: Ну, порядочность здесь заключалась просто в том, что он вспомнил человека, который, собственно, все это устроил...

Е.П.: Вы, дескать, здесь сидите, жрете и пьете – а на чьи деньги?

А.К.: Это порядочность, но все-таки «Свободу Ходорковскому!» – это еще и политический шаг. Примерно на том же уровне, что «Свободу Юрию Деточкину!» – честный и наивный. Никто этого не ждал от Аксенова... А Вася – он весь в этом. Сочетание независимости с каким-то полудетским романтизмом, почти конформизма с твердой убежденностью, которая оказывалась тверже тактических колебаний настоящих политиков. Америка в своем американизме колебалась – а Вася стоял на своем, понимаешь? В России все колебалось – а Вася стоял на своем. А с другой стороны, легко полез в какую-то авантюру... Вот что я тебе скажу: у него по отношению к политике была позиция настоящего художника.

Е.П.: Когда все общество и все общества – и американское, и русское – колебались, а он стоял на месте, то общество это воспринимало наоборот: как будто он все время колеблется. Ведь его не понимали просто...

А.К.: Или сознательно оплевывали, пользуясь его принципиальностью как уликой. Вроде этой статьи, которую я вспоминал, я ее читал в Интернете, где говорится, что Аксенов «прошел путь от либерала-шестидесятника к русскому фашисту».

Е.П.: Собственно, то же самое происходило на том знаменитом конгрессе ПЕН-клуба в 2000 году в Москве, который мы уже вспоминали. Когда с легкой руки Гюнтера Грасса, который, как он потом признался, был членом гитлерюгенда и воевал в СС, нас, подписавшихся под особым мнением по Чечне, тоже чуть ли не фашистами называли... Это мнение я составил, а Вася был активным сторонником этого особого мнения... И еще не раз так бывало, когда Аксенов удивлял людей, не понимавших, что такое отношение художника к политике.

А.К.: Да, его отношения с политической действительностью давали основания считать, что он колеблется, что он проделал какой-то странный путь от демократа к патриоту, от либерала-западника к едва ли не государственнику, поддерживающему российскую власть... Ведь приличный западник, настоящий атлантист, так считали и считают многие, всегда и во всем должен быть против российской власти... А Аксенов ее не обличал при любом подходящем и неподходящем случае. Не то чтобы поддерживал, но не обличал. И вдруг – «Свободу Ходорковскому!». Он всегда шел по какому-то ему одному видимому пути и в литературе, и в своих политических, идеологических убеждениях... И я думаю, что то же самое, такое же непонимание со стороны многих возникло – я говорю даже и о себе, – когда начали появляться его «комсомольские» романы последние – ну, «Кесарево свечение», «Редкие земли»... И я не принял и до сих пор не совсем принимаю Васино обольщение комсомольцами, превратившимися в олигархов. Мне кажется, он обольщался, а он, видимо, шел... этим своим собственным, не видимым другим, в том числе и мне, путем.

Е.П.: Я думаю, что если бы он был жив, то и эта линия принесла бы еще литературные сюрпризы.

А.К.: Наверняка. Он как бы... ему что-то было видно. Ему что-то было видно, и поэтому он совершенно не собирался оправдывать ожидания. Ведь почему на него наезжали? Он обманывал ожидания. «Ну как же он так может говорить и вести себя, ведь он же один из нас!...» А он не один из нас. Это мы все – одни из многих. А он – просто один. Аксенов. Сам по себе.

ПРИЛОЖЕНИЕ

Александр Тарасов
Из статьи «ФАШИЗМ В ИДЕОЛОГИИ, ЕЖОВЩИНА НА ПРАКТИКЕ.
Именно это предлагает России бывший интеллигент Василий Аксенов»

Журналы «Коммунист», 2002, № 2;«Свободная мысль-XXI», 2002, № 2

Василий Аксенов, в прошлом писатель, а в настоящее время – посмертный эксплуататор своей прижизненной литературной популярности, опубликовал в «Московских новостях» (№ 40 за 2001 г.) статью «Хватит вилять хвостом». Статья эта наделала много шумаи даже обсуждалась в программе «Глас народа» на телевидении.

Шум статья вызвала вовсе не потому, что была хороша. Как раз наоборот: статья у Аксенова получилась глупая и некомпетентная. Просто Аксенов, в силу некоторых индивидуальных умственных особенностей, публично озвучил то, что его единомышленники привыкли говорить только в *узком кругу*, полагая необходимым скрывать это от «внешнего мира». А именно: Аксенов продемонстрировал всем, что *неолибералы ничем не отличаются от неофашистов*.

До Аксенова у нас был всего один человек, который – тоже в силу индивидуальных умственных особенностей – регулярно разглашал публично эту тайну неолиберализма. Это Михаил Леонтьев. Он постоянно клялся в верности неолиберальным идеям, восхвалял Хайека и Фридмана – и одновременно пропагандировал неофашистский опыт латиноамериканских диктаторов, пламенно любил Пиночета, проповедовал откровенно расистские взгляды, призывал использовать напалм, химическое оружие и ковровые бомбардировки в Чечне.

То, что *неолиберализм* не имеет никакого отношения к классическому либерализму, а является одним из вариантов неофашизма, доказал еще 20 лет назад в своей прекрасной работе «Кризис государства кризиса» Тони Негри. Но у нас Тони Негри неизвестен. Неолибералы могли маскироваться и спокойно морочить всем голову. Теперь, после сеанса идеологического стриптиза, устроенного Аксеновым, морочить всем голову станет куда сложнее.

....

Вообще-то понять, чем либералы отличаются от неолибералов, очень легко. *Либералы* считают, что формально-юридически все люди равны и от рождения обладают определенными правами (правами человека) и что им должны быть предоставлены – независимо от расы, национальной, религиозной и культурной принадлежности и т. п. – равные права и возможности (гражданские права), созданы равные стартовые условия – а дальше пусть реализуют свои возможности, соревнуются. И государство в это вмешиваться не должно. Чем меньше государства, тем лучше (знаменитое *"laissez faire, laissez passer"* или, в английском варианте, *"leave alone"*). *Неолибералы*, напротив, уверены, что люди не равны (даже формально-юридически) и что равные возможности для всех представляют угрозу тем, кто уже находится в привилегированном положении. Неолибералы считают государство важнейшим инструментом — и считают главной своей задачей *захватить управление* государством, чтобы затем силой государства подавлять «чужих» и создавать благоприятные условия для «своих». Это *точная копия* системы мышления фашистов. Просто фашисты заменяли индивидуализм корпоративизмом, публично отрицали систему парламентаризма. Неофашисты — так называемые *новые правые* — уже этого не делали и, таким образом, перестали отличаться от неолибералов. У нас в стране по безграмотности либералов и неолибералов путали и путают. Типичная партия либералов — это «Яблоко». А типичная партия неолибералов — СПС. «Яблоко» и СПС все норовят объединиться, но все у них не получается. И не получится — именно потому, что либералы и неолибералы политически трудносовместимы.

Василий Аксенов «прокололся», конечно: разболтал то, что разбалтывать было нельзя. Да еще и шуму наделал. Должно быть, потому, что считает себя специалистом по всем вопросам. В частности, специалистом в политике. Специалистом по терроризму. Специалистом по исламу. На самом деле разбирается он во всем этом, как свинья в апельсинах из Марокко. Но — пишет, советы дает, указания...

ГЛАВА СЕДЬМАЯ
КАК АКСЕНОВ
ИЗ ШЕСТИДЕСЯТНИКОВ ВЫШЕЛ

ЕВГЕНИЙ ПОПОВ: Прежде чем говорить на эту тему, я предлагаю тебе договориться о том, что такое вообще «шестидесятники», поговорить о термине. Хотя теперь уже это не так актуально. По-моему, споры перегорели в силу уже физического убывания шестидесятников. А какое-то время назад, ну, например, лет пятнадцать назад, когда была уже и свобода для обсуждений, еще все это было остро и актуально. Новое поколение, оно активно на эту тему рассуждало. В основном под лозунгом: мол, давайте, освобождайте нам поляну, шестидесятнички...

АЛЕКСАНДР КАБАКОВ: Это мы с тобой однажды по телевизору слышали дословно. Один такой молодой и модный театральный режиссер прямо сказал нашего поколения человеку, коллеге-режиссеру: давайте, папики, освобождайте поляну... Значит, им кажется, что она занята. Понимаешь, в чем дело? Этим бойким, революционно настроенным молодым людям кажется, что шестидесятники теперь заедают их век. Им кажется, что они все еще не получили того, что, как им казалось, было у шестидесятников и раньше и теперь сохраняется: власти над умами и душами. Раз не достигли, значит, они неудачливые, им обидно, они считают, что шестидесятники эту власть захватили и держат. А то, что сейчас такой власти *ни у кого нет*, – это им непонятно. У шестидесятников-то такая власть действительно была, вот новые завидуют: «Они-то успели попользоваться, а мы-то нет, они, гады-шестидесятники, успели попользоваться и вообще благами – и от советской власти, и от послесоветской власти... а мы?»

Е.П.: Заедать всегда есть кому, если ты хочешь объяснять свою жизнь тем, что ее заедает кто-то.

А.К.: Правильно! А тут виноватые на виду...

Е.П.: На виду миф о шестидесятниках. Ложный миф – вот так бы я сказал.

А.К.: Ложный миф – это ты круто взял, очень круто...

Е.П.: Это круто, да.

А.К.: Ложный миф! «Виньетка ложной сути...»

Е.П.: Погоди веселиться, давай разберем этот миф. Разберемся вообще, кто такие шестидесятники. Потому что ведь шестидесятники... это ярлык, бирка, все равно как постмодернисты или пидарасы. Кто такие пидарасы, понимаешь?

А.К.: Ну, кто такие пидарасы – это вполне определенно.

Е.П.: Нет, это педерасты определенно, а не пидарасы. А кто такие пидарасы – это надо было у покойного Никиты Сергеевича Хрущева спросить или у художников, которых он так обзывал. И то они, я думаю, точного определения не дали бы... Ну, это я лишнего хватил, это все вычеркнем.

А.К.: Да, давай про шестидесятников.

Е.П.: Всерьез давай найдем определение. Ведь в общем сознании шестидесятник – это такой диссидентствующий господин рождения тридцатых...

А.К.: Тридцать третьего, это в основном. Вот Вася был на год старше, Ахмадулина лет на пять моложе, но в основном тридцать третий...

Е.П.: Ну, то есть довоенного изготовления. Но при этом, по моему ощущению, довоенного сорокового – это уже не шестидесятники.

Евгений Попов

А.К.: Это уже младшие пошли. И все рожденные в сороковые, перед самой войной, в войну и в первые годы после – это уже постшестидесятники. И мы с тобой тоже.

Е.П.: Так, с годом рождения вроде разобрались, хотя бы с этим какая-то ясность есть. Теперь...

А.К.: Теперь вот что: год рождения не говорит ни о чем, совершенно ни о чем. В тридцатые что, одни будущие диссиденты рождались? И что, все рожденные в тридцатые годы – это шестидесятники? Нет. Справедливо, что почти все шестидесятники рождены в тридцатые, а обратное совсем не справедливо. Необходимо, но недостаточно...

Е.П.: То есть надо прямо поставить вопрос: а относить к шестидесятникам коммунистических функционеров, гэбэшников и прочих тому подобных, если они того же поколения, что Аксенов или Евтушенко?

А.К.: Это и есть главный вопрос о шестидесятниках. И вообще говорить о понятии «шестидесятник» можно только с этой точки зрения. Вот в пятидесятые или ранние шестидесятые исключают, допустим, парня из комсомола как стилягу и низкопоклонника перед Западом, одновременно, конечно, из института, а то и за сто первый километр как тунеядца... А кто его исключает? Ровесник. И что же, этот райкомовец не шестидесятник? В шестидесятники мы записываем только «хороших»?.. Потом исключенный вернулся, кое-как доучился, киснет в НИИ, самиздат и тамиздат по ночам читает, под гитару поет на кухне. А тот, который исключал, уже в обкоме или в ЦК, борется за чистоту идеологии и в распределителе отоваривается... Они оба шестидесятники?

Е.П.: Вполне реальная пара. То есть один в полудиссидентах, а другой – в партии, комсомоле или гэбэ... И оба – шестидесятники, во всяком случае, одного поколения...

А.К.: Женя, Жень, ты только не спорь сразу: те, которые пошли в партию, комсомол и гэбэ, те потом и сделали перестройку. А диссиденты только ее поддержали...

Е.П.: Смелое заявление.

Александр Кабаков

А.К.: А что смелого-то? Это уже общее место об огромной роли гэбэ в перестройке. А кто же, извини, сделал перестройку? Может быть, мы с тобой? Нет! Может, диссиденты-шестидесятники? Нет, они, конечно, способствовали, старались, но сделать они ничего не могли. Если бы функционеры «из прогрессивных» не начали все менять, подстраивать под свои идеи – ничего бы у диссидентов не вышло бы. Сгинули бы в психушках, да и лагеря еще были, не все Никита разогнал...

Е.П.: Что же, шестидесятники, встроившиеся в систему, были пятой колонной?

А.К.: Они и были тем «человеческим лицом», которое появилось у нашего социализма. Образованные, умные...

Е.П.: Ну, относительно образованные.

А.К.: По сравнению с предшественниками-то? С костоломами?

Е.П.: Ну, по сравнению с предшественниками – да. Все относительно...

А.К.: Всё относительно. Среди диссидентов тоже были относительно образованные и относительно умные.

Е.П.: Интересно... Как бы родовые черты существуют, возрастные, поколенческие... И среди стиляг-то были стиляги, которые говорили «честное комсомольское».

А.К.: Со стилягами вообще сложно, а без них, если мы говорим все же об Аксенове, не обойдешься. С одной стороны, эта среда была близка к чистому криминалу. Тут стиляги, тут фарцовка, а тут уже и чистый криминал. Вот часто нами вспоминаемая песенка пародийная – «Сегодня он играет джаз, а завтра родину продаст...» Это, конечно, пародия, но для некоторых стиляг существовало понятие Родины, вполне такое советское... Мол, джаз играть можно, это ничего не означает, а Родина сама по себе. А другие понимали, что такая, социалистическая, родина и джаз несовместимы. И вот эти были реальной пятой колонной, врагами того общества... Все те же шестидесятники, специфическая их часть, к которой принадлежал Аксенов. Такое же разделение, как у шестидесятников вообще. И иногда это разделение шло прямо по человеку. Вот первая, совершенно комсомольская повесть Аксенова «Коллеги» – и то направление, в котором он потом двинулся... Чтобы понять раздвоенность шестидесятничества вообще, надо вспомнить, что именно они под гитары пели. И Алешковского «Товарища Сталина», и Городницкого, и «Солнышко лесное», и «Комиссаров в пыльных шлемах», и Визбора, но и Галича... Вот «Солнышко лесное», вот «Возьмемся за руки», а вот и «Окурочек»...

Е.П.: Получается, что все сделали шестидесятники: и подготовили конец коммунистической власти, и устроили этот конец.

А.К.: Все вольномыслие шестидесятых, которое заложило основы для перестройки, все инициировалось, как правило, комитетами комсомола. Все джазовые клубы, например, – рассадники чуждых влияний – кто курировал? Райкомы! В райкоме комсомола обычно сидел свой человек, инструктор. И он «протаскивал чуждые влияния», протаскивал. Открываются молодежные кафе – кто их открывал? Райкомы комсомола! А кто там собирался? Молодые поэты, джазовые музыканты, молодые художники – то есть те самые шестидесятники. Те самые «подонки и стиляги», про которых возмущенно написал в газету Герой Советского Союза, живший в Москве на улице Горького над кафе «Молодежное»: что ж такое, райком комсомола открыл притон стиляг и подонков, антисоветски настроенных?! Все это шестидесятники, всех категорий шестидесятники. Вася – шестидесятник? Шестидесятник. А Феликс Феодосьевич Кузнецов кто? Шестидесятник. А Станислав Куняев кто? Тоже...

Е.П.: Да, все шестидесятники.

А.К.: Сейчас я замолчу уже, мне интересно, что ты по этому поводу думаешь. Но раньше подведу свой итог: само определение «шестидесятники» немного фальшиво. Потому что шестидесятник Александр Николаевич Яковлев, царствие ему небесное, «архитектор перестройки», – с одной стороны, а с другой, допустим, шестидесятник Юз Алешковский, а с третьей – ну, не знаю, тот же шестидесятник Куняев... Они все шестидесятни-

Александр Кабаков

ки? Но они все совершенно разные. Одни служили советской власти, другие были против советской власти... А уж после советского времени вообще все разошлись! Обнаружилось, что есть шестидесятники-антикоммунисты и шестидесятники-коммунисты, есть националисты и западники. Есть отрекшиеся окончательно от своих советских... ну если не идей, то слов и поступков, эти у меня вызывают подозрение, а есть не отрекшиеся, эти у меня вызывают отвращение, а есть такие, которые как были антисоветчиками, так и остались, а Зиновьев покойный – наоборот... Все разошлись, понимаешь? И нам нужно понять, как в этом размежевании, вот в этой сепарации, разделении фракций шестидесятничества почувствовал себя Аксенов, который, безусловно, был одним из очень ярких шестидесятников.

Е.П.: Да, это очень важно, надо определить, почему он, Василий Павлович, – «наш» шестидесятник стопроцентно... Ведь масса книг написана о шестидесятниках, про феномен... Ведь это же не только российское, то есть советское явление – правильно, да? Или нет?

А.К.: Это советское. А то мы в шестидесятники тогда запишем Алена Гинзберга, Джека Керуака – какие они, к черту, шестидесятники с советской точки зрения?

Е.П.: Да, правильно, настоящие шестидесятники – только советские, потому что их родил ХХ съезд. Не было бы ХХ съезда – не было бы шестидесятников, особого поколения не было бы. Они были бы просто очередные советские люди – и все. А крышку котла приоткрыли немножко – и тут же все это поперло. И поначалу поколение держалось всё вместе, они ощущали, что их связывает больше вещей, чем разделяет. Вот, например, мне рассказал Юз Алешковский: когда уезжал на Запад, он вырывал посвящения из книжек, которые брал с собой. Одно из них было на книжке, которая подарена ему была Станиславом Куняевым... Ну, Станислав Юрьевич меня, надеюсь, извинит, а Юз поправит, там было написано примерно так: Юзику, родному, который объяснил мне, что такое русский язык. И Василий Павлович рассказывал, как они с Куняевым дружили...

Евгений Попов

А.К.: Пока не подрались.

Е.П.: Да, пока не подрались. Но, и подравшись, потом снова помирились… Это было все в Ялте.

А.К.: В Тбилиси они подрались.

Е.П.: А Вася говорил, что в Ялте.

А.К.: Может, что-то я уже путаю… во время какой-то недели, декады. За столом напились оба, начался скандал, подрались. А если учесть, что Куняев, кажется, бывший боксер, то Васе пришлось тяжело. И они подрались, разошлись, а среди ночи Васе в номер постучали, он открыл дверь и увидел Куняева, который пришел просить прощения, мириться.

Е.П.: А из-за чего подрались-то, не скажешь?

А.К.: Не помню.

Е.П.: А-а! Это очень важно. Вот версия, которую я знаю от Василия Павловича. Я не уточнял, но, по-моему, все действие происходило в Ялте, в кабаке, где они сидели пьянствовали, и Куняев позволил себе несколько антисемитских замечаний, высказываний. Вася ему сказал: «Стасик, прекрати». Но Стасик не прекратил, тогда началась драка, они все там переколотили в щепу. Потом ночью появляется Куняев, который встает на колени и говорит: «Васька, ты прости меня, я ведь не такой, но вот иногда, когда выпью, со мной вот что-то такое происходит»… Понимаешь, все это тем более интересно, что в дальнейшем Аксенов Куняева всегда занимал, и он даже ему целые страницы посвящал и в своих мемуарах главу сделал про «МетрОполь»… А было, что они приятельствовали, единым фронтом выступали… И их одинаково власть не одобряла.

А.К.: Не одинаково, не одинаково, почвенников поменьше советская власть давила. Потому что дети раскулаченных уже вовсю работали во власти, а «детей Арбата», так скажем, их более беспощадно давили. Но самых ярких – что из того лагеря, что из этого – не принимала власть одинаково и сплачивала поэтому.

Е.П.: Но постепенно начали шестидесятники уже тогда расходиться. Вот еще один из шестидесятников – Феликс Феодосьевич Кузнецов.

Александр Кабаков

А.К.: Ну, вот это такой шестидесятник, который не за страх, а за бессовестность служит любой власти.

Е.П.: Стоп! Ты знаешь мое отношение к Феликсу Феодосьевичу, но я должен сказать, что «товарищ Кабаков упрощает». Ты знаешь, откуда цитата эта? Это статья была, инициированная Сталиным, – «Товарищ Эренбург упрощает»... Так вот, товарищ Кабаков упрощает. Ведь не кто иной, как Феликс, является автором термина «четвертое поколение».

А.К.: Ну и что?

Е.П.: Я читал эту книжку. Там Феликс Феодосьевич определял писателей нового поколения, а именно Аксенова, Гладилина, Кузнецова, Владимова как революционеров четвертого поколения...

А.К.: Ну и что? Наоборот, здесь хитрожопая советская позиция. Явно чуждых людей включить в революционеры, понимаешь? Не оппонентов формировать, а «попутчиков» вроде бы – мол, это тоже наши, наши, революционеры, беспартийные большевики, все наши.

Е.П.: Вот знаешь, то, что ты сейчас сделал, вот этот жест, к себе пригребающий, это интуиция твоя писательская: именно такой жест делал Феликс Феодосьевич всегда, и он говорил, что наша задача привлечь, привлечь...

А.К.: А задача эта была поставлена наверняка не им самим. Только он был умный, он ее понял. Задача эта была поставлена в отделе культуры ЦК КПСС, в отделе агитации и пропаганды ЦК КПСС: «Не отталкивать надо товарищей, не отталкивать, а привлекать их, они наши люди». После того как опомнились от хрущевских воплей. «Что наделал-то, Никита, во мудила, че он орет-то? Привлекать надо, привлекать!» И Феликс Феодосьевич эту задачу честно, добросовестно, именно не за страх, а за бессовестность решал. А назавтра задача сменилась: «Что-то они разгулялись, мы к ним как к людям, мы их привлекаем, мы их за своих считаем – вот даже Феликс Феодосьевич написал, что это четвертое поколение революционеров, а они "МетрОполь" устроили, мля!»

Е.П.: Не-ет, извини, извини, не надо «МетрОполь». Это было до «МетрОполя».

Евгений Попов

А.К.: Привлекал до «МетрОполя», вот и допривлекался. И было на Старой площади сказано (реконструирую по собственным фантазиям сцену): «Ты, Феликс, допривлекался?! Мудила! Теперь думай, что с этим делать». Феликс Феодосьевич честь отдал – и пошел делать. Именно так, именно в таком виде изображен он под именем Фотия Фекловича Клезмецова в «Скажи изюм» у Аксенова, именно таким изображен – хитрым, старательным, бегущим на шаг впереди хозяина. Вот и все. И такие были шестидесятники, они потом никуда не примкнули. К либералам – нет, они их ругали за антисоветчину. Но и в почвенники не пошли. А знаешь почему? Они ни в том, ни в другом качестве не собирались противостоять власти. Они от нее ни шагу. И когда ты сказал, что «товарищ Кабаков упрощает», ты был неправ, ничего я не упрощаю. Там проще все некуда, у таких шестидесятников: просто надо идти у правой ноги власти, куда власть – туда и они. И никуда не отклоняться.

Е.П.: Я вынужден сказать: потрясающая все-таки это персона – Кузнецов! Он был не только такой служака «чего изволите», он был один из самых ярких шестидесятников и инициативу мог проявить. Ты же знаешь, у меня был с ним процесс судебный...

А.К.: На котором я присутствовал.

Е.П.: Да, присутствовал... Я хотел в качестве свидетеля вызвать Филиппа Денисовича Бобкова как автора книги «КГБ и власть», понимаешь? Естественно, Бобкова не позвали, он уже служил у либерала Гусинского, а прозвучала на суде цитата из его книги. И в книге этой было описано, как он, начальник пятого управления КГБ, которое идеологией занималось: высылкой диссидентов, не только писателей, с его непосредственным участием был Гладилин выслан, кто-то посажен, – все это делало пятое управление; так вот, разговаривает он со своим коллегой, гэбэшным начальником, и тот ему говорит: «Вот есть такой малохудожественный альманах "МетрОполь" – это говно, и хер с ним, его можно взять и напечатать, пятьсот там или тысячу экземпляров. Но карьеристы из Союза писателей во главе с Феликсом Кузнецовым стоят насмерть, раскручивают скандал...»

А.К.: Это есть и в Васиных воспоминаниях о «МетрОполе».

Е.П.: У нас будет отдельная тема о «МетрОполе», сейчас я просто говорю об этом, чтобы нарисовать более цельный портрет шестидесятников.

А.К.: И индивидуальный портрет одного из них – Феликса Феодосьевича Кузнецова. Он яркая фигура шестидесятничества – потому и яркая, что шестидесятники были разные, а он вобрал многое от всех. Начиная от ортодоксов православных, националистов – и до крайних либералов. Он же мог быть и бывал каким угодно...

Е.П.: Не удержусь, чтобы еще одну историю не рассказать. Ты знаешь такое имя – Герман Плисецкий?

А.К.: Конечно.

Е.П.: Мне это рассказывал Юз Алешковский, а они были друзьями с Германом. Вот закончили они вместе университет, и Кузнецов тоже... И поскольку он человек вологодский, ему как-то надо было цепляться за Москву. А тут ему предложено было написать фельетон о стилягах, о тунеядцах разных... А Герман Плисецкий вел вольный образ жизни, писал стихи, нигде не работал – словом, богема. Ну, и уехал в Крым, кажется, куда любили шестидесятники ездить, пошататься просто. А Феликс считался его близким другом. И он пришел к маме Германа и сказал – мол, у меня есть возможность Германа стихи напечатать. И та ему дала черновички или рукописи какие-то, а он соорудил фельетон, где изобразил своего товарища в виде, значит, тунеядца и вообще... Напечатал его стишки какие-то, процитировал упаднические строки, представляешь? Я, признаться, в эту историю не поверил, хотя уже Феликса Феодосьевича знал, но Юз клятвенно уверял, что правда. И когда они уже были люди немолодые, Феликс встретил Плисецкого и сказал: «Извини, Герман, виноват перед тобой, бес попутал...»

А.К.: Ну, ладно, Бог с ним, с Феликсом Феодосьевичем, ну его. Давай вернемся к феномену шестидесятничества. Ключевое явление – XX съезд. Он либеральную левую интеллигенцию на Западе поссорил с коммунизмом, он им открыл глаза на коммунизм, и многие из них с коммунизмом расплевались. А нашим не до конца открыл глаза, они сначала поверили, что советский социализм можно улучшить. Потом-то прозрели, но это позже. Поколение шестидесятников впервые по-настоящему увидело действительность в ясном свете, когда стали закручивать после Никиты гайки.

Е.П.: А после XX съезда они поверили партии. Партия – коллективный разум, который всегда прав. И Сталин был не прав, а теперь партия все исправила. И все это называлось – сейчас только посмеяться можно – «возвращением к ленинским нормам».

А.К.: А потом умная партия поняла, что если сталинское время поносить, то скоро и до ленинских норм доберутся, и стала тормозить, а многие шестидесятники уже тормозиться не хотели. Зато те, которые хотели, те кинулись тормозиться впереди паровоза...

Е.П.: Да, и при этом вросшие во власть шестидесятники были и своеобразной пятой колонной, которая потом перестройку сделала.

А.К.: Которая спасала социализм путем реформ. Это счастье наше, что советский социализм путем реформ спасти нельзя, можно только разрушить. Социализм советского образца – как некоторые раковые опухоли: пока ножом не тронул, есть время еще немножко пожить, как операцию сделал – привет... Вот Горбачев начал операцию... Они-то думали, реформисты, спасти систему и самим спастись с нею, а не вышло. Оказалось – и так и так конец.

Е.П.: Есть еще одна популярная точка зрения. Среди молодых, горбачевского поколения советских начальников – то есть шестидесятников, пошедших в советскую власть, – были просто завистливые. Вот они ездили по делам по всему миру и смотрели, как живут их сверстники. И видели, что там человек, который по рангу в сто раз, в тысячу раз ниже, живет лучше – так на кой черт нам сдался такой наш социализм?

Александр Кабаков

А.К.: Да, правильно, в этом анализе ты прав. Но независимо от мотивов шестидесятники как цельное поколение, как группа, которая, собственно, определяется просто по датам рождения, – они сыграли уникальную роль в истории страны: и в истории культуры нашей, и в истории просто общества. Вот почему их и называют общим названием. Всё это уже потом: семидесятники, восьмидесятники – это всё от лукавого. Шестидесятники – их почти сразу так назвали, потому что было видно, как попёрло целиком поколение.

Е.П.: Термин, по-моему, Рассадина.

А.К.: Кажется, да... И какую позицию ни занимали отдельные шестидесятники внутри своего поколения – советскую, антисоветскую, – но это было великое поколение.

Е.П.: Притом что были и другие мощные поколения. Пережившие революцию – поколение Маяковского–Есенина, условно говоря. Потом пережившие войну, фронтовики, появившиеся в литературе после войны. То есть такие, как Астафьев, Виктор Некрасов... А уж потом – те, кто после пятьдесят шестого года, после XX съезда. И вот смотри, что я тебе хочу сказать: все предыдущие поколения принимали правила игры и делали вид, что они верят...

А.К.: Нет, они верили. Предыдущие поколения верили.

Е.П.: Это очень тонкая грань... Ну, скажем так: все предыдущие поколения, до шестидесятников, они *искренне делали вид, что верят*. Так мне кажется.

А.К.: А мне кажется, что они верили, а не делали вид. А вот шестидесятники – это было первое советское поколение, которое довольно быстро разуверилось. Их вера пошатнулась в пятьдесят шестом году, после XX съезда. Еще не рухнула – только пошатнулась.

Е.П.: Потому что XX съезд был первой разрешенной контрреволюцией. И шестидесятники сформировались в контрреволюционных настроениях. До этого революция была безусловно завершившимся событием, а тут оказалось, что она может пойти в любую сторону...

Евгений Попов

А.К.: Потому и писали про комиссаров в пыльных шлемах, что все снова заворочалось, забурлило... То есть до этого революция уже безусловно победила, а тут возникли сомнения. И поэтому наиболее романтически настроенные шестидесятники говорили: революция продолжается! Если бы в революции не возникло сомнения, то не был бы возможен один из архетипических шестидесятнических драматических эпизодов – такой, как у Розова в «Шумном дне»...

Е.П.: Где дедовской революционной саблей полированный буфет рубит...

А.К.: Да, юный Олег Табаков играл юного такого шестидесятника. Понимаешь, в чем дело? Не могло возникнуть потребности восстанавливать саблей ленинские нормы – ведь он ленинские нормы восстанавливает саблей, – если бы эти нормы не пошатнулись. Если бы полированный буфет, то есть контрреволюция, не побеждал бы. И это не мы с тобой такое открытие сделали. Все, кто ностальгирует по советскому времени, считают, что это Никита, «проклятый Хрущ», советскую власть погубил.

Е.П.: А вот скажи-ка мне, пожалуйста, зачем Никита это сделал? А что, разве нельзя было жить так и дальше – сидя по лагерям?

А.К.: Нельзя.

Е.П.: А почему?

А.К.: Моя теория такая: потому что каналы могут рыть зэки, а электронно-вычислительную машину, как тогда называли компьютер, зэки не построят. Максимум – танк, а компьютер – уже нет, не получится. Заставить рыть землю под штыком можно, а заставить думать – нельзя. А делать компьютеры надо, иначе проиграем гонку вооружений. Гонку высокотехнологических, как теперь сказали бы, вооружений.

Е.П.: Ага. Тогда, значит, вот в чем реформаторство Хруща было: он решил из лагерей... в общем, шарашку сделать.

А.К.: Именно шарашку. А в шарашке, как мы знаем из «Круга первого», люди начинают думать всякое...

Е.П.: То есть... вот в этом смысле он прогрессист.

Александр Кабаков

А.К.: Совершенно верно.

Е.П.: Сталин сплошной лагерь устроил, а Хрущев сделал сплошную шарашку.

А.К.: Ну, у них задачи были разные. Сталину каналы надо было рыть, лес валить, руду копать. А Никите надо было ракеты строить.

Е.П.: Нет, у Сталина тоже шарашки появились, когда надо было бомбу делать.

А.К.: Когда атомную бомбу у американцев украли, надо было ее дорабатывать, появились во множестве шарашки. Но это же понятно совершенно: интеллектуальный труд в ГУЛАГе невозможен, в шарашке возможен. А при Хрущеве интеллектуальный труд стал важнее физического, время настало другое.

Е.П.: То есть это означает, что Хрущ совершенно не хотел разводить свободу и ломать советскую власть, а просто он был вынужден по этапу страну всю перевести из лагеря в шарашку, условно говоря. Где условия были получше.

А.К.: А тех, которые ничего, кроме как топором махать, не могли, выпустил. Зачем злых рабов содержать, когда уже их работа не очень нужна? И была у него еще одна причина для «разоблачения культа личности»: соратники доблестные. Сожрут. Сожрут немедленно. Что надо сделать? Надо показать Сталина бандитом и убийцей, а на них повесить соучастие.

Е.П.: «Антипартийная группа...»

А.К.: А иначе сожрут немедленно. Так держать всех в кулаке, как Сталин, он не умел. А интригу такую организовать, что все, кто против него выступят, те за Сталина, а Сталин-то бандит и убийца – это у него получилось. Получалось до поры. Достаточное время, чтобы появились шестидесятники, которые начали понимать – что-то не то вообще, если бандит и убийца столько лет правил... Хрущев укреплял под собою трон, но, кроме того, он, как и все коммунистические начальники, был параноик, боялся Запада, потому что понимал, что никакая нормальная человеческая цивилизация гигантскую тюрьму рядом с собой

Евгений Попов

терпеть не будет, а чтобы противостоять, нужно современное вооружение. Собственно, на том же возникла и перестройка – увидели товарищи члены политбюро, что просираем мы соревнование! У них – программа «Звездных войн», СОИ, а у нас нет ни хрена, у них – полная компьютеризация, а у нас – нет ни хрена... И денег нет, чтобы ответить. Чего там Горбачев говорил насчет «асимметричного ответа»? Весь асимметричный ответ заключался в том, что советская власть сдулась... То есть оба раза, когда предпринимались действия, модернизирующие советскую систему, система начинала трещать, и на второй раз самоуничтожилась. Но уже в хрущевской оттепели были заложены все разрушительные тенденции упадка советской системы. Не было бы оттепели – ничего б не было. Ни шестидесятников, ни Солженицына, никого.

Е.П.: Переходя к Василию Павловичу... Не случайно же родители велели ему во врачи идти? Потому что сидеть все равно придется, а врач в лагере выживает. То есть была уверенность, что лагеря – это навсегда. И только оттепель сделала Васю писателем, писателем-шестидесятником, а так был бы он лагерным врачом.

А.К.: Даже если бы «Коллег»... ну, условно говоря, ну, с поправками... в общем, самую вроде бы советскую свою повесть Вася принес бы в советский литературный журнал до оттепели, он бы немедленно поехал к маме, в Магадан, и уже не по своей воле. Просто за факт приноса в литературный журнал такой рукописи, не полностью социалистической, хотя и реалистической. И правильно он сделал, что «Коллег» правильно написал, правильно для конца пятидесятых, в рамках, разрешенных оттепелью. Чтобы и дальше литературу делать, а не лес валить.

Е.П.: Иначе не появилось бы потом ничего, не появился бы «Ожог»...

А.К.: Если мы не осуждаем вообще желание при советской власти заниматься литературой, а не свергать немедленно эту советскую власть, то тогда будь добр, держись следом за очередной оттепелью, или перестройкой, или чем там еще, прогрессивным... Либо ты революционер, либо ты писатель. То и другое при советской власти не получалось.

Е.П.: Или дожидайся улучшения условий, и тогда...

А.К.: Смотри, вот Александр Исаевич – он ведь «Один день Ивана Денисовича» как написал? Он же не сделал главным героем какого-нибудь власовца? Или религиозного осужденного, религиозника? Не сделал.

Е.П.: Там Алешка-баптист есть.

А.К.: Но безусловно симпатичный и авторские чувства озвучивающий герой – это Иван Денисович, простой крестьянин, ничего против советской власти не сделавший, ничего. Не антоновский мятежник – нет, простой колхозник. Ведь какой расчет? Немедленно в ГУЛАГ, скорее всего, не вернут. Раньше вернули бы в лагерь немедленно, а сейчас разоблачение культа личности, или, ну, в общем, оттепель... И вот тогда он начинает делать «Архипелаг». Единственная возможная стратегия писателя. Или ты подавайся в революционеры, не знаю, ну, в бомбисты иди, покушения организовывай, демонстрации устраивай – либо ты литературой занимайся.

Е.П.: Я полностью с тобой согласен. Еще и вот почему: от «Архипелага» или «Ожога» было пользы гораздо больше, чем если бы авторы пошли в бомбисты.

А.К.: Или если бы они это раньше стали носить по журналам.

Е.П.: Я тебе больше скажу: или если бы они отправили это на Запад. И до «Архипелага» разоблачения на Западе выходили, и что?

А.К.: И до Аксенова были эксперименты в литературе... а такого громкого общественного резонанса не имели.

Е.П.: А писатели-революционеры сразу кончались. Вот в этом смысле можно привести в пример судьбу Аркадия Белинкова. С его романом, за который он сел. Мгновенно, понимаешь?

А.К.: Вот и всё. И общественно-литературный эффект был...

Евгений Попов

Е.П.: Нулевой. Если не отрицательный. Отрицательным он был в том смысле, что, значит, его пример другим наука.

А.К.: А правильная литературно-политическая стратегия в советское время была – делай максимум возможного сейчас в литературе. И не забегай поверх этого максимума...

Е.П.: Мы возвратимся к этому разговору в главе о «МетрОполе».

А.К.: Ох, на нас наедут!

Е.П.: Да, наедут...

А.К.: Наши любимые читатели. Скажут, ну, таких двух конформистов омерзительных свет не видывал...

Е.П.: Мы вернемся к этому в главе о «МетрОполе», я буду приводить стенограмму обсуждений, где советские писатели примерно так говорят: ну, что вы делаете, ведь у нас же сейчас все хорошо, уже можно писать о деревне, например, почти все, что же вы-то спешите?..

А.К.: Я и говорю: точно про нас скажут – ну, два засранца, которые конформизм свой возводят в принцип и поэтому так любят третьего конформиста, не меньшего, а может, еще и большего, – Аксенова. А остальных сюда притягивают, желая доказать, что и сам Солженицын был в каком-о роде конформист. Притягивают, чтоб самим было не стыдно.

Е.П.: Притягивают и протаскивают.

А.К.: Но я на это скажу совсем уже страшную вещь, за которую меня вообще в землю заколотят: самый безусловный, правильный, самый безукоризненный конформист в истории русской литературы...

Е.П.: Ух, как интересно! Я, интересно, угадаю или нет?

А.К.: Пушкин Александр Сергеич.

Е.П.: Нет, не угадал. Наше всё?!

А.К.: Да, наше всё. А не был бы он конформистом – так он либо на Сенатской площади был бы и висел потом, либо запретили бы печатать его сочинения, при жизни, по крайней мере, либо на каторге сгинул бы, либо – в лучшем случае – в своем Михайловском провел бы остаток жизни – хуже, чем от пули помереть. И не был бы он конформистом, так не было бы «Бориса Годунова», по тем временам смелейшего сочинения. Безусловный конформист.

Е.П.: А ты знаешь, как найти эту грань? И как действительно не превратиться...

А.К.: ...в безумного революционера? От которого никакого литературного толку нет...

Е.П.: Как найти золотую середину, которую нашли с одной стороны – Солженицын, а с другой – Аксенов...

А.К.: Я еще больше скажу: конформистами были все крупнейшие писатели... Даже тот, кто был «зеркалом русской революции», – так и тот был все же «зеркалом», а не революцией... Так. Я уже чувствую, как к нам прибивают табличку «Подлые конформисты».

Е.П.: Да плевать на это! Ты слишком много об этом думаешь. А хороший писатель – он и есть хороший писатель. Вот и все. Хороший писатель – и этим все объясняется.

А.К.: А вообще мы забыли, что глава у нас не про конформистов, а про шестидесятников. И тогда получается... получается, что Аксенов вообще не шестидесятник? Мы договорились, ты первый сказал, что Солженицын не шестидесятник...

Е.П.: Уж точно такой, нетипичный... Но Василий Павлович – нет, он типичный шестидесятник.

А.К.: Погоди, погоди... Он был, было время, когда он был типичным шестидесятником. Точно так же, как и Александр Исаевич Солженицын сначала все же был шестидесятником... Ну, «Матренин двор» – это типичное шестидесятническое... талантливое, очень талантливое и смелое для шестидесятников, но шестидесятническое сочинение. И «Иван Денисович» тоже шестидесятнический. А дальше – дальше, дальше, дальше! – и ушел туда куда-то, за горизонт, к «Архипелагу», к «Колесу»... Какой уж шестидесятник... И Вася времен «Коллег», времен, ну, не знаю, «Звездного билета» – такой романтический шестидесятник, а потом дальше, дальше, дальше – и ушел из шестидесятничества.

Е.П.: Это не противоречит тому, что я сказал. Все это условно. Какие-то попытки упорядочить человеческую природу, хаос… Гармонию восстановить… Так что давай на этом заканчивать: ну, был Аксенов шестидесятником. А потом стал сам по себе – Аксенов. И все.

ПРИЛОЖЕНИЕ

Станислав Рассадин
Из статьи «ШЕСТИДЕСЯТНИКИ. КНИГИ О МОЛОДОМ СОВРЕМЕННИКЕ»

Журнал «Юность», 1960, № 12

Наш век, который слишком уж часто именуют атомным, в большей степени заслуживает название «век коммунизма». А коммунизм – это прежде всего невиданный расцвет души, формирование гармонического человека. Это колоссальный рост духовной культуры и духовных потребностей. Да, скажет мне спасительный «кто-то», так необходимый каждому критику. Да, все эти слова торжественны, но и справедливы. Молодые люди тридцатых годов отличаются от современного поколения не только внешне, не только по костюму. Действительно, «шестидесятники» многое приобрели. Но скажите, не утрачено ли ими то бескорыстие, та моральная чистота, та удивительная принципиальность, что поражает нас в героях «Строгой любви»? И вообще, кто они такие, эти ребята настоящего, от которых зависит будущее?

«В самом деле, кто вы такие? Чем вы живете? Вот вы, молодежь? Куда клонится индекс, точнее, индифферент ваших посягательств?»

Витиеватая фраза, не правда ли? Но в ней полный откровенной тревоги вопрос. Его задает фронтовик Егоров, почти одногодок смеляковского Яшки, героям повести Василия Аксенова «Коллеги» («Юность», №№ 6 и 7 за 1960 год), ровесникам сегодняшней молодежи (и, кстати сказать, ровесникам автора).

«Зеленин с силой ударил кулаком по граниту и вроде не почувствовал боли.

– Ты неправ, Алешка! Мы в ответе не только перед своей совестью, но и перед всеми людьми, перед теми, с Сенатской площади, и перед теми, с Марсова поля, и перед современниками, и перед будущим особенно. А высокие слова? Нам открыли глаза на то, что мешало идти вперед, – так надо радоваться этому, а не нудить, как ты. Теперь мы смотрим ясно на вещи и никому не позволим спекулировать тем, что для нас свято».

А в чем же настоящий пафос этой повести?.. Саша Зеленин прав: «Мы в ответе перед теми, с Сенатской площади, и перед теми, с Марсова поля», то есть в ответе перед Революцией.

А что это значит – «в ответе перед Революцией»? Ее наследство – почетная ноша...

Мариэтта Чудакова
Из выступления на «КОНФЕРЕНЦИИ, ПОСВЯЩЕННОЙ ШЕСТИДЕСЯТНИЧЕСТВУ»
Фонд «Либеральная миссия», 2006, Москва

...Когда-то я даже вывела границы возраста шестидесятников. По персонам эта формация в основном укладывается, по моим расчетам, в возраст людей с 1918 (Г.Померанц) по 1935 (С.Рассадин, давший своей статьей 1960 года название явлению) годы рождения. Это те из них, кто к середине 50-х годов кем-то уже были, у кого был статус (литературный или научный) и общественная репутация (хотя сама проблема такой репутации при отсутствии общественной жизни достаточно сложна), то есть было имя. В ряде случаев имя заменял фронтовой или лагерный опыт – это была черта эпохи. В эту формацию рекрутировались и те, кто еще не обладал к этому моменту значимым статусом или именем, но стоял уже на старте и в ближайшие годы получил и то, и другое. В формацию входили и люди, далекие от искусства, с экономическим, «философским» (которое, когда речь идет о советском времени вообще, а сталинском – в особенности, трудно писать без кавычек) или историческим образованием, партийные или комсомольские работники, в том числе и партийные журналисты (Лен Карпинский,

Егор Яковлев). В нее входили и режиссеры, и сценаристы, и литераторы, в том числе и такие «чистые» лирики, как Б.Ахмадулина и Н.Матвеева, возрождение лирики стало одним из результатов и примет «оттепели». Два важнейших, нам кажется, личных свойства пролагали данному лицу дорогу в шестидесятники: одно – биологическое, второе – мировоззренческое. Первое – это активность натуры, которая дается биологией, желание действовать. В книге о литературной эпохе 30-х годов я писала в давние времена, на примере одной литературной биографии, что активным людям в плохое время плохо – им не удается его пересидеть. Людей с жаждой действия выносило на поверхность тогдашней так называемой общественной жизни, а там ничего хорошего не ждало: стать положительными деятелями в этой «плохой» рамке было невозможно. И они, в том числе и талантливые люди, становились советскими функционерами со всеми вытекающими последствиями. Пассивные же могли как-то пересидеть плохое время и не выпачкаться. В годы «оттепели» ситуация стала иной, но саму психологическую коллизию надо и тут иметь в виду. Второе, мировоззренческое качество – тяготение к тому великому, не низменному, а великому в полном объеме смысла слова соблазну, суть которого выражена Пастернаком: «Хотеть, в отличье от хлыща / В его существованье кратком, / Труда со всеми сообща / И заодно с правопорядком». «Заодно с правопорядком» – не всегда входит в состав соблазна. Хотеть же «труда со всеми сообща» – это, в общем, естественно для человека. Но одни эпохи благоприятствуют этому, другие – не оставляют такой возможности. И достойно сожаления, что из этого получались в советское время в лучшем случае трагедии. Шестидесятники именно такого труда и жаждали. Их действия, во-первых, направлены на интересы всего общества, страны, во-вторых, должны производиться в команде, коллективно, «сообща». Они не были индивидуалистами по своему складу. Где можно было найти условия для такого труда? Только в партии – той, которая была единственной и правящей. В подполье, как известно, не было возможности действия «со всеми сообща», только в очень узкой группе. Но «со всеми сообща», как скоро стало ясно, не получилось и в партии, в которую вступали многие шестидесятники (те, кто не вступили на фронте) с целью исправлять ее изнутри. Исправлять не получалось, но потом это членство становилось тормозом в освобождении собственной мысли. Я видела это на самых ярких примерах, на примере жизненного пути близко знакомых мне замечательных ученых, и меня невозможно, увы, убедить, что это обстоятельство – членство или нечленство – было вообще нерелевантным. Объяснение мира невольно приспосабливалось к своему положению – ведь человек знал про себя, что он порядочный человек! Порядочнее, самоотверженней, бескорыстней множества беспартийных! Во второй половине 50-х стали проясняться очертания некоего слоя – он стал формироваться. Подчеркнем, это не были позднейшие тусовки, это был слой, объединенный не только общностью стиля, эстетики, речи, но и общими ценностями и целями. Они могли рефлектироваться вслух, но могли и сами собой подразумеваться. Несогласие с общепринятым в этой быстро сформировавшейся среде прозвучало бы резким диссонансом – и это тоже было формообразующей чертой. <...> У них был еще один общий биографический признак: для всех них, как уже не раз было сказано разными людьми, XX съезд и доклад Хрущева был рубежом биографии. В биографиях многих из них было еще нечто общее – доклад коснулся их лично, имен и судеб их близких; это были дети расстрелянных или отбывших сроки в лагерях и к моменту доклада возвращавшихся оттуда, но без особой огласки, причем нередко это были люди из партийной номенклатуры (родители Б.Окуджавы, В.Аксенова, Л.Карпинского). И именно это – мученическая смерть или многолетнее лагерное выживание, признанные в докладе несправедливыми и как бы искупавшие личное участие этих людей в разрушении страны (в уничтожении ее крестьянства, ее образованного слоя и т. п.), – это было важнейшей идеологемой. Именно она задерживала их детей вблизи ценностей отцов – «комиссаров в пыльных шлемах». Забегая вперед, заметим, что в конце перестройки и особенно в постсоветское время это и сыграло против них с такой силой, выбивая шестидесятников из слоя активных действователей путем снижения их общественного авторитета. Помимо хулиганских журналистских выпадов, этому в какой-то степени способствовали они сами, довольствуясь хаотическим, эмоциональным, во многом инфантильным восприятием событий перестройки, достаточно бездумно подхватывая лозунг М.С.Горбачева: «Больше социализма!». Они так и не поднялись до гласной экспликации своего сложного пути – и этим увеличили недоверие молодых к своему слою, усилили во многом неправомерное обесценение его.

ГЛАВА ВОСЬМАЯ
«КРУТОЙ МЭН» АКСЕНОВ, или ПОДЛИННАЯ ИСТОРИЯ АЛЬМАНАХА «МЕТРОПОЛЬ»

ЕВГЕНИЙ ПОПОВ: Если конспективно, то «МетрОполь» – это литературный альманах, который возник и закончился в 1979 году. В нем участвовали звезды тогдашней литературы, как то: Аксенов, Ахмадулина, Вознесенский, Битов, Искандер и литераторы «широко известные в узких кругах» *самиздата*. Это, например, Юрий Кублановский и Юрий Карабчиевский. А большинство авторов занимало промежуточное положение: Сапгир, Вахтин, даже Высоцкий. Пожалуй, что и я с Ерофеевым. Не были мы укоренены в андеграунде, а в «советские» нас не пускали. Мы еще носили свои тексты по редакциям, а Дмитрий Александрович Пригов даже не знал, где находится журнал «Юность»... А у нас позиция была: жить здесь, в тюрьму не сесть, вступить в Союз писателей, печататься худо-бедно на родине и потихонечку за бугром, если здесь публиковать окончательно перестанут. Меня сейчас вдруг осенило, что наша с Ерофеевым позиция была правильная, равно как и позиция целиком «МетрОполя» с его лозунгом французских студентов шестьдесят восьмого года: «Будьте реалистами – требуйте невозможного».

Евгений Попов

АЛЕКСАНДР КАБАКОВ: Это ведь и Аксенова была позиция?

Е.П.: Разумеется. То есть мы собрали свои рукописи и издали их в двенадцати экземплярах, наклеивая машинописные листы на ватман. Но это не был *самиздат* или *тамиздат*. Это впервые в истории советской литературы был *здесьиздат*. И это действительно было штучное уникальное *издание*, дизайнерами которого были Давид Боровский, в те времена главный художник Театра на Таганке, и Борис Мессерер, лауреат кучи премий. В принципе, «МетрОполь» не был подпольной акцией, а это была *последняя* попытка договориться с властями, как это удалось художникам-авангардистам в результате знаменитой «Бульдозерной выставки» – после нее их определили в гетто на улице Малой Грузинской, где они под надзором ГБ, разумеется, выставляли свои работы и как-то более или менее существовали. Шум и у нас вышел на весь мир, но чаемого результата мы, следует признать, не добились. Целью этой акции, как это ни странно сейчас звучит, да еще и из моих уст, действительно было расширение рамок, извини меня, советской литературы.

А.К.: Итак, вы сделали такой альманах. Что дальше последовало? Коротко, историю изложи...

Е.П.: Детали, детали самое главное! Машинописные страницы мы наклеивали сами, вручную, теперь это называется «хэнд-мэйд». То есть, представляешь, 40 печатных листов умножить на 24 страницы и расклеить в двенадцати экземплярах. Да еще на каждой ватманской странице была циферка-нумерация, лично вырезанная из настенного календаря никому тогда не известным волонтером «МетрОполя» Володей Боером. Пронюхали в Союзе писателей, стали таскать... Я сто раз об этом рассказывал...

А.К.: Расскажешь в сто первый...

Е.П.: Феликс Феодосьевич Кузнецов, неоднократно в этой книге упоминаемый, для начала поздравил меня и Ерофеева с приемом в Союз писателей. Ласково так, как родной старший брат или разбогатевший дядюшка. Аксенова спрашивает между делом, небрежно: «Вы, говорят, альманах какой-то придумали? Показали бы его нам». Аксенов отвечает, что мы люди ленивые, никуда не торопимся, будет готов – покажем. Феликс тут же прямо стойку сделал: «Когда?!» И вот наступает этот исторический, по крайней мере для нас, день, когда мы с Ерофеевым тащим в ЦДЛ альманах. Ерофей, естественно, опоздал на полчаса, объяснив это тем, что был в Кантемировской дивизии на военных сборах, а потом в рамках этих же сборов писал пропагандистскую листовку: «Француз, сдавайся! Пока ты мерзнешь здесь в окопе, капрал забавляется с твоей женой!» Он же по военной специальности должен был вести пропаганду среди вражеских солдат... Альманах был огромный, тяжелый. Мы несли его вдвоем, «как Гамлета четыре капитана», и вручили его изумленному Феликсу, который, скорей всего, ожидал, что это будет высокая стопа диссидентских страниц размером А4, а не шедевр дизайнеров Мессерера и Боровского, покрытый «мраморной» бумагой, с шелковыми такими тесемочками... Направились мы с Ерофеем, естественно, в ресторан, чтобы отметить такое выдающееся событие, там немного задержались, а когда покидали ЦДЛ в двенадцатом часу, то услышали веселый перестук пишущих машинок. Ибо, как гласил слух, срочно было вызвано с десяток машинисток, которые за ночь размножили наш альманах в пятидесяти (!) экземплярах. На знак копирайта им было плевать, равно, впрочем, как и нам: поставили для форсу, тогда об авторских правах никто понятия не имел... Если все это неправда, пусть свидетель и главный супостат «МетрОполя» тов. Кузнецов этот слух опровергнет. На следующий день стали знакомить с альманахом «писательскую общественность». Ее разделили на две категории: одним, в ком были уверены, давали и даже навязывали текст для последующего его разоблачения; другим, малонадежным, в желании ознакомиться с «идеологической заразой» отказывали.

А.К.: Пятьдесят экземпляров такого объема напечатать – это надо полгода.

Е.П.: Нет крепостей, которые не могли бы взять большевики! Буквально через день-другой нас стали *таскать* к Феликссу Феодосьевичу и его подельникам: покойному оргсекретарю Кобенко, имевшему прозвище Кагэбенко, другим «секретарям», включая прогрессивного будущего «перестройщика» Олега Попцова и известного на всю писательскую округу поэта-почвенника Станислава Куняева, который, между прочим, сказал мне при первой встрече, что мои рассказы лично ему нравятся. Обрабатывали каждого индивидуально, несмотря на то что являлись мы к начальству парочками: я с Ерофеевым, Битов с Искандером. Васю Феликс весь день ловил, да так и не поймал. Мне начальник Кузнецов стал петь, что я парень простой, талантливый, из Сибири, а связался с эстетом Аксеновым, у которого миллион долларов на Западе, и он меня непременно кинет, использовав. Ему бы с компетентными органами сразу бы проконсультироваться, они бы ему сообщили, что я уже в шестнадцать лет читал Джойса и выпускал в Красноярске с товарищами литературный журнал, который местные власти тоже признали самиздатским и разгромили, как умели.

А.К.: Это говорит о том, что в их *реакции* (во всех смыслах этого слова) было очень много самодеятельности...

Е.П.: Злобной самодеятельности...

А.К.: ...которая была или не согласована, или плохо согласована с ГБ. Действовали они с энтузиазмом злобных дураков.

Е.П.: И нанесли тем самым государству с кратким названием СССР вреда гораздо больше, чем мы. Витьке Ерофееву они пели, что *пошли ему навстречу*, печатая его *сложные* статьи про Шестова и де Сада, а он их *доверия* не оправдал. Потом нас выгнали, велев хорошенько подумать, ввели Битова с Искандером. Ну и под вечер мы все явились к Аксенову, рассказываем ему, друг друга перебивая, *подробности*. Он же, не дослушав нас, набирает номер и говорит без «здравствуй» или «гуд дэй»: «Феликс, это ты? Ты что это ребят терроризируешь?» – «Вася, ты где?» – кричит Феликс. «Неважно где, – отвечает ему суровый В.П.Аксенов. – Ты учти, что мы выйдем на Леонида Ильича». «Когда?» – спрашивает бедный Феликс. «А вот уж наше дело!» И хрясь трубку на рычаги! Мы онемели, но Битов не мог сдержать возгласа восхищения. *Крутой мэн*, – высказался он тогда про Васю. И действительно, Феликс весь день парился по «метропольским» делам, а пришел домой – и с порога получил не тарелку борща, а палкой по рогам от Васи.

А.К.: Бедный, действительно...

Е.П.: Потом, значит, началась индивидуальная обработка. Ко мне приставили сотрудника «Дружбы народов» критика Валерия Гейдеко, к Битову – Вадима Кожинова, не помню, кто работал с Ерофеевым. Я Гейдеке вежливо объяснил, что дурного ничего не делаю и, собственно, не понимаю, что я должен *прекратить*? Ведь я уже принят в Союз писателей, у меня есть бумага, где секретарь Союза Лазарь Карелин поздравляет меня с приемом и желает мне *больше общественной активности.*

А.К.: Куда уж больше-то?

Е.П.: Пытались заставить наших рекомендателей в Союз писателей «отозвать» свои рекомендации. С великой радостью сообщаю, что ни один из них на это не пошел. Ни Георгий Витальевич Семенов, ни Николай Семенович Евдокимов, ни Галина Васильевна Дробот, еще одним моим рекомендателем был Андрей Битов, но с ним начальству и так все было ясно. Николай Семенович только спросил меня, представляю ли я последствия своего поступка? Я сказал, что представляю, а он сказал: «Ну и в добрый час!» Попили чаю и расстались на долгие годы. Вот. А потом, значит, был этот знаменитый секретариат, ровно за день до «вернисажа» альманаха. «Вернисажем» мы именовали то, что сегодня называется «презентацией». Тогда слова «презентация» в широком обиходе еще не было. Для презентации-вернисажа сняли кафе «Ритм», что в Миуссах, на улице имени чешского тов. Готвальда, ныне улица расстрелянного большевиками Чаянова. Там во время перестройки был кооперативный писательский ресторан «Нил», а сейчас снова кафешка.

А.К.: На углу с улицей Фадеева, да? Напротив РГГУ?

Е.П.: Совершенно верно. Директор этого заведения (тогда понятие «хозяин» отсутствовало) был приятелем Юза Алешковского и счел за честь, когда Юз с Ахмадулиной туда явились. Сказал, что из уважения к таким персонам сам лично поедет на рынок, купит петрушку, киндзу... Всенародно известная поэтесса и автор песни «Товарищ Сталин, вы большой ученый»... Ему и в голову прийти не могло, что он антисоветчиков вознамерился принять. Вот по этому случаю и собрали экстренный секретариат Московской писательской организации.

А.К.: Минуточку! А откуда они узнали про «вернисаж»? Вы им приглашение послали?

Е.П.: Ага! Щас! Это ты меня спрашиваешь? Ты, может, с Луны свалился? Они пронюхали об этом по своим каналам. Кстати, к тому времени и в ВААП (*Всесоюзное áгентство по авторским правам, созданное в СССР в 1973 году в связи с присоединением Советского Союза к Всемирной конвенции об авторском праве*), и в Госкомиздат (*Государственный комитет по делам издательств, полиграфии и книжной торговли СССР*), и в издательство «Советский писатель» мы с Ерофеевым по экземпляру альманаха, значит, уже занесли.

А.К.: То есть они собрали секретариат, намереваясь пресечь эту акцию?

Е.П.: Угу. Там с нашей стороны было пять составителей плюс сочувствующий Булат Окуджава, а с их стороны – целая кодла идеологических борцов. Например, когда Ерофеев вышел в коридор покурить, то следом за ним заседание покинул другой любитель табака, советский поэт Николай Грибачев, который гордился тем, что имеет кличку «автоматчик партии». Он Ерофею сказал: «Ну что, сукины дети, попались? Что бы вы сейчас нам ни вякали, будет вам крышка». Они альманах в результате тут же осудили как антисоветскую акцию и сказали, что если вернисаж состоится, все участники альманаха будут исключены из Союза писателей... За исключением тех, кто в Союзе писателей не состоит. Это шутка моя, нынешняя... Заправлял судилищем все тот же Феликс Феодосьевич. Сохранилась стенограмма, которую вел я. Свою стенограмму они под шумок уничтожили во время перестройки. А нашу напечатала с комментариями в журнале «Новое литературное обозрение», 2006, № 82 замечательная итальянская исследовательница Мария Заламбани из университета Форли. Рекомендую.

Александр Кабаков

Выглядит как пьеса театра абсурда. Мы все вечером после секретариата собрались и проспорили полночи – отменять вернисаж или нет. Отменили. По тактическим соображениям. Тем не менее я утром к этому кафе пошел, чтобы предупредить тех, кто еще не знает об отмене. А там, смотрю, батюшки светы! В переулках черные гэбэшные «Волги», на двери объявление «Закрыто на санитарный день». Вижу, идет к кафе корреспондент «Франс Пресс» с двумя красивыми бабами, читает объявление, и волчья улыбка антисоветчика озаряет его мужественное лицо. А вечером того же дня все «голоса» уже трубят о преследованиях писателей в СССР. Процесс пошел, как потом говорил Михаил Сергеич. За такую рекламу миллион дают, понимаешь? А нам ее Феликс Феодосьевич со товарищи устроил бесплатно. И если бы они на этом остановились, то это нас бы тоже устроило. Что им стоило напечатать альманах тиражом, например, в тысячу экземпляров, распределить по начальникам, как любой книжный дефицит, по экземпляру нам сунуть, остальное продать в «Березке» иностранцам-славистам?

А.К.: Тогда им надо было не тыщу экземпляров печатать, а все пять. Тысяча только «по служебному назначению» ушла бы.

Е.П.: Ну, пять. В те времена, когда средний тираж прозаической книжки был сто тысяч экземпляров, нас и это устроило бы. Клянусь! И скандала такого масштабного не было бы. Знаешь почему? А потому, что эмиграция сначала, в первые дни развития событий, встретила «МетрОполь» довольно кисло. Максимов высказался в том смысле, что это советские писатели с жиру бесятся, хотят и рыбку съесть, и так далее. При обсуждении альманаха в эмигрантской газете «Русская мысль» звучала примерно та же аргументация, что и в конторе Феликса Феодосьевича, но только с другого боку. Для него альманах был антисоветским, а для «Русской мысли» – советским, приземленным, бездуховным. Старых эмигрантов шокировали грубости, эротика... Все изменилось в одночасье, когда мы благодаря глупому писательскому начальству стали *жертвами*, по-

Евгений Попов

нимаешь? Я невыгодные для себя вещи говорю, но это было так. Короче говоря, Карл Проффер, видя, что нас *месят* и дальше будет только хуже, взял да и объявил, что у него есть экземпляр «МетрОполя», и альманах обязательно будет напечатан. Еще на этом можно было успокоиться, но в феврале, это уже был февраль, День Советской Армии, вдруг появляется сдуру как с дубу в газетке «Московский литератор» огромный материал под названием «*Мнение писателей об альманахе "МетрОполь": порнография духа*». Где «отметились» весьма даже уважаемые персоны, например писатель Сергей Залыгин, который сообщил городу и миру, что я – графоман, и он меня ни за что не принял бы в Литинститут. «Порнография духа» – это, кстати, цитата из Вознесенского. Нет чтобы самим что-нибудь такое-эдакое, *идеологичненькое* придумать! Многих *использовали*. Старый писатель и зэк Олег Волков послал нам полный текст своего отзыва, где было сказано, что ему альманах понравился за редкими исключениями, которые он обругал. А «Литератор» напечатал только эти исключения. Старик Волков разрешил предать свой текст гласности «хоть на "Голосе Америки"». Лев Гинзбург написал отзыв при условии, что он не будет опубликован. А когда обнаружил свое имя в верстке, устроил Кузнецову скандал, грозился, если его в это втянут, *положить партбилет*. Молодец! Его отзыва *нет* и, получается, *не было*! Появилось в том же «Московском литераторе» искрометное сочинение Феликса Кузнецова «Конфуз с "МетрОполем"», затем его же опус с блатным названием «О чем шум?». Это была уже реакция на то, что пять ведущих американских писателей: Эдвард Олби, Курт Воннегут, Уильям Стайрон, Артур Миллер и Джон Апдайк – один из авторов нашего альманаха – выступили в нашу защиту. Желающие могут насладиться чтением отповеди Кузнецова зарвавшимся американцам в «Литературной газете» за 1979 год. Ну, а потом мы уехали в Крым, а пока ездили, нас с Ерофеевым исключили из Союза писателей. В Коктебеле посетили в Доме творчества Фазиля Искандера, он нам и показал анонимную телеграмму: «Радуйся, двух ваших щенков наконец-то выкинули из Союза». Мы успокоили

Александр Кабаков

Фазиля, что таких анонимок было полным-полно, что это очередная туфта, но, когда мы вернулись в Москву и я только что вошел в квартиру, раздался Васин звонок: «Ты знаешь, все, к сожалению, подтвердилось. Вас исключили. Если вас не восстановят, я выхожу из Союза писателей». Я этого его звонка никогда не забуду. Он поступил как старший брат. Он знал, что я тут же узнаю об исключении, и мне станет страшно. А мне и было страшно, не стану врать.

А.К.: И правильно, что страшно. Уволили бы тебя из твоего Художественного фонда, Ерофеева из ИМЛИ, а потом выслали бы из Москвы как тунеядцев.

Е.П.: Ерофеева и уволили. Но на следующий день снова приняли. Сначала появился приказ, что он уволен из ИМЛИ, а на следующий день – приказ, отменяющий увольнение. Стало быть, наверху борьба была по этому вопросу. А поле битвы – сердце ерофеевское... Ко мне же гэбэшники на работу пришли и велели Юре Дорошевскому, парторгу, саксофонисту, историку, любителю итальянской оперы и портвейна «Кавказ», писать на меня характеристику. Он и написал: работает в Худфонде с 1974 года, план в среднем выполняет на 140 процентов, *друзей на работе не имеет*.

А.К.: Блеск!

Е.П.: Они ему говорят: «Ты, видать, что-то перепутал, ты, может, думаешь, что мы ему орден хотим дать?» А Юра, царство ему небесное, отвечает: «Мне как коммунисту партийная совесть велит писать только то, что я знаю. Если он провинился в Союзе писателей, то пускай его там и обсуждают. А здесь он работает хорошо, и я как коммунист не могу идти против своей совести». Вот такие дивные люди водились в Стране Советов, где мой вечно пьяный Худфонд выгодно отличался от Союза писателей. Они своего *не сдали*!

А.К.: А теперь я тебе хочу сказать следующее. Та позиция, которую я сейчас займу, называется «адвокат дьявола». Я буду задавать тебе крайне неприятные вопросы, которые, рассуждая о «МетрОполе», задают крайне неприятные люди и иногда сами же на эти вопросы отвечают. Вопрос первый: вы

Евгений Попов

что, ребята, дурачков из себя строите? Если в государстве существует предварительная цензура, то всякая попытка бесцензурного издания – никакая не литературная акция, а акция политическая.

Е.П.: Дальше, начальник!

А.К.: Вы не понимали, что вы делаете? Вы не понимали, что это вызов? В связи с этим – второй вопрос. Вы понимали, что, маскируясь этим самым вашим так называемым альманахом, отщепенец Аксенов просто-напросто готовит себе почву для отъезда? Ты отвечаешь: нет, ибо собственно идею высказал не Аксенов, а Ерофеев. А я тебе: идея, допустим, Ерофеева, но Аксенов за нее уцепился, и вы не могли не предполагать – вы и предполагали, ты это сам говоришь, – что рано или поздно конфликт с истеблишментом приведет к тому, что альманах окажется на Западе и будет там издан. Это с одной стороны. С другой стороны, и Ерофеев, и ты были *лично* заинтересованы в таком издании, потому что вас не печатали. Другие заинтересованные лица стали составителями, остальные в это дело попали по-разному. Кто с Аксеновым дружил, кто хотел легализовать вторую половину своей жизни. Как, например, Сапгир, у него была легальная половина жизни – детские стихи и мультфильмы, и нелегальная – авангардистские стихи. Как Высоцкий, которому только птичьего молока не хватало, но он хотел быть поэтом, хотел быть признан как поэт. Нет, дружок, акция эта не была литературной, эта акция была направлена против политической цензуры, существовавшей в государстве с начала власти большевиков, – то есть против этого *строя* она была направлена и лишь потом против Союза писателей, который только в таких советских условиях и мог существовать! Далее: Аксенов уезжает. В пролете вы с Ерофеем, *зачинщики*. Липкин с Лиснянской, вышедшие из Союза, страдают больше всех. Кто-то тут же включает задний ход и снова возвращается, как блудный сын, в официоз. Именно так представляется история «МетрОполя» недоброжелательному, но вполне трезвому взгляду.

Е.П.: Значит, так. Дураков мы из себя не строили, поскольку ими не были. Мы действительно довольно агрессивно говорили о том, что Союз писателей неправильно устроен. Вот Фазиль Искандер, например, которого трудно заподозрить в неискренности или расчете, он на секретариате сказал, что это – шулерство, когда у Попова, то есть меня, три положительные рецензии в издательстве «Советский писатель» на книжку, и на основе этих трех *положительных* рецензий пишется *отрицательное* редзаключение. Это был бунт внутри Союза писателей, и я не собираюсь строить из себя борца за права человека.

А.К.: Бунт прямой, открытый.

Е.П.: Но никто ведь из нас не кричал: «Долой советскую власть!» Предлагали, в общем-то, некоторые меры, чтобы эта власть была, допустим, еще краше. В той стенограмме даже у Василия Павловича есть слова: «Так пускай еще богаче будет *наша* литература». Это он в ответ на разглагольствования кого-то из начальствующих совписов о том, что мы и так живем в замечательное время, когда печатаются крайне *острые* вещи, например, в деревенской прозе. Такие аксеновские, да и наши фразы можно считать, конечно, уловками, они и были частично уловками, но сейчас, когда прошло уже столько лет и врать решительно незачем, я думаю, что была в таких репликах некая конформистская истина, желание расширить размеры клетки, в которой мы все сидели. Мы хотели создать *прецедент*, приемлемый хотя бы для части советского начальства. Еще раз привожу к собственной невыгоде пословицу алданских бичей «Мы не из тех, что под танки бросались и первыми входили в города». Потому что, как говорится, возможны были варианты и компромиссы, понимаешь? И – сеанс саморазоблачения продолжается! – ты заметил, например, что в альманахе нет *настоящих диссидентов* – ни Войновича, ни Владимова, ни Копелева? Потому что нас в этом случае тут же обвинили бы в том, что мы создали антисоветскую диссидентскую *контору*. А официальный писатель Трифонов, например, которого Аксенов позвал в альманах, отказался и честно сказал: «Ребята, у меня своя игра». Он в это время печатал в американском «Ардисе» роман «Отблеск костра» – про расстрелянного отца,

Евгений Попов

про репрессии тридцать седьмого. Не знаю, как там было с Окуджавой, не моя компетенция, Аксенов с ним одно время был в ссоре. Знаю про Евтушенко. Он меня однажды спрашивает: «Женя, почему вы не взяли меня в альманах "МетрОполь"?» Я отвечаю: «Мы с вами, Евгений Александрович, люди разного поколения. Я в альманахе отвечал за свое поколение, а ваш друг Василий Павлович – за ваше. Вот вы его и спросите, почему». Он говорит: «Если бы меня взяли, то никакого "МетрОполя" не понадобилось бы, мы бы и *так* все вопросы решили». – «Вот потому, наверное, и не взяли», – не удержался я. Так что в принципе дело «МетрОполя» не было дурацким или безумным предприятием. Оно имело шанс. Тем более что все это происходило в 1979 году, а в 1985-м уже перестройка началась, понимаешь? И в конце восьмидесятых «МетрОполь» вряд ли оказался бы таким же эксклюзивным, экзотическим предприятием. И я, ты знаешь, своей судьбой доволен. Потому что, извини за прямоту, я играл – и в конечном итоге выиграл. Но мог проиграть очень сильно, понимаешь? Впрочем, хватит об этом. У нас ведь книга о Василии Павловиче, а не обо мне.

А.К.: Выиграл, да. Хотя возможны были неприятные варианты.

Е.П.: А неприятности в любом случае были предрешены. Если бы не «МетрОполь», мне рано или поздно все равно пришлось бы печататься на Западе. Ведь это не то шизофрения, не то паранойя, когда тебя не печатают, когда ты берешь слева чистые листы бумаги, исписываешь их и кладешь справа. *И – всё!* Безо всякого движения! Результата! Отклика! И так годами, десятилетиями... сколько это могло продолжаться? Я для сохранения своего душевного здоровья участвовал в альманахе «МетрОполь». И думаю, что многие из моих товарищей – тоже. Включая и Василия Павловича. Я уже рассказывал, какое было первоначальное отношение к «МетрОполю» у эмигрантов на Западе, но ведь и здесь «круги андеграунда» иногда ехидно именовали его «диссидентским "Огоньком", то есть изданием *на потребу*. Мне об этом Юра Кублановский рассказывал, он более моего был связан с «литературным подпольем».

Александр Кабаков

А.К.: Что ж, довольно остроумно.

Е.П.: И я тебе сейчас даже еще больше скажу в припадке откровенности: если бы *конкретно* пошла речь о публикации альманаха в СССР, то я не уверен, что мы не пошли бы на изъятия и замены при сохранении, разумеется, числа *всех* авторов. Но *они* нам такой возможности проявить слабину не дали, пришлось быть героями.

А.К.: Это Феликс Феодосьевич себе карьеру делал с вашей помощью.

Е.П.: Он ее и сделал в конечном итоге.

А.К.: Он мог бы лучше карьеру сделать, если бы поддержал вас. Имел бы тогда репутацию царя-освободителя, а не палача «МетрОполя». Хотя... вот этими папочками с тесемочками, независимым поведением вы спровоцировали эту литературную шпану, и она на вас кинулась. Вы не могли не понимать, что они кинутся на вас первыми, так уж они были устроены.

Е.П.: Странно... надеюсь, что не лукавлю, однако *нет*, не понимали. Потому что жизнь уже была чуть-чуть другая, чем при классических Советах. Не свобода, а *вольность* стала появляться... хотя бы внутри нашей метрóпольской компании. Компания-то была замечательная, понимаешь?

А.К.: То есть вы рассчитывали, грубо говоря, что вам уступят? Сдадут назад как при возможности столкновения, ну, двух автомобилей, например? Вы ведь им в лоб пошли и что, думали, они уйдут в сторону?

Е.П.: Да.

А.К.: Или сдадут назад?

Е.П.: Совершенно верно. Нам казалось, что так было бы *логичнее*, если бы они чуть-чуть пошли на попятную. У советской власти масса была способов *обволакивать* людей. К примеру, начать в микроскопических дозах печатать меня и Ерофеева. Простить Аксенову антисталинский «Ожог»...

А.К.: И напечатать отрывки из него, как сделали с битовским «Пушкинским домом».

Е.П.: Совершенно верно. Но для этого нужны были воля и разум *исполнителя*. Так что советская власть пусть Феликса

Евгений Попов

Феодосьевича со товарищи благодарит за этот международный скандал, *последний* крупный литературный скандал канувшей эпохи.

А.К.: Если бы Вася действительно имел целью на «МетрОполе» въехать на Запад, и он должен был бы за это благодарить Феликса Феодосьевича. Но только я тебе замечу, если уж мы заговорили в таких категориях: ему ведь было *выгоднее* здесь остаться. Если уж говорить о его личной судьбе. «Ожог» он мог бы со временем издать на Западе, живя здесь. Посадить бы его явно за «Ожог» не посадили бы. Не те времена.

Е.П.: Вася и без «МетрОполя» был на Западе суперпопулярен, не меньше, чем в СССР.

А.К.: Ну да. И если бы они не были идиотами, то могли сказать: «Ладно, хрен с вами, напечатаем ваше говно. Выкиньте вот две песни Высоцкого, антипартийную "Дубленку" Бориса Вахтина, ну и Алешковского, потому что он уже уехал в Израиль и, стало быть, не является советским писателем...»

Е.П.: Кстати, вот еще одно доказательство того, что мы не лезли этим чертям на рога. Мы же не напечатали в альманахе самую крутую песню Алешковского «Товарищ Сталин, вы большой ученый»...

А.К.: ...и вы бы ответили «товарищам»: «Хорошо, товарищи, "Дубленку" мы убираем, но ставим другой текст замечательного писателя Бориса Вахтина, сына знаменитой Веры Пановой. А вот Алешковского не уберем...» И если бы они на это пошли, то и вам некуда было бы деваться. И прослыли бы вы среди ярых диссидентов *конформистами*.

Е.П.: И еще, извини, Вася многих участников «МетрОполя» не знал. Откуда он знал, что они его не *сдадут*? Покаялись бы, и развалился бы альманах. Так что это была одна из самых подлых акций – я имею в виду кем-то пущенный слух, что он «МетрОполем» готовил себе почву для отъезда.

А.К.: Полагаю, что это тоже Кузнецов придумал.

Е.П.: Я тоже так думаю. По крайней мере, явно не гэбуха.

А.К.: Пожалуй, что и так. Не их почерк. У них другие представления о «почве» и «отъезде».

Александр Кабаков

Е.П.: «МетрОпольцы» – члены СП пострадали, но были ведь люди, я уже об этом неоднократно говорил в других главах, которым альманах был в плюс. И у Кублановского, который к двухлетней годовщине высылки Солженицына из СССР напечатал открытое письмо в парижской «Русской мысли», где приглашал Исаича обратно, и у Карабчиевского, автора НТСовских «Граней», дело явно шло к посадке. А тут они оказались в одной компании с Вознесенским, Ахмадулиной, Высоцким... Нельзя сажать таких товарищей... И все-таки для многих из нас, практически для всех его участников, «МетрОполь» стал одним из самых важных жизненных моментов, понимаешь? И для Васи – тоже. Наряду с хрущевским погромом в Кремле... У нас за время гонений образовалась даже некоторая такая... коммуна, что ли. Хотя все были совершенно разные – западник Баткин и православный неофит Тростников, классический Липкин и авангардный Сапгир...

А.К.: И еще одна важная вещь. Были писатели советские, были антисоветские. А получилось, что и *советские* взбунтовались. Что нету у режима верных *вполне* слуг.

Е.П.: И в альманахе мы все были лично заинтересованы. Я помню, Высоцкий пришел ко мне вычитывать верстку, и в это время позвонил один из несостоявшихся авторов, чтобы сказать – он принимать участие в альманахе отказывается, боится последствий. Я было огорчился, а Высоцкий говорит – ну и хрен с ним, раз испугался *нашего* дела. И мы с ним принялись выдирать стихи этого автора из всех двенадцати экземпляров.

А.К.: Имя этого автора я не спрашиваю.

Е.П.: А я и не скажу. Так что самую дурную роль в нашем деле не ЦК сыграл, не ГБ, а шайка под названием Союз писателей. Когда начались новые времена, в газете «Куранты», ныне не существующей, были опубликованы документы из тех, что потом опять ушли в спецхран. Например, переписка Андропова и Суслова по поводу альманаха «МетрОполь». Я просто ахнул от глупости и вранья, источник которого, разумеется – Союз писателей. У вас, мерзавцы, страна рушится, Афган бушу-

Евгений Попов

ет, а вы такой херней занимаетесь, как *литературный* альманах! Там в этих письмах «по оперативным данным» был понаписан всякий бред. Например, что на квартирке покойной писательницы Евгении Гинзбург состоялась подпольная сходка участников так называемого альманаха «МетрОполь», где Фазиль Искандер предложил устроить террор внутри Союза писателей, а Евгений Попов предложил восстать в книгах и сказал, что находится на позициях Солженицына. Это ж надо было такое придумать! Я спросил многоопытного главу «Мемориала» и сидельца Арсения Рогинского: «по оперативным данным» – это подслушка, что ли? Нет, отвечает, *стукачи*. Андропова накручивали из Союза писателей, а он вранье передавал по инстанции дальше. Все при деле. Все работают. Все бдят. *Пора принимать меры.*

А.К.: Ну, это тоже одна из любимых гэбэшных версий: «Что вы, ребята, к нам пристаете? Ведь это ваши товарищи из Союза писателей (художников, композиторов, общества слепых) – вот кто на вас стучал, а мы всего лишь *реагировали*». На мой взгляд, и ГБ, и тогдашний Союз писателей, и те, и другие – палачи, только одни – профессионалы, а другие – любители. Одни заинтересованы в том, чтобы править свою службу, за которую им платят зарплату, а другие искренне ненавидят чужой талант и успех. Офицеру КГБ, который тебя курировал, на фиг ты *лично* сдался? Он мог испытывать к тебе злобу лишь тогда, когда ты доставлял ему дискомфорт. Например, он тебя пасет, а ты его весь день таскаешь по морозу. Зато твой коллега по Союзу писателей желчью исходил от одного факта, например, твоей публикации в «Новом мире» с предисловием Шукшина. «Я, сука, всю жизнь без толку отираюсь по издательствам, а этому сопляку антисоветскому все на блюдечке с голубой каемочкой подносят! И Аксенов во все иностранное одет!»

Е.П.: Реплики из стенограммы секретариата выдают их с головой. Старый пропагандист-международник и кадровый борец за мир Юрий Жуков лепит про развращенных «шестидесятников»: «Это что же такое? Мы их за границу пускаем, дачи даем, а они даже в партию вступать не хотят!» А про гэбэшников великолепно выразился Солженицын: «Волкодав – прав, людоед – нет». Верченко – волкодав, так у меня к нему и нет никаких претензий.

А.К.: Ну, у Солженицына это в другом смысле... В общем, для гэбэшников вы были объект работы, а для писателей – предмет личной, живой, человеческой ненависти.

Е.П.: И потом, я ведь действительно не был диссидентом в прямом советском смысле этого слова. Разумеется, с одной стороны, я не хотел сидеть в лагере, где оказались многие уважаемые мной героические личности сопротивления Советам, с другой – они были для меня *персонажами*. Вот я тебе расскажу. Вдруг, в разгар всех этих дел, мне назначает таинственную встречу Петр Маркович Егидес, издатель самиздатского журнала «Поиски»...

А.К.: Знаю его, марксист.

Е.П.: Легальный марксист, сидевший за правильного Маркса в советской психушке. В «Поисках», кстати, начал свою активную диссидентскую деятельность нынешний проправительственный политолог-политтехнолог Глеб Павловский, в те годы «дзен-марксист». Войнович и Владимов сотрудничали с этой группой инакомыслящих.

А.К.: Легальные марксисты были до революции. Егидес как раз был НЕлегальный марксист, за что и пострадал.

Е.П.: Да мне все равно – легальный, нелегальный. Меня никакой вид марксизма не интересует, хоть ты мне его сахаром обсыпь. Егидес назначает мне таинственную встречу в кущах у метро «Проспект Вернадского». Озираясь по сторонам в чаянии «хвоста», мы углубляемся в лес. Там Петр Маркович мне и объявляет: «Мы должны объединиться. Группа "Поиски" и группа "МетрОполь". Будем вместе выступать против нарушений прав человека в СССР». Я отвечаю, что сие невозможно, потому что никакой «группы "МетрОполь"» не существует, а есть двадцать пять совершенно *разных*, в том числе и по убеждениям, людей, которые занимаются *только литературой*. Он мне возражает: «Но ведь литература – это часть политики...»

А.К.: Марксист, марксист!

Евгений Попов

Е.П.: Я рассмеялся и сообщаю: «Вы знаете, Петр Маркович, при всем уважении к вам, но мне сегодня утром то же самое говорил Феликс Феодосьевич Кузнецов у себя в кабинете». – «А вы считаете по-другому?» – «Разумеется. Политика – часть литературы». – «Это почему же?» – «А потому, что мы сейчас разойдемся, и что вы сможете про меня сказать, когда придете домой? Аполитичный, колеблющийся мелкобуржуазный представитель московской богемы. А для меня вы – персонаж. Я про вас могу целый роман написать. Про ваше детство босоногое, и как вы сначала любили советскую идеологию, а потом в ней разочаровались...» Надо сказать, к его чести, он, значит, засмеялся, махнул рукой и все, понимаешь?

А.К.: Ну да.

Е.П.: Потом его все-таки выперли за границу. Я еще, кстати, опять же... не знаю, для чего это сейчас тебе рассказываю, но в утро его отъезда я вдруг взял да поехал ни с того ни с сего в Шереметьево-2, хотя, как видишь, никаких особых отношений у нас не было. Этих «поисковиков» к тому времени многих уже пересажали, поэтому Егидеса с женой провожал только диссидент, если не ошибаюсь, Юрий Гримм, которого тоже посадили – через день-другой. Да какой-то провинциальный, тоже «правильный марксист». Тоже совершенный персонаж. С диссидентской «звериной серьезностью» рассказывал мне на обратном пути из Шереметьева, как его КГБ «спровоцировал, обвинив в спекуляции». Выяснилось, что он по возвращении из Москвы на Украину пытался толкнуть в местном магазине пару джинсовых рубашек. На мое замечание, что это есть нарушение советского закона – не важно, хорош он или плох, он ответствовал: «Но жить-то ведь как-то надо»? Персонажи... Егидес сказал мне, что уезжает в эмиграцию, потому что его туда «кооптировала группа "Поиски"». По приезде на Запад немедленно вступил в какой-то там социалистический интернационал и вскоре уже качал права с трибуны, выступая против каких-то других, *неправильных социалистов*. Так что не был «МетрОполь» диссидентской затеей и диссидентским «Огоньком» не был.

Александр Кабаков

А.К.: То есть «МетрОполь» для тебя или, можно сказать, «для вас» являлся таким же сборником *в рамках советской игры*, как разгромленные, но все же вышедшие большим тиражом в Калуге «Тарусские страницы» или знаменитый «оттепельный» альманах «Литературная Москва» под редакцией Каверина, Паустовского и других уважаемых литераторов?

Е.П.: Не буду возражать. Мог бы, но не буду. Когда я после «МетрОполя» попал в андеграунд и вдруг оказался *на дне*, как в пьесе Максима Горького, то с удивлением обнаружил, что и там вершится своя, огромная, отдельная жизнь. Есть свои кумиры, генералы, изгои, диссиденты. Такая же неприязнь к инакомыслящим, как в Союзе писателей, такая же зависть. Одна существенная разница: вместо высоких гонораров и переделкинских дач – вызовы на Лубянку, обыски, прокурорские предупреждения.

А.К.: Вот и получается, что вся история «МетрОполя» – это история самоубийственного кретинизма советской власти, который она проявляла, впрочем, не только в отношениях с художественной интеллигенцией. Надо было на нефтяные деньги покупать джинсы и мясо для трудящихся, а не гнать бесплатно «калашниковы» в Африку. Не были б такие дураки, еще просидели бы лет двадцать или тридцать.

Е.П.: Если не больше.

А.К.: А может, и больше. Хотя, знаешь, вряд ли, если у той власти были такие слуги, вроде Феликса Феодосьевича.

Е.П.: Если бы секретаря Союза писателей Верченко после перестройки не погнали со двора, то думаю, что он, старый гэбэшник, верно служил бы и новой власти. Глядишь, не распродали бы тогда совписовское имущество неизвестно кому и как, все эти дома творчества, поликлинику... Моего, впрочем, там ничего нет. Имущества.

А.К.: Моего тоже. И не с «МетрОполя» все это в Союзе писателей началось. Им крикнули «ату», и они тут же с удовольствием принялись травить Ахматову и Зощенко.

Е.П.: Думаю, что Верченко, к которому стекались все их доносы, цену господам-товарищам писателям прекрасно знал.

Евгений Попов

Мы ведь с ним встречались много раз. Смотри, какая разница: Кузнецов, когда я ему сказал, что нас не по уставу исключили, стал нам доказывать, что по уставу. А Верченко просто сказал: «Ну какая тебе разница, Женя? По уставу, не по уставу... Возьмем, да и изменим устав, если нужно станет... давай лучше о деле говорить...»

А.К.: О каком деле?

Е.П.: А о том, чтобы мы с Ерофеевым писали покаянку. Тогда нас восстановили бы в Союзе писателей. А мы хотели, чтобы нас восстановили в Союзе писателей, но покаянку чтоб не писать. Это и была суть нашего дела. Так вот, однажды нас вызвали к Верченко, а там у него сидит тот самый Лазарь Карелин, который меня с приемом в Союз писателей поздравлял. И говорит этот Карелин Ерофееву скорбным голосом: «А ведь я вас, Виктор, еще два месяца назад предупреждал, что добром это дело не кончится». Ерофеев, чтобы *хоть что-то ответить*, говорит: «А я вас уже полгода не видел». – «Как так? Помните, мы встретились в нижнем буфете ЦДЛ?» – «Не помню...» Тут Верченко этот содержательный диалог прерывает и *с наслаждением* (подчеркиваю!) Лазарю Карелину говорит: «Ладно, Карелин, ты нам тут Лазаря не пой! Иди отсюдова, нам работать надо!» И старый почтенный писатель Карелин удалился, втянув голову в плечи. А вместо покаянки мы написали заявление такого примерно содержания: «Я, такой-то, был принят в Союз писателей тогда-то, исключен из Союза писателей тогда-то, прошло много времени, я многое понял в жизни, прошу восстановить меня в Союзе писателей». Все. Больше ничего там не было, понимаешь. А то, что я дальше расскажу, еще одна иллюстрация, еще одно доказательство, что никуда бы Вася не уехал, если б не принудили его к этому «товарищи».

А.К.: Так, интересно.

Е.П.: Вдруг нас вызывают на секретариат Союза писателей РСФСР, что в Хамовниках, там, в этом здании с колоннами, теперь достойный преемник СП РСФСР – Союз писателей России. Мы встревожились и пошли к Верченке, потому что *так не договаривались*, что нас будут вызывать для восстановления.

Верченко нас не принимает, зато вдруг появляется запыхавшийся Михалков и говорит нам – извини, сохраняю его и нашу лексику: «Вы хули сюда пришли?» – «Потому что наёбывают», – отвечаем. «Никто вас не наёбывает, не будьте мудаками, и завтра вас восстановят. Я начальник этой конторы, – он имел в виду Союз писателей РСФСР, – и говорю вам: всё, идите домой, нечего вам здесь делать, завтра вы будете восстановлены». Мы уходим. Мы едем к Васе в Пахру и говорим: «Вася, вот такой-то и такой-то был разговор. Вот что сказал гимнопевец». Вася думает, думает, а потом говорит: «Слушайте, вроде бы вас завтра действительно восстановят. Я там член какой-то там ревизионной комиссии, что ли, и мне по инерции прислали бумагу на какое-то там их заседание. Если вас завтра восстановят, я послезавтра иду на это заседание. И все! *Жить будем здесь!*» Это его фраза была, я эту фразу хорошо запомнил.

А.К.: Жить будем здесь, значит...

Е.П.: Ну, и на следующий день состоялся этот тоже знаменитый секретариат в Хамовниках. Однако с него у меня стенограммы уже нет, хрен бы мне ее там дали вести, когда я стоял перед ними навытяжку. *Их* стенограммы тоже нет, скорей всего, уничтожили, чтобы не досталась врагам или грядущим поколениям. Итальянская исследовательница Мария Заламбани искала эту стенограмму в архивах – ничего нет, никаких документов. Но ведь был же этот секретариат 21 декабря 1979 года, который длился три с лишним часа! Сначала меня допрашивали минут сорок пять потные разгневанные мужчины, потом Ерофеева. Поодиночке, чтоб мы не сговорились. И все это стенографировалось, там сидели стенографистки. А потом нас завели вдвоем, чтобы зачитать приговор: ничего не поняли, не осознали, никаких выводов из случившегося не сделали. Председательствовали Михалков и Бондарев. Главным спикером был, естественно, Феликс Феодосьевич Кузнецов, еще там сильно шустрил такой Николай Шундик из Саратова. Бондарев, зная, что ведется стенограмма, изображал из себя глухонемого, свое возмущение нашим поведением показывал жестами, как один из жуликов в «Приключениях Гекльберри

Финна». А Михалков вел себя, надо сказать, довольно интересно. Я, видя, что терять уже нечего, отвечал на вопросы секретарей относительно дерзко, и когда раздался чей-то гнилой голос, что, дескать, хватит с этим подонком разговаривать, Михалков тут же окоротил автора реплики. Дескать, нет, товарищи, мы должны все изучить, мы должны определить всю глубину падения молодого человека... А этот Шундик сдал нам Даниила Гранина.

А.К.: То есть как так «сдал»?

Е.П.: А так, что я во время всех этих воплей отдыхал зрением на интеллигентнейшем, вдумчивом лице известного, ныне демократического ленинградского писателя Даниила Александровича Гранина. Пока Шундик не подытожил в конце: «Правильно сказал Даниил Александрович Гранин: в Союзе писателей им делать нечего». Я при этих словах еще раз посмотрел внимательно на Даниила Александрыча, а он так это — раз, и глазки убрал. Так что какие у меня могут быть претензии к Верченке? Да и к Михалкову. Михалков напоследок нам сказал вполголоса: «Ребята, я сделал все, что мог, но против меня сорок человек».

А.К.: Скажи, пожалуйста, а когда Вася подал заявление о выходе из Союза писателей?

Е.П.: Он подал его в тот день, когда узнал, что нас исключили.

А.К.: А вот вас восстанавливают. Что бы он делал?

Е.П.: Ничего. Он написал в сослагательном наклонении, что выйдет из Союза писателей, если нас не восстановят. А когда нас не восстановили, то на следующий же день отправил *им* по почте свой звездный аусвайс в писательский рай. То же самое сделали Инна Лиснянская и Семен Липкин.

А.К.: И на этом «Подлинная история альманаха "МетрОполь"» заканчивается?

Е.П.: Пожалуй, что да. Мы с Ерофеем вышли с этого секретариата злые, как собаки. На улице нас дожидался Крэг Уитни из «Нью-Йорк Таймс», и вскоре эта почтенная газета вышла с шапкой «Прекрасный подарок Союза советских писателей к 100-летию Сталина, – говорят молодые писатели Попов и Ерофеев». 21 декабря 1979-го «отцу народов» как раз сотня исполнилась. Мог бы и дожить, в принципе...

А.К.: Ну, а еще через несколько дней, 25 декабря 1979-го, были введены советские войска в Афганистан.

Е.П.: А 20 января 1980-го президент США Джимми Картер объявил о бойкоте летних Олимпийских игр в Москве.

А.К.: И, очевидно, в Политбюро сказали: «Все! Хватит детантов этих, разрядок. Будем афганцев воевать и гайки закручивать...»

Е.П.: А советские писатели, как умные, чуткие животные, опять оказались впереди прогресса.

А.К.: Наступили иные времена.

ПРИЛОЖЕНИЕ

Феликс Кузнецов
Из статьи «КОНФУЗ С "МЕТРОПОЛЕМ"»
Газета «Московский литератор», 1979, 9 февраля

Водевильная история эта с самого начала была замешена на лжи. Подходили к крупному или не очень крупному писателю и, отведя в сторонку, спрашивали: «Нет ли у вас чего-нибудь такого... что когда-нибудь куда-нибудь не пошло?..» – «А зачем?» – «Да мы тут литературный сборник замышляем, ВААП думаем предложить...»

Одни, чувствуя, что дело нечистое, отказывались, другие, более легковерные, соглашались. Но и тем, кто соглашался, всей правды не говорили, упорно именуя свою затею «чисто литературной».

Заботой о литературе объяснили эту затею ее организаторы (В.Аксенов, А.Битов, Ф.Искандер, В.Ерофеев, Е.Попов и др.) и секретариату правления Московской писательской организации, и всем остальным. «Основная задача нашей работы, – впоследствии писали они, – состоит в расширении творческих возможностей советской литературы, способствуя тем самым обогащению нашей культуры и укреплению ее авторитета как внутри страны, так и за рубежом!»

Ах, лукавцы! Этакие беззаботные и безобидные литературные шалуны!.. Что бы этими самыми словами им и открыть свой альманах «Метрополь»! И вопрос был бы ко всеобщему удовлетворению тут же решен: люди позаботились о советской литературе, пришли в родную писательскую организацию с интересным начинанием, попросили творчески обсудить его, чтобы отобрать все действительно ценное, что по недоразумению не попало на журнальные или книжные страницы, подготовить предисловие, начинающееся процитированными только что словами – и в путь!.. В любое отечественное издательство.

Именно такой, нормальный, естественный ход делу и предложили составителям «Метрополя» в секретариате правления Московской писательской организации.

Ан нет! Как раз естественное-то, нормальное развитие событий и не устраивало составителей альманаха.

Почему?

Ответ на этот вопрос дает сам так называемый альманах, в действительности это сборник тенденциозно подобранных материалов. И прежде всего – предисловие к нему.

Здесь нет и отзвука заботы о советской литературе, зато много неправды о ней.

Предисловие это, как подчеркнуто в нем, адресовано людям, «не вполне знакомым с некоторыми особенностями нашей литературной жизни». А особенности эти охарактеризованы так: «хроническая хвороба, которую можно определить как "боязнь литературы"», «муторная инерция, которая вызывает состояние застойного тихого перепуга» и как следствие – чуть ли не подпольное существование некоего «бездонного пласта литературы», «целого заповедного пласта отечественной словесности, обреченного на многолетние скитания и бездомность», который, как оказывается, и представляет указанный альманах.

Помимо предисловия заранее предпослан еще и безоговорочный ультиматум возможным издателям: «Альманах "Метрополь" представляет всех авторов в равной степени. Все авторы представляют альманах в равной степени. Типографским способом издавать альманах только в данном составе. Никаких добавлений и купюр не разрешается».

Ничего себе условьице для успешного решения задачи «расширения творческих возможностей советской литературы»! Условие на грани шантажа и фантастики; ни одно издательство в мире не в состоянии принять его, если думают об интересах дела, а не о грязной игре, не имеющей ничего общего с литературой.

Не такая ли игра как раз и затеяна вокруг этого альманаха? Об этом говорит хотя бы тот факт, что составители принесли свой фолиант в писательскую организацию по просьбе секретариата уже тогда, когда текст альманаха, как выяснилось позднее, вовсю готовился к набору в некоторых буржуазных издательствах за рубежом. Не успели составители дать клятвенное заверение в чистоте своих намерений, заверить своих товарищей по организации, что альманах не отправлен за рубеж, что буржуазные корреспонденты ничего не знают о нем, как буквально на следующий же день на Западе началась пропагандистская шумиха вокруг «Метрополя». Это ли не конфуз!..

Оконфузились не только организаторы альманаха, но и те, кто пытается на столь ненадежной основе продолжать непристойную политическую игру.

Литература, как известно, дело серьезное, и любые амбиции здесь поверяются суровой реальностью, литературным текстом, его содержанием и художественностью. <...> Фактически перечеркивая всю современную советскую литературу, «Метрополь» заявляет, будто советская литература находится в состоянии «застойного тихого перепуга». Но кто же из писателей находится в такого рода «застойном перепуге»? Может быть, Айтматов? Симонов? Бондарев? Абрамов? Гранин? Астафьев? Распутин? Быков? Трифонов? Бакланов?.. Или другие талантливейшие наши писатели, опубликовавшие за последние годы немало высокогражданственных и высокохудожественных произведений? И кто эти «бездомные скитальцы», казанские сироты советской литературы, составляющие будто бы никому не известный, девственно заповедный и на-

конец-то открытый «Метрополем» новый пласт отечественной словесности?.. Если верить «Метрополю» – вполне преуспевающие
наши писатели, включая Б.Ахмадулину, А.Вознесенского, чьи
произведения издавались в нашей стране многотысячными тира-
жами...

Как говорится, комментарии излишни!

Теперь, каков же литературный уровень представленных в альманахе произведений? Здесь нет эстетических открытий, нет серь-
езных художественных завоеваний. Даже такие опытные литераторы, как А.Битов или Ф.Искандер, С.Липкин или И.Лиснянская,
представили в альманах произведения заметно ниже своих возможностей. Произведения эти играют в сборнике, по существу,
роль фигового листка.

А сраму, требующего видимости прикрытия, в этом сборнике самых разносортных материалов хоть отбавляй. Здесь в обилии
представлены литературная безвкусица и беспомощность, серяти-
на и пошлость, лишь слегка прикрытые штукатуркой посконного
«абсурдизма» или новоявленного богоискательства. О крайне низ-
ком литературном и нравственном уровне этого сборника говорили практически все участники совместного заседания секретариата и парткома Московской писательской организации, где шла речь
об альманахе «Метрополь». <...>

Натуралистический взгляд на жизнь как на нечто низкое, отвра-
тительное, беспощадно уродующее человеческую душу, взгляд
сквозь замочную скважину или отверстие ватерклозета сегодня,
как известно, далеко не нов. Он широко прокламируется в современной «западной» литературе. <...> Именно такой, предельно
жесткой, примитизированной, почти животной, лишенной всякой
одухотворенности, каких бы то ни было нравственных начал,
и предстает жизнь со страниц альманаха – возьмем ли мы стилизо-
ванные под «блатной» фольклор песни В.Высоцкого или стихо-
творные упражнения Г.Сапгира, пошлые сочинения Е.Рейна или
безграмотные вирши Ю.Алешковского, исключенного из Союза писателей и уже выехавшего в Израиль.

Эстетизация уголовщины, вульгарной «блатной» лексики, этот
снобизм наизнанку, да, по сути дела, и все содержание альманаха

Приложение

«Метрополь» в принципе противоречат корневой гуманистической традиции русской советской литературы. Весь этот бездуховный «антураж», как и эти слабые подражания Кафке или театру абсурда – не более чем «задняя» европейской «массовой культуры».

Как говорится, туда всему этому и дорога!

Не надо только при этом превращать Савла в Павла, выдавать отходы писательского ремесла за художественные достижения, бездарность – за литературный талант, беспомощность – за мастерство, аморализм – за нравственность, а пустую и ничтожную затею, не нужную никому, кроме горстки зарубежных политиканов, за что-то серьезное.

Не надо варить пропагандистский суп из замызганного топора и представлять заурядную политическую провокацию заботой о «расширении творческих возможностей советской литературы».

Наши издательства публиковали и будут публиковать все, на чем лежит печать гуманности и таланта, что помогает людям жить и верить в будущее. Возможно, заслуживают публикации и некоторые произведения, представленные в альманахе, но, естественно, в соответствии с установившейся издательской практикой.

Что же касается графомании и порнографии, ватерклозетов и культа жестокости, словом, всего, что оскорбляет достоинство человека и достоинство литературы, то это нам ни к чему.

Небезызвестный американский издатель Карл Проффер, специализирующийся на подобного рода публикациях, объявил о своей готовности выпустить этот альманах. Что ж, вольно́ ему!.. Всем понятно, что господин Проффер преследует при этом отнюдь не литературный и даже не коммерческий, а голо пропагандистский интерес.

А вот какой интерес преследуют тут организаторы и авторы альманаха, и в том числе некоторые бездумно включившиеся в эту конфузную ситуацию профессиональные писатели, понять трудно.

Но очевидно одно: подобная авантюра не прибавит им ни литературной славы, ни доброго отношения товарищей по литературному цеху, ни гражданского уважения читателей.

ГЛАВА ДЕВЯТАЯ
ГЛАВНАЯ КНИГА «СТРОГОГО ЮНОШИ»

ЕВГЕНИЙ ПОПОВ: С места в карьер вопрос на засыпку: какая главная книга у Аксенова Василия Павловича? «Ожог»? «Остров Крым»? «Коллеги»? «Московская сага»? «Москва Ква-Ква»?

АЛЕКСАНДР КАБАКОВ: А вот тебе вопрос на вопрос: какая главная книжка у Толстого Льва Николаевича?

Е.П.: Ждите ответа... Ждите ответа... Ждите ответа... Ответ: «Война и мир».

А.К.: А у Пушкина Александра Сергеевича?

Е.П.: Кому – «Евгений Онегин», кому – «Капитанская дочка». Как писал Борис Пильняк? кому – таторы, кому – ляторы. Или, как справедливо выражается народ? кому война, кому мать родна.

А.К.: А вдруг не «Война и мир»? А «Казаки»? Или «Хаджи Мурат»? Или «Анна Каренина»? А вдруг не «Онегин» и «Капитанская дочка», а, например, «Метель»? Кто решает, какая книга у писателя главная?

Александр Кабаков

Е.П.: Ну, вообще-то упомянутый народ. А в данном случае – мы с тобой, его представители. Вот у Шолохова Михаила – как же его, забыл отчество – основное сочинение «Тихий Дон», а не целина же, которую Макар Нагульнов поднимал для всеобщей большевизации земного шара.

А.К.: И даже не «Донские рассказы».

Е.П.: Или вот другой Толстой, который Алексей?

А.К.: Ясно, что «Хождение по мукам». Не «Аэлита» ж.

Е.П.: Давай тогда все-таки рассуждать вот с какой точки зрения. Я ведь перечислил лишь те книги Аксенова, которые, по моему мнению, имели, извини за выражение, огромный общественный резонанс...

А.К.: Ну а «Бочкотара»? «Звездный билет»?

Е.П.: «Бочкотара» тоже имела такой резонанс, «Звездный билет» – меньший, я бы сказал.

А.К.: Ничего себе меньший, когда целое поколение на этой книжке сформировалось!

Е.П.: Может, ты и прав, но я думаю, вот пускай Василий Павлович *оттуда* на меня не гневается, что ни «Поиски жанра», ни «Круглые сутки нон-стоп»... Как бы это поделикатнее выразиться...

А.К.: Да так и выражайся: особой популярности в указанном тобой народе не имели. Пожалуй, что «Ожог»...

Е.П.: Что «Ожог»?

А.К.: «Ожог» – главная книга.

Е.П.: И «Остров Крым». Хотя... вот у меня «Бумажный пейзаж» – один из самых любимых Васиных текстов.

А.К.: У меня – тоже. Но мы ведь говорим об общественном признании.

Е.П.: Допустим. И в связи с этим второй вопрос на засыпку, а то мы как-то с тобой оба мнемся, сбоим, а истина исчезает, как Одесса в тумане. Вопрос: можем ли мы сказать, что последние книги Аксенова – его главные книги? Что они столь же значимы, как, например, «Московская сага»?

А.К.: Нет, «ми не можем», как выразился бы товарищ Сталин. И не имеем права забывать, что своим колоссальным мас-

Евгений Попов

совым успехом «Сага» в значительной степени обязана фильму с тем же названием.

Е.П.: Фильму, который по своим художественным достоинствам конкуренции с книгой не выдерживает, но тем не менее сделал ее популярной. Такой популярности не имело, например, ни «Кесарево свечение»...

А.К.: ...ни «Новый сладостный стиль». Отменный, как и «Кесарево свечение», роман...

Е.П.: ...ни замечательный сборник рассказов «Негатив положительного героя»...

А.К.: ...который вообще никто не заметил.

Е.П.: А литературные люди даже не удосужились рецензию написать. Ни одной рецензии, по-моему, не было... И даже, извини меня, не «Вольтерьянцы и вольтерьянки». Хотя «Вольтерьянцы» — это был такой изящный менуэт.

А.К.: Менуэт для своих.

Е.П.: И даже не «Редкие земли», понимаешь?

А.К.: Как это ни странно, но одной из главных его книг я бы назвал «Москву Ква-Ква».

Е.П.: Но сейчас *из последних* крутой популярностью пользуется эта как бы *полу-* его книга. Я имею в виду «Таинственную страсть».

А.К.: Так в каком журнале «Страсть» печаталась, помнишь? В том самом, который читают все домохозяйки. К тому же публикация сопровождалась фотографиями знаменитых людей.

Е.П.: Мне как-то попалось на глаза интервью с издателями «Таинственной страсти» — так они в полном восторге от того, что этот, как они выражаются, «литературный проект» оказался столь удачным. Возможно, и с финансовой стороны тоже. Дескать, почти два года подряд отбою не было от читателей, понимаешь?

А.К.: Понимаю. Анатолий Тихонович Гладилин хорошо написал об этом «проекте», но не будем сейчас об этом, у нас тема другая.

Е.П.: И все-таки я предлагаю тебе напрячь воображение. Как ты думаешь, что бы предпочел Аксенов, если б ему разрешили взять на необитаемый остров *одну* свою книгу? Я уверен, что он выбрал бы «Ожог».

А.К.: Ошибаешься, «Кесарево свечение» – он сам об этом говорил, это есть в каком-то его интервью. Хотя, полагаю, какую книгу сам Аксенов считал главной – малоинтересно. Что там вообще писатель о своих сочинениях думает – это его личное дело. Главная книга Аксенова неразрывно связана в общественном сознании с явлением под названием «Аксенов». В том же сознании Лев Толстой – это «Война и мир», а вовсе не «Хаджи Мурат».

Е.П.: «Хаджи Мурат» – бесспорный шедевр...

А.К.: Шедевр, не имеющий равных в русской прозе, – ну и кого это волнует? «Дети, что написал Лев Николаевич?» – «"Войну и мир", Марья Ивановна!» – «А кто там главный герой?» – «Андрей Болконский». – «Неправильно, дети. Главный герой главной книги Толстого – народ!»

Е.П.: Может, сойдемся на том, что «Ожог» – главная книга его? Или все-таки «Остров Крым», роман, чье название стало русской идиомой? Есть кафе «Остров Крым». Некоторое время даже выходила газета с таким названием.

А.К.: Название – да, блеск. Но саму книгу редко кто из *широкого читателя* понял и оценил. А книга ведь великая. Книга про обреченность демократии, ее неконкурентоспособность по сравнению с тоталитаризмом. Но, понимаешь, «Остров Крым» – это совершенно отдельная, нетипичная для Аксенова книга. А вот «Ожог» – это очень аксеновский роман, очень аксеновский. В нем истоки многих его будущих и эхо многих прошлых текстов. Эта книга – водораздел. Заметь, там герой до половины текста пьет запоем – и с половины бросает пить. Но дело в том, что – нечего скрывать – Вася до половины написал «Ожог», когда еще пил со страшной силой, а потом пить бросил, и пошла уже совсем другая книга, наступила другая его жизнь.

Е.П.: Не хочешь ли ты сказать, что до «Ожога» он ехал на ярмарку, а после «Ожога» – с ярмарки?

А.К.: Да, эта книга *пограничная*. Здесь граница двух периодов Аксенова. У Пикассо есть периоды – розовый, голубой, та-

Евгений Попов

кой, сякой, а у Аксенова был период, условно говоря, молодежный, а потом наступил период, опять же вполне условно, метафизический. Зрелый. После сорока его лет.

Е.П.: Я про это тоже думал. Период, например плотский, сменился периодом духовным. И уже навсегда.

А.К.: Метафизическим, Женя...

Е.П.: Ну, это одно и то же, только с разных точек зрения.

А.К.: Это неверно, что правду говорить легко и приятно, это булгаковскому герою было легко и приятно... Но как бы ни обиделся на меня за это Вася, молодежный период – это прежде всего «Звездный билет», книга про мальчиков и девочек, устремившихся в погоню за счастьем.

Е.П.: Действительно, название «Звездный билет» очень молодежное. И очень годится для вручения премии какому-нибудь молодому литературному таланту. Что, собственно, и происходит теперь каждый год в Казани, где эта премия учреждена в честь Василия Павловича.

А.К.: У Васи названия вообще безукоризненно точные. «Коллеги», «Новый сладостный стиль»...

Е.П.: Да? А назвать сборник публицистики «Ква-каем, квакаем» – это как?

А.К.: Я знаю, что это не его название. Это его уговорили.

Е.П.: Считай, что ты этого не произносил. А то, не дай бог, наживем себе влиятельных врагов.

А.К.: Нам, двум старым литераторам вполне пенсионного возраста, бояться чего-либо довольно стыдно.

Е.П.: Тут ты прав. Бояться надо, пока ты молодой. Если умеешь бояться.

А.К.: Ты другого бойся. Того, что в конце концов мы этой своей необязательной болтовней так всех раздражим, что книгу не напечатают.

Е.П.: Да напечатают, напечатают. Куда они денутся? Бояться чего-либо вообще глупо. Всё, как говорится, в руце Божией.

А.К.: Сейчас ведь какие времена? Чем больше гадостей про Аксенова и вообще про жизнь мы бы наговорили, тем скорее заинтересовали бы этого самого *широкого читателя*.

Александр Кабаков

Е.П.: Широк русский читатель, неплохо бы сузить. Шутка, товарищи!

А.К.: Ладно, хорош шутить. Таким образом, мы с тобой выяснили, что нет *одного* Аксенова с *одной* главной книгой. Аксеновых по крайней мере два – до «Ожога» и после «Ожога». Есть Аксенов – молодежный писатель, автор так называемой исповедальной прозы журнала «Юность», есть Аксенов-диссидент, пишущий в стол будущий «самиздат» и «тамиздат», есть какой-то третий Аксенов, автор «Острова Крым» – не просто лирический писатель и глубокий реалист, но и политико-философский мыслитель, создатель блистательной политико-философской притчи. Автор «Ожога» – тоже довольно самостоятельная персона. Сочинитель «Нового сладостного стиля» – это еще один Аксенов, бытописатель русской американской эмиграции последних времен. Понимаешь? Равно как и создатель «Затоваренной бочкотары», «Апельсинов из Марокко», «Бумажного пейзажа» – *отдельных*, штучных текстов. Да, роман «Пора, мой друг, пора» мы забыли – прекрасная, любимая мною его вещь. Напрашивается вывод: Аксеновы все разные и совершенно *автономные*. Вот «Москва Ква-Ква» – это что? Эта такая бешеная фантасмагория, при этом вдобавок стилизованная в духе «Сурового юноши»...

Е.П.: Не сурового, а строгого. «Строгий юноша» – так назывался вполне правоверный коммунистический фильм Абрама Роома, снятый в 1936 году по сценарию Юрия Олеши и тут же запрещенный Сталиным за испугавший вождя эстетизм, наглядно и с энтузиазмом демонстрирующий фашистскую сущность совстроя с его ВКП(б), КПСС, стадионами, физкультурой, Лубянкой и *новым сверхчеловеком*. Одно из первоначальных названий ленты было «Волшебный комсомолец». Такого фильма не постыдилась бы и сама Лени Рифеншталь, кинолюбимица Гитлера.

А.К.: А я вот сейчас скажу тебе страшную вещь, можешь меня опять заклевать: на мой взгляд, «Редкие земли» – это «Коллеги» новых времен, времен нашего дикого капитализма. С романтизацией отношений дружеских, вообще – с той комсомольской «романтикой с человеческим лицом», которая была уже в «Коллегах», продолжилась в «Звездном билете»...

Е.П.: Вот и возникло слово «романтика» – очень интересно. Нам бы отдельно на эту тему поговорить. Это важная тема.

А.К.: ...и в «Затоваренной бочкотаре» продолжилась, помнишь? Романтика – «турусы на колесах», действующий персонаж.

Е.П.: Я в рассказе дометропольских времен «Пивные дрожжи», перечисляя реалии шестидесятых, употребил словосочетание «костер романтики Василия Аксенова». Но когда познакомился в 1978 году со «строгим юношей» Василием Павловичем, эту фразу из рассказа выкинул, как трусливый подлец, чтобы Васю не травмировать. Или просто-напросто его убоявшись. Правильно говорила антиперестроечная коммунистка Нина Андреева: не надо поступаться принципами!

А.К.: Надо, потому что если ты не поступаешься принципами – превращаешься в революционера, а если поступаешься принципами, то на путях эволюции имеешь шанс, дай бог, вырасти в Аксенова.

Е.П.: Рассуждая о главной книге Аксенова, мы с тобой как-то упускаем из виду, что кроме романов он писал рассказы, пьесы, стихи...

А.К.: Ну, пьесы...

Е.П.: Что «ну»? Что «пьесы»?

А.К.: Он был известен как автор пьесы «Всегда в продаже». А вот «Цаплю», например, никто не знал, кроме близких друзей.

Е.П.: Как это не знал, когда Антуан Витез поставил ее в Париже вместе с чеховской «Чайкой»?

А.К.: Ну, поставил, да и поставил... Другое дело – его рассказы... Женя, я предлагаю уточнить термины. Не *главная* книга Аксенова, а *судьбообразующая*. У Аксенова было несколько судьбообразующих книг – в смысле писательской и человеческой судьбы... Книга как рок. У него даже отдельные судьбообразующие рассказы имеются. Например, «Жаль, что вас не было с нами».

Александр Кабаков

Е.П.: Ты судьбообразующие рассказы будешь поштучно считать или покнижно?

А.К.: Поштучно. «Жаль, что вас не было с нами», «На полпути к Луне», «Победа». Все это можно смело включать в антологию лучших русских рассказов. Еще – «Рыжий с того двора». И этот, как его, что-то там «за рекой»...

Е.П.: «На площади и за рекой».

А.К.: Да-да-да, гениально, как там подростки Гитлера ловят, гениально! Я читал, у меня мурашки бегали по спине. Ну а если *покнижно*, то вот, пожалуйста, сборник рассказов «Негатив положительного героя». Весь сборник. Он безукоризненно сделан.

Е.П.: Не забывай еще один более поздний сборник. Под названием «Второй отрыв Палмер». Там вот эта история, как комсомольцы стали олигархами и принялись продавать на Запад титановые лопаты... Эскиз, набросок для широкого полотна под названием «Редкие земли».

А.К.: А какой грандиозный рассказ о любви несвободного человека – «Маленький Кит, лакировщик действительности»!

Е.П.: А рассказ «Папа, сложи!»: «Жажда, жестокость, жара, женщина, жираф, желоб, жуть, жир, жизнь, желток»...

А.К.: И все-таки он прежде всего романист.

Е.П.: Я, кстати, в юные годы считал «Коллеги» и «Звездный билет» не романами, а повестями. Сильно удивлялся, что он – рассказчик и повествователь – участвует в международных симпозиумах по роману, на равных с признанными мэтрами крупной формы. Такими, как легендарный француз Ален Роб-Грийе.

А.К.: Да, «Звездный билет», конечно, не роман, а повесть. Но дальше он стал чистым романистом...

Е.П.: ...прежде чем превратиться в «негатив положительного героя»? Мы, кстати, о его пьесах так и не поговорили, а Вася им придавал большое значение.

А.К.: «Нам не дано предугадать, как слово наше отзовется»... То, что Вася придавал им такое значение, вовсе не придавало им значения в общественном восприятии. Спектакль

Евгений Попов

«Всегда в продаже» шел в «Современнике» с огромным успехом... ну... потому что это великий Аксенов, с одной стороны, с другой – великий Табаков играл там бабу-буфетчицу.

Е.П.: Он и в «МетрОполь» пьесу дал. «Четыре темперамента».

А.К.: Вот я тебе хочу сказать, набравшись духу. Я к этим пьесам отношусь как... ну, это... как к литературным упражнениям.

Е.П.: А другие пьесы? Он же целый сборник пьес издал... Несколько сборников.

А.К.: Мне и «Цапля» не нравится.

Е.П.: В этих сборниках еще были пьесы. «Аристофаниана с лягушками» и прочие.

А.К.: Не нравятся. «Всегда в продаже» – хорошая комедия, но в этом роде комедии писались и получше. Не драматург он.

Е.П.: Экий ты критикан! А вот Василий Павлович на том свете попросит Льва Николаевича, скажет: «Лев Николаевич, одолжи мне на секунду палку. Я щас этого умного трахну по лысине, который меня драматургом не считает!» Дело в том, что Вася к своим пьесам относился куда серьезнее...

А.К.: И это нормально. Свое!

Е.П.: С ним происходило все то, что происходит с любым классным, хорошим *прозаиком*.

А.К.: Совершенно верно: ему хотелось заняться чем-то другим.

Е.П.: И он на радостях, что умеет писать прозу, начинает выдумывать пьесу.

А.К.: Или стихи.

Е.П.: Я этих пьес у хороших, иногда выдающихся прозаиков навидался! Вот, допустим, суровый реалист или, к примеру, почвенник какой советский – он пишет пьесу на радостях, что у него успех после публикации какого-нибудь романа. Чего, думает, неужто я с *драмоделами* не сравняюсь, эка невидаль пьесу накатать. А поскольку он в театре был последний раз в третьем классе и его вывели из зрительного зала за хулиганство, то непременно эта пьеса будет совершенно неудобовари-

мая. Сто пятьдесят страниц примерно будет в рукописи, так это на пять-шесть часов представления, добрый десяток действий, полсотни персонажей. Первая страница манускрипта будет выглядеть так: «Маленькая станция, затерянная где-то в бескрайних просторах Сибири, слева на сцене – семафор, справа – деревянное здание вокзала. Кукует кукушка, кричат петухи, слышен шум проходящего поезда, в окошке вокзала время от времени появляется очаровательная девичья головка...»

А.К.: Как правило, такая пьеса являет собою плохой роман, переведенный в реплики с ремарками.

Е.П.: Так вот у Василия Павловича и здесь все по-другому. Он и в драматургии впадает в другую крайность. Создает отчаяннейшую модернягу, понимаешь? Он пишет свой театр абсурда. Забывая, что Антонен Арто, Даниил Хармс и прочие тому подобные граждане хоть и были безбашенными формалистами, но тем не менее работали по железным драматургическим законам, понимаешь?

А.К.: В том-то и дело. В общем, чего спорить? Я считаю, что Аксенов – прозаик Божьей милостью, прежде всего – романист и рассказчик. Все остальное в его литературной жизни было развлечением, попыткой отдохнуть, что мне очень знакомо. Потому что, написавши роман, мне тоже хочется написать что-то ни на что не похожее, во всяком случае, не следующий роман. Поэтому пьесы Аксенова, стихи Аксенова – они внутри литературы находятся, но они не выстраивают облик Аксенова, а живут сами по себе.

Е.П.: Василий Палыч, ты слышишь? Василий Палыч, это не я, не я про тебя сказал, что ты хреновый драматург, а Сашка Кабаков!

А.К.: Я с достоинством опровергаю твой донос на тот свет. Я не сказал, что он хреновый драматург. Я сказал, что его пьесы – это литературная игра.

Е.П.: То есть опытный литературный повар Василий Павлович А. варит свой превосходный литературный борщ, и туда в качестве ингредиента добавляет немножко драматургии. Так?

А.К.: Он и стихи так же использует.

Евгений Попов

Е.П.: И драматургия эта вовсе не его, а принадлежит перу некоего его литературного персонажа...

А.К.: Пожалуй. Тогда при таком остранении у прозаика руки развязаны, и он может чудить как угодно. Извини, сошлюсь на собственный пример. У меня в романе «Поздний гость», где герой – математик по образованию, есть глава, написанная почти непародийными математическими формулами с пояснениями...

Е.П.: Ну и что?

А.К.: А то, что это тоже литературная игра. У него мог бы быть персонаж, не имеющий отношения к изящной словесности, и тогда он не пьесы бы для него сочинял, а строил дома. И Вася мог бы напрячься да поместить в пьесе архитектурный чертеж, например. Ты, кстати, в этом смысле тоже любитель повыдрючиваться. У тебя в текстах тоже полно чисто литературных игр, которые иногда недоступны чуждому взору человека, принимающего тебя за девственного сибирского мужика.

Е.П.: Не обо мне речь. Хотя... да... У меня ведь целый сборник есть нарочито идиотских, графоманских пьес. Под названием «Место действия – сцена» и с поэтическим эпиграфом, сочиненным лично мной. «У соседей, рыдая, поет фисгармония. Место действия – сцена. В душе – дисгармония». Сборник до сих пор нигде не напечатан, и ни одна пьеса из него не поставлена. Я кусочки из него тоже потихоньку вставляю иногда в рассказы.

А.К.: Потому что мы с тобой, как все, долгие годы занимающиеся литературой, пробуем все понемногу. У меня в романах тоже есть стишки. И я писал пьесы – ну и что? Надеюсь, ты не огорчен, что никому, и тебе тоже, не придет в голову говорить о тебе как о поэте.

Е.П.: Я бы это воспринял как прямое оскорбление. Говорить обо мне как о поэте – это значит говорить обо мне как о совсем говенном поэте.

А.К.: Плюс одуревшем графомане. Если ты, прозаик, себя считаешь поэтом, значит, с тобой что-то не в порядке профессионально. И Вася не считал себя ни поэтом, ни драматургом.

Он всегда, в том числе, кстати, отбиваясь от лихих наскоков на его последние романы, говорил: я романист, я написал 28 романов, – и не вспоминал больше ничего, как будто ничего больше и не было. Он ощущал себя *только* прозаиком. В первую и, может быть, в единственную очередь. А все остальное – отхожий промысел или украшение прозы. Прозаический прием. Давай все же вернемся к теме, к главной книге Аксенова...

Е.П.: Мы вроде договорились не называть ее главной, а как-то по-другому.

А.К.: Да. Судьбообразующей. И суть наших рассуждений сводится, повторяю, к тому, что Аксенов не был *един*. Аксеновы были разные. Вот Аксенов – американский писатель, в течение десяти лет живет в Америке, пишет довольно много об Америке. Ну, в частности, «Новый сладостный стиль» – огромный роман... «Звездный билет» – эпоха, а вот «Апельсины из Марокко» почему-то не стали эпохой никак. Это вообще очень локальная вещь, посвященная Дальнему Востоку, где Вася совсем немножко прожил.

Е.П.: Он мне как-то рассказал, что первоначальное название романа было «Апельсины из Яффо», именно израильский город Яффо славился своими апельсинами. Пришлось название переделывать.

А.К.: Он что, с ума сошел? В «Юности» еврейское название Яффо? В журнале, где, по меткому наблюдению антисемита Шевцова, стихи отбивали шестиконечной звездочкой.

Е.П.: Действительно, додумался Вася! Ужас!

А.К.: А я тебе скажу вот еще какую вещь: «Пора, мой друг, пора» – это ведь в каком-то смысле топтание на одном месте, просто написано очень хорошо.

Е.П.: Между прочим, там почти документально изображено, как на *молодого автора* по имени Валька свалилась неизвестно откуда слава. Описано, как пляж в Юрмале мгновенно стал желтым, потому что все отдыхающие развернули журнал «Юность» с повестью этого самого Вальки.

А.К.: Оранжевым, а не желтым. Обложка того номера, где был опубликован «Звездный билет», была оранжевая.

Евгений Попов

Е.П.: Желтая.

А.К.: Оранжевая.

Е.П.: Может, публикация была в двух номерах?

А.К.: В одном. «Звездный билет», в сущности, очень короткий текст.

Е.П.: Но в «Пора, мой друг, пора» есть куски, где действие происходит на Дальнем Востоке, уже изображенном в «Апельсинах».

А.К.: Правильно, значит, он что освоил, то еще раз закрепил. В прекрасной, самостоятельной, но не судьбообразующей книге. Настоящим открытием был «Звездный билет».

Е.П.: То есть какое-то время его проза кучковалась вокруг «Звездного билета», потом руководящая и направляющая роль перешла к «Ожогу».

А.К.: А вот «Остров Крым» совершенно отдельно расположен, одиноко стоит, как утес. Вокруг него нет ничего, хотя герой романа, молодой Лучников, – чисто аксеновский тип. После «Ожога» у Аксенова началась другая жизнь. Он не воюет, не борется, а просто пишет в стол. Значит, «Ожог» – безусловно важнейшая книга. Что потом? «Московская сага»?

Е.П.: Да. Несмотря на громаднейшую мою любовь к «Бумажному пейзажу», я этот замечательный роман в перечень судьбообразующих тоже не включил бы. А что касается «Московской саги», то ты прекрасно знаешь, что некоторые сейчас говорят, будто это – мыльная опера, которую Вася сочинил для Голливуда, а когда в Голливуде обломилось, за дело взялись наши...

А.К.: Судить нужно по результату, а не по намерениям автора. Автор записывает анекдоты, а получается «Илиада». Другой автор хочет сочинить «Илиаду», а получается анекдот. Какие бы к «Московской саге» претензии ни предъявляли, книга – замечательная. Портрет времени.

Е.П.: Не знаю, как ты, а я считаю, что рано или поздно придет время еще двух его романов, о которых мы уже говорили – «Кесарево свечение» и «Новый сладостный стиль». Либеральный туман рассеется, явное станет явным.

Александр Кабаков

А.К.: Тут я с тобой согласен.

Е.П.: А то, что «Москва Ква-Ква» стала причиной литературного скандала, критических наскоков на «старика Аксенова» – это просто замечательно. Я эту книгу очень люблю. Она – энергичная, здесь снова чувствуется молодая энергия Аксенова. Энергия, практически ушедшая из современной прозы, понимаешь? Энергия и выдумка. Это ж надо такое удумать, что все титовское подполье в Москве работает мясниками на Центральном рынке!..

А.К.: Гениально просто придумано! Я до этого места когда дошел, то просто ржал один, в ночном одиночестве. Извини, можно отвлечься на секунду? Хочу похвастаться: мы сидим как-то с Васей, и я ему говорю, что знаю, откуда появились в романе югославские мясники-партизаны. Вася вежливо отвечает, что это, конечно, очень интересно, однако он и сам не помнит, откуда они взялись, *из какого сора*. А я вспоминаю карикатуру в «Крокодиле» на «кровавую клику Тито–Ранковича», где Тито изображен с мясницким топором в руках в этой своей форме генералиссимуса.

Е.П.: Тито или Франко?

А.К.: Тито! Какой Франко! Палачи, фашисты, предатели – как только их не крыли тогда в советских газетах.

Е.П.: А Ранкович – это кто такой? Я по своей младости тех лет не помню.

А.К.: Ранкович у маршала Тито заведовал, кажется, гэбухой, примерно так же, как Берия у генералиссимуса Сталина.

Е.П.: Ну и что Вася?

А.К.: Вася мне признался, что все это вылетело из его памяти, но что я, скорей всего, прав. Из памяти вылетело, а из подсознания выплыло, как подводная лодка на Котельниках – в «Москве Ква-Ква». Извини, что отвлекся, просто хотелось похвастаться – похвалиться, что я тоже внес свой вклад...

Е.П.: ...в нищенскую копилку современного аксеноведения. А я, раз уж начали отвлекаться, ни к селу ни к городу вдруг вспомнил частушку:

Евгений Попов

Умер Мао, умер Тито.
Леонид Ильич, а ты-то?

А.К.: Очень актуальная для тех лет частушка.

Е.П.: Ну, мне тоже хочется похвастаться. Мы уже говорили о влиянии «Строгого юноши» на «Москву Ква-Ква». А я, представь себе, стоял у истоков этого влияния. То есть я однажды к Васе прихожу в ту их квартиру на Котельниках, где теперь только бедная Майя да пес Пушкин остались. Вася, весьма возбужденный, рассказывает мне историю, как он забыл ключ, Майи дома нет, он вышел на улицу, а в их высотке, как ты знаешь, расположен на первом этаже кинотеатр «Иллюзион», где крутят старые ленты. Злой как черт Вася, чтобы скрасить мерзость ожидания, взял билет на ближайший фильм, а фильм этот возьми да окажись «Строгим юношей». Вася от фильма пришел в восторг, принялся мне его пересказывать *в лицах*. Особенно его поразило, что там комсомольцы принимают на стадионе позы античных статуй и беседуют чуть ли не гекзаметром на общественно-политические *советские* темы. Следы вот этого пересказа я и обнаружил позже в «Москве Ква-Ква». А тогда мне Вася говорит: тебе обязательно нужно этот фильм посмотреть. Я приосанился и гордо отвечаю, что кино это мне прекрасно известно: сценарист Олеша, режиссер Роом. Он говорит, ты не мог его видеть, и фильм этот вовсе не Ромма. Я говорю: это фильм не того Ромма, который «Обыкновенный фашизм», а *Роома*, который Абрам, он потом еще снял «Гранатовый браслет». Василий Павлович на меня посмотрел с неким даже уважением, потому что не ожидал от меня такой эрудиции. А я еще в юности этим фильмом тоже заинтересовался, понимаешь? И вот смотри, как все аукается и перекличка происходит культур. Олеша, проживший совершенно странную жизнь, вдруг аукается Аксеновым.

А.К.: То есть мы с тобой приходим к соответствующему выводу: «Москва Ква-Ква» – еще одна из судьбообразующих книг Аксенова.

Е.П.: Пожалуй, да.

Александр Кабаков

А.К.: А теперь позволь я еще раз похвастаюсь, очень коротко. Такие умные, как ты, которые с детства видели «Строгого юношу»...

Е.П.: Я не с детства, а меня Олеша некогда очень интересовал. И этот фильм, он ведь запрещен был.

А.К.: Я знаю. Видел я его в том же «Иллюзионе», кстати, и забыл совершенно, не придал ему значения. Похвастаюсь я тебе еще вот чем: очень одобрив мою память на материальные приметы бытия, обнаружившуюся в романе «Все поправимо», Вася однажды предложил мне вместе с ним, на пару написать нечто из *того* времени, где действие, заметь, вершится, как и в «Москве Ква-Ква», в том самом высотном доме на Котельниках. Что-нибудь такое *веселое*. Я был совершенно потрясен и ошеломлен этим предложением, сказалось старое, сорокалетнее благоговение перед писателем Аксеновым. Это было, и я не боюсь таких сравнений, как если бы мне Лев Николаевич Толстой предложил вместе с ним оперетту сочинить... Совершенно я был потрясен, хотя мы дружили уже очень давно к тому времени, я помню даже, как он читал мне отрывки из еще не дописанного «Ожога», помню этот рукописный текст в толстой общей тетради большого формата...

Е.П.: Чем бы мне тоже похвастаться? А мне Вознесенский поэму «Лонжюмо» читал в 1963 году. Впрочем, извини, давай, давай дальше...

А.К.: Он предложил, я, естественно, согласился. А что, говорю, это идея. Мы сидели с ним в этом его любимом кафе, которое рядом с парикмахерской «Персона», на первом этаже все той же легендарной высотки на Котельниках. Перебирали, кто в этом доме жил — такие-сякие, пятые-десятые... И дальше мы в этом же кафе встречались несколько раз. Основной сюжет придумали — о любви некоего персонажа, за которым нам виделся поэт Симонов, к некой советской генеральше или жене секретного академика... Я помню, что придумал смешную деталь про эту высотку: перед приездом комиссии строители, не успевшие возвести садово-парковые скульптуры на десятом этаже, бегут в соседнюю школу, берут живых пионеров, ставят их на карниз с горнами, флагами и красят золотой краской...

Е.П.: Античность прямо какая-то.

А.К.: Я помню, мы вышли из этого кафе, задрали головы и расхохотались — прямо над нами торчал такой крашеный пионер, только настоящий, каменный. Ну а потом Вася уехал в свой Биарриц, и мы договорились общаться по Интернету и телефону.

Е.П.: А-а, так у него в это время уже дом в Биаррице был?

А.К.: Да. Он как раз вышел на профессорскую пенсию, оставил Америку, поселился в Биаррице. Мы договорились, что каждый из нас пишет начало. Потом-де посмотрим, что из этого получается, и договоримся, как дальше писать. Признаться, не лежала у меня душа к этому сюжету, но отказать Васе я просто не мог. И сочинил нечто, написал начало. Чтоб ты не думал, будто я привираю, могу показать тебе этот текст в моем компьютере. Он сохранен, и там есть дата. Там у меня фигурировал некий полярник и его соперник, очень похожий на Симонова. Послал все это Васе... Но понял по тону его ответа, что это для него совсем *не то*. Да мне и самому работать над этим текстом окончательно расхотелось. Я и отказался. А мотивировал знаешь чем? Что я, видимо, не совсем врубаюсь в эту эстетику, не могу в ней свободно фантазировать. Потом прочитал «Москву Ква-Ква» в «Октябре» и обнаружил в тексте слабые-слабые следы наших разговоров. Ну, например, что главный герой — почти что Симонов. И, конечно же, увидел следы этого самого «Строгого юноши». Что меня, откровенно говоря, не радует и сейчас.

Е.П.: Я не понял. Вы что с ним начали писать? Сценарий? Пьесу?

А.К.: Нет-нет-нет, представь себе, у нас только о прозе шла речь. Правда, Вася что-то такое говорил, что по этой прозе и кино потом можно снять...

Е.П.: Ты меня извини, пожалуйста, но я вспомнил, что ты мне нечто урывками об этом уже рассказывал. И намекал, что у тебя с Васей вышли и другие расхождения по линии «Строгого юноши».

А.К.: Ну да. Я не скрывал, что считаю этот фильм фашистским не по идеологии даже, а по эстетике. Фашизм романтизирует для своих целей безусловные достоинства рыцарей и воинов. И Васе я об этом сказал – еще он не уехал в свой Биарриц – во время очередного обсуждения сюжета... я ему сказал про свое отношение к фильму и этой эстетике. Вася в ответ – ты знаешь, как он это умел делать, – Вася в ответ *недовольно промолчал*. А я и сейчас считаю, что культ здорового тела – это эстетика фашистов и им подобных.

Е.П.: Ну, вот мы и выходим на главный вопрос: насколько переходит эта эстетика в роман «Москва Ква-Ква»? Ведь когда роман появился, он вызвал шквал самых разнообразных мнений и соответствующих этим мнениям рецензий, в отличие от сборника «Негатив положительного героя». Намекали, что мэтр исписался окончательно, «гонит пургу», пишет всякую чушь. Другие утверждали, что у него, как у всякого старика, слишком разыгралось... э-э-э... сексуальное воображение...

А.К.: Ну да, третьи ловили его на исторических ошибках в изображении известных советских персон... Однако я хочу, чтоб ты понял мою позицию: роман несомненно превосходный, и спасает его от этой – ну, если не фашистской, то по крайней мере *тоталитарной* – стилистики непреодолимая даже для самого Васи его ирония. Вася, как бы ни старался, не мог преодолеть свое, Богом данное ему чувство *смешного*. Не мог и баста! Он ведь всегда все писал вроде бы всерьез, а получалось совсем наоборот, понимаешь? Вот смотри, даже в таком общеупотребительном жанре, в котором хотя бы один раз в жизни, но практически все литераторы отметились, – путевые заметки. Все его советские и антисоветские путевые заметки – и «Под знойным небом Аргентины», и «Круглые сутки нон-стоп», и «В поисках грустного бэби» – полны иронии, издевки, выдумки. Ты вспомни только «Под знойным небом Аргентины»: это вообще... ну – фонтан. Все эти книги написаны

Евгений Попов

иронически, некоторые написаны просто комически. Он абсолютную серьезность не понимал и не любил, да?

Е.П.: Мы уже где-то вспоминали, что он именовал ее «звериной серьезностью». А хочешь, я тебе скажу, отчего ты на самом деле отказался писать эту книгу?

А.К.: Ты, случаем, не чтец в сердцах, Евгений Анатольевич?

Е.П.: Вася, когда все это с тобой затеял, скорей всего вспомнил, как весело они втроем – он, Овидий Горчаков да Григорий Поженян – когда-то лудили бестселлер-детектив «Джин Грин – неприкасаемый».

А.К.: Тоже, кстати, была судьбообразующая книга.

Е.П.: Помнишь, Вася рассказывал, что в лихой затее первоначально участвовали даже Конецкий с Казаковым. Сначала они вроде бы сценарий какой-то хотели для Одесской киностудии писать, чтобы срубить денежек, а потом, когда Казаков с Конецким после длительных пьянок в легендарной «Лондонской» гостинице город Одессу покинули, соавторы решили – не пропадать же добру, пусть будет этот самый «Джин Грин». Вот и здесь у вас – началось-то легко, со «Строгого юноши» и поэта-орденоносца Симонова, а потом вдруг на Васю что-то накатило. Вдруг его как поволокло в нечто *непонятное*, но чисто *аксеновское*...

А.К.: Совершенно верно! Что он уж и не знал, как ему деликатно от *соавтора* избавиться. Ведь стряпать сценарий или пьесу, дабы денежек срубить, предпочтительней в хорошей компании. И «Джина Грина» можно, как ты выразился, «лудить» втроем или вчетвером. А *настоящая* проза – дело одинокое, здесь *всерьез* за все отвечает лишь *один* человек. Если это, конечно, не такие органические соавторы, как, например, Ильф и Петров, ставшие по сути дела единой персоной. Так что я к «Москве Ква-Ква» никакого отношения не имею. Его все это, Васино, отнюдь не мое.

Е.П.: Ну да. Писательство – не группенсекс.

А.К.: Да, вот такая вот история. Смотри, сколько мы насчитали *важных* Васиных книг. Про эти 28 написанных романов он в каком-то интервью с гордостью заявил; *судьбообразующих*, конечно, получается гораздо меньше, но список все равно внушительный.

Е.П.: Есть в этих судьбообразующих текстах и сквозные темы. Например, четко прослеживается, извини за выражение, *тема комсомола*.

А.К.: А еще мы забыли о его очаровательных детских книжках. Вот «Сундучок, в котором что-то стучит» или «Мой дедушка – памятник». Тоже все это аукнулось в «Редких землях». Дельфин, который получил звание капрала американской армии, – типичная *аксеновщина Аксенова*. Равно как и в той самой книге про революционера Красина – вечно спящий городовой.

Е.П.: Это которая «Любовь к электричеству»? Как-то мне не совсем хочется это Васино сочинение обсуждать.

А.К.: Почему?

Е.П.: Извини, ты сам знаешь почему.

А.К.: Нет, давай разберемся. В литературном смысле и эта книжка сделана безукоризненно. Хорошо продумана по композиции. Легкая, но не легковесная. С использованием сюрреалистических приемов – вроде явления читателю этого самого спящего городового или фантасмагорической вставки странной совы. Вася физически, просто физиологически терпеть не мог тоскливый реализм.

Е.П.: «Эту сову надо разъяснить», как говорил Шариков. Я ведь в свое время вел осторожные разговоры с Василием Павловичем, на кой черт он сочинил такой *романешты* (это его, кстати, словцо!) про коммуниста-террориста...

А.К.: ...и вдобавок предателя своего дворянского класса, а также гипотетического убийцу Саввы Морозова, которого большевики доили как денежную корову. Давай зададим себе вопрос, прямой и предельно честный. «Любовь к электричеству» – искренняя идеализация «ленинских норм» и «социализма с человеческим лицом»? Или, может быть, причина в том, что «Политиздат» за подобных «комиссаров» платил втрое?

Е.П.: Я Васе так это осторожно – ты сам понимаешь, с каким я пиететом относился к нему, – задал щекотливый вопрос: за-

Евгений Попов

чем там, в этой книге, козел Ленин какой-то даже чуток симпатичный, не говоря уже об этом негодяе Красине?..

А.К.: Да, он Красина романтизировал. Однако мы с тобой не зря вспоминали Окуджаву с его «пыльношлемными комиссарами». Через подобное восприятие действительности почти все прошли. И Гладилин с его «Евангелием от Робеспьера», и Войнович, и Владимов, и Копелев.

Е.П.: Но, зная, что Аксенов к тому времени уже закончил «Ожог», не следует ли признать, что «Любовь к электричеству» есть чистый акт зарабатывания денег, которые в данном конкретном случае уместнее называть «бабками»?

А.К.: Думаю, что во всех подобных случаях вообще и в случае Аксенова в частности и другие объясняющие мотивы имеются. Например, желание хоть чуть-чуть расширить рамки. Ну, не опозориться, оскоромиться большевистской скоромностью лишь по минимуму.

Е.П.: А-а, понял. В более или менее *правоверную* книгу можно вставить еще много чего. Например, эротические сцены. Или восславить студентов-анархистов.

А.К.: Или сделать из Красина романтического разбойника, а то и большевистского Джеймса Бонда.

Е.П.: Я почему-то вспомнил, как товарищ моей юности, перед тем как познакомить меня в советские времена со своим дядей, сказал про него, что он, увы, коммунист, член КПСС, но человек все равно хороший, правильный. Например, время от времени пьет запоем, как все нормальные люди. И Красин вот с одной стороны, конечно, гнида большевистская, а с другой – джентльмен, инженер, эрудит, душка, не то что эти черти, которые по Лонжюмо и Женевам сидят или в Турухáнской ссылке парятся.

А.К.: Да, инженер. Настоящий русский инженер, каких сейчас уже нет.

Е.П.: А как ты думаешь? Знал в то время Василий Павлович, кто такой Красин на самом деле?

А.К.: Я думаю, что знал отчасти. До абсолютного знания и *полного* неприятия лживой действительности дорога очень сложная и загадочная. Я думаю, что Вася сейчас, вмешайся он в этот разговор, сказал бы: «Ну да, да, ну заработал денег, стараясь хоть как-то *сохранить лицо*. С кем не бывает?» Думаю, что это «с кем не бывает» – самое правильное объяснение. Оскоромились, извини, *все* писатели, которые хоть секунду были советскими. Всех *это* задело.

Е.П.: Ну да. Владимир Емельянович Максимов, прежде чем эмигрировать и стать редактором антисоветского «Континента», служил в «Октябре» у сталиниста Всеволода Кочетова, Лев Зиновьевич Копелев был в юности ярым комсомольцем. Да и Андрей Донатович Синявский, прежде чем угодить в тюремный замок, успел понаписать кое-чего для советских изданий в качестве критика и литературоведа. Действительно, если мы сейчас начнем перемывать кости *советским* писателям, у каждого из них непременно найдется свой скелет в шкафу.

А.К.: Нельзя, нельзя было при той власти профессионально заниматься литературой и не дотронуться до дерьма. Даже Бродский переводил каких-то там прогрессивных кубинских поэтов для сборника с характерным названием «Заря над Кубой». Альтернатива была – сидеть в тюрьме или сваливать за границу. Сам великий Александр Исаевич до поры до времени печатал лишь то, что можно было публиковать в рамках борьбы с культом личности за «социализм с человеческим лицом».

Е.П.: А как двинулся в сторону «ГУЛАГа», так тут же – пожалуйте в Лефортово и пшел вон из страны! Конечно, можно было существовать в полной безвестности, маленькими группками, как, например, «лианозовцы» – Генрих Сапгир, Игорь Холин, Лев Кропивницкий. В полной безвестности и *не жить* на литературные деньги.

А.К.: И предпочтительно никому не показывать то, что ты пишешь, чтоб ненароком не посадили. Нет, это не профессиональная, а изгойская писательская жизнь. Жизнь маргинала.

Е.П.: Ладно. Прежде чем выключить диктофон, давай подытожим. Первое: главной книги у Аксенова нет, а есть несколько

Евгений Попов

судьбообразующих. Некоторые из них мы даже вроде бы и проанализировали в меру отпущенных нам возможностей.

А.К.: Ну, наверное, да. И даже пытались разобраться в довольно сложных текстах и сопутствующих им ситуациях.

Е.П.: С Аксеновым вообще все сложно, согласен?

А.К.: А с крупным писателем всегда нелегко. Вот смотри – Юрий Валентинович Трифонов. Сначала автор «Студентов», получивших Сталинскую премию, и книги об отце – «Отблеск костра», романтизирующей революцию. Потом – сочинитель романов «Старик» и «Дом на набережной», развенчивающих этот романтизм. Понимаешь, писатель, самостоятельно прошедший *путь*, это, как правило, писатель наиболее значительный. Ведь качество литературы Аксенова, Трифонова невозможно даже сравнивать с текстами тех их коллег и сверстников, которых заботило только одно: писать сразу честно и напрямую, как, кстати, Евгения Семеновна Гинзбург рекомендовала своему сверхпопулярному сыну... Напрямую получалось, а литературы не получалось...

Е.П.: Да если б Вася писал напрямую, нам бы сейчас и говорить было бы не о ком и не о чем. Они бы его сгноили, непременно сгноили. Или был бы другой вариант писательской судьбы. Мне, знаешь ли, совершенно не хочется упоминать имена вполне достойных писателей, которые *писали напрямую,* но ведь читать-то их сегодня невозможно. В лучшем случае воспринимаешь их прозу как мемуары «бывалых людей» или как советский фольклор.

А.К.: Потому что все они тогда двинулись в таком литературном направлении, которое я бы назвал «антисоциалистический реализм».

Е.П.: Совершенно верно, об этом и живущий в Саратове писатель и критик Сергей Боровиков в одной своей статье писал, цитируя эту замечательную фразу из Лескова: «Извините меня, вы все стали такая несвободная направленческая узость, что с вами живому человеку даже очень трудно говорить. Я вам простое дело рассказываю, а вы сейчас уже искать общий вывод и направление. Пора бы вам начать отвыкать от этой гадости...»

Александр Кабаков

А.К.: Правильно, *направленческая узость*! Вот уж чем-чем, а ею Вася вовсе не страдал.

Е.П.: Всё! Выключаем диктофон. Не навсегда, а на сегодня.

ПРИЛОЖЕНИЕ

Из романа «МОСКВА КВА-КВА» ЧЕРТОГ ЧИСТЫХ ЧУВСТВ

В начале 50-х годов XX века в Москве, словно в одночасье, выросла семерка гигантских зданий, или, как в народе их окрестили, «высоток». Примечательны они были не только размерами, но и величием архитектуры. Советские архитекторы и скульпторы, создавшие и украсившие эти строения, недвусмысленно подчеркнули свою связь с великой традицией, с творениями таких мастеров «Золотого века Афин», как Иктинус, Фидий и Калликратус.

Эта связь времен особенно заметна в том жилом великане, что раскинул свои соединенные воедино корпуса при слиянии Москва-реки и Яузы. Именно в нем расселяются все основные герои наших сцен, именно в нем суждено им будет пройти через горнило чистых, едва ли не утопических чувств, характерных для того безмикробного времени. Возьмите его центральную, то есть наиболее возвышенную часть. Циклопический ее шпиль зиждется на колоннадах, вызывающих в культурной памяти афинский Акрополь с его незабываемым Парфеноном, с той лишь разницей, что роль могучей городской скалы здесь играет само гигантское, многоступенчатое здание, все отроги которого предназначены не для поклонения богам, а для горделивого проживания лучших граждан атеистического Союза Республик.

С точки зрения связи с античным наследием любопытно будет рассмотреть также рельефные группы, венчающие исполинские, в несколько этажей въездные арки строения. Периферийные группы изображают порыв к счастью, в то время как центральные обобщают эти порывы в апофеоз – счастье достигнуто! Мужские фигуры рельефов обнажены до пояса, демонстрируя поистине олимпийскую мощь плечевых сочленений, равно как и несокрушимую твердыню торсов. Женские же фигуры, хоть и задрапированные в подобие греческих туник, создают отчетливое впечатление внутренних богатств. Что касается детских фигур, то они подчеркивают вечный ленинизм подрастающего поколения: шортики по колено, рукавчики по локоть, летящие галстуки, призывные горны. Над всеми этими рельефными группами порывов и апофеозов реют каменные знамена. Грозди, снопы и полные чаши завершают композицию и олицетворяют благоденствие. Интересно, что динамика рельефов как бы завершается статикой полнофигурных скульптур, расположенных то там, то сям на высотных карнизах. Эти могучие изваяния с обобщенными орудиями труда вполне логично олицетворяют завершенность цели.

Анатолий Гладилин
Из статьи «АКСЕНОВСКАЯ "ТАИНСТВЕННАЯ СТРАСТЬ" В ЗАКОНЕ ЖАНРА»

Журнал «Казань», 2010, № 3

Журнальный вариант – своего рода эвфемизм: значит, книга печатается со значительными сокращениями. Ну слишком мала журнальная площадь для книги, не влезает она. В советское время авторы охотно шли на это, поскольку журнальная публикация гарантировала успех будущего книжного издания. Но чтоб отдельной книгой издавать журнальный вариант – такого в истории мировой литературы еще не наблюдалось. Бумаги в издательстве не хватило?

Неужели непонятно, что в словах «печатаем журнальный вариант» звучит скрытая издевка: бедный автор (в данном случае – Аксенов) написал какую-то муру, а в журнале (в данном случае – «Караван историй») гламурные дамы привели рукопись в божеский вид, и теперь благодарный автор прижимает к груди этот самый журнальный вариант и слышать не желает об издании книги в первозданном виде. Я решил провести самостоятельное исследование – может, найду, откуда взялась эта тарабарщина? Меня запугивают авторским правом и издательской тайной, поэтому еще раз подчеркиваю: оперирую только книгой «Таинственная страсть» издательства «Семь дней» и номерами журнала «Коллекция. Караван историй». Все это можно найти в свободной продаже.

Итак, в № 2 журнала (апрель–май 2008 года), где началась публикация «Таинственной страсти», под аксеновским заголовком значится: «Отрывки из романа». В номере третьем (июнь–июль 2008 года) – «Журнальная версия». (Ну, на мой взгляд, «отрывки из романа» – это больше соответствует действительности, а в «журнальной версии» звучит некоторая претензия, но можно и так.) В № 4 (август–сентябрь 2008 года) читаем: «Публикуется в авторской редакции. Журнальная версия». В № 1 (февраль–март 2009-го) – новое пояснение: «Журнальная версия. Публикуется в авторской редакции». Вот, наконец-то правильная формулировка. Она встречалась в советских журналах, когда автор хотел показать, что не редакция его кромсала, а он сам выбрасывал куски из книги, чтобы влезть в журнальное прокрустово ложе.

Ну что ж, так могло быть, все это время шла интенсивная работа с автором, и вот – нашли приемлемый для обеих сторон компромисс. Но в версии «Каравана историй» присутствует одна десятая, в лучшем случае одна пятая аксеновского текста, вышедшего в издательстве «Семь дней». Для какого же другого таинственного журнала готовился журнальный вариант объемом в 589 страниц, как в книге? Ни хрена не понимаю. И потом, и в апреле–мае 2008 года, и в феврале–марте 2009 года, а точнее, с 15 января 2008 года Аксенов в коме, лежит в Склифе, потом в Бурденко. Спрашивается, где и как редакция работала с автором?

На протяжении всей статьи у меня повторяется: «мне рассказывали, мне говорили, я знаю», но, может, все это глупая самонадеянность? И от меня сокрыто существо дела? Может, в какой-то теплый вечер 2008 года Аксенов очнулся, осмотрелся, дождался последнего медицинского обхода, потом встал, отключил себя от всех проводов и датчиков, каким-то чудесным образом выкрутился из капельницы, оделся, спустился вниз, позвонил из уличного автомата домой какому-нибудь редакционному работнику, поймал такси, приехал в издательство, куда все уже подтянулись, взял стило, твердой рукой почеркал страницы своей рукописи, подписался, успел вернуться в институт Бурденко до утреннего обхода врачей, подключился ко всем датчикам и капельницам и опять ушел в кому?

Если все происходило именно так, то приношу глубочайшие извинения руководству издательства и журнала за свои мелочные придирки.

ГЛАВА ДЕСЯТАЯ
МЫ, ПОДАКСЕНОВИКИ

АЛЕКСАНДР КАБАКОВ: Как ты считаешь, можно ли нам здесь, в этих разговорах, распускать сплетни и выдавать чужие тайны?

ЕВГЕНИЙ ПОПОВ: Вся литература – это сплетни.

А.К.: Мне плевать на литературу, если речь идет о человеческих, джентльменских принципах. И обнародовать то, чем с тобой поделились в ходе пьянки, например, не следует.

Е.П.: Это правильно, нельзя без разрешения.

А.К.: Да, но, с другой стороны, со мною не поделились, не сказали по секрету – просто сказали, как сказалось. Не совсем были мы трезвыми, трепались... Короче говоря, речь идет о сравнительно молодом, но очень популярном писателе революционного толка.

Е.П.: А-а, догадываюсь, о ком ты. С Горьким его еще сравнивают по глупости сравнивающих.

А.К.: По-моему, молодой писатель Горький писал гораздо хуже.

Е.П.: Ну и что тебе сказал пьяный – мы ведь тоже сейчас... немного, да?.. ну – писатели же... – и что тебе сказал этот молодой писатель?

А.К.: Сидим мы с ним в городе Каире...

Е.П.: Хорошее место для русских писателей.

А.К.: А писателям русским все равно, где водку жрать, абсолютно, мы с ним же однажды до этого пили водку в городе Нью-Дели...

Е.П.: Какая у вас интересная жизнь, у писателей.

А.К.: Да, сидим, и вдруг сделалось у него лицо совершенно серьезное...

Е.П.: Это из советского романа: «сказал, посерьезнев»...

А.К.: Посерьезнев, да, и обратившись ко мне «дядя Саша», как он стал меня с некоторых пор называть...

Е.П.: Ты сейчас расскажешь эту историю?

А.К.: Нет, какая история, просто он спросил: «Как мне называть вас?» – «Не знаю, ну, Александр Абрамыч». – «Что-то мне как-то не... не в дугу...»

Е.П.: Он правильный нашел ход, и меня он называет «дядя Женя»...

А.К.: Я говорю: «Ну, называй дедушка», – «Ну какой дедушка, не-не-не... а можно я буду вас называть дядя Саша?» – «Можно, конечно...» И вот он говорит: «Дядя Саша, а скажи мне...» – он, начав называть «дядя Саша», правильно перешел на «ты»...

Е.П.: Правильно перешел, чувствует стиль.

А.К.: ...а скажи мне, вот я сейчас в своем поколении... я такой же, как Аксенов был в своем?» То есть он еще как-то обозначил... не популярный, и не знаменитый, а влиятельный, что ли, или что-то в этом роде, не помню...

Е.П.: Ух ты!

А.К.: Причем он серьезный такой сидит... В номере у него сидели, и еще двое молодых писателей были, не буду их называть, они не имеют отношения к предмету нашего с ним разговора и даже, кажется, не слышали его вопроса... И тут я все понял.

Александр Кабаков

Е.П.: Ну и что же ты понял?

А.К.: А понял, что вот пацану немного за тридцатник, он сильно младше моей дочери, а для него важно было бы быть Аксеновым своего поколения, понимаешь? То есть аксеновская судьба для него как бы образец.

Е.П.: Я так думаю, что сейчас он не стал бы выкручиваться и говорить — мол, я просто спросил, за спрос денег не берут.

А.К.: Он нормальный человек. И, думаю, признал бы, что высказал мечту. Мечта, мечта — то, что многим пишущим снится: быть Аксеновым своего поколения. И я ему ответил честно...

Е.П.: Что же ты ему ответил?

А.К.: Честно, но уклончиво. Я не хотел его обижать и расстраивать, но не хотел его и авансировать и потому ответил както уклончиво: а вот, говорю, как ты думаешь, Дима Быков — Евтушенко своего поколения? Тут мы с ним сильно, но необидно засмеялись и налили египетской водки. По сто египетских фунтов литровая бутылка и еще искать надо, в какой-то тайный магазин бегать — они ж мусульмане... Выпили, и как-то так сошло это на нет.

Е.П.: Интересно, а почему бы, например, ему не спросить: как ты думаешь, дядя Саша, я не Солженицын ли своего поколения?

А.К.: Это очень серьезная тема...

Е.П.: Тем более что он же борец ведь тоже.

А.К.: Я так думаю: поскольку он прежде всего писатель, а не борец, во всяком случае так я считаю, то его это не интересует, не пророк ли он, его интересует, маэстро ли он... А если маэстро — то тут возникает Аксенов...

Е.П.: Очень хорошо. А почему не Шукшин своего поколения?

А.К.: Более того, у него, на мой взгляд, были все основания спросить у меня именно о Шукшине. Когда я прочитал его рассказы, сборник, я ему написал, что в этих рассказах многое по прямой линии от Шукшина, и отморозки, которых он описывает, — это чудики Шукшина, только отмороженные временем... Однако же он спросил про Аксенова. А знаешь, что в Аксенове

Евгений Попов

многих молодых сочинителей привлекает? Я думаю, вот что: элегантность аксеновской славы, ее легкий такой блеск. Мечта стать Аксеновым – это не просто мечта стать очень хорошим писателем, вон был, например, замечательный писатель Георгий Семенов, а ведь вряд ли найдется хоть один молодой человек, который скажет, что хотел бы быть Георгием Семеновым своего поколения.

Е.П.: Как ты думаешь, не обидится он, когда все это прочитает?

А.К.: Нет, не обидится, он умный парень. А обидится – я извинюсь. Хотя ничего обидного я про него не хотел сказать и не сказал, по-моему.

Е.П.: Да... Не встречал я людей, которые хотели бы стать Солженицыным. Потому что за это, извини...

А.К.: Сразу перебью – нет, не только потому, что Солженицыным становятся только через лагерь. А еще и потому... да, Александр Исаевич – гений, о чем разговор. Но многие молодые не на гениальность замахиваются, понимаешь, а на мастерство. Не гением мечтают быть, об этом мечтать глупо, а литературным маэстро. И у многих, я не про *нашего* толкового молодого человека в данном случае говорю, а вообще, у многих эта мечта формулировалась в мое время – а у многих и сейчас, с небольшими поправками, но похоже, – формулировалась так: кем я хочу быть? а я хочу сидеть в «пестром» буфете ЦДЛа, написавши «Затоваренную бочкотару», которая перевернула русскую литературную стилистику, при этом быть одетым, как мечтают быть одетыми миллионы молодых людей по всему Советскому Союзу, и при этом чтобы ко мне все подходили и дружески, но почтительно говорили: Вася, давай выпьем... Вот мечта, мечта довольно детская и даже немножко такая... комическая.

Е.П.: Вот мы про подаксеновиков и начинаем говорить... Я в те баснословные времена был усердный читатель журналов «Юность» и «Новый мир», и я помню какой-то роман, не важно какого автора и в каком из этих журналов, и там парень себе ставит, значит, цель жизни: чтобы в него влюбилась такая-то девушка, с девушкой этой поехать куда-то на стройку, а потом напечататься в журнале «Юность» и прославиться. То есть стать кем? Стать Аксеновым...

А.К.: Печататься в «Юности» и сидеть в ЦДЛе в джинсах, красиво выпивать – вот что такое в самом примитивном представлении пишущих людей моего поколения означало стать Аксеновым.

Е.П.: Что же, и сейчас это имеют в виду те, кто хочет «стать Аксеновым»? Ну, не упомянутый молодой писатель, он слишком умный и серьезный для этого, но ведь есть и другие, кто этого же хочет... Ты мне когда-то рассказал замечательную историю с Василием Павловичем, которая была в какой-то рюмочной...

А.К.: Погоди... Я тебе хочу сказать, что после того разговора в Каире я стал относиться к этому «молодому писателю» лучше, хотя и раньше относился хорошо. Но тут я увидел в нем живого человека, очень живого, даже похожего на меня в мои тридцать лет – несмотря на боевую биографию, которую мне даже при желании неоткуда было бы взять, и на совершенно взрослое отношение к жизни, к семье, которое в наши времена почти не встречалось. Я нашел сходство с собой в тридцать лет, потому что я тогда был подаксеновиком.

Е.П.: А-а-а, а тебя так называли разве? Ты же не знал этот термин до того, как я тебе рассказал...

А.К.: Меня называли подражателем, эпигоном и еще как-то.

Е.П.: Вот-вот, эпигоном. А подаксеновики – это сугубо сахалинский термин... Погоди, об этом позже, а сейчас расскажи мне ту историю про рюмочную... Или пельменную? Разве Вася любил пельмени?

А.К.: Я не уверен, что он любил пельмени, но там пельмени были очень хорошие, и мы всегда там заказывали пельмени. Это заведение называлось «Русская рюмочная комната», с претензией такой. За ТЮЗом...

Е.П.: Сейчас-то ее нет?

А.К.: Не знаю. Да черт с ней!..

Е.П.: Скажут еще, что мы рекламу делаем.

Евгений Попов

А.К.: Пусть скажут... Да, очень претенциозное, стильное такое название.

Е.П.: Имелись такие книжки. Например, про охоту – «Русская псовая охота»...

А.К.: Это было такое узкое помещение, вместо стойки – старинный резной буфет, канарейка в висячей клетке... И отличные делали пельмени. И вот мы сидели там, а какие-то молодые люди, увидев Васю, – а не пьющий к тому времени лет тридцать Вася налил себе под пельмени... я даже не знаю, ну, пять граммов...

Е.П.: Он же только красное вино тогда пил.

А.К.: Да, но тут пельмени... Какое может быть красное вино и пельмени? И вот Вася налил или я ему налил пять граммов водки – и тут входит молодая компания...

Е.П.: Богемная?

А.К.: Не очень. Ну, молодой человек один с прической «пони тэйл», «конский хвост», этого я запомнил, а другие, человека четыре или пять, такие обычные...

Е.П.: А может, это были артисты из театра? Там рядом...

А.К.: Нет, это были скорее... Как они сами себя называют – манагеры. Манагеры, офисный планктон, который тогда еще только-только начал всплывать.

Е.П.: Это в каком году-то было?

А.К.: Давно уже, году в девяносто седьмом или восьмом.

Е.П.: Ух ты, двенадцать лет назад!

А.К.: А мне оно вот как вчера... Да. И они такие оживленные, с мороза, и говорят радостно: «О, Вася развязал!» И Василий Павлович как-то скорчился, я почувствовал, что он испытал боль. Ну, я встал, готовясь, честно говоря, драться и еще имея в виду, что драться надо таким образом, чтобы, естественно, не попало Василию Павловичу. И сказал: «Молодые люди, к старшим, во-первых, принято обращаться на "вы", во-вторых, я не думаю, что вы так сильно знакомы с Василием Павловичем Аксеновым, и надо себя держать в руках», – и что-то еще в этом роде. И какой-то молодой человек из них, чуть ли не вот этот с хвостом, сказал типа: «Ну чего ты, отец, мы же от души», – но я грубо ответил ему матом, в смысле – уйди отсюда. И они просто удивились такой резкой реакции. Они были уверены, что они ничем нас не задели, а что Васе даже польстили. Что они же к нему как к своему…

Е.П.: …и что Вася есть некий как бы поэт Игорь Северянин, который написал в свое время:

Восторгаюсь тобой, молодежь!
Ты всегда, даже стоя идешь!
И идешь непременно вперед!
Ведь тебя что-то новое ждет!

А.К.: Как-то не учли, что к тому времени Василий Павлович Аксенов был штатным профессором вашингтонского университета Мэйсона, а его книги входили в так называемую библиотеку Нобелевского комитета, то есть в переводе на русский язык он был почти что постоянным кандидатом на присуждение Нобелевской премии. И они куда-то не туда влезли…

Е.П.: И все-таки они имели отношение к миру искусства, я думаю…

А.К.: Ну, не манагеры, так какие-нибудь там продюсеры… Но в этой истории не их фамильярность важна, а что стоит за этой фамильярностью. Ведь им что было важно? Вот сидит легенда, даже не звезда, а просто бог – Аксенов. И вот они его запросто называют Васей и присутствуют при историческом событии – Вася развязал! А они не то что не аксеновского поколения, а поколения через три от него! Вот до каких пор водились подаксеновики и сейчас еще водятся. В определенном смысле – все подаксеновики: и ты, и я, и «молодой, но очень популярный писатель революционного толка», и даже те засранцы, которые пришли в рюмочную… Все по-разному – одни по-писательски, а другие по-жлобски, но все.

Е.П.: Сейчас скажу такую вещь, что хоть больше на глаза ему не попадайся: Распутин Валентин Григорьевич в первых своих сочинениях был подаксеновиком. Смотри его ранние рассказы, например «Рудольфио».

Евгений Попов

А.К.: И получается, что подаксеновик – это не оценочное, это не хорошо и не плохо, это констатация факта безусловного влияния на несколько поколений и не только литературного авторитета, вот и все.

Е.П.: История одна была, мне ее рассказывал поэт Александр Алшутов. Ты знаешь это имя? Значит, короткая справка про Александра Алшутова: знаменитый поэт андеграунда, его знали все, он старше меня, умер в городе Сыктывкаре. Совершеннейший шестидесятник, хотя его почти не печатали, его очень хорошо знал Вознесенский, знал его Аксенов, знал Юз Алешковский... То есть он был человек литературы, одно-два стихотворения все же сумел опубликовать с большим трудом. Он, как многие шестидесятники, уезжал на полгода-год подальше от всех – на Сахалин, на китобойных судах работать или шофером в геологической экспедиции, где его чуть не посадили, потому что он машину опрокинул. Естественно, пил изряднейшим образом, было несколько жен, от каждой жены у него почему-то было по три ребенка. С последней женой, значит, он и уехал в город Сыктывкар, там стал переводами зарабатывать, постепенно завел себе дом, обжился – ну, и умер.

А.К.: Хорошая биография.

Е.П.: Чего уж. Так вот, слушай, Алшутов мне рассказывал, что, когда он жил на Сахалине, в это время туда для воспитания идеологического был послан-сослан по линии Союза писателей или ЦК ВЛКСМ, не знаю, Василий Павлович Аксенов. На исправление. Изучать жизнь. В результате чего появилась повесть...

А.К.: Доизучался, неисправимый, до «Апельсинов из Марокко».

Е.П.: Доизучался до повести «Апельсины из Марокко», которую критика опять разгромила, дескать, там бичи воспеты и неправильно труд показан... Но это потом, а пока он является на Сахалин, где живет Алшутов. И тамошнее сахалинское начальство понимает, с одной стороны, что он какой-то такой... подозрительный, а с другой стороны, литературная номенклатура московская, присланная Союзом писателей и ЦК комсомола, и, значит, ему полный карт-бланш и почет. А тем временем вокруг него уже собирается вся местная компания прогрессивной интеллигенции во главе с Алшутовым. И они ведут Аксенова изучать жизнь по немногочисленным ресторанам города Южно-Сахалинска.

А.К.: А где же еще жизнь изучать?

Е.П.: Действительно. Китобойные флотилии плавают в море. А они с Аксеновым изучают жизнь на берегу. Встречаются и слушают людей нелегкой судьбы, например южносахалинских проституток и бичей. Писатель же должен все знать? И они не только изучают эту жизнь, но даже иногда выступают по местному телевидению – известный московский писатель Аксенов и местная творческая интеллигенция. Потом, значит, Василий Павлович через какое-то время усталый, но довольный уезжает оттуда...

А.К.: И пишет «Апельсины из Марокко».

Е.П.: Я уже не помню точную хронологию событий, но, очевидно, что когда в Москве стали громить «Апельсины из Марокко», то на Сахалине взялись и за тех, кто способствовал созданию этого...

А.К.: Идейно ущербного произведения.

Е.П.: Идейно ущербного с элементами клеветнического характера...

А.К.: И порнографии.

Е.П.: Нет, это слишком круто. Порнография – тогда даже слова не употребляли такого. Это уж, извини, не Аксенову, а мне пришьют потом, много позже. «Создал ряд идейно ущербных, близких к клеветническим произведений с элементами цинизма и порнографии». Прелесть какая – «элементы цинизма»!.. И вот их стали там вызывать и спрашивать, зачем они поставляли клеветническую информацию Аксенову, почему не сигнализировали, какой он подлец. И появился там, на Сахалине, фельетон под названием «Подаксеновики». Вскоре...

А.К.: А интересно, это они сами придумали там? В этой «глухой провинции у моря»...

Е.П.: А неплохое название – «подаксеновики»...

Евгений Попов

А.К.: Придумано блистательно.

Е.П.: Подберезовики, подосиновики, подаксеновики.

А.К.: Был бы я тогда редактором «Крокодила», пригласил бы автора...

Е.П.: Вызвал бы и предложил быть внештатником «Крокодила», сигнализировать с мест – письмо в «Крокодил», копия в КГБ.

А.К.: Но на всякий случай тут же и уволил бы, потому что больно умный, талантливый. А талантливый – он сегодня пишет фельетон «Подаксеновики», а завтра черт его знает, что напишет... На них же, талантливых, управы нет. А ты за него отвечай.

Е.П.: В общем, эту всю компанию подаксеновиков разгромили, и Алшутов появился в городе Москве, где вскоре его посадили, но потом отпустили. Но это не имеет отношения к нашему разговору. Мы же говорим о подаксеновиках, и я поэтому теперь перехожу к своим воспоминаниям. Первый рассказ у меня был напечатан, когда мне было шестнадцать лет. И в те же шестнадцать лет с небольшим я делал... ну, его подпольным нельзя назвать... скажем по-иностранному – андеграундный журнал в городе Красноярске. Назывался журнал, который делали исключительно русские ребята, странно и подозрительно – «Гиршфельдовцы», просто так, для эпатажа. Вышли три номера, эпиграфы там были такие: «Свежести, свежести, хочется свежести», «А мы рукой на прошлое – вранье», «В век разума и атома мы – акушеры нового» – из Евтушенко, Окуджавы, Вознесенского... Понимаешь, да?

А.К.: Да. Самодеятельный вариант журнала «Юность».

Е.П.: Такое вольномыслие, крутое такое.

А.К.: В рамках журнала «Юность» и законности.

Е.П.: Естественно, гашековская, Ярослава Гашека шутовская «Партия умеренного прогресса в рамках закона». И в этом журнале у меня была статья под названием «Культ личности и "Звездный билет"», и за нее я был исключен из комсомола, в котором не состоял.

Александр Кабаков

А.К.: Смотри, зеркальное какое отображение: ты был исключен из комсомола, в котором не состоял, а я своим чередом был исключен из комсомола, в котором состоял, но потом оказался не исключен. Бардак у них был во всем, вот что я тебе скажу.

Е.П.: Да... И им придраться-то вроде бы не к чему было, но сам факт издания журнала – как можно, без разрешения?

А.К.: Вот когда ты начал-то без разрешения издавать... Безобразие. Культ личности – это серьезная внутрипартийная и государственная проблема, он осужден Центральным Комитетом КПСС, а тут какой-то «звездный билет», что такое?

Е.П.: Там криминала было два: моя статья «Звездный билет» и знакомого тебе Эдуарда Русакова статья под названием «Заклинатель трав» – догадался, про кого? Правильно, про Пастернака. Эдик писал лишь о стихах Пастернака, а они говорят – неважно, о стихах или прозе. Мы говорим – так стихи-то вышли официально, вот книга шестьдесят первого года, а они говорят – она в Москве вышла и ограниченным тиражом, а вы *пропагандируете* Пастернака. Выступает – это все происходит в горкоме комсомола – выступает член горкома комсомола, бетонщик на строительстве Красноярской ГЭС. И говорит: «Я, товарищи, скажу по-простому, по-рабочему. Дамы, если что, закрывайте уши, буду говорить прямо. Вот были мы в Хельсинка́х на фестивале, так нам этого Пастернака́ подса́вывали в номера, так мы, извините, товарищи и дамы...» И аж зашелся: «...жопу им подтирали! А эти нашли, вытащили!..» То есть мы с Эдиком вытащили Пастернака. Постановили исключить из комсомола...

А.К.: Какая прекрасная история! Одно выступление-то чего стоит...

Е.П.: Потому что ему в перерыве между пьянками в Хельсинки сказал «присматривающий», что Пастернак – это враг народа. Так вот, постановили исключить из комсомола. Главного редактора и меня, его заместителя. Однако я оттуда вышел крайне веселый...

А.К.: И тебя?

Евгений Попов

Е.П.: И меня исключили. Они не могли понять, что в шестнадцать лет можно не состоять в комсомоле. А я вышел веселый, потому как это было все равно, что меня исключили бы, например, из масонской ложи... Ты знаешь, я сейчас подумал о том, что Василий Павлович своим «Звездным билетом» уже с моих шестнадцати лет, получается, играл огромную роль в моей судьбе. Смех смехом, а мне из-за этого пришлось поступить в геологоразведочный институт.

А.К.: А так бы ты куда поступал?

Е.П.: Подожди... Было постановление горкома комсомола, об этом узнали в школе. Поэтому, когда я закончил десятый класс, мне выдали характеристику для поступления в институт, а в характеристике написано: учится хорошо, груб, высокомерен, неуживчив. Я читаю характеристику, а на меня смотрят с наслаждением директор школы и классная руководительница, и они ждут, что я сейчас паду на колени и скажу: «Не губите, родные...»

А.К.: С такой характеристикой не то что в институт, в тюрьму не примут.

Е.П.: Волчий билет. А я, значит, складываю эту характеристику, говорю «спасибо» и еду в Москву – поступать на какое-нибудь там филологическое... Я учил литературу, историю... А куда ни приду – ну, в МГУ, например, они посмотрят характеристику и говорят: «Вы идите куда-нибудь... в другое место...» Больше всего мне понравилось знаешь где? В Институте восточных языков, где на шпионов учили.

А.К.: А зачем же ты туда пошел?

Е.П.: А куда мне деваться, я в Москву приехал. Учиться. Откуда я знал-то тогда, что там на шпионов учатся? Значит, поскольку там на шпионов учат и все дипломаты, они сказали мне: «Мы не потому не разрешаем вам документы сдать, что у вас характеристика такая и что вы не комсомолец, а потому, что вы заикаетесь».

А.К.: Точно то же самое! Только не по такой благородной причине, я самиздатом не занимался, а просто по пятому пункту. Подаю документы на физико-технический факультет – смотрят и говорят: «Вы понимаете, дело не в том, что, конечно, национальность у вас, да и в характеристике написано "махровый индивидуалист", а в том, что у вас зрение слабое, а у нас черчения много, вам тяжело будет, так что вы подавайте лучше на механико-математический».

Е.П.: Со мною это происходило в шестьдесят третьем году.

А.К.: А со мною в шестидесятом.

Е.П.: А не слишком ли мы много про себя говорим?

А.К.: А это наши мемуары.

Е.П.: А Аксенов?

А.К.: А мы есть подаксеновики и в данном разговоре этим интересны, потому что Аксенов повлиял на наши судьбы. На твою – с шестнадцати лет, а на мою – много позже, но тоже повлиял. Если бы не литература, в которую я рвался в большой степени потому, что меня аксеновская литература ушибла... Если бы не литература, то, закончив мехмат, стал бы я постепенно доктором наук ракетным и получал бы сейчас зарплату в шесть тысяч рублей. Или шестьдесят? Или гривен, поскольку сидел бы, будучи не слишком инициативным человеком, сейчас в том же Днепропетровске, где закончил мехмат. А скорей всего уже умер бы, потому что обязательно рано или поздно выпил бы вместо водки ракетного топлива.

Е.П.: А теперь ты находишься здесь, и мы сочиняем с тобой книгу про Аксенова, потому что он изменил нам судьбы... Да, так вот, иду я в институт историко-архивный. Мне хотя бы ночевать надо в Москве где-то, а ночевать в историко-архивное общежитие пустили. Хотя посмотрели характеристику и сказали: «Зря вы, зря, у нас одиннадцать человек конкурс на место, вы не комсомолец, характеристика сами понимаете какая». Но определили меня в келью, я это описал где-то, там общежитие было в монастырских помещениях, и я учу там все, что нужно, историю и так далее... Но выгнали меня и оттуда, а когда я пошел забирать документы, сказали: «Хорошо пристроился, в общежитии решил на халяву пожить». Выгнали меня, и тогда я пошел в геологоразведочный институт поступать. Имени товарища Серго Орджоникидзе. На Манежной площади он тогда был, переименованной к концу моего обучения в площадь имени 50-летия Октября. Я напротив Кремля учился... Я знал, что есть в Москве такой институт, потому что туда поступал мой школьный товарищ Саша Морозов, у которого – он жил уже в Москве – я первую ночь в Москве ночевал... Ну и вообще мне этот институт не чужой был, я еще школьником, в каникулы, работал в экспедиции радиометристом. На вступительных по литературе тройку получил, представляешь? Я о Маяковском писал. Ошибок не было, они написали – «за убогость содержания».

А.К.: Женька, это прекрасно, это же тост! За убогость содержания, товарищи!

Е.П.: Но меня все-таки принимают...

А.К.: Погоди, а какое это все имеет отношение к Аксенову?

Е.П.: Сейчас поймешь. Меня принимают в группу РМРЭ – разведка месторождений редких и радиоактивных элементов, куда всегда был недобор, где была повышенная стипендия и не было лиц женского пола...

А.К.: Потому что лица мужского пола там быстро превращались в лиц женского пола.

Е.П.: Нет. Во-первых, из лиц, там учившихся, мало кто стал ураном заниматься. Один, например, стал преподавателем иврита...

А.К.: От иврита, конечно, радиации нет.

Е.П.: И повышенная стипендия плюс. И была группа, где все читали книжки, это хорошие люди были. В общем, чтобы завершить эту историю... Замдекана у нас был Алексей Григорьевич Конский, брат народного артиста Григория Конского. Здоровенный мужик, веселый... Он поселился у нас в общежитии, женившись на уборщице. Ему было лет под шестьдесят... И однажды я Алексею Григорьевичу говорю: «Алексей Григорьевич, правда ли, что вы в молодости знали Михаила Булгакова?» Он, пораженный, на меня посмотрел и говорит: «Я-то его знал, но откуда ты, пьянь, можешь знать это святое имя?» Вот где я учился, это был замечательный институт. А поступил я туда из-за характеристики, а характеристику мне дали из-за Аксенова, его «Звездного билета»... Сгубил меня Аксенов, спасибо ему.

Александр Кабаков

А.К.: Ты хочешь сказать, что твоя страннейшая судьба, что тот огромный вклад, который ты внес в российскую геолого-минералогическую науку, – это все Аксенов сделал?

Е.П.: Разумеется.

А.К.: Ты и есть подаксеновик в чистом виде. А я теперь очень коротко скажу, почему я подаксеновик. Я очень рано начал писать, и вот с тех пор, как я пишу...

Е.П.: Да уж не раньше, чем я.

А.К.: Нет, писать, может быть, и раньше, зато публиковаться – намного позже.

Е.П.: Ну, и во сколько же ты начал писать?

А.К.: Лет в двенадцать.

Е.П.: А я лет в десять примерно. Я написал письмо в издательство красноярское: вот книжки вы печатаете, а я, ребенок, книжки эти прочитал, и все они такое говно, что читать невозможно. И я помню, мне ответили оттуда, испугавшись, наверное: вы совершенно правы, но вы упоминаете книги, еще изданные при культе личности Сталина. Я помню, как к нам во двор принесли их письмо, и тогда мне матушка моя сказала фразу, которую потом неоднократно повторяла: «Ты допишешься-доболтаешься, что тебя свяжут и нам не уйти». Все, извини, действительно разболтался...

А.К.: Значит, я начал довольно рано писать, на первые мои два стихотворения, которые я послал в журнал «Юность», мне ответил поэт Дементьев, он посоветовал мне читать больше классики и, естественно, работать над словом и присылать новые произведения. Я это письмо спрятал и больше никогда опубликовать стихи как таковые нигде не пытался. Спасибо за ответ Андрею Дементьеву. Но потом я начал писать прозу, уже в сознательном состоянии, и про всё, что я писал, мне все говорили: что же ты подражаешь Аксенову, что же ты так подражаешь? А я бесился и лез на стенки, потому что я писал так, как мне нравилось, я не подражал. И ведь мне то же самое говорили, критики писали, когда я уже профессиональным писателем стал и даже известным... И вдруг, много лет спустя, много десятилетий спустя после того, как я начал «подражать Аксенову», я понял, что не в том дело, что я подражал Аксенову, а в том дело, что мне действительно так нравилось писать. Не писать я учился у Аксенова, а смотреть, слушать, вообще всему... То есть Аксенов, как и тебе, испортил мне жизнь.

Е.П.: Ну тебе нравится словосочетание «испортил жизнь». Я понимаю иронический твой склад души, но все же не испортил. Он раскрыл глаза, наверное?

А.К.: Хорошо, не испортил. Тогда, значит, он создал мою жизнь.

Е.П.: Он сотням, тысячам молодых людей точно так же создал жизнь, не только литераторам... И не зря есть термин «поколение "Звездного билета"».

А.К.: Я тебе скажу: я до Аксенова, в детстве, очень много читал и хотел стать писателем. И у меня сложилось определенное представление о том, как устроена литература. В литературе есть Пушкин, Толстой, Чехов и так далее, с ними все понятно, они все умерли, жили до революции, допускали ряд ошибок в изображении угнетенных трудящихся. Потом есть другие писатели, тоже хорошие. Кто тогда мне представлялся хорошим писателем? Паустовский, Катаев... Ну и так далее. Мне нравится, как они пишут, но я же понимаю, что, во-первых, они старые, и уже их туда допустили, а если я буду писать, как они, в свои-то пятнадцать лет, то мне публикаций не видать, это им можно. И у меня возникает такое представление о русской литературе: часть русской литературы, лучшая, умерла, а другая часть, советская, существует по блату, ну, я, может быть, не говорил мысленно «по блату», но, в общем, потому что они уже большие начальники...

Е.П.: Взгляд, конечно, очень варварский...

А.К.: Но верный. Паустовскому, допустим, можно так писать, думал я, а кто ж мне-то, засранцу, разрешит так писать? Меня пинками выгонят вон. И вдруг... И вдруг выходит журнал «Юность»... У нас в семье выписываются все журналы – «Новый мир», «Октябрь», «Москва» – ну, все толстые журналы. Вдруг появляется новый журнал «Юность», мы его немедленно выписываем, я начинаю читать – и чувствую: что-то такое написано не то, не то. Вот я читаю повесть «Хроника времен Виктора Подгурского», какой-то Анатолий Гладилин, и там еще маленькая фотография в начале – юный красавец с косым волнистым чубом, моего возраста – во всяком случае, на фотографии. И я читаю и думаю: Боже мой, это ему кто же позволил такое печатать, это же без блата, он молодой, и как это может быть?! И я пребываю в некотором изумлении, и пребываю, и думаю: наверное, это какая-то ошибка, больше такого уже не будет точно. А оно, это безобразие, продолжается, и продолжает по нарастающей – Аксенов. И на чтении тогдашнего Аксенова я понял, что все-таки и сейчас, когда я живу, можно стать писателем настоящим, честным, умелым!.. И так Аксенов решил мою судьбу. Он как бы прямо мне сказал: ну, ты чего хочешь, пацан? Писателем стать? Давай, давай, если умеешь. Вот это от его прозы исходило адресованное лично мне – давай, ну, чего ты, давай! И окончательно я понял, что можно пробиться в советскую литературу с настоящей прозой, когда принесли «Юность» со «Звездным билетом». И как меня потом ни разворачивало – мехмат, ракетное КБ, газета, – все уже было решено: литература. Так я стал подаксеновиком. Я помню это ощущение от «Звездного билета»: ну, ты же хотел это написать, ты же хотел, вот, пожалуйста, уже написали, значит, можно, ну, так и пиши.

Е.П.: Была советская народная поговорка – можно, но только осторожно...

А.К.: А что можно только осторожно и только до поры – это я узнал много позже, когда Никита Сергеевич начал всем навешивать...

Е.П.: Интересно, как у нас в юности много сближений, хотя географически и биографически все очень далеко... Интересно, что тебе из «Юности» ответил Андрей Дементьев, а я ему благодарен за то, что он первый меня напечатал после «МетрОполя». И однажды, во время, значит, всех этих погромов «МетрОполя», я иду в Пахре, в Москву собираюсь, а он едет на машине, Андрей, я не помню его отчества, Андрей Дементьев, короче, едет, останавливает машину и говорит: «Тебя подвезти?»

Евгений Попов

Я говорю: «Подвезти». Он спросил: «Как дела, жмут тебя?» Я говорю: «Жмут», – а он говорит: «Эх, Васька, Васька, такой замечательный парень, что они с ним делают...» Сказал, и дальше мы погрузились в молчание... Ладно, продолжим про подаксеновиков. А ведь была большая группа литераторов вполне достойных, которые не были подаксеновиками нисколько. Я тебе скажу, кто они были: многие литераторы андеграунда. Например, Лева Рубинштейн и Дмитрий Александрович Пригов, про которого я тебе уже рассказывал, что он не знал, где находится журнал «Юность», никогда его не читал. И Лева вспоминал, что в их кругу бывало так: человек читает стихи или рассказ, а в качестве оценки получает «это такое говно, что и в "Юности" можно напечатать». Хотя, например, отъявленный диссидент, публиковавшийся потом в «Гранях», Юрий Карабчиевский печатался в «Юности». И многие печатались в «Юности», будучи диссидентами. Но при этом в большинстве диссиденты и писатели андеграунда не были подаксеновиками, некоторых из них Аксенов раздражал, как раздражали вообще все печатающиеся при советской власти литераторы, как раздражал Евтушенко, как раздражали Вознесенский, Ахмадулина... Просто считали, что ничего этого, всей этой «Юности», не надо, потому что настоящая литература кончилась – Цветаева, Мандельштам, Ахматова, ну, Пильняк, допустим, Платонов, конечно, а не эти, благополучные мальчики и девочки. Из которых первый – Аксенов. Это была такая *антиподаксеновщина*... В Питере антиаксеновские, так условно выразимся, сильные настроения были среди неофициальных литераторов. Там свои кумиры были.

А.К.: Они были... если можно так выразиться, более жесткие... Но у меня есть одна история про андеграунд и «Юность». Когда я написал свою первую, совершенно юношескую повесть «Родные и близкие», которая и по сей день не опубликована и лежит в виде тонкой стопки желтой бумаги у меня в столе, я показал ее моему тогдашнему ближайшему другу, художнику андеграунда, – что, впрочем, не мешало ему прилично зарабатывать на рисовании эскизов конфетных ко-

«Строгий юноша» В.П.Аксенов, главный герой этой книги

1934. П.В.Аксенов и Е.С.Гинзбург на заре их комсомольской юности, закончившейся ГУЛАГом

Е.С.Гинзбург, уже изведавшая все прелести «крутого маршрута»

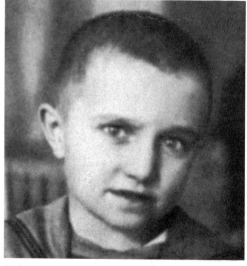

Ребенок Вася Аксенов, которого вот-вот отправят в дом для детей «врагов народа»

Антон Вальтер, муж Е.С.Гинзбург, обретенный ею в ГУЛАГе, когда она полностью уверилась в том, что П.В.Аксенова уже нет в живых

1954. Счастливая магаданская ссыльная семья: Вася Аксенов, сестра Тоня, мама Евгения Семеновна

Магадан, 1950. Студент Василий Аксенов, Евгения Семеновна, Антон Вальтер

Коллеги. Студент 1-го Ленинградского медицинского института Василий Аксенов (справа) с друзьями

Трогательный кадр из фильма «Коллеги» (Олег Анофриев, Василий Ливанов, Василий Лановой)

Самый знаменитый снимок самого знаменитого прозаика шестидесятых Василия Аксенова

Титул той самой знаменитой книги, с которой началась слава молодого писателя Аксенова

Великий литературный
сиделец Андрей
Синявский

Кумиры «шестидесятников» Василий Аксенов
и Андрей Вознесенский

Друг питерской юности
Аксенова кинорежиссер
Илья Авербах

Мэтр В.П.Аксенов на джазовом фестивале с молодым писателем
Александром Кабаковым, еще не знающим, что он напишет эту книгу

Анатолий Гладилин.
Закадычный друг
Аксенова и патриарх
«исповедальной прозы»

Анатолий Найман.
Старинный друг
Аксенова

Василий Аксенов и Евгений Евтушенко
мирно курят на фоне автомобиля «жигули»,
принадлежащего одному из них

Юрий Казаков.
Прозаик, которого
обожал Аксенов

Обложка первого типографского издания альманаха «МетрОполь», напечатанного в США

1979. Метропольцы со своим «МетрОполем» в мастерской Бориса Мессерера. Евгений Попов, Виктор Ерофеев, Белла Ахмадулина, Андрей Вознесенский с Зоей Богуславской, Борис Мессерер, Фазиль Искандер, Андрей Битов, Василий Аксенов с женою Майей

Проводы Василия Аксенова в зарубежную поездку, закончившуюся лишением его советского гражданства. Борис Мессерер, Филипп Берман, Светлана Васильева, Василий Аксенов, Белла Ахмадулина

1980. Уезжая на Запад, Василий Аксенов оставляет на родине молодого писателя Евгения Попова

1990. Наступила так называемая СВОБОДА. Евгений Попов и Василий Аксенов покупают в Вашингтоне майку того же названия

Евгений Попов
и Василий Аксенов
пред вратами
«Голоса Америки»

1990. В студии «Голоса Америки». Журналист Илья Левин, Евгений Попов,
Владимир Войнович, Василий Аксенов

Орлеан, 1984. Жизнь эмигрантская. Виктор Некрасов,
жена его пасынка Мила Кондырева, Василий Аксенов,
Майя Аксенова, сотрудник радио «Свобода» Макс Раллис

Профессор
Университета
им. Дж.Мэйсона
В.П.Аксенов

Василий и Майя Аксеновы

«Эрика» берет четыре
копии, но уже грядет
время компьютеров

В.П.Аксенов – классик на босу ногу, которого
любили женщины, дети и животные

Василий Аксенов: «Не все знают, что я не только писатель, но и читатель»

Биарриц, Франция. 5 января 2006. Василий Аксенов с Евгением Поповым в день шестидесятилетия этого некогда «молодого писателя»

Вроде недавно это было, а какие молодые оба. Дом журналиста, 1990-е

Василий Павлович с сыном Алешей Аксеновым и крестником Васей Поповым

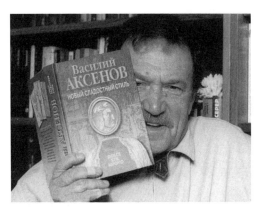

Книги Аксенова снова издают на родине, в бывшей стране СССР

Это — Пушик, Пушкин, скорее член семейства Аксеновых, чем просто пес

В.П.Аксенов посвятил красавице Майе Кармен, своей будущей жене, судьбоносный роман «Ожог»

Белла и Вася

Актер Зиновий Гердт обожал Аксенова (взаимно)

Авторы этой книги с двумя кумирами их юности — Анатолием Гладилиным и Василием Аксеновым

Два великих «шестидесятника» — Алексей Козлов и Василий Аксенов

Четыре друга — Евгений Попов, Василий Аксенов, Александр Кабаков и тибетский спаниель Пушкин (в центре)

робок. Прочитал он эту повесть и говорит мне: «Ну, понятно, твои кумиры – эти Аксенов, Гладилин», – почему-то он еще назвал в этом ряду Толю Макарова...

Е.П.: А он разве был тогда уже столь известен? Он же стал известен, когда написал «Человека с аккордеоном».

А.К.: Понимаешь, он был как бы из той же категории в представлении человека андеграунда: приличный автор, ну, журналист, но ведь печатается – значит, как и эти все, не может рассматриваться всерьез...

Е.П.: Он в «Неделе» работал.

А.К.: Да, вот эти твои кумиры, сказал мой друг как-то брезгливо, а потом сверкнул бешено своими еврейскими глазами и сказал: «Они хотят с коммунистами сотрудничать, а с коммунистами сотрудничать нельзя никак!»

Е.П.: То есть в неприятии андеграундом Аксенова и вообще, условно говоря, «Юности» и даже «Нового мира» было что-то политическое?

А.К.: Нет-нет, не политическое. Я ему говорю: «А как же быть, у нас же нет некоммунистических журналов и издательств, где же печататься, с кем сотрудничать?» А он еще более бешено сверкнул и говорит: «С теми, с кем сотрудничал Платонов, когда писал "Котлован"». Я же, к моему стыду, не знал тогда ни черта, был вполне провинциальный молодой человек, проведший почти все детство и всю юность не в Москве. И я его спрашиваю: «А где же этот "Котлован" почитать?» Он взял с меня расписку кровью и так далее, а взамен дал отпечатанные на папиросной бумаге листочки. Я за ночь, естественно, «Котлован» прочитал...

Е.П.: Эх, я бы ему ответил бы сейчас, твоему другу, я бы ответил...

А.К.: А я тогда ему ответил. «Котлован» прочитал, приношу и говорю – лучше буду сотрудничать вот с этими коммунистами, которые уже ни черта не коммунисты, чем с теми, настоящими, с которыми хотел сотрудничать Платонов твой! Это была, конечно, наглость свинская, но я что-то такое через эту папиросную бумагу усмотрел, еще до «Чевенгура». Я был не-

Евгений Попов

глупый молодой человек. И мы поссорились, почти до драки... Да. Мы поссорились почти до драки, понимаешь, вот что такое были расхождения *анти*подаксеновиков и подаксеновиков.

Е.П.: Я сейчас – не тогда, конечно, когда тоже не очень много знал, а сейчас, уже зная все, – я ответил бы легче и, может быть, до драки не дошло бы. Я сказал бы: «А, ты имеешь в виду, чтобы я сотрудничал с Шолоховым и Фадеевым, а не с журналом "Юность"?» А вообще сейчас у нас завелся очень серьезный разговор.

А.К.: О подаксеновиках и *анти*подаксеновиках? То есть об отношениях между теми, кто сотрудничал с официальной властью, и теми, кто сам был властью – но неофициальной, андеграундной эстетической властью...

Е.П.: Ну, властью их трудно назвать.

А.К.: Нет, не трудно, они были властителями дум, точнее, вкусов значительной части поколения.

Е.П.: Ты знаешь, может, потому мы с тобой стали подаксеновиками и остаемся ими, что у нас провинциальное происхождение. Когда я уже перебрался в Москву, нет, в Подмосковье сначала, у нас бывали интересные разговоры на эту тему с перебравшимся еще раньше в Москву моим другом и земляком Львом Тараном, писавшим под псевдонимом Александр Лещёв, и с Александром Величанским, замечательным поэтом, москвичом. Саша говорил так: «Ребята вы толковые, но я не понимаю, как вы можете любить стихи Евтушенко и Вознесенского, это чушь вообще, но я к вам снисходителен, потому что понимаю – товарищи из глубинки...» Так вот, я теперь думаю, что для всех нас, провинциалов, огромнейшее значение имело творчество шестидесятников, потому что оно было распечатано официально, а другого нам и взять было негде. И Аксенова как прозаика и как яркую личность мы узнали из официальных публикаций, включая газетные отголоски хрущевского погрома. И никого из той компании молодых блестящих шестидесятников нам и в голову не могло прийти упрекать в сотрудничестве с коммунистами, хотя коммунистов мы сильно не любили. Мы понимали или чувствовали, что тогда надо упрекать и Солженицына: зачем он «Один день Ивана Денисовича» в официальном «Новом мире» опубликовал...

А.К.: А самые твердокаменные его и упрекали. И ставили ему в пример, естественно, Шаламова – и пишет, мол, честнее, и ведет себя непримиримее...

Е.П.: Совершенно верно, так было. И это абсолютно не означает, что Шаламов поэтому великий писатель. Это другой вопрос – кто великий, а кто не совсем, это прямо не связано с тем, сотрудничает он с властью или нет. Я уважаю безмерно Дмитрия Александровича Пригова покойного и Льва Рубинштейна, это настоящие крупные писатели, и я их за это уважаю, а не за то, какие у них отношения были с официальными советскими изданиями и сотрудничали они с властью или нет.

А.К.: Ты очень правильную вещь сказал насчет нашего провинциального происхождения. Там и есть наши корни как подаксеновиков. Когда журнал «Юность» пошел по стране, он шел как сеялка, шел и сеял подаксеновиков, из обычных провинциальных молодых людей вырастали подаксеновики.

Е.П.: А потом «Новый мир» пошел по стране и сеял Солженицыных?

А.К.: Ну, не Солженицыных, подсолженицыных, что ли... «Детей "Архипелага"». И мы из этой страны взошли, и я, и ты, и еще многие. А Лева Рубинштейн или Дмитрий Александрович Пригов и большая часть столичной интеллигенции, как бы «испорченной» столичной информированностью и относительной – относительно провинции – свободой, росли на другой почве. Тут семена, посеянные «Юностью», не всходили так буйно, как у нас, в глуши нашей... Тут всегда были сведущие люди, с изощренными эстетическими требованиями, совершенно не соотносимыми с возможностями официальной публикации и тому подобным.

Е.П.: Нет, как-то ты неясно говоришь, логики нет. Здесь было больше информации – так и хорошо, значит, здесь была почва более, как бы сказать, унавоженная, здесь бы и быть всходам «Юности», подаксеновикам...

Евгений Попов

А.К.: Нет, почва-то «унавоженная», она ведь порождает и снобизм, известный столичный снобизм... «Аксенов?.. Кто это? Это тот, которого я видел вчера, это он в "Юности" печатается? Подумаешь...» Я это уже в те времена слышал нередко.

Е.П.: «Это который продался официозу, официальной эстетике – вот и машина у него...»

А.К.: Именно так. «И вот его я должен считать выдающимся писателем, в то время, как я уже читал Добычина?»

Е.П.: Ну, Добычина в то время еще мало кто читал...

А.К.: Ну, не знаю, ну, Хармса, допустим...

Е.П.: Или «Вехи». «Как, вы не читали "Вехи"?! Ну тогда, конечно, читайте своего Аксенова. Вы и Мережковского, небось, не читали...»

А.К.: И вот я, молодой еще человек, проживший сколько-то в несознательном возрасте в Москве, а потом тринадцать лет в Капустином Яре, в военном городке при первом советском ракетном полигоне, там начавший и кончивший школу, потом десять лет в Днепропетровске – я, конечно, смущаюсь и говорю: «Да мне все же Аксенов нравится». Ну и все – крест на мне, я подаксеновик и для официальной идеологической власти, и для неофициальной, даже антиофициальной эстетической интеллигентской власти, для общественного мнения в довольно широком узком кругу... А я ведь, стыдно сказать, и Платонова-то впервые прочитал при вышеописанных обстоятельствах... А где я его до этого мог прочитать?! В военном городке?

Е.П.: Да-а... А тут ты говоришь, допустим, чтобы показать, что ты тоже не валенок: «А я читал "Раковый корпус"».

А.К.: Ну и что? Вполне мог налететь на снисходительную усмешку: «Так, романчик просто... Традиционализм...» Тогда я мог бы добавить: «И Бунина я люблю...» И опять налететь на полупрезрительное: «А ты Набокова вообще-то читал?..» Вот что такое был столичный снобизм, которого, слава богу, мы были лишены и поэтому, как тысячи других молодых людей нашего поколения и постарше нас, стали подаксеновиками. Мы потом добрали информации, потом Добычина прочли с Набоковым, но к этому времени уже заскорузли как подаксеновики, уже нас было довольно трудно обратить в другую веру. Оказалось, когда мы уже вызрели как подаксеновики, читать можно что угодно, отдавая должное, но это уже на основу не влияет. Знаешь, что такое Аксенов и аксеновская литература и для меня, и для тебя, и для многих в мировоззренческом смысле? Это как бы прививка, чтобы человек был эстетически, литературно здоров. Вот ты едешь куда-нибудь в тропические страны, и тебе надо сделать прививку – ты слегка переболеешь, но уже там тяжело не заболеешь. И «прививка Аксенова» – это была именно прививка, ты уже не станешь сумасшедшим и не объявишь, что, кроме Платонова или Набокова, другой литературы нет вообще.

Е.П.: На этом можно было бы и закончить про подаксеновиков...

А.К.: Нет, у меня есть еще одно соображение. Или два... Я вот о чем: а в какие стороны потом пошли те, кто в свое время стали подаксеновиками, и те, кто были *анти*подаксеновиками? Мне кажется, что подаксеновики – постаревшие, подначитавшиеся, кое-что сами написавшие – стали людьми традиционной культуры, как это теперь называется, мейнстрима. А *анти*подаксеновики склонились в сторону контркультуры, и последние поколения *анти*подаксеновиков – которые даже не осознают себя *анти*подаксеновиками, они просто шестидесятников терпеть не могут и считают успешными проходимцами и бездарями – они стали, если можно так сказать, подлимоновиками.

Е.П.: Нет, слушай, ну как же можно было бы назвать Величанского подлимоновиком?

А.К.: Я же говорю о новых поколениях подаксеновиков. Но вообще движение всех *анти*подаксеновиков в сторону контркультуры мне представляется очевидным.

Е.П.: Мне кажется, ты переоцениваешь роль Лимонова...

А.К.: Да при чем здесь Лимонов, не в нем дело. Просто для многих сравнительно и совсем молодых Лимонов – это символ контркультуры. Он как раз достаточно прост, чтобы стать

Евгений Попов

символом, а контркультура в нем нашла легко усваиваемый образец – биография, тюрьма, то-се... А вообще контркультура много разного впитала, или, точнее, контркультура в разных людях воплотилась. От того же Лимонова до Севы Некрасова...

Е.П.: Хотя они все абсолютно разные.

А.К.: Но у них есть общее: все они неприятие официальной советской, а потом и постсоветской официальной, мейнстримовской культуры превратили в неприятие культуры вообще.

Е.П.: Спорный тезис, спорный, прямо скажу.

А.К.: А ты не спеши, ты подумай. В этой нашей контркультуре много разных людей нашли утешение, и действительно изгои всяческие, эстетические и идеологические, и просто неудачники, делающие гордое лицо... Вот мой друг-художник – не знаю даже, где он сейчас, несколько лет назад, после Израиля и Америки, обосновался в Испании, в Барселоне, и перестал отвечать на письма. Жив ли? Люди-то мы старые... Вот он, как я уже тебе говорил, делал эскизы конфетных коробок по подряду художественного комбината, зарабатывал там кое-какие деньги, а дома занимался настоящим искусством, то есть своим любимым концептуализмом. Все мастерил какие-то композиции из разобранных старых часов... Но когда власти разрешили в качестве послабления после «Бульдозерной выставки» открыть зал для неофициальных художников, которых в целях затемнения общей картины назвали почему-то графиками, – ну, знаменитый зал на Малой Грузинской, – друг мой презрительно скривился и процитировал, конечно, насчет поэзии, ворованного воздуха и прочее... А я ему говорю на это – черт знает, чего меня за язык дернуло – говорю: «А ведь тебя, Толя, просто на Малую Грузинскую с твоими пружинами и шестеренками не взяли...»

Е.П.: Тут опять же по морде мог получить.

А.К.: Почему не получил – даже странно.

Е.П.: Саша Алшутов, которого я здесь уже вспоминал, обещал меня познакомить, *если я напишу когда-нибудь что-нибудь стоящее*, с самим Федотом Сучковым, легендарной личностью советской неофициальной культуры... Сам Алшутов писал стихи, не было в них ничего антисоветского, они были просто эстетически другие. Печатался он иногда в «Молодой гвардии», жил в нищете... И вдруг я к нему прихожу и вижу, что у него страшно все изменилось: у него стоит пишущая машинка «Оптима», какие-то циновочки на полу разложены, понимаешь? Я говорю: «В чем дело?» – а он говорит: «Я песню написал – "Проходит кавалерия..."» То есть такую военно-революционную песню, под нее потом Буденного хоронили... Это человеку неофициальной культуры можно было, понимаешь, и никто его не осудил. Потому что это он подхалтуривал откровенно, а вот кто искренне писал и пытался официально опубликоваться – эти, считалось, продавались... Мне в те времена давал читать книжки Марк Соболь, у него все хорошие книжки были, я из его тайников многое прочитал, когда мне было лет двадцать, – Пильняка, Замятина, Ремизова... Пытался сочинять нечто в духе этих забытых тогда мэтров. Так вот, однажды я встречаю Алшутова, и он говорит: «Что, как дела?», а я говорю: «Ну, опять носил свои рассказы в "Молодую гвардию" и опять мне отказали», а он говорит так снисходительно: «Все ходишь в "Молодую гвардию"». Тут я не выдержал и говорю: «А ты все пишешь пьесу о Христе?» Потому что он часто говорил мне, что как только время будет, сядет писать пьесу о Христе. «Это будет *Пьеса*, я им покажу!..»

А.К.: Вот в том-то все и дело. Были люди, которые писали о бичах дальневосточных, о старике Моченкине, об обычных вещах и печатали это в «Юности» или пытались печатать. Не брезговали... А другие говорили: я напишу пьесу о Христе, я не буду в вашей коммунистической «Юности» печататься, приспосабливаться и пачкаться, а в результате ничего не написали или написали незначительную херню. Написали, но не пьесу о Христе, а некое заурядное произведение авангарда, или даже незаурядное произведение контркультуры и авангарда, но не великую пьесу о Христе, ничего великого и даже просто значительного. Мой незабвенный друг, не раз уже мною упомянутый, уезжал в семьдесят втором году по израильской визе. И я ему сказал совсем беспощадную вещь – этот случай вставлен у меня в один рассказ, в рассказе сказавший получает по физиономии, и справедливо, а в жизни я по морде не получил, но мог. Я ему сказал: «Здесь у тебя персональной выставки не было и не будет, и тебе понятно почему – потому что здесь всем заправляют коммунисты, – но если и там не будет, где свободное искусство и вообще свобода, если ты не готов к этому, тогда только в петлю». Но оба мы были сильно пьяны по поводу его отъезда, поэтому все закончилось не дракой, а слезами.

Е.П.: Тут можно и заплакать, возможны варианты... А я сейчас каяться буду: я ведь был не прав тогда, когда издевался над, допустим, революционными пьесами Шатрова, теми, которые про «ленинские нормы» и прочую глупость. Потому что любое публичное расшатывание системы, понимаешь...

А.К.: Ну, пьесы Шатрова мне не нравились и не нравятся просто как пьесы...

Е.П.: У меня с его пьесой связано одно забавное воспоминание. Уже я был выгнан из Союза писателей... И вот с Романом Солнцевым и человеком по фамилии Махаев, он служил завлитом у Марка Захарова, мы пьянствуем в Переделкине. Проходит час, другой, и Махаев мне говорит: «Терпеливый ты парень». Я говорю: «А в чем дело?» Он говорит: «Да вот, не просишь у меня контрамарку». Я говорю: «А куда?» Он говорит: «А на спектакль по пьесе Шатрова "Зеленые кони на революционной траве"»... Или как он там назывался?

А.К.: Не помню точно, меня от этих революционных названий тошнит.

Е.П.: Я говорю: «А мне это зачем?» Он говорит: «Как так зачем, все просят, там Ленин показан в совершенно другом виде». Я говорю: «Его в каком виде ни покажи, он есть упырь, и больше ничего». Он ахнул, а потом говорит: «Ладно, пускай упырь, пускай, давай это опустим, хотя я так не считаю, но ты понимаешь, что там Троцкий появляется, в этом спектакле?» А я говорю: «Троцкий твой – такое же говно, как Ленин»... Он даже не нашел, что на это сказать... Вот такой был разговор.

Александр Кабаков

И вдумайся: в нем я уже выступал в роли этакого *анти*подаксеновика непримиримого.

А.К.: Совершенно верно. По отношению к таким шестидесятникам, которые всё носились с «ленинскими нормами» и прочей революционной брехней, мы, подаксеновики, выступали как, условно говоря, *анти*подаксеновики, ниспровергатели и радикалы.

Е.П.: Но ты меня утешил, я сейчас было очень огорчился, что когда-то выступал в такой роли, но ты меня успокоил – к тому времени я уже прививку получил аксеновскую, прививку от безумия непримиримости. И поэтому хотя на шатровские пьесы не ходил, но и полностью от взаимодействия с официальной жизнью, только с немного вольнодумных позиций, не отказывался...

А.К.: А полностью от взаимодействия отказывались такие идейные или эстетические радикалы, такие, которых теперь называют «продвинутыми». А я продвинутых терпеть не могу. Нехрен быть продвинутым, надо быть нормальным.

Е.П.: Вот тут я, наверное, с тобой соглашусь. Нормальным – то есть, извини меня за такое слово, народным... И не строить свою позицию исключительно на «анти». *Анти*подаксеновики, антикоммунисты, антиконформисты, все «анти»... И знаменитая фраза Бродского...

А.К.: «Если Евтушенко против колхозов, то я за»?

Е.П.: Как можно свое отношение к чему-то строить на том, кто за это, а кто против? Если такой-то против, то я за... Как можно в своих взглядах зависеть от кого бы то ни было? Эта фраза – просто острота... Но у Бродского есть и другое. Он рассказывал Соломону Волкову, как он, в ссылке находясь, на работу ходил в пять-шесть утра, и ему было хорошо от того, что он чувствовал, как миллионы его сограждан делают то же самое в это время. Это тоже говорил Бродский.

А.К.: Я же никак не могу отвлечься от этой фразы насчет колхозов. Потому что она шире своего первого, легко улавливаемого смысла. Она касается не столько самого Бродского, сколько многих людей культуры, которые бросились в контркультуру

Евгений Попов

именно из этих же соображений: раз вы все за культуру, то мы против. Что такое контркультура? Это же даже дословно: против культуры... А я так не могу строить свое отношение ни к культуре, ни вообще к миру. И если вернуться к той фразе, то мне все равно, кто за колхозы и кто против, – я сам по себе против. И мне не нравится, когда современная молодая интеллигенция вкусы в себе культивирует контркультурные, а взгляды – левые. Эти ребята – молодые, интеллигентные, образованные, талантливые, они говорят: раз теперь истеблишмент против Ленина, то мы за Ленина. А я говорю: да хоть бы тысячу раз власть была против Ленина или за – я всегда против.

Е.П.: Сейчас подлейшую реплику тебе задвину: ишь ты, как независимо разошелся лауреат премии Правительства Российской Федерации...

А.К.: *Логичная, логичная реплика, и я ее тысячу раз слышал и тысячу раз еще услышу. Что я на это вам, господа, скажу? А вот: Юрий Валентинович Трифонов, например, был лауреатом Сталинской премии, а вот, например, Федор Матрасыч Пупкин лауреатом не был и был, допустим, даже убежденным, благороднейшим антикоммунистом. Но от этого ничего не изменилось – Трифонов есть и будет Трифонов, а Пупкин остался Пупкиным и в этом качестве рассеялся.*

Е.П.: Это ответ, годится. Все, на этом в наших рассуждениях о подаксеновиках и других людях точку ставим.

ПРИЛОЖЕНИЕ

У нас в гостях московский писатель
ВАСИЛИЙ АКСЕНОВ
«МНЕ ДАВНО ХОТЕЛОСЬ УВИДЕТЬ САХАЛИН»
Областная газета «Молодая гвардия», 1961, 20 декабря

Позавчера на Сахалин прибыл из Москвы молодой известный писатель Василий Аксенов, автор романов на молодежные темы. Ниже мы публикуем интервью нашего корреспондента с В.Аксеновым.

– Расскажите, пожалуйста, как создавался ваш роман «Коллеги»?

– Это значит рассказать всю жизнь, – улыбается В.Аксенов. – В 1956 году я закончил Первый Ленинградский медицинский институт и стал работать врачом в порту. Затем меня направили в небольшой поселок Вознесенье, который расположен на берегу Онежского озера. Впечатлений у меня было очень много, и я чувствовал, что не могу не написать о людях, с которыми мне пришлось встретиться в порту и поселке, о том, что увидел и пережил. В Вознесенье я начал работу над «Коллегами», писал их по ночам. А не так давно я неожиданно для себя самого увлекся кинематографом. Сейчас студия «Ленфильм» ставит по моему сценарию кинофильм «Когда разводят мосты». Режиссер – выпускник ВГИКа Виктор Соколов.

– Вероятно, это фильм о молодежи?

– Да. Героем его будет парень из рабочей семьи. Он кончает десятилетку и мечтает о дальних плаваниях. Пытается поступить в мореходное училище, но на экзамене проваливается. В довершение всего Валерка ссорится с отцом, бригадиром на плавучем 100-тонном кране, и решает жить самостоятельно. Он меняет несколько профессий, работает почтальоном, грузчиком, массажистом и осветителем в театре. Потом он поступает матросом на пароход под звучным названием «Навигатор». Он думает, что это огромный океанский лайнер, а пароход оказывается просто-напросто маленьким портовым буксирчиком. Незаметно для самого Валерки буксирчик становится ему дорог, и, когда «Навигатор» терпит аварию, паренек испытывает настоящее горе. Он пытается отремонтировать его вместе со своими друзьями. В этот момент к ним приходит на помощь бригада Валеркиного отца. Валерка снова возвращается в родной дом. Так, пройдя через различные испытания, он убеждается, что истинным его домом является рабочая семья.

Сейчас я пишу рассказы, из которых собираюсь составить книжку. Одновременно собираю материал для будущего романа, в котором хочу рассказать о людях нового маленького сибирского города.

– С какими планами вы прибыли на Сахалин?

– Я прибыл сюда по поручению газеты «Известия». Правда, я давно мечтал увидеть остров. Собираюсь встретиться здесь с лесорубами, бумажниками, шахтерами, портовиками. Вообще хочу посмотреть, как трудятся люди Сахалина. Первое впечатление об острове у меня очень хорошее.

В заключение беседы В.Аксенов просил передать искренний привет всем читателям «Молодой гвардии».

Два письма

Областная газета «Молодая гвардия», 1963, 12 апреля

Молодежь Сахалина и Курильских островов близко к сердцу восприняла итоги встречи руководителей партии и правительства с работниками литературы и искусства. В редакцию продолжают поступать многочисленные письма, в которых высказывается полное и горячее одобрение политики нашей партии в области литературы и искусства. Сегодня мы публикуем два письма наших читателей.

Сгоревший фейерверк

Будь поэтом, землекопом, счетоводом – кем угодно, но будь прежде всего и во всем – человеком! Это первейшая заповедь нашей жизни.

О ней, об этой нерушимой заповеди, забыл Евгений Евтушенко, выступив на страницах буржуазной печати со своей «Автобиографией». Каким низким, мелким, ничтожным оказался человек, когда-то призывавший осваивать целинные земли, воспевавший в стихах кубинский народ, говоривший о долге поэта, о верности, о любви к Родине. Да он никогда и не был патриотом, а лишь прикрывался маской советского поэта! В одном из своих стихотворений Евтушенко написал о том, что «большой талант всегда тревожит и кружит головы». Вероятно, от «большого таланта» и закружилась у него голова. Закружилась и заставила так гнусно, грязно оклеветать нашу советскую действительность, что, знакомясь с его писаниной, становится обидно и больно сознавать: а ведь этот человек живет рядом с нами, ест наш советский хлеб, его покой охраняют наши советские воины. Евтушенко не пережил, не выносил строки своих стихов, не выстрадал их, – иначе мог ли он, говоря:

Поэт глядит, всевидяще суров,
И даже мертвый – он все тот же воин.
И даже мертвый – страшен для врагов…

встать рядом с буржуазными писаками, обливающими потоками грязи наши дела и наш строй.

О первой заповеди жизни забыл и В.Аксенов, «выпустив» на страницы журнала «Юность» отталкивающих, пошлых «типчиков», героев идейно-несостоятельной повести «Апельсины из Марокко». Они, словно сорняки, местами выросшие на бескрайнем поле золотых колосьев, мешают нам работать жадно и плодотворно, отдавая свои силы и знания родной стране. Мы должны вырывать их с корнем, выпалывать, бороться с ними. А В.Аксенов не нашел в себе достаточно сил и разума, чтобы осудить вульгарность и духовную нищету своих героев, не нашел в наших буднях захватывающей романтики, не воодушевился крылатой мечтой, благородной жаждой работать во имя будущего.

Суд общества – это суд истории: он суров, прям и справедлив. Евтушенко, Аксенову, Вознесенскому и тем, кто поддерживает их, следует помнить об этом. Иначе имена шумливых, падких на саморекламу «талантов» отойдут в безвестность, исчезнут без следа, как сгоревший фейерверк.

Л.Сапрыгина, строитель, г. Южно-Сахалинск

Кого он взял в герои?

Выразить свое отношение к заграничным разглагольствованиям Евтушенко я могу одним словом: презрение. Да, именно презрение, потому что никаких других чувств не испытываешь, знакомясь с его философскими «перлами», с его самодовольными, позерскими «откровениями».

И где-то в том же ряду стоят интервью Вознесенского и Аксенова, с такой «щедростью» розданные ими во время зарубежных поездок. Объяснить это можно лишь тягой к саморекламе, к шумихе – теми же причинами, которые, на мой взгляд, привели к появлению «усложненных» стихов и повестей, словно бы списанных с западных образцов. Я имею в виду повесть В.Аксенова «Апельсины из Марокко».

Аксенов показал нашу молодежь не такой, какой она есть на самом деле, – чистой, светлой, духовно богатой, устремленной в завтра. Кого же взял писатель в свои герои? Пьяница Корень, дешевый пижон Колтыга, дешевый скептик Колчанов – не этих ли отрицательных, грубых, самокрасующихся людей автор пытается выдать за типичное, за «героев нашего времени»? Я не хочу сказать, что нет у нас таких хлюпиков, нет у нас людей, изъясняющихся на полублатном жаргоне и исповедующих аморальность, бескультурье, кокетничающих «раздвоением личности». К сожалению, такие люди у нас еще есть. Но их крайне мало, их – единицы. И когда Аксенов тщится убедить нас в том, что его героям несть числа, – позвольте не поверить ему! Слишком слабо знает писатель то, что берется описывать, и слишком далек он от жизни, черпая вдохновение из мутных западных источников, а не из чистого родника нашей действительности. Очень жаль, что у нас появлялись книги, подобные повести В.Аксенова. И, дав отпор очернительству, крикливому нигилизму, партия сделала доброе дело: расчистила дорогу настоящим писателям и оградила их от тлетворного соседства со всяческими «измами».

Л.Волкова, студентка историко-филологического
факультета Южно-Сахалинского пединститута

«Подаксеновики»
Газета «Южно-Сахалинск сегодня», 2010, 9 сентября

Несколько лет назад известная российская журналистка и литератор Кира Ткаченко, пишущая для детей и на религиозные темы, вспоминала:

Приложение

— В 1960-е годы в Южно-Сахалинске существовала группа молодых литераторов — выпускников московских и ленинградских вузов. Работали они кто в газете, кто на радио, кто на телевидении. Печататься было негде, а сочинялось много. Каждому хотелось поделиться своими новыми произведениями, потому и собирались по домам, читали, спорили.

Неудивительно, что приезд такого мэтра, как Василий Аксенов, стал для пишущей братии событием первостепенным. Все забросили свои дела ради того, чтобы с ним встретиться. Аксенов проявлял интерес к коллегам и землякам, терпеливо выслушивал наши стихи и прозу, что-то обещал, что-то одобрял.

С легкой руки жены одного из журналистов, которая приревновала мужа к этим посиделкам, компания аксеновских почитателей была названа подаксеновиками. Мы не обиделись — наоборот, прозвище даже польстило, но никто не предполагал, как это слово отзовется...

Вернувшись в Москву, знаменитость напечатала в одном из столичных журналов свой новый рассказ, который назывался «На полпути к Луне». Совсем безобидный рассказ, такой лирический, такой трогательный, но сахалинские власти усмотрели в нем крамолу: издевательство над простым человеком, шахтером Кирпиченко. Разразился скандал, вот тогда-то и припомнилось словечко «подаксеновики». Всех, кто общался с автором рассказа, осужденного партийной элитой, под разными предлогами выдворили с острова.

ГЛАВА ОДИННАДЦАТАЯ
АКСЕНОВ INTERNATIONAL

ЕВГЕНИЙ ПОПОВ: То есть речь о международной известности Аксенова... Для начала могу тебе рассказать байку про то, как я встретил в стране Румынии великого, значит, писателя Алена Роб-Грийе, просто легендарного. Ему было уже за восемьдесят лет, он потреблял красное вино и был хитёр. Сообщил сначала, что по-английски не говорит, потом выяснилось, что говорит. Когда я его спросил, хрена ли ему делать в Румынии, великому человеку, он мне ответил: «Ты вроде парень на вид умный, а не понимаешь, что ли, ничего? Мне сказали, что я здесь получу премию в десять тысяч долларов, вот и все». Я говорю: «Все понял...»

АЛЕКСАНДР КАБАКОВ: Деньги вообще-то небольшие... Но деньги.

Е.П.: Вот именно – но деньги. А я не думаю, что Ален Роб-Грийе вообще купался в деньгах. Небольшие деньги, но почему не приехать в Румынию, да еще и денег получить?.. И вот зашла у нас с ним, который за деньгами в Румынию приехал, речь вдруг о Василии Павловиче Аксенове. На фамилию «Ак-

сенов» он мгновенно среагировал: «А-а! Аксенов, Василий!»
И вдруг лицо его озарилось такой улыбкой, мужской, я бы сказал, и он говорит: «Шестьдесят второй год, Петербург... это самое... Ленинград... Да-а...» То есть я чувствую, там были выпивка, похождения... То есть они были с Роб-Грийе как бы
приятелями. А это не кто-нибудь, а Роб-Грийе. Вот и мировая
известность, причем, как бы это сказать, не то что чисто писательская, а человеческая известность... И почему я про Румынию вспомнил – потому что вообще контакт с миром и контакт
мира с нами шел через страны так называемой народной демократии, там раньше всего и появились переводы Аксенова.
Я когда жил в квартире Евгении Семеновны Гинзбург – там был
полный бардак, на полу, в углах валялись рукописи, книжки
подаренные... И там лежало много экземпляров аксеновских
книг на языках этих самых стран народной демократии, включая, по-моему, монгольский... В общем, чтобы закончить мою
довольно путаную речь, я тебе скажу так: с Роб-Грийе он выпивал, но внедренным в западную культуру в шестидесятые и даже семидесятые годы еще не был, дальше этих стран народной
демократии не распространялся.

А.К.: По ходу всего долгого нашего разговора происходит
вот что: мы пытаемся определить... вернее, присвоить ранг
литературе Аксенова... Вот есть некоторое литературное и социальное явление – Василий Аксенов. Что же оно собой представляет для истории русской литературы, мировой литературы? Что же оно собой представляет? Почему его еще в шестидесятые едва ли не больше всех советских писателей знали
в Европе и Америке и почему сейчас, после смерти, он один из
самых продаваемых авторов в России? Так вот что это означает, на мой взгляд, с точки зрения ранга его литературы: Аксенов всю свою жизнь прожил и остается обгоняющим время.
Был и остался первым. Ведь это ж надо – найти тон и тему для
разговора с нынешними читателями, с ребятами, которые ему
во внуки годятся!.. Почему они покупают «Кесарево свечение», «Редкие земли», новый этот роман... вообще о конкретных людях, шестидесятниках, которые умерли все, «Таинствен-

Евгений Попов

ная страсть», – стоит в рейтинге впереди не всех, но многих. Что такое? Кому какое дело есть теперь до Хрущева?! Это все умерло, ничего этого нет, но книжку покупают. Причем, заметь, самую... самое сомнительное его издание... Да, он нас всех обходил и обходит, он и в мир прорвался раньше многих... К его последним романам, начиная со «Сладостного стиля», огромное количество литературных претензий. Литературная тусовка их не приемлет, их топчут, и более того, я тебе скажу, – я их сам не совсем принимаю. А молодые читают. Он *попал* в очередной раз... Вот мы все не попадаем, а он попал. Это, знаешь... Это даже не талант, это нечто отдельное... И вот, чтобы закрыть тему, на которую мы еще, в сущности, и не начали говорить, я так скажу: наплевать мне на его международную известность. Международная известность русского писателя не имеет никакого или почти никакого отношения к его реальной... к его реальному значению на родине.

Е.П.: Я тут с тобой буду спорить. Я считаю, что имеет, самое непосредственное отношение. Но главное – мы сейчас ведь не это обсуждаем: имеет или не имеет. Ты считаешь так, я считаю по-другому...

А.К.: Тогда вопрос по теме вот в чем: почему Аксенов долгие годы, очень долгие годы представлял русскую прозу за границей?

Е.П.: Ну что значит «представлял русскую прозу»?

А.К.: Это значит, что он был одним из самых сильных русских прозаиков, не классиков XIX века и не советских классиков вроде Шолохова, а современных прозаиков, которых принимали за границей и которых переводили. Он, скажем так, представлял текущую русскую прозу...

Е.П.: Ну, не один Аксенов. Он – один из.

А.К.: Ладно, пусть так. Но в каждом из них, из тех, кто тогда вырвался за пределы... В каждом был свой секрет, секрет, который и вызывал к ним интерес за границей. Вот аксеновский секрет, думаю, в том, что он относился к объекту изображения, вообще к тому, что писал, абсолютно искренне. Это один из самых искренних, на мой взгляд, русских писателей.

Александр Кабаков

Е.П.: А кого... словом, кого волнует эта искренность *там*? Мы же говорим о международной известности.

А.К.: О, нет, нет, нет, не согласен! Как раз искренность все чувствуют, или отсутствие искренности, именно она проступает через все переводы, ее чувствуют, несмотря на незнание реалий.

Е.П.: Хорошо. Значит, искренность... Это мне кажется не очень точным, насчет искренности. Как раз в международном интересе к Аксенову могло что-то другое быть, более социальное, понимаешь? Ты слишком хорошо думаешь о загранице. А я думаю, что начхать им было на искренность, тем более что поначалу, не разобравшись, его признали западные «леваки» как своего, бунтаря. Но не бунтаря против социализма, столь ими любимого, это они в расчет не брали, а бунтаря вообще. У них был такой идеологический дальтонизм, не полный, но цвета они плоховато различали. Только светлей и темней. Им казалось, что Аксенов протестует против «неправильного социализма». А они знают, какой должен быть правильный, поэтому Аксенов для них свой. Поэтому они его и поддерживали. Все его издатели, знакомые тамошние в первые годы его известности были западные левые. Они и всю эту компанию поэтому же поддерживали – Евтушенко, Вознесенского... Потому что полагали, будто перед ними новые русские советские бунтари.

А.К.: Тут я с тобой совершенно согласен, но просто мне казалось не очень интересным про это говорить, потому что совершенно понятно – для западной интеллигенции все они были прежде всего борцами против такого окостенелого истеблишмента, причем какой истеблишмент – правый, левый – не имело значения. Главное, что они были революционеры. Но это не очень справедливо, на мой взгляд, и даже совсем несправедливо, это такая вульгарная социализированность, вообще западной интеллигенции свойственная. В одну компанию попадали разные люди, очень разные авторы. Аксенов – и Евтушенко, Кузнецов – и Гладилин, Вознесенский – и Ахмадулина. Их объединяли, потому что как сейчас не очень разбираются, так и тогда не очень разбирались в тонкостях нашей внутренней, главной, если так можно выразиться, нашей жизни, и не очень ею интересовались. Ну, этот вот, Евтушенко, – он вроде бы Сталина ругает – годится. Аксенов? А, написал про такую неприкаянную молодежь в «Звездном билете» – тоже туда же. Не понимали и сейчас не понимают разницы ни литературной, ни социальной даже, ни чисто человеческой. А искренность Аксенова им была, пожалуй, действительно ни к чему, но ее замечали просто читатели. Ну еще издатели, но никак не университетская публика, которая делает там репутации...

Е.П.: Я бы сказал – даже не то что не желали и не желают понимать, а просто не задумывались. И получалось, что... ну, допустим, Ален Гинзберг протестует, и Аксенов протестует, понимаешь? И любой истеблишмент для них отвратителен, и не было для них особой разницы между, например, Брежневым и Никсоном.

А.К.: Вообще в шестидесятые происходили странные вещи. Университеты тогда все время бунтовали, студенты лезли на стенку. В Кентском университете кидают камнем в полицейского, полицейский открывает огонь, убивает парня. В это же самое время происходит бунт в Карловом университете в Праге, студент Ян Палах сжигает себя... Ну и так далее. Молодая, образованная, традиционно бунтарская толпа везде выступает против власти. Но никто не понимает, что если бы Яна Палаха свести в тихом месте с этим малым, которого убили в Кентском университете в Америке, они бы между собой подрались насмерть. Они ведь придерживались прямо противоположных взглядов на всё, понимаешь? Это было странное явление, когда в социалистическом лагере правые вели себя как левые в капиталистическом.

Е.П.: Хорошо. Давай к Аксенову все-таки вернемся. Вот скажи, ты согласен с тем, что его сначала обожали левые? А почему? Потому, я считаю, что все слависты были левые, все поголовно.

А.К.: А им было все равно. Раз его гнобит власть, они его любят.

Александр Кабаков

Е.П.: Мне рассказывали многие из них, что они русский язык начинали изучать, потому что восхищались СССР и вообще социализмом.

А.К.: И они не понимали: как же так, ну, приличный человек, писатель, но не левый... И сейчас, даже после крушения коммунизма, они там не сильно поумнели...

Е.П.: И вот левые, то есть слависты разнесли его славу на Западе. А когда же его стали правые любить?

А.К.: Никогда. Его правые вообще не полюбили. Знаешь почему? Потому что правые — тупые. Вот в чем ужас. Правые — тупые. Они любили генералов, а не писателей. Тут я с Васей схожусь: среди левых быть не хочется, а среди правых — просто невозможно.

Е.П.: Возвращаемся к Аксенову. Итак, что же получается? Понимали его и любили по-настоящему — в СССР, в России. Любили, но меньше понимали — в странах народной демократии, то есть на ближнем, так скажем, Западе. И с самой большой симпатией к нему относились на Западе настоящем. Вот так, я полагаю, было, пока не рухнул Советский Союз...

А.К.: Не могу вполне согласиться, извини. Я считаю, что знали его и понимали до конца и у нас не все, но немногие упертые, вроде нас с тобой, поклонники. В странах народной демократии... то есть в Восточной Европе, там... такая промежуточная жизнь, промежуточное было и к нему отношение. А вот где его меньше всего понимали — это как раз на Западе! На Западе его понять не могли... не могли именно по той причине, что для них любое сопротивление власти было левым, а он сопротивлялся здешней власти не с левых позиций. И, я думаю, этим объясняются некоторые литературные неудачи его на Западе, в частности, неудача с блестящим романом «Ожог». Дело не только в известной истории с... ну, известной, в общем, истории, не будем мы сейчас этим заниматься...

Е.П.: Речь о неодобрительном отзыве Бродского на «Ожог»?

А.К.: Да, но дело не только в этом. Дело в том, что было еще такое общее отношение, к нему западные интеллигенты относились как... как к XX съезду. «Вот мы верили в коммунизм,

Евгений Попов

а потом прошел XX съезд, и нашу веру всю обгадили. Вот мы верили в русскую литературу, а потом вот Аксенов написал "Ожог", и оказалось, что русская литература не левая. Нас это не устраивает...» И я думаю, что на очень долгое время это наложило отпечаток на отношения между Аксеновым и западным литературным миром. Очень сильно уменьшило возможности аксеновской литературы на Западе. Потому что по всем другим показателям, по всем другим признакам аксеновская проза на Западе должна была бы идти изумительно. Мы должны признать, этого не произошло. К сожалению. Аксенов не стал там хорошо продающимся, постоянно находящимся в центре интересов западным писателем. Этого не произошло в большой степени потому, что Запад не понял его позиции. Его позиция – правая, он был правым, и нечего тут дурью маяться. Он был настоящим правым. А правым писатель на Западе быть не может, и это была совершенно трагическая ситуация. Что он крупный писатель, этого никто там не отрицал, но, с другой стороны, правый – не мог быть принят тамошним культурным кругом. Чужой... И не просто чужой, а монстр, «таких не бывает!»

Е.П.: Как же не бывает? Вон Кнута Гамсуна в фашизме обвиняли...

А.К.: Правильно обвиняли-то. И – бойкот. Не говоря уж о том, что это когда было, с Гамсуном? А с Аксеновым Запад разбирался в восьмидесятые, после тотального полевения в шестьдесят восьмом. Оруэлл тоже пятьдесят-шестьдесят лет назад прошел эволюцию из коммунистов в антикоммунисты... Так ему это через полвека припомнили.

Е.П.: Хаксли, пожалуйста... Стейнбек... тоже к концу дней своих сильно поправел.

А.К.: Стейнбек даже вьетнамскую войну поддерживал и в вертолете летал против вьетконговцев. Но все это было давно. А аксеновская ситуация в этом смысле очень сложная и абсолютно уникальная: крупный современный... и в каком-то смысле либеральный писатель, придерживающийся в восьмидесятые годы антикоммунистических убеждений!

Александр Кабаков

Е.П.: Я согласен с тем, что ты говоришь по поводу «Ожога», но ведь «Ожог» появился уже на фоне торжества «Архипелага ГУЛАГ», а ведь «правее» «Архипелага» некуда...

А.К.: И на «Архипелаг» западные левые набросились, но тут у них кишка оказалась тонка – против Солженицына... Однако следует признать: и ему портили репутацию, как могли, ему-то даже с большим ожесточением, что естественно.

Е.П.: Тогда опять получается, что Солженицын и Аксенов – вроде два сапога пара?

А.К.: А они в некотором смысле такими и были. Только это сближение не понравится многим с обеих сторон – яростным поклонникам и Солженицына, и Аксенова... Но было и остается одно существенное различие. «Архипелаг» – это в большой степени не только литературное, но общественно-политическое явление. Его, кстати, так и воспринимали сразу после появления. Как разоблачение советского коммунистического мифа. К слову – потом эти люди «отыгрались» за «Архипелаг». Ведь он разрушил основы их «левизны» – так они перенесли все обвинения с Советского Союза, когда он рухнул, на Россию. И получилось, что не левая идея виновата в злодеяниях сталинизма, большевизма, а это Россия такая ужасная при любом строе. То есть и левую ориентацию можно сохранить, и нового врага прогрессивного человечества найти – Россию...

Е.П.: Точно... как это его фамилия... французский философ-то, который страшно Россию крыл за Чечню... Глюксман!

А.К.: Совершенно верно, Андре Глюксман...

Е.П.: Но такое отношение к России совершенно несвойственно было Аксенову. Вообще, несмотря на то что он был американским профессором, и замечательным профессором, он не был таким *профессорским писателем*, с профессорской «левизной», с профессорским увлечением филологическим романом и так далее... Но это мы отвлеклись. А различие вот какое: «Ожог» был прежде всего литературным явлением, а не общественно-политическим. А его протест... он был не самым главным в романе, присутствовал, но не был самым главным. Вообще-то еще будет новый виток... Еще может измениться

Евгений Попов

к «Ожогу» отношение там, на Западе. Новое открытие старого текста... Не для сравнения, но я помню, что, когда первый раз перевели во Франции «Чевенгур», великий роман Платонова, там продали какое-то ничтожное количество экземпляров, понимаешь? Это была середина семидесятых. А сейчас, я знаю, Платонов пользуется в Европе большой популярностью. Вообще, я думаю, Аксенов воспринимался – и сейчас воспринимается – как советский антисоветский писатель. В этом смысле и есть у них общее с Солженицыным. И тут надо признать формальную правоту такого мнения. Была такая страна – Советский Союз, которого больше нет... Вот была страна Атлантида, ее тоже нет. А ведь и там кто-то играл же на арфе, то есть лире... И был певцом Атлантиды. Или ее критиком... Вот и Аксенов был и остается советским антисоветским писателем – ну, просто даже по формальной принадлежности к советской эпохе.

А.К.: Так и воспринимался «Ожог» – как эстетически изощренное противостояние советской власти. «Архипелаг» – более эпическое, более мощное, а «Ожог» – более изощренное, изысканное. Но то и другое – против коммунистической власти, ее идей. И значит, авторы – чужие, даже враждебные западному культурному, университетскому слою, который и делает там литературные репутации... В сущности, простая вещь: живет человек и все время интенсивно, тяжело, мучительно для себя думает о происходящем. Он то обольщается Березовским, то олигархами из бывших комсомольцев, то проклинает новую так называемую демократию, которая, мол, есть власть ворья, то поддерживает – и в том, и в другом случае рискуя репутацией... А ведь Аксенов – человек уровня такого, на котором существует *мировая* репутация, понимаешь? И рисковать мировой репутацией – это для него реальное понятие. Это не пустые слова. И вот, рискуя мировой репутацией во время уже описанного нами конгресса Международного ПЕН-клуба в Москве, он высказывает собственное мнение о чеченской войне... Скандал... Аксенов, который живет сам по себе, теряет поддержку литературно-либерально-культурного мирового сообщества. Аксенов все больше и больше один. Постепенно он становится абсолютно изолированным человеком...

Е.П.: Это все было на моих глазах, я был на том конгрессе ПЕН-клуба. Там вопреки принятой резолюции по Чечне было сформулировано особое мнение отдельных членов русского ПЕН-центра по этому вопросу. И это особое мнение Вася подписал наряду с еще несколькими членами ПЕН-клуба – более двадцати человек нас было, – и среди них весьма звучные имена... Но я сейчас не об этом известном факте рассказываю, а о его последствиях. Рассказываю со слов самого Аксенова. Он мне говорил, что уже в то время, когда он был профессором университета Джорджа Мейсона в Вашингтоне, у него установились тесные контакты с руководством Международного ПЕН-клуба, и шла речь о том, чтобы ему стать президентом всей этой организации. Ему предлагали это, с ним велись переговоры... К слову, я не знаю, кто там сейчас президент... первым президентом был Голсуорси, а сейчас, думаю, не очень известный писатель...

А.К.: Скорее всего, из третьего мира. Для ради политкорректности.

Е.П.: А-а, вспомнил. Чешский диссидент Иржи Груша. И вот Аксенов, как человек основательный, ответил так: он зарабатывает себе на жизнь тем, что он профессор, и что он согласился бы стать президентом Международного ПЕН-клуба, если бы ему положили такую же заработную плату, как профессору в университете, не меньше, по крайней мере. Тогда пожалуйста, хотя как университетский профессор он себе уже и пенсию выслужил, и прочие льготы... И вдруг переговоры оборвались резко, в двухтысячном году, как раз после этого конгресса в Москве, где он выступил против резолюции, на которой настаивали западные делегаты, прежде всего – Гюнтер Грасс. Очевидно, *там, где следует*, рассмотрено было дело писателя Аксенова и сочли, что он политически не... неблагонадежен.

А.К.: Вполне в советских традициях – «есть такое мнение...» Только не в обкоме, а в среде международной прогрессивной общественности.

Евгений Попов

Е.П.: Поэтому я и говорю, что настоящая международная известность Аксенова и оценка его литературы могут еще наступить, когда уйдут в прошлое такие оценки – политические, идеологические. И тогда так же, как сейчас Василий популярен здесь, он имеет шанс стать популярным и на Западе.

А.К.: Вообще отношения между Россией и Западом... Это постоянная такая зеркальность. Вот великая история, которую рассказывал сам Вася, одна из любимых его историй, он ее потом в какую-то прозу вставил, не помню, в какую именно. История о том, как человек, ощущавший себя всю жизнь маргиналом в Соединенных Штатах, приехал в Советский Союз и стал, конечно, как всякий американец в СССР, сразу богатым иностранцем. А богатый иностранец должен был бы дружить с членами Политбюро, они тоже богатые – не-е-ет, он не дружит с членами Политбюро. Он – Стейнбек, вот кто это был – идет в Марьину Рощу и там пьянствует с маргиналами, потому что он маргинал по чувствам, по самоощущению, понимаешь? А здесь его принимает официальная писательская организация! То есть, приехав в Советский Союз, он как бы прошел сквозь плоскость зеркала, в Зазеркалье...

Е.П.: Он растворился в густых буднях Москвы, и его стали разыскивать...

А.К.: Мы с западным миром по отношению друг к другу были зазеркальями. Как писал один англичанин, очень смешной, я сейчас не могу вспомнить кто: «Нет ничего более похожего на карикатурного английского тори, чем Хрущев в шляпе». Западные люди не понимали, что истеблишмент и маргиналия – они остаются истеблишментом и маргиналией везде, только по линии железного занавеса – он же зеркало – направления меняются... Да, конец у этой истории прекрасный. Марьино-рощинский мент видит: сидит на скамейке пьяный человек в иностранном пальто и спит. Мент, конечно, имеющий ориентировку на розыск прогрессивного американского писателя, подходит и деликатно интересуется – чего спим, гражданин? А Стейнбек знаками и тремя русскими словами объясняет, что он – знаменитый американский писатель и может спать где хочет. Тут мент обрадовался и говорит: рад познакомиться, товарищ Хемингуэй. Это Стейнбеку-то! Который Хемингуэя, своего вечного соперника, терпеть не мог! То-то ему, я думаю, обидно стало, что даже для московского мента знаменитый американский писатель не он, великий Стейнбек, а все тот же проклятый Хем.

Е.П.: Как-то удалились мы от темы...

А.К.: Мне кажется, нам и не нужно выходить прямо на тему. Иначе у нас не *беседы* получатся, а ровненькая такая книжка «Жизнь и творчество Василия Павловича Аксенова», для средней школы... А в этих разговорах – наше отношение к нему. Вот, например, сегодня меня больше всего нервирует, именно не волнует, а нервирует, то есть просто дергает то, что мы все время обсуждаем взаимоотношения Аксенова и государства, Аксенова и общества. Уже вроде бы выяснили все, можно бы теперь побольше про Аксенова и собственно литературу...

Е.П.: А эти взаимоотношения были постоянно в динамике, понимаешь? Менялись взаимоотношения Аксенова и государства, Аксенова и общества. Одно дело – эти взаимоотношения в шестидесятых, другое – в восьмидесятых... Вот еще одна история, которую он тоже любил рассказывать. Прилетел он однажды, еще в шестидесятых, в Болгарию. В чем была ситуация? Он прилетел как бы в колонию из как бы центра империи. Как бы начальником из как бы центра соцлагеря. А в Болгарии в это время так же, как и у нас, боролись с тлетворным западным влиянием на молодежь и тому подобное. И на него набросились болгарские комсомольцы, дружинники – у него были длинные волосы, брюки узкие, не такие, как положены на просторах мира и социализма... Значит, они его стали вязать, а он закричал – я советский! А они ему, ухмыляясь, говорят – мы тоже советские. То есть он-то имел в виду, что он не болгарский подданный, а они поняли в идеологическом смысле. А поскольку он был звезда и действительно советский, то есть приехавший в командировку из СССР, его тут же отпустили, да еще и извинились перед знаменитым московским «братушкой». Выходит, он для кого-то был настоящим *советским*...

Евгений Попов

А.К.: Такая история могла бы быть и в каком-нибудь Сестрорецке или Воронеже. И потом, когда разобрались бы, за выпивкой местный начальник сказал бы: видите, Василий Палыч, мы-то друг друга понимаем, но вот народ... не принимает народ вашу позицию. Вот еще на чем стояло все – народ, видите ли, не принимает.

Е.П.: Опять от темы уходим... Нет, здесь я с тобой не согласен насчет народа. А что такое народ?

А.К.: Если мы согласимся с тем, что народ – это бригадмильцы...

Е.П.: Ну, это уж ты... Я никогда не соглашусь. Просто даже из уважения к народу.

А.К.: Ну, мы с тобой еще поговорим на эту тему, ты к народу лучше относишься, чем я...

Е.П.: А чего к нему плохо относиться-то? Он заслужил плохое к себе отношение? Так он за все и заплатил. В том числе и за такое к себе отношение...

А.К.: Вот начали мы про международную известность Аксенова, а теперь говорим про отношения между Василием Аксеновым, выдающимся русским писателем, и народом, великим русским народом. И получается, что все это связано...

Е.П.: Мне кажется, что постепенно он, Василий Павлович, станет таким героем народным... Как народным героем стал Шукшин. Или Венедикт Ерофеев, или Есенин, или Маяковский... Или Высоцкий...

А.К.: Заметь, все они признаны и западным миром.

Е.П.: А интерес к Аксенову резко возрастал тогда, когда он попадал в какие-нибудь идеологические приключения. Вот всплеск был интереса метропольский...

А.К.: Это со всеми в последние полвека было так, это Запад так устроен. С Пастернаком, например.

Е.П.: Да, Запад так устроен... Там ужасно интересовались всеми этими скандалами. Как только Аксенова начинали прижимать здесь, немедленно взлетал интерес там... Это какой Аксенов? На которого Хрущев орал. А-а! Это интересно...

Александр Кабаков

А.К.: А какой-нибудь тишайший, но гениальный рассказ, вроде «Победы», они не очень замечали.

Е.П.: Или «Жаль, что вас не было с нами». В общем, Аксенов оказался таким идеологическим полем битвы. Это означает, что его подставляли и с той, и с этой стороны.

А.К.: А в более широком смысле, что как всю современную русскую литературу использовали в своих целях, так и его использовали.

Е.П.: И вот я тебе что скажу: слава тебе, Господи, что сейчас от русской литературы со всех сторон отъе... отвязались. А раньше – использовали со всех сторон, а до собственно литературы если и было кому дело, то, увы, немногим.

А.К.: А здесь обижались: как же так, Василий Палыч, вас использует кто-то, кроме нас, в своих далеко идущих целях! И это было очень тяжелое положение советского и особенно советского антисоветского писателя – понимать, что тебя и так и так *нагнут*. Это нас, слава богу, миновало, а те, кто постарше, хлебнули подобных радостей досыта. И Трифонов, и Гладилин, и Окуджава.

Е.П.: Миновало, говоришь? Не знаю... Вася мне рассказывал и где-то даже на выступлениях об этом говорил: вот когда при советской власти были, мягко говоря, проблемы с публикацией «Ожога», то это по крайней мере выглядело логичным. Но ведь были же сложности и с последними романами! То есть не совсем, не совсем от писателя отстали, хотели, чтоб опять чему-нибудь *послужил*. Издательства даже договоры иной раз расторгали, невзирая на бешеную его популярность. Мол, это теперь не требуется... психология байронитов и все такое *некреативное*...

А.К.: Понимаешь, Аксенов оказался очень существенным для общественного сознания нескольких эпох. Нам казалось, что только советская власть все время предлагала людям выбор. «Кто не с нами, тот против нас...» А Вася испытал на себе, что любая эпоха предлагает такой выбор – не идеологический, так эстетический. И кошмар нашего существования заключается в том, что нам независимо от того, какая власть на дворе, упорно предлагают некоторый выбор. И почему-то Аксенов постоянно оказывается в центре этого выбора. И он, я думаю, был первым – не боюсь этого слова – первым из русских писателей, который отказался делать выбор. Он был правым, но не был на стороне правых. Он был государственник, но никак не общался и не поддерживал тесных отношений... дружеских с действующей государственной властью, с которой многие антигосударственники стараются дружить. Он был либерал, но все время с либералами ссорился, в частности, по поводу чеченской войны. Ну и так далее. Он первым предложил такую модель поведения русского писателя. Люди его поколения и старше обязательно примыкали к чему-то или к кому-то... А он был первый *не примкнувший*. И вот мы, уже после него, можем себе нечто подобное позволить...

Е.П.: Вот почему я еще тверже стою на своем: настоящее открытие Аксенова Западом впереди. Открытие русского писателя, разрушившего все стереотипы – и литературы, и писательского поведения. Откроют, когда оценят его независимость – и литературную, и человеческую.

А.К.: Итак, попробуем сделать вывод. Первая международная известность, даже слава у Аксенова возникли как бы по недоразумению: западноевропейская и американская левая интеллигенция приняла его за своего. «Аксенов? О, это наш человек, новая эстетика, новые герои, молодые, противостоящие истеблишменту...» Потом они разобрались: э, истеблишмент-то коммунистический! Значит, он антикоммунист! И отвернулись. И известность... Свернулась, в общем, и известность. Скукожилась. А теперь, ты считаешь, впереди новое международное признание Аксенова, просто как крупнейшего писателя, независимо от право-левой ориентации и прочего преходящего?...

Е.П.: Аксенова многие принимали за своего. А он не был своим никому – он был сам по себе, как и его литература. На этом, пожалуй, и остановимся пока.

Александр Кабаков

ПРИЛОЖЕНИЕ

Колесова Наталья Васильевна
Из диссертации кандидата филологических наук
«ЗАИМСТВОВАНИЯ В ИДИОСТИЛЕ В.АКСЕНОВА»

10.02.01 Красноярск, 2005, 167 с. РГБ ОД, 61:05-10/1575

Прием использования иноязычной лексики в текстах художественных произведений не нов в русской литературе. Исследователи отмечают давнюю и прочную традицию введения иноязычных выражений в контекст русского языка, что приводит к образованию своеобразного международного фонда подобных выражений [Бабкин 1970, 236]. Заимствования использовали в своих произведениях многие писатели. Как правило, это свидетельствовало о владении иностранными языками и хорошем представлении о культуре другой страны.

Особую сферу исследования представляет собой изучение функционирования русского языка в условиях эмиграции и языковых изменений, вызванных воздействием другой языковой системы. В последние два десятилетия эта тема становится особенно актуальной и привлекает пристальное внимание языковедов. В настоящее время активно изучается феномен литературы русской эмиграции, с особой актуальностью встает вопрос о слиянии двух литератур (литературы эмиграции и метрополии) и «возвращении» эмигрантской литературы на родину. Лингвистические работы в этом направлении немногочисленны, представлены рядом статей и диссертационных исследований, авторы которых рассматривают, главным образом, существование русской литературы в эмиграции, проблемно-тематическое и художественно-стилевое разнообразие произведений писателей-эмигрантов первой и второй волн [Трубина 1996; Агеносов 1998]; изучены политические взгляды, творческие поиски, тематическое и жанровое своеобразие произведений писателей и поэтов третьей волны эмиграции [Бочаров 1989; Шайтанов 1989; Глэд 1991; Бондаренко 1992; Зайцев 1993].

Следует отметить, что изучение языка писателей-эмигрантов до сих пор является одной из наименее разработанных областей лингвистики. Имеются работы, посвященные лингвистическому анализу произведений писателей-эмигрантов И.А.Бунина, Е.И.Замятина [Напцок 2001]; В.В.Набокова [Напцок 2001; Маслова 2001; Антошина 2002; Чеплыгина 2002]; М.И.Цветаевой [Корчевская 2000; Чигирин 2002]; А.Макина [Балеевских 2002] и др. Лингвисты исследуют особенности словотворчества писателей-эмигрантов, влияние других культур и традиций на создание литературных произведений. В исследованиях, посвященных языку писателей-эмигрантов, анализируются функциональные разновидности русского языка, способы выражения языковых оценок, особенности словоупотребления в языке писателей первой-второй волны эмиграции: М.Осоргина, И.Бунина, В.Набокова, М.Алданова, Н.Тэффи, М.Цветаевой, Г.Газданова, Б.Зайцева и других [Кожевникова 2001].

Язык же писателей-эмигрантов третьей волны до сих пор не рассматривался в теоретическом и практическом отношении. Это стало одним из основных факторов, побудивших обратиться к данной теме. Так как в текстах писателя-эмигранта В.Аксенова продуктивно использованы иностранные слова преимущественно английского происхождения, его произведения представляют собой благодатный материал для изучения заимствований как средства художественной выразительности, раскрывающих особенности авторского индивидуального стиля.

Актуальность выбранной темы исследования обусловлена следующими основными факторами: во-первых, В.Аксенов считается одним из наиболее читаемых современных прозаиков; вопросы его творческой эволюции, стилистического и жанрового своеобразия привлекают всестороннее внимание литературоведов [Харитонов 1993; Ефимова 1995; Кузнецов 1995; Торунова 1998]; во-вторых, В.Аксенов представляет интерес как русский писатель-эмигрант, долгое время работавший за границей, и заимствования в его произведениях дают возможность судить о влиянии иноязычной среды на язык писателя и, возможно, на язык русской диаспоры в целом.

Новая языковая среда, оторванность от языка и развития языковых процессов метрополии, ограниченная сфера функционирования русского языка за границей неизменно накладывают отпечаток на особенности речи эмигрантов. Под влиянием иностранного языка возможна утрата речевых навыков родного языка, изменение его словарного состава. Наиболее яркой чертой речи эмигрантов исследователи называют насыщенность заимствованиями [Васянина 2001, 98]. Большое количество иноязычных единиц, отличных от заимствований, вошедших в состав современного русского литературного языка, используется как в речи эмигрантов, так и в художественных текстах.

Рядом лингвистов предпринимались попытки изучить иноязычный лексический корпус в языке В.Аксенова, но в большинстве случаев данные исследования находятся на уровне отдельных замечаний или лишь косвенно затрагивают вопросы, связанные с особенностями употребления заимствований, не раскрывая полностью проблему функциональной значимости данного явления [Брейтер 1997; Залесова 2002]. Язык прозы В.Аксенова с точки зрения анализа функционирования иноязычных элементов до сих пор не становился предметом подробного монографического исследования. Предполагается, что опыт подобного рода анализа может служить одним из средств характеристики писателя как языковой личности.

Кроме того, анализ языка писателя-эмигранта третьей волны В.Аксенова существенно важен для описания условий функционирования русского языка в иноязычном окружении. Это позволит рассмотреть изменения, вызванные пребыванием в Америке и, соответственно, влиянием американского окружения и английского языка. Изучение языка писателя нацелено на выявление как общих черт, присущих ему как представителю третьей волны эмиграции, так и индивидуальных, учитывающих личные и профессиональные свойства автора, что даст возможность проанализировать письменную фиксацию речи эмигрантов в художественной литературе, изучить реализацию языковых особенностей в речи одного лица. Для этого необходимо рассмотреть, каким стал язык писателя в эмиграции, как изменилось отношение к новой культурно-языковой действительности и какие объективные и субъективные факторы повлияли на этот процесс.

ГЛАВА ДВЕНАДЦАТАЯ
ВСЕМИРНОСТЬ И ПРОВИНЦИАЛЬНОСТЬ АКСЕНОВА

ЕВГЕНИЙ ПОПОВ: Итак, понятно, что в России Аксенов – писатель на все времена и для всех. Это, я надеюсь, не вызывает возражений?

АЛЕКСАНДР КАБАКОВ: Вызывает. Выражение «для всех» вызывает возражение. Аксенов – не для всех. Аксенов – писатель интеллигентский, причем для определенной части интеллигенции – для городской интеллигенции, западнической, просвещенной и, немаловажно, в бытовом смысле цивилизованной, – а вовсе не для всех. Для всех писатели не бывают. Тут нужно по-другому вопрос ставить: а вот был ли Василий Павлович *мировым* писателем, в смысле – известным всему миру?

Е.П.: Ну, его перевели на множество языков. И сейчас продолжают переводить, хотя и меньше, чем раньше, я думаю. Тогда это был фирменный *глоток свободы из СССР*.

А.К.: Ты помнишь высказывание Осипа Мандельштама «Все стихи я делю на разрешенные и написанные без разрешения. Первые – это мразь, вторые – ворованный воздух»? Я к этой фразе отношусь с сомнением. Если бы Мандельштам

Александр Кабаков

никогда не печатался при советской власти, я бы с ним согласился, но он при советской власти печатался, был знаменитый поэт советский, то есть писал *разрешенные* вещи, которые от этого не перестают быть гениальными. Что молчишь?

Е.П.: Должен признаться на старости лет: я смысла этой фразы никогда не понимал и сейчас не понимаю. Что это такое – «ворованный воздух»? То настоящее, что кому-либо удавалось напечатать при большевиках?

А.К.: Наоборот. «Ворованный воздух» – это подлинная поэзия. То есть вот воздуха нет в атмосфере Советского Союза, а ты его украл, понимаешь? Тебе не дают дышать, а ты украл воздух.

Е.П.: У кого украл?

А.К.: Да ну тебя! Смысл слов Мандельштама в том, что, мол, если разрешили, то это уже второй сорт. Я и говорю, что это не совсем справедливо, потому что все опубликованное в СССР было *разрешенное*. В том числе Мандельштам, Пастернак, Платонов, Ахматова, Аксенов. Судьба неразрешенных авторов известна. Они ни одной строчки не опубликовали при советской власти, умерли безвестными для широкого читателя, в лучшем случае печатались в самиздате, а потом их издавали после девяностого года либо вообще никогда. Здесь, пожалуй, даже нет смысла перечислять их, потому что и так все понятно. Хармс, например, печатался в качестве детского поэта, а взрослые свои стихи опубликовать не мог. Как детский поэт он был разрешенный, как взрослый – нет. Или вот таинственная личность в русской литературе, замечательный писатель Леонид Добычин: две книги или три даже книги сделал, потом – все, перестали печатать. Так же и с Мандельштамом – сначала был разрешенный, потом стал неразрешенный.

Е.П.: Я когда Добычина прочитал, то поражен был, как его вообще печатали. Такую *контру* близко нельзя было к советской литературе подпускать.

А.К.: Ну, в двадцатые годы многое печатали такое, что, вообще говоря, нормальной советской власти нельзя было печатать. В тридцатые эта вольница прекратилась.

Евгений Попов

Е.П.: Поразительно, но Добычина еще и в тридцатые публиковали! По инерции, что ли? А возвращаясь к Аксенову, скажу, что литература шестидесятых была своеобразным ренессансом двадцатых, хотя всякое сравнение хромает, а это – довольно сильно. Васю во всех странах переводили. В социалистических – само собой, но и во Франции, Германии, Америке. Но вот был ли он известен в той же Америке, как Вознесенский или Евтушенко?

А.К.: Ну, известнее Евтушенко на Западе вряд кто из советских был, это отдельная история. Разве что действительно Вознесенский? Но мне кажется, ты неточно формулируешь. Не *известный*, а был ли Аксенов *мировой* писатель? Мы об этом начали говорить.

Е.П.: Ну, это непосредственно друг с другом связано.

А.К.: Не скажи. Вот тебе вопрос: Бродский – всемирный писатель? Безусловно. Причем – сам по себе всемирный. А про Аксенова я прямо скажу, что он – всемирный писатель только в том смысле, в каком русская литература считается всемирной. Ибо он есть огромная, значительная часть *русской* литературы. Русской, подчеркиваю.

Е.П.: Ух, как интересно. Ну-ка, давай тогда пройдемся по списку. Достоевский всемирный писатель?

А.К.: И Достоевский, и Толстой вполне всемирные писатели, а вот Пушкин – нет. Чехов – всемирный драматург, но не прозаик. Гоголь вообще мало кому на Западе понятен. И Аксенов не всемирный писатель, как ни странно, по той же причине, что и Гоголь. Он практически непереводим! В том качестве, в котором он звучит по-русски. Будучи вершиной русской литературы, Гоголь, естественно, часть мировой литературы, но он не всемирный писатель. И не потому его трудно перевести, что он пишет вещи, неудобоваримые для западного сознания. А потому, что – я тебе сейчас скажу важную вещь, ту же самую, которую хотел сказать и про Аксенова, – ни Гоголя, ни Аксенова и не нужно переводить. Смысла нет. Не потому опять же, что перевод будет низкого качества, а потому, что это никого в мире не касается, кроме нас. Это исключительно наши дела.

Александр Кабаков

Е.П.: Позволь отвлечься. Я однажды в Красноярске ехал в одном такси с одним таким бомжем, бичом, явно отсидевшим. Бродяга острил всю дорогу. Например, обращался к таксисту со словами: «Шофер, скажи водителю, чтобы направо поворачивал». А когда мы подъехали к тюрьме, носившей в Красноярске имя «Сёстры Федоровы», потому что над нею возвышались четыре трубы, он из машины вышел, аккуратно расплатившись, потом засунул свою опухшую харю в такси и сказал гениальную фразу – мне и таксисту, – показывая на тюрьму: *Это наша тюрьма, не ваша*. Вот и Гоголь с Аксеновым – наше достояние, не ваше. А Достоевский, Толстой да еще Тургенев-барин – они для всех.

А.К.: Или вот Фолкнер. Вроде понятный, переводили много, переводили прекрасно, я его очень люблю читать. Но глубоко, по-настоящему он мне не нужен. Он – американский почвенник, американский южанин. И весь его комплекс, комплекс литературы Фолкнера – это владение белых черными рабами и его последствия. Мы этого никогда не поймем! Меня это не трогает! Я отличаю черных людей от белых людей, но то, что предки американских черных были рабами – да мне все равно! Читаю об этих «проблемах», и хочется воскликнуть: «Ну и что?» У нас в принципе никого не волнует, что сейчас практически вся Россия, кроме Никиты Михалкова конечно, состоит из потомков крепостных. Не принимать же всерьез всех этих новоиспеченных графьев да князьев, получивших титул от Джуны Давиташвили? А в Америке этот комплекс вины до сих пор. Вся политкорректность выросла из этого комплекса. Вот почему мы не поймем никогда эту политкорректность.

Е.П.: Хорошо. Фолкнер *американский*. А Хемингуэй – всемирный писатель?

А.К.: Хемингуэй абсолютно всемирный писатель, потому что его абсолютно не волновали американские проблемы. После «У нас в Мичигане» все остальное – космополитическое. Хемингуэй – символ космополитизма вообще. Воевал в Италии, Испании, жил на Кубе. Какой он американский писатель? Ведь

Евгений Попов

недаром Хемингуэй и Фолкнер в американских раскладах, как Распутин и Аксенов в наших.

Е.П.: Интересно, что великий Джеймс Джойс сочетает в себе черты почвенника и космополита. У него «Улисс» – это почвеннническо-космополитическая песнь об Ирландии.

А.К.: Ну, тут трудно определить. Все же в «Улиссе» не почвеннический мир, а всеобъемлющий, несмотря на обилие конкретных деталей. А Вася, на мой взгляд, писатель чисто русский, и не потому, что его перевести адекватно не-воз-мож-но. Что бы он сам по этому поводу ни думал, а ведь у него у самого было иногда обольщение такое, что он *может быть* не русским писателем. Он писал «Московскую сагу» в расчете, что книга станет американским бестселлером и основой для американского сериала, но это была заведомая ошибка. Не стала! Хотя там советская история описана прямо и просто, как по гипотетическому учебнику, который можно было бы назвать «Курс настоящей истории ВКП(б)». Но все равно это прямо и просто *для нас*. Для нас даже слишком просто. Вот в чем, на мой взгляд, просчет расчета: для нас – это слишком просто, *для них* – слишком русское, непонятное.

Е.П.: Вася мне однажды рассказал дивную историю. Он, как это принято на международных ярмарках, сидел в каком-то магазине во Франции, надписывал приобретаемые покупателями книги. И к нему подходили люди, спрашивали, прежде чем купить, о чем эта книга? Сначала он им объяснял, что это мини-история СССР, история революции, и они при этих словах уходили, вежливо улыбнувшись на прощание. «И вдруг, – рассказывал Вася, – меня осенило, и я стал говорить, что это история доктора, семьи доктора. Книжку тут же раскупили. Доктор – он в любой стране доктор, семья его – в любой стране семья. Болезнь *всех* касается...»

А.К.: Тут Вася, скажем прямо, приврал, потому что «Московская сага» – никакая не история семьи, а именно история послереволюционной России. Своеобразное продолжение «Доктора Живаго». Как если бы доктор Юрий Живаго не погиб...

Александр Кабаков

Е.П.: Ну, и Пастернак имел право ответить на вопрос, о чем роман: «Про то, как доктор жил, а потом умер в трамвае от разрыва сердца».

А.К.: Так что Васина история с «Сагой» подтверждает известную мещанскую мудрость: брак по расчету бывает счастливым, если расчет правильный.

Е.П.: Это ты придумал такую «известную мещанскую мудрость»?

А.К.: По-моему, я. Не помню, во всяком случае... Если не я, то не помню кто.

Е.П.: Если ты, то молодец, если нет – тоже.

А.К.: Повторяю: для русских «Сага» простовата, а для нерусских... ну не понимают они этого! Не понимают, как сын профессора медицины может стать советским генералом, дружок которого насиловал благородных барышень во время Гражданской войны, а он сам топил в крови Кронштадтское восстание моряков... И автор при этом относится к нему не как к негодяю и палачу, а в конце концов, как к жертве. Они это *почувствовать* не могут. А когда «Сага» пришлась ко двору у нас и здесь действительно имела заслуженный успех? Когда сняли *русский* сериал! Вот тогда только «Московская сага» раскрутилась. Когда повзрослело до степени потребления культурных продуктов поколение, которое даже на таком уровне советской истории не знает. Поколение людей, которым история России не чужая, но они ее не знают. Извини, но в смысле сведений о советской истории они эрудированны как американцы, но, в отличие от американцев, они все-таки русские. Американцам и французам эти сведения не нужны, а нашим все-таки нужны. Так и возникает спрос.

Е.П.: Я в связи с этими твоими словами думаю: а вот мне, лично мне, интересно было бы, если б мне показывали какую-нибудь французскую семью, ну, пусть даже не времен той революции французской, а революции, например, шестьдесят восьмого года?

А.К.: Вот ты насчет французского... Там другая жизнь, другая планета. Фильмы о жизни Франции во время Второй миро-

Евгений Попов

вой войны я смотрю с улыбкой, какая бы там трагедия не разыгрывалась. В Париже *во время войны* открыты все рестораны, снимается кино, народ живет, кинофестиваль устраивают, выходят новые книги, которые интеллектуалы обсуждают, сидя в кафе...

Е.П.: И не сажают после войны тех, кто работал на гитлеровцев. Правда, женщинам, которые спали с немцами, головы бреют. На это у французов непримиримости хватает. Но хозяина, открывшего при немцах кафе, они коллаборационистом не считают. Это ж кафе!.. У нас бы его повесили. Или в лучшем случае посадили лет на двадцать.

А.К.: Так что чужое все. Я так скажу: я даже не знаю, справедливо ли это для всех национальностей, но для русского писателя быть всемирным писателем – это обязательно в ущерб тому, какой он русский писатель. За редким, очень редким исключением. Опровергай меня!

Е.П.: А чего мне тебя опровергать? Над этим думать нужно, а не опровергать.

А.К.: Опровергать, потому что мысль спорная. Достоевский – мировой писатель, Чехов – мировой драматург, Бродский – мировой поэт. И какой от этого ущерб их *русскости*?

Е.П.: Опровержение может быть лишь в том смысле, что, может быть, Фолкнер, например, в России более любим и популярен, чем сейчас в Америке. Или другой писатель – Сэлинджер. У нас его обожают, но не так, как в Америке. Там он – их всё. Так всемирный ли он писатель? Да вот тебе еще один пример: финского писателя Мартти Ларни в Финляндии мало кто знал, а у нас он со своей антиамериканской, но действительно смешной книгой «Четвертый позвонок» был дико популярен в самом начале шестидесятых.

А.К.: Финляндия – бог с ней, но я твердо уверен относительно русской литературы: сколько писатель выигрывает в интернациональности, столько же он проигрывает на русской почве. Вот, например, Андрей Платонов – исключительно русский гений. Его проза – действительно новая великая русская проза XX века, бесспорно. Он для русской литературы – фигура заоблачная. А для западной – нет. Он вообще не существует вне общего русского... советского контекста, вне России, вне русского советского языка.

Е.П.: Не скажи. Я знал переводчика Платонова, который в семидесятые годы переложил на французский не то «Котлован», не то «Чевенгур». Он жаловался, что тогда было продано не то пятнадцать, не то двадцать экземпляров книги...

А.К.: Вот видишь!

Е.П.: Зато сейчас Платонов – один из самых модных писателей среди интеллектуалов. Так ведь и джойсовский «Улисс» не сразу обрел свой высочайший статус. «Ничто на земле не проходит бесследно», как пел Градский на музыку Александры Пахмутовой и слова Добронравова. Так вот, если слава крупного писателя преодолеет *провинциальность*, тогда он становится гуру для всего мира. Платонов постепенно становится гуру, как Джойс уже давным-давно стал им для многих...

А.К.: Позволь с тобой не согласиться. Джойса, извини, можно читать на любом европейском языке. Я читал его по-русски, пробовал читать в оригинале – принципиально ничего не меняется. Платонов не по-русски – мне по-прежнему кажется – просто не может существовать. В представлении западного читателя «Чевенгур» – какая-то довольно нелепая сатирическая выдумка про *кольхоз*, как именовал это детище большевиков эмигрант Владимир Набоков.

Е.П.: Хемингуэй обожал рассказ Платонова «Река Потудань».

А.К.: Этот рассказ, во-первых, реалистический, во-вторых, не очень-то платоновский, скорее «хемингуэевский»: мужчина, женщина, слабость, сила...

Е.П.: Ладно, «Московской саге» мы во всемирности отказали. Но ведь был еще один роман, на который Вася очень сильно ставил – «Остров Крым», который у нас популярен настолько, что вошел в качестве идиомы в современный русский язык...

А.К.: Ты имеешь в виду кафе – или ночной клуб в Москве, который, не спросившись у Васи, назвал себя «Остров Крымом»? Мы с Васей несколько раз ездили мимо его афишки, и Вася каждый раз говорил одно и то же: «Надо бы на них в суд подать...» Причем я уверен, что клуб так назвали люди, которые не читали романа, а может, и не слышали о нем.

Е.П.: Не только клуб, но и многое другое. Политики вовсю используют это словосочетание. Есть газета «Остров Крым».

А.К.: У этого романа, на мой взгляд, были гораздо большие шансы, чем у «Московской саги», стать мировым бестселлером и тем самым перевести Васю в категорию «мировой писатель»... Но Васе тут не повезло. Если бы ему тогда удалось снять в Америке фильм по «Острову Крым», как это планировалось, да сорвалось...

Е.П.: Да. Ведь роман Кена Кизи «Пролетая над гнездом кукушки», например, получил огромную международную популярность лишь после одноименного фильма Милоша Формана.

А.К.: Вот именно что! И «Остров Крым» прекрасно можно было бы экранизировать. Недаром же об этом мечтали многие кинопрофессионалы старшего поколения. Последним носился с идеей экранизации Владимир Наумович Наумов. Но – то денег нет, то еще чего... ну, в общем, понятно. Тут деньги нужны были большие...

Е.П.: Так в Америке-то, Вася рассказывал, уже всё было – и деньги, и договор...

А.К.: Для этого фильма нужны были не просто большие деньги, а очень большие деньги. Ну, например, для достоверного изображения захвата острова советскими войсками.

Е.П.: Так почему же все разрушилось?

А.К.: Значит, и этих очень больших денег оказалось недостаточно.

Е.П.: А я не уверен, что только из-за денег этот грандиозный проект накрылся. Что-то изменилось. Возможно, политическая обстановка. Фильм, естественно, планировался как совершенно антисоветский, а тут перестройка. Запад возлюбил Горбачева с его фразой «больше социализма».

А.К.: Нет, нет... *Белогвардейскость* в моде как была, так и осталась. Я и говорю: «Остров Крым» имел все шансы стать основанием для мирового кинобестселлера. Всё в нем для этого есть, кроме двух, казалось бы, мелочей. Мелочь первая: ни хрена американцы не знали, где этот *Crimea* располагается, им вряд ли даже было известно, если консультанты, конечно, не подсказали, что Крым – это полуостров, а не остров, как в романе. А ведь на этой географической гиперболе здесь многое держится. Но есть и более крупная мелочь. Вот ты – русский человек. Ты от чего, читая роман, кайфуешь? Вот я могу сказать про себя. Первейший мой кайф – это описание самого острова Крыма до захвата, описание торжества Белой России, вообще России. Ведь эти русские богачи не на «мерседесах» рассекают, а на отечественных «руссо-балтах». Или имение Лучниковых на Кара-Даге под названием Каховка. Это та Россия, которую, по выражению Говорухина, «мы потеряли». И хотя никто из нас конкретно ее не терял, потому что все мы возросли при социализме, а без социализма были бы никто и ничто, нам очень хотелось бы *так* это ощущать.

Е.П.: Россия, которую мы потеряли, хотя и не имели.

А.К.: Потому что многих из тех, кто говорит о потерянной России, в той России дальше лакейской не пускали бы. А в книге – тот образ России, от которого щемит сердце. Если хочешь, это *кабацко-антисоветская* песня «Поручик Голицын», только развернутая в прекрасный роман. Пошловатый шлягер с предложением поручику Голицыну раздать патроны, а корнету Оболенскому налить вина оборачивается видением исчезнувшего Града Китежа. И от этого щемит сердце, понимаешь? Это кайф номер один. А кайф номер два – фантастический финал с самоубийством демократии при полном торжестве либеральных идей. А ну-ка, заговори в любой «просвещенной» стране про самоубийство демократии! Тебя нигде не поймут, кроме как в России! В самоубийство демократии мало кто верит на Западе, вот отчего и прут они полным ходом туда, в бездну. Такую коллизию, когда тоталитарное государство заглатывает не захваченную, а действительно *добровольно присоединившуюся* к нему страну, способен вообразить только русский, советский

Евгений Попов

русский. «Остров Крым» – чисто русская книга с чисто русским сюжетом.

Е.П.: Так. А третий кайф?

А.К.: В полной узнаваемости персонажей. Там все эти молодые белогвардейцы-крымчане, они ведь все очень точные русские, московские ребята семидесятых годов. Молодой Лучников – это все тот же герой Василия Павловича, бесконечный его интеллигентный рефлексирующий плейбой. Интеллигентный плейбой, изобретенный Васей, – это его подарок русской советской литературе. Где, кто понимает это, кроме как в России? Кому это вообще все нужно, кроме русских? Не было на Западе таких Лучниковых.

Е.П.: Так. Начинаю не то чтобы возражать, а размышлять. Мне как-то все равно, Тайвань – остров или полуостров. Важно то, что он отдельно существует по отношению к континентальному Китаю.

А.К.: Но это часть территории, которая *реально* независима от другой страны. И действительно занимает свое место на карте. Это политический факт, не художественный. Я уверен, ни один китайский диссидент даже в страшном сне не увидит такой литературный сюжет, как добровольная сдача тайваньцами Тайваня континентальным китайцам, хотя это в принципе возможно. Потому что китайцы – это не русские, они романтические глупости реализовывать не станут, и потому остров Тайвань не только есть на самом деле, но он независим, а остров Крым – это русская мечта, возникающая как мечта и тут же рассыпающаяся. Такого острова не существует. Говорю же – Град Китеж, ушедший на дно и там функционирующий.

Е.П.: Или вот еще был в Америке антисоветский фильм «Красный рассвет», американская «Молодая гвардия». Как Америку захватывают злобные советские коммунисты, а им противостоит подпольная группа молодежи во главе со старреньким учителем.

А.К.: Ну, знаю я этот фильм. Так ведь там демократию *захватывают*, а здесь – сами отдают. И кто отдает? Не предатели, не шпионы коммунистические, а прекрасные, умные, всё понимающие люди. Самоубийство!

Е.П.: Однако это противоречит одно другому даже в нашем советском сознании. Ну, допустим, советский комполка Вуйнович в «Московской саге» может одновременно быть положительным героем, насильником и жертвой, но здесь-то, здесь! Если вы такие умные и такие хорошие, зачем же вы отдаете свою демократию красным варварам?

А.К.: А именно потому, что хорошие! Желают разделить тяготы со всем русским народом, для чего и создали «партию общей судьбы».

Е.П.: Вот я и думаю, почему фильм не стали снимать? Думаю, что продюсер, принимавший решение, сначала сказал Васе да, а потом ходит, наверное, и думает: «Че-то я зря сказал да, если мне мое чутье подсказывает, что массовый зритель не поймет, с какого бодуна эти хорошие благородные люди сдали остров коммунистам? Может, они плохие? Да нет вроде...» То есть не пойдут смотреть такой *сложный* фильм американцы, решил продюсер. Не укладывается он в их линейную логику.

А.К.: Ну да. Если бы остров коммунистам сдали предатели – это понятно. Если бы остров захватили коммунисты – тоже понятно. А тут тоталитарный советский флот входит в порт под аплодисменты – они что, эти русские, сумасшедшие, что ли? Может, это фильм про сумасшедших?

Е.П.: Боюсь, что интеллектуалу этот сюжет тоже не подошел бы.

А.К.: Да западный левый интеллектуал просто с отвращением отбросил бы эту неполиткорректную книгу. В которой черным по белому написано, что вот такие, как он, политкорректные, прекраснодушные интеллигенты сдали коммунистам свободный остров и скоро сдадут весь западный мир. Тот, кто все эти семьдесят лет сдавал красным западный мир, с такой *концепцией* никогда не согласится. Он сочтет это русской глупостью, мракобесием и памфлетом на толерантность. Да. А я вот задам тебе опять вопрос: как, по-твоему, Иосиф Александрович Бродский...

Евгений Попов

Е.П.: Мы что, все-таки будем подробно говорить о взаимоотношениях Бродского и Аксенова? О том, как резко отозвался Бродский о романе Аксенова «Ожог», в результате чего издатель отказался от публикации?

А.К.: Ну, вообще-то это никого теперь не заинтересует, кроме шестидесятников, живших в то время в России. Так что не стоит, пожалуй, задевать эту больную тему, хотя о ней все литературные люди знают. Тем более что оба фигуранта ссоры уже на небесах. Может, уже и помирились. *Там.*

Е.П.: Я думаю, что издательские люди, с которыми он имел деловые отношения, задали Иосифу Александровичу конкретный вопрос: будут ли они иметь выгоду от издания «Ожога».

А.К.: И он, как честный человек, ответил, что вряд ли будут?

Е.П.: Если бы так, но он ответил... ну... мягко говоря – некорректно. Мне рассказывал Аксенов, что Бродский охарактеризовал роман коротко и афористично – «говно», а Бродского я об этом спросить не успел во время нашего короткого общения в Лондоне в девяносто втором. Да и не стал бы я об этом спрашивать. И так ясно, что и Аксенов, и его проза, и вообще «шестидесятничество» – все это было для Бродского *чужое*, как советская власть. Но, между прочим, и Аксенов не очень-то Иосифа Александровича жаловал, в письмах ко мне именовал его «Иосифом Бродвейским», а сейчас я прочитал в мемуарах Анатолия Гладилина, как они с Аксеновым приехали в Питер, и там к ним, московским знаменитостям, подвели местного гения, чтобы он почитал им свои стихи, и стихи эти им *не понравились*. Хотя Вася и сказал из вежливости «очень хорошо», но ведь поэта не обманешь.

А.К.: Интересно, какой это был год?

Е.П.: Думаю, какой-нибудь шестьдесят второй – шестьдесят третий, еще до посадки будущего нобелевского лауреата. Так вот, как ты думаешь, виноват Бродский перед Аксеновым или нет? Я думаю, по-человечески виноват.

А.К.: Я тоже думаю, что по-человечески виноват абсолютно. Хотя он сказал правду. Он, как эксперт, был точен – «Ожог» не имел в Америке коммерческого успеха. Но он мог высказаться

Александр Кабаков

в корректной форме. Например, сказать, что этот роман по ряду обстоятельств на американском рынке вряд ли «пойдет». Хотя... это тоже было бы нехорошо. Потому что, как сказал другой русский писатель Гоголь, «нет уз святее товарищества». Приехал на чужбину твой товарищ, близкий товарищ, а ты его главный в то время труд так обложил.

Е.П.: Возникает резонный вопрос – а близкий ли товарищ?

А.К.: Близкий. Вася сам вспоминает, как они в поздние шестидесятые, когда Иосиф уже вернулся из ссылки, вместе гуляли, то да се. Другое дело, что Иосиф Александрович никому не был особенно близким товарищем, кроме Евгения Рейна, и я еще одну такую вещь скажу: я Бродского как поэта не просто люблю, а, может быть, считаю, что был в ХХ веке в России всего один гениальный поэт, и звали его Иосиф Бродский.

Е.П.: Между прочим, Белла Ахатовна Ахмадулина именно так ответила Раисе Максимовне Горбачевой во время приема по случаю визита в СССР Рональда Рейгана. Та спросила Ахмадулину: «Кто ваш любимый русский поэт?» А Белла ответила: «Есть один, да вы его не знаете, он в Америке живет. Бродский его фамилия».

А.К.: Бродский – он всё, он великий. Но что касается его человеческих пристрастий, то я бы сказал, что вообще-то он имел странную тягу к плохим людям.

Е.П.: Ну, это уж совсем не наша тема. Это пускай Рейн на эту тему рассуждает. Не наш это вопрос. Это Рейн пускай подтвердит или опровергнет.

А.К.: Поэтому нет ничего удивительного в том, что гениальный Бродский сдал романтика Аксенова акулам американского издательского капитала.

Е.П.: Сдал. Его мнение было решающим, и «Ожог» перевели на английский лишь через много лет. Но бестселлером он, увы, не стал. И тут не в том даже дело, что их все это, что в «Ожоге», не касается. Их это, слава богу, и не должно касаться, у них Сталина с Лениным не было. Дело в том, что они этого не понимают. Ну... как я, например, не понимал подлинную суть романа английского писателя Джона Уэйна, где он описывает борьбу современных жителей Уэльса против англичан. То есть мне это ужасно интересно было читать, потому что я Уэйна вообще люблю, но тривиальный мещанский вопрос – и что этим из Уэльса еще надо было от «общества потребления»? – на дне подсознания время от времени возникал. Нам бы, дескать, ваши беды и проблемы.

А.К.: То, что им наши дела гулаговские неинтересны, – это однозначно можно сказать. Вот если бы Вася написал «Московскую сагу» еще доступней для них, тогда бы они его, глядишь, возлюбили. Но, увы, это было бы уже вне *русской* литературы. Вот и всё.

Е.П.: Я, кстати, замечал, что многие адепты или даже фанатики Аксенова к «Московской саге» отнеслись скверно даже еще до появления на телевизионных экранах всей страны этого самого фильма с одноименным названием. Сочли «Сагу» неким масскультом, текстом, сделанным с большими уступками западному рынку, западному читателю. Просвещенная окололитературная публика с наслаждением толковала о том, что это всего лишь заготовка для многосерийной американской «клюквы». И дождалась – «клюквы» новорусской, где вдова маршала Градова появляется на Новодевичьем кладбище в *брючном костюме* в 1945(!) году, Кристина Орбакайте в брючном же костюме поет во время войны перед солдатами «Тучи в голубом», около Консерватории вдруг появляется памятник Чайковскому, который будет здесь установлен лишь в 1954 году, и так далее.

А.К.: Ну, я-то как раз считаю, что это тот случай, когда автор настолько качествен и силен, что какие бы он ни делал уступки публике, он все равно остается самим собой. Книга – не фильм, она все равно замечательная, хотя, конечно, не сравнить ее ни с «Ожогом», ни с «Островом Крым», ни даже с «Новым сладостным стилем».

Е.П.: Ведь я «Московскую сагу» когда начал читать в журнале «Юность», мне вдруг стало скучно, и я чтение прекратил. А потом, когда уже отдельную книжку взял да в нее вчитался, то увидел аксеновские когти эти...

Александр Кабаков

А.К.: Правильно. И вот эти самые «когти» помешали «Московской саге» стать бестселлером и вообще американским романом. Вася, к сожалению, сел между двух стульев. К сожалению. А может, и к счастью. Потому что если бы он тогда удачно сработал для американцев, он, глядишь, постепенно бы перестал быть русским писателем и превратился в американского писателя, который пишет о России.

Е.П.: Слаб человек, даже сильный человек слаб, понимаешь. Если бы у Васи был западный успех того же «Ожога», он тоже имел бы печальный шанс превратиться, как ты выразился, в «американского писателя, который пишет о России». Потому что хорошо Россию знает, владеет этим выигрышным *материалом*. Ушел бы наш Василий в американские писатели и больше бы никогда оттуда не возвратился. Как чех Милош Форман, который стал знаменитым, но *американским* кинорежиссером.

А.К.: Пожалуй. Ну, допустим, если бы он и в этой своей ипостаси взялся бы за свои последние, условно говоря, «комсомольские романы» – «Москва Ква-Ква» и «Редкие земли», – то написал бы их куда как попроще. Был бы там правильный расклад: хорошие, добрые олигархи, плохая власть. По-простому так, для *народа*. А тут эта странная таинственность...

Е.П.: ТИАНственность, как он однажды где-то в тексте оговорился. Эта тианственность ему и помешала стать всемирным писателем. Может, нам назвать нашу книжку «ТИАНСТВЕННЫЙ ВАКСИ». Хотя... это непереводимо.

А.К.: А-а... Так ты, может, тоже хочешь всемирного успеха?

Е.П.: А кто ж его не хочет? Только идиоты.

А.К.: Вообще-то хорошее название «Тианственный Вакси» – ах, какое хорошее название...

Е.П.: Но мы, разумеется, струсим так книжку назвать, убоявшись обвинений в излишнем мудрствовании и «трагедии эстетизма». Вася бы не струсил. Так... Мы тему сегодняшнюю закончили?

А.К.: Нет. Вот ты мне скажи, а *почему* Аксенов все-таки русский, а не всемирный писатель? Ведь не потому же, что такие сложные темы выбирает? И не по стилевым особенностям его

Евгений Попов

письма. Аксеновский язык не очень хорошо и легко, но все-таки переводим на чужие, в отличие от языка Андрея Платонова. Почему же он русский писатель?

Е.П.: Потому что земля круглая. Вася настолько сильно рванул на Запад, что и сам не заметил, как снова оказался на Востоке. Земной шар-то ведь круглый? Или как?

А.К.: Ну, ты такое звонкое определение для какого-нибудь интервью прибереги. Журналисты такие звучные фразочки обожают.

Е.П.: Тебе виднее. Он – русский писатель, потому что описывает свою, а не *эту* страну, он пытается в психологию своего земляка войти, он русских любит, и – ты знаешь, я сейчас скажу очередную страшную вещь, – для него, патентованного космополита, мир все равно замыкается на России, понимаешь...

А.К.: Вот здесь я спорить не стану. Только Россия! Его интересует только Россия. Его самый что ни есть американский, внедренный в американскую жизнь роман «Новый сладостный стиль», который я очень люблю, – он про Россию весь. Он хоть и нашпигован американскими реалиями, но он весь про Россию. Василий только Россию любит, вот в чем дело...

Е.П.: И это ни в коем случае не противоречит его западничеству. Не противоречит даже его образу жизни, манере одеваться, музыкальным вкусам.

А.К.: Это тот случай, когда одно другому не мешает. И это не первый и не последний случай в российской истории. Ты ведь знаешь, что один из самых известных патриотически настроенных политиков поздней русской империи, отец писателя Владимира Набокова, был в быту отъявленным англоманом, помешанным на всем британском. Англоман и патриот. Это одно другому совершенно не мешает.

Е.П.: Тем более писателю.

А.К.: И пускай я говорю обывательскими бабскими словами, но у Васи сердце болело за Россию, больше ни за что. Говорю же, роман «Новый сладостный стиль» с его большой приязнью к американскому пейзажу, американскому способу жить, пониманием этого образа жизни – американский, уж дальше некуда. Но сердце автора за Америку не болит. А в «Острове Крым» у Аксенова сердце разрывается от любви к России, разрывается. Да и в «Ожоге» тоже. Практически в любой его вещи.

Е.П.: Думаю, и огромную «Московскую сагу» он создал, чтобы окончательно самому разобраться, что происходило со страной и людьми.

А.К.: Его интересует Россия. У него сердце болит за Россию. Ему понятны русские люди. Его интересуют русские люди. Его ничего больше не интересует, в сущности! И он эту прекрасную Америку в «Новом сладостном стиле» любит как русский. Любит, да, но со стороны. И все-таки я задам тебе еще один вопрос. Как ты считаешь, сам Вася хотел быть всемирным писателем? Или он намекал, что хочет быть всемирным писателем, а на самом деле гордился тем, что он русский писатель?

Е.П.: Для меня этот вопрос решается совершенно однозначно: В.П.Аксенов, разумеется, хотел быть всемирным писателем! Меня, извини, даже расстраивает сей вопрос. Потому что, как бы писатель ни храбрился, ни декларировал, что ему плевать на читателей, он хочет, чтоб его читали, понимаешь? Он говорит: «А я и не хочу быть знаменитым писателем». Снова врет. Стремление стать знаменитым писателем входит в профессию писателя. Понятно, что когда у тебя пять читателей, это хуже, чем если бы у тебя их было, например, пятьдесят...

А.К.: Не соглашусь с тобой.

Е.П.: Твоя воля, но это так.

А.К.: Ты хочешь, чтоб тебя прочло пятьдесят дебилов вместо пяти умных людей? Я – не хочу.

Е.П.: А я хочу. И скажу тебе с прямотою сибиряка: те, кого ты называешь дебилами, – тоже люди, и если они прочитают какой-нибудь мой текст, у меня с ними будет какая-то... не знаю... ноосферная, что ли, будет с ними связь, понимаешь? В результате и я что-то от дебила почерпну, не надо дебила списывать со счетов, он тоже Божий человек, понимаешь? И потом, с чего ты взял, что все эти пятьдесят моих гипотетических читателей окажутся дебилами? Может, они умнее нас с тобой.

Евгений Попов

А.К.: Ну, это нетрудно...

Е.П.: Так и американец – тоже Божий человек. И почему бы американцу было не возлюбить такого странного русского Базиля Аксьон и не носить его портрет на майке вместо товарища Че Гевары?

А.К.: Знаешь, американец – он американец и есть. Значит... м-м... Не знаю, как тебе, мне лично не все равно, какой у меня читатель, потому что писатель – это еще и то, какие у тебя читатели. Думаю, и Васе не все равно было, какие у него читатели. И он хотел быть *признанным* мировым сообществом как мировой писатель. Ты ведь знаешь, что Вася отнюдь не исключал возможности получения им Нобелевской премии. Это правда, истинная правда.

Е.П.: Ну-у-у, поехали... Я знаком с человеком по имени Ханс Бьёркегрен, писателем, переводчиком с русского, который сотрудничает с Нобелевским комитетом. Когда мы с ним встретились давным-давно на шведском острове Готланд и допивали литровую бутылку джина, он мне вдруг говорит: «Ты тоже хочешь получить Нобелевскую премию? Все *ваши* жаждут получить эту премию и обхаживают меня, когда я появляюсь в Москве, ошибочно полагая, что от меня *многое зависит*».

А.К.: Скажи, Жень, а ты хочешь получить Нобелевскую премию?

Е.П.: Отвечаю тебе то же самое, что сказал тогда под утро уважаемому господину Бьёркегрену: «Я бы от денег не отказался, а всемирная известность меня мало интересует. У меня хорошее настроение, когда деньги не нужно каждую секунду зарабатывать...»

А.К.: То есть ты всерьез о Нобелевской премии не думаешь. А Вася думал.

Е.П.: Не знаю. У меня нет таких сведений.

А.К.: А у меня есть. Он говорил со мной об этом совершенно серьезно и открыто. Как о событии маловероятном, но вполне реальном при определенном раскладе жизненных и писательских обстоятельств.

Александр Кабаков

Е.П.: Что ж он тогда не предпринял ровным счетом никаких усилий, чтобы стать главой Международного ПЕН-клуба, о чем я тебе уже рассказывал? Глядишь, протоптал бы тропинку к заветной Нобелевке.

А.К.: Он не всегда умел просчитывать последствия. Вспомни его скандал с Букеровским комитетом, когда он, председатель жюри-2005, отказался вручать премию молодому писателю Денису Гуцко, публично объявив, что ему не нравится эта проза. Все говорили, что он своего друга Наймана протаскивает, а ему *своя* справедливость была дороже репутации. Он ради *своей* справедливости рискнул, в общем, своим положением – и на конгрессе ПЕН-клуба в Москве, и на Букере. Он ведь, надо сказать, из породы упертых был.

Е.П.: Ну да. Упертых и упрямых. А только я тебе скажу, у одних упертых и упрямых это получается, у других нет. Вот упертый Александр Исаевич Солженицын убедил весь мир, включая французских леваков, в собственной *справедливости*. Полагаю, ты не думаешь, что президент ПЕН-клуба автоматически становится лауреатом Нобелевской премии? То, что основатель и первый президент ПЕН-клуба Джон Голсуорси получил в 1932-м эту премию – чистое совпадение.

А.К.: Голсуорси и сам по себе был крупной литературной фигурой. Однако предполагаю, что его президентство в ПЕНе тоже сыграло свою роль в решении Нобелевского комитета. Ты сам сказал, что и у Васи была возможность «протоптать тропинку».

Е.П.: Хорошо. Ты знаешь, кто сейчас президент Международного ПЕН-клуба?

А.К.: Нет, и кто раньше был, тоже не знаю.

Е.П.: Президентом сейчас является канадский журналист и писатель Джон Ролстон Соул. А до него президентом был бывший чешский диссидент, а ныне ректор дипломатической академии в Вене Иржи Груша. Я думал, что он и до сих пор президент, но сегодня уточнил...

А.К.: Очень интересно. Жаль, что эти имена мне ничего не говорят. А ты многих нобелевских лауреатов знаешь?

Евгений Попов

Е.П.: Ну, русских знаю. Бунин, Пастернак, Шолохов, Солженицын, Бродский. Немецкий писатель Гюнтер Грасс в 1999-м премию получил, после чего наконец счел возможным признаться, что в юности служил в СС. А вот Льву Николаевичу Толстому в Нобеле отказали из-за его, говоря по-нынешнему, неполиткорректности. Антона Павловича Чехова тоже не заметили. Недостойными высокой награды оказались Марк Твен, Генрик Ибсен, Джеймс Джойс, Франц Кафка, Роберт Музиль, Марсель Пруст, Скотт Фицджеральд, не говоря уже о Владимире Набокове. И великого аргентинского писателя Борхеса прокатили, потому что он приветствовал Пиночета за то, что тот прижал коммунистов, а надо было, по мнению международной либеральной общественности, этого чилийского диктатора клеймить и побивать. Зато лауреатами стали Воле Шойинка из Нигерии, египтянин Нагиб Махфуз, англоязычный индус из Тринидада Видиадхар Сурайпрасад Найпол, а также Жан-Мари Гюстав Леклезио, как про него пишут, «автор новых направлений, поэтических приключений, чувственных восторгов, исследователь человечества вне пределов правящей цивилизации». А во время остатков жизни Толстого, когда Нобелевская премия уже существовала, ее получили Теодор Моммзен, Хосе Эчеграй-и-Эйсагирре, Бьернстьерне Бьернсон... Генрик Сенкевич за «выдающиеся заслуги в области эпоса»...

А.К.: Интересная правда эта мировая литературная элита? Боюсь, что Вася не смог бы к ней принадлежать, потому что его должны были тогда бы волновать мировые вопросы, мировые проблемы, общечеловеческие коллизии и прочие «чувственные восторги». А Васю это мало интересовало. Его волновала Россия и русские, место русских в мире.

Е.П.: Совершенно верно. *Мировые* писатели – это клан, элита, небожители. Я в девяносто втором в Лондоне в Географическом музее видел, как вместе выступали нобелевские лауреаты – Чеслав Милош и Иосиф Бродский, а с ними вместе был какой-то араб, фамилию не помню, но тоже лауреат. И Дерек Уолкотт, лауреат свежеиспеченный, и Шеймус Хини, лауреат

Александр Кабаков

будущий. Вася к ним не принадлежал, у него абсолютно другой был даже, ну, образ жизни, понимаешь?

А.К.: Да, не принадлежал. А как ты думаешь, хотел все же принадлежать иль нет?

Е.П.: Отвечу дипломатично и расплывчато. Скорей всего, хотел, но зря хотел. Не его это была стезя.

А.К.: Тут я с тобой совершенно согласен. Тут мы с тобой и приходим к любимому моему выводу. Если бы Вася был *мировым* писателем, то как раз и выглядел бы провинциальным. Но он остался абсолютно, глубоко русским писателем. И лишь поэтому он писатель всемирный, а не провинциальный. Вот в чем дело, на мой взгляд. Я понятно излагаю?

Е.П.: Понятно, понятно. Мне, по крайней мере, понятно. Все, умный человек, давай мы с тобой на этом заканчивать сегодняшнюю тему, пока не начали повторяться.

ПРИЛОЖЕНИЕ

Перечень лауреатов Нобелевской премии по литературе с начала ее основания и до наших дней*

1901. Сюлли-Прюдом Рене. За выдающиеся литературные достоинства, высокий идеализм, художественное совершенство и необычное сочетание душевности и таланта.

1902. Моммзен Теодор. За монументальный труд «Римская история».

1903. Бьёрнсон Бьёрнстьерне Мартиниус. За благородную высокую поэзию, которая отличалась свежестью вдохновения и редкой чистотой духа, а также за эпический и драматический талант.

1904. Мистраль Фредерик. За свежесть и оригинальность поэтических произведений, правдиво отражающих дух народа.

1904. Эчегарай Хосе Мария Вальдо. За многочисленные заслуги в возрождении традиций испанской драмы.

* Из «Википедии»

1905. Сенкевич Генрик. За выдающиеся заслуги в области эпоса.

1906. Кардуччи Джозуэ. За творческую энергию, свежесть стиля и лирическую силу его поэтических шедевров.

1907. Киплинг Джозеф Редьярд. За наблюдательность, яркую фантазию, зрелость идей и выдающийся талант повествователя.

1908. Эйкен Рудольф Кристоф. За серьезные поиски истины, всепроницающую силу мысли, широкий кругозор, живость и убедительность, с которыми он отстаивал и развивал идеалистическую философию.

1909. Лагерлёф Сельма. Как дань высокому идеализму, яркому воображению и духовному проникновению, которые отличают все её произведения.

1910. Хейзе Пауль Йоханн Людвиг фон. За художественность, идеализм, как лирический поэт, драматург, романист и автор известных всему миру новелл.

1911. Метерлинк Морис. За драматические произведения, отмеченные богатством воображения и поэтической фантазией.

1912. Гауптман Герхарт. В знак признания плодотворной, разнообразной и выдающейся деятельности в области драматического искусства.

1913. Тагор Рабиндранат. За глубоко прочувствованные, оригинальные и прекрасные стихи, в которых с исключительным мастерством выразилось его поэтическое мышление.

1914. Премия не присуждалась.

1915. Роллан Ромен. За высокий идеализм литературных произведений, за сочувствие и любовь к истине.

1916. Хейденстам Вернер фон. Как виднейший представитель новой эпохи в мировой литературе.

1917. Гьеллеруп Карл Адольф. За многообразное поэтическое творчество и возвышенные идеалы.

1917. Понтоппидан Хенрик. За правдивое описание современной жизни Дании.

1918. Премия не присуждалась.

1919. Шпиттелер Карл Фридрих Георг. За несравненный эпос «Олимпийская весна».

Приложение

1920. Гамсун Кнут. За монументальное произведение «Соки земли» о жизни норвежских крестьян, сохранивших свою вековую привязанность к земле и верность патриархальным традициям.

1921. Франс Анатоль. За блестящие литературные достижения, отмеченные изысканностью стиля, глубоко выстраданным гуманизмом и истинно галльским темпераментом.

1922. Бенавенте-и-Мартинес Хасинто. За блестящее мастерство, с которым он продолжил славные традиции испанской драмы.

1923. Йейтс Уильям Батлер. За вдохновенное поэтическое творчество, передающее в высокохудожественной форме национальный дух.

1924. Реймонт Владислав Станислав. За выдающийся национальный эпос – роман «Мужики».

1925. Шоу Джордж Бернард. За творчество, отмеченное идеализмом и гуманизмом, за искрометную сатиру, которая часто сочетается с исключительной поэтической красотой.

1926. Деледда Грация. За поэтические сочинения, в которых с пластической ясностью описывается жизнь её родного острова, а также за глубину подхода к человеческим проблемам в целом.

1927. Бергсон Анри. В знак признания его ярких и жизнеутверждающих идей, а также за то исключительное мастерство, с которым эти идеи были воплощены.

1928. Унсет Сигрид. За запоминающееся описание скандинавского средневековья.

1929. Манн Томас. За великий роман «Будденброки», который стал классикой современной литературы.

1930. Льюис Синклер. За мощное и выразительное искусство повествования и за редкое умение с сатирой и юмором создавать новые типы и характеры.

1931. Карлфельдт Эрик. За его поэзию (посмертно).

1932. Голсуорси Джон. За высокое искусство повествования, вершиной которого является «Сага о Форсайтах».

1933. Бунин Иван Алексеевич. За строгое мастерство, с которым он развивает традиции русской классической прозы.

1934. Пиранделло Луиджи. За творческую смелость и изобретательность в возрождении драматургического и сценического искусства.

1935. Премия не присуждалась.

1936. О'Нил Юджин Гладстон. За силу воздействия, правдивость и глубину драматических произведений, по-новому трактующих жанр трагедии.

1937. Роже Мартен Дю Гар. За художественную силу и правду в изображении человека и наиболее существенных сторон современной жизни.

1938. Бак Перл Комфорт. За многогранное, поистине эпическое описание жизни китайских крестьян и за биографические шедевры.

1939. Силланпя Франс Эмил. За глубокое проникновение в жизнь финских крестьян и превосходное описание их обычаев и связи с природой.

1940. Премия не присуждалась.

1941. Премия не присуждалась.

1942. Премия не присуждалась.

1943. Премия не присуждалась.

1944. Йенсен Йоханнес. За редкую силу и богатство поэтического воображения в сочетании с интеллектуальной любознательностью и самобытностью творческого стиля.

1945. Мистраль Габриела. За поэзию истинного чувства, сделавшую её имя символом идеалистического устремления для всей Латинской Америки.

1946. Гессе Герман. За вдохновенное творчество, в котором проявляются классические идеалы гуманизма, а также за блестящий стиль.

1947. Жид Андре Поль Гийом. За глубокие и художественно значимые произведения, в которых человеческие проблемы представлены с бесстрашной любовью к истине и глубокой психологической проницательностью.

1948. Элиот Томас Стернз. За выдающийся новаторский вклад в современную поэзию.

1949. Фолкнер Уильям. За его значительный и с художественной точки зрения уникальный вклад в развитие современного американского романа.

1950. Рассел Бертран. Как один из самых блестящих представителей рационализма и гуманизма, бесстрашный борец за свободу слова и свободу мысли на Западе.

Приложение

1951. Лагерквист Пер Фабиан. За художественную силу и абсолютную независимость суждений писателя, который искал ответы на вечные вопросы, стоящие перед человечеством.

1952. Мориак Франсуа Шарль. За глубокое духовное прозрение и художественную силу, с которой он в своих романах отразил драму человеческой жизни.

1953. Черчилль Уинстон Леонард Спенсер. За высокое мастерство произведений исторического и биографического характера, а также за блестящее ораторское искусство, с помощью которого отстаивались высшие человеческие ценности.

1954. Хемингуэй Эрнест Миллер. За повествовательное мастерство, в очередной раз продемонстрированное в «Старике и море».

1955. Лакснесс Хальдоур Кильян. За яркую эпическую силу, которая возродила великое повествовательное искусство Исландии.

1956. Хименес Хуан Рамон. За лирическую поэзию, образец высокого духа и художественной чистоты в испанской поэзии.

1957. Камю Альбер. За огромный вклад в литературу, высветивший значение человеческой совести.

1958. Пастернак Борис Леонидович. За значительные достижения в современной лирической поэзии, а также за продолжение традиций великого русского эпического романа.

1959. Квазимодо Сальваторе. За лирическую поэзию, которая с классической живостью выражает трагический опыт нашего времени.

1960. Сен-Жон Перс. За возвышенность и образность, которые средствами поэзии отражают обстоятельства нашего времени.

1961. Андрич Иво. За силу эпического дарования, позволившую во всей полноте раскрыть человеческие судьбы и проблемы, связанные с историей его страны.

1962. Стейнбек Джон Эрнст. За реалистический и поэтический дар, сочетающийся с мягким юмором и острым социальным видением.

1963. Сеферис Георгос. За выдающиеся лирические произведения, исполненные преклонения перед миром древних эллинов.

1964. Сартр Жан-Поль Эмар. За богатое идеями, пронизанное духом свободы и поисками истины творчество, оказавшее огромное влияние на наше время.

1965. Шолохов Михаил Александрович. За художественную силу и цельность эпоса о донском казачестве в переломное для России время.

1966. Агнон Шмуэль Йозеф. За глубоко оригинальное искусство повествования, навеянное еврейскими народными мотивами.

1966. Закс Нелли. За выдающиеся лирические и драматические произведения, исследующие судьбу еврейского народа.

1967. Астуриас Мигель. За яркое творческое достижение, в основе которого лежит интерес к обычаям и традициям индейцев Латинской Америки.

1968. Кавабата Ясунари. За писательское мастерство, которое передает сущность японского сознания.

1969. Беккет Сэмюэл Баркли. За новаторские произведения в прозе и драматургии, в которых трагизм современного человека становится его триумфом.

1970. Солженицын Александр Исаевич. За нравственную силу, почерпнутую в традиции великой русской литературы.

1971. Неруда Пабло. За поэзию, которая со сверхъестественной силой воплотила в себе судьбу целого континента.

1972. Бёлль Генрих. За творчество, в котором сочетается широкий охват действительности с высоким искусством создания характеров и которое стало весомым вкладом в возрождение немецкой литературы.

1973. Уайт Патрик Виктор Мартиндейл. За эпическое и психологическое мастерство, благодаря которому был открыт новый литературный материк.

1974. Йонсон Эйвинд. За повествовательное искусство, прозревающее пространство и время и служащее свободе.

1974. Мартинсон Харри. За творчество, в котором есть всё – от капли росы до космоса.

1975. Монтале Эудженио. За достижения в поэзии, которая отличается огромной проникновенностью и выражением взглядов на жизнь, напрочь лишенных иллюзий.

1976. Беллоу Сол. За гуманизм и тонкий анализ современной культуры, сочетающиеся в его творчестве.

1977. Алейксандре Висенте. За выдающееся поэтическое творчество, которое отражает положение человека в космосе и современном обществе и в то же время представляет собой величественное свидетельство возрождения традиций испанской поэзии в период между мировыми войнами.

1978. Зингер Исаак Башевис. За эмоциональное искусство повествования, которое, уходя своими корнями в польско-еврейские культурные традиции, поднимает вечные вопросы.

1979. Элитис Одисеас. За поэтическое творчество, которое в русле греческой традиции с чувственной силой и интеллектуальной проницательностью рисует борьбу современного человека за свободу и независимость.

1980. Милош Чеслов. С бесстрашным ясновидением показал незащищенность человека в мире, раздираемом конфликтами.

1981. Канетти Элиас. За огромный вклад в литературу, высветивший значение человеческой совести.

1982. Маркес Габриэль Гарсия. За романы и рассказы, в которых фантазия и реальность, совмещаясь, отражают жизнь и конфликты целого континента.

1983. Голдинг Уильям Джералд. За романы, в которых обращается к сущности человеческой природы и проблеме зла, все они объединены идеей борьбы за выживание.

1984. Сейферт Ярослав. За поэзию, которая отличается свежестью, чувственностью и богатым воображением и свидетельствует о независимости духа и разносторонности человека.

1985. Симон Клод. За сочетание в его творчестве поэтического и живописного начал.

1986. Шойинка Воле. За создание театра огромной культурной перспективы и поэзии.

1987. Бродский Иосиф. За всеобъемлющее творчество, пропитанное ясностью мысли и страстностью поэзии.

1988. Махфуз Нагиб. За реализм и богатство оттенков арабского рассказа, который имеет значение для всего человечества.

1989. Села Камило Хосе. За выразительную и мощную прозу, которая сочувственно и трогательно описывает человеческие слабости.

1990. Пас Октавио. За пристрастные всеобъемлющие произведения, отмеченные чувственным интеллектом и гуманистической целостностью.

1991. Гордимер Надин. Своим великолепным эпосом принесла огромную пользу человечеству.

1992. Уолкотт Дерек. За блестящий образец карибского эпоса в 64 разделах.

1993. Моррисон Тони. Которая в своих полных мечты и поэзии романах оживила важный аспект американской реальности.

1994. Оэ Кэндзабуро. За то, что он с поэтической силой сотворил воображаемый мир, в котором реальность и миф, объединяясь, представляют тревожную картину сегодняшних человеческих невзгод.

1995. Хини Шеймас Джастин. За лирическую красоту и этическую глубину поэзии, открывающую перед нами удивительные будни и оживающее прошлое.

1996. Шимборская Вислава. За поэзию, которая с предельной точностью описывает исторические и биологические явления в контексте человеческой реальности.

1997. Фо Дарио. За то, что он, наследуя средневековых шутов, порицает власть и авторитет и защищает достоинство угнетенных.

1998. Сарамаго Жозе. За работы, которые, используя притчи, подкрепленные воображением, состраданием и иронией, дают возможность понять иллюзорную реальность.

1999. Грасс Гюнтер. За то, что его игривые и мрачные притчи освещают забытый образ истории.

2000. Синцзянь Гао. За произведения вселенского значения, отмеченные горечью за положение человека в современном мире.

2001. Найпол Видьядхар Сураджпрасад. За непреклонную честность, что заставляет нас задуматься над фактами, которые обсуждать обычно не принято.

2002. Кертес Имре. За то, что в своем творчестве Кертес дает ответ на вопрос о том, как индивидуум может продолжать жить и мыслить в эпоху, когда общество все активнее подчиняет себе личность.

2003. Кутзее Джон Максвелл. Романам Кутзее присущи хорошо продуманная композиция, богатые диалоги и аналитическое мастерство. В то же самое время он подвергает всё сомнению, подвергает беспощадной критике жестокий рационализм и искусственную мораль западной цивилизации. Он интеллектуально честен и занимается проблемами различения правильного и неправильного, мук выбора, действия и бездействия.

2004. Елинек Эльфрида. За музыкальные переливы голосов и отголосков в романах и пьесах, которые с экстраординарным лингвистическим усердием раскрывают абсурдность социальных клише и их порабощающей силы

2005. Пинтер Гарольд. В своих пьесах приоткрывает пропасть, лежащую под суетой повседневности, и вторгается в застенки угнетения.

2006. Памук Орхан. В поисках меланхоличной души родного города нашёл новые символы для столкновения и переплетения культур.

2007. Лессинг Дорис. За исполненное скепсиса, страсти и провидческой силы постижение опыта женщин.

2008. Леклезио Жан-Мари Гюстав. Как автор новых направлений, поэтических приключений, чувственных восторгов, исследователь человечности вне и ниже пределов правящей цивилизации.

2009. Мюллер Герта. С сосредоточенностью в поэзии и искренностью в прозе описывает жизнь обездоленных.

2010. Марио Варгас Льоса. За детальное описание структуры власти и за яркое изображение восставшего, борющегося и потерпевшего поражение человека.

ГЛАВА ТРИНАДЦАТАЯ
АКСЕНОВ И БОГАТСТВО

ЕВГЕНИЙ ПОПОВ: Позволь для начала разговора рассказать одну историю, может быть, даже и притчу. Когда началась трепка «МетрОполя», Феликс Феодосьевич Кузнецов еще плохо разбирался в контингенте, который ему поручен был партией и правительством. И вот он мне говорит: «Женя, ну что ж ты связался с Аксеновым-то? Ведь ты же хороший, простой сибирский парень, а у Аксенова... у него миллион на Западе!» Так мне представили Аксенова как богача. И теперь скажи: ты как думаешь, был ли у Василия нашего тогда миллион на Западе? Сейчас-то, когда я стал стар и нагл, то я, конечно, спросил бы: Феликс Феодосьич, а чего миллион – рублей, юаней, евро или долларов?

АЛЕКСАНДР КАБАКОВ: А в те времена – может, миллион лир... Это на хороший ужин было.

Е.П.: Да, лир... Когда-то был скандал с Бондарчуком, с Сергеем Федоровичем... Тогда рассказывали, что он не отдал советскому государству, как полагалось, свой большой итальянский гонорар, вроде бы миллиарды лир. Несмотря на то что яв-

Александр Кабаков

лялся пламенным советским патриотом. И ему ничего не сделали, а он купил на эти деньги какой-то уникальный автомобиль. И получил прозвище – «король лир». Лира-то была довольно мелкая денежка... Так вот, вернемся к теме: Василий Палыч наш – был ли он богатый? Был ли у него на Западе действительно миллион, хотя бы лир? Уникального автомобиля, как у Бондарчука, у него не было, и даже просто «мерседеса», как у Высоцкого, которому его устроила член ЦК французской компартии Марина Влади, – у Аксенова ничего такого не было. Почти до самого отъезда у него даже и дачи не было...

А.К.: Была у него обычная писательская квартира на Красноармейской...

Е.П.: И еще мамина квартира... После того как мама, Евгения Семеновна, умерла, ему ее квартира осталась... Вот вся его недвижимость. По-нынешнему – это смех. Трехкомнатная квартира на «Аэропорту»...

А.К.: С кабинетом на верхнем этаже дома, такой кабинет полагался там к каждой квартире – писатели же... Вот и вся его собственность. Там таких трехкомнатных квартир в этом доме было полно. Что ж, у всех этих советских писателей было по миллиону на Западе?

Е.П.: Это ты Феликса Феодосьевича спроси. Он, в отличие от Василия Павловича, жив, можно прямо сейчас спросить.

А.К.: А под Аксеновым... Нет, не под, а напротив, наискосок, жил Поженян. Тоже у него был миллион на Западе?

Е.П.: Что ты привязался к этому миллиону?

А.К.: Потому что в этой сплетне не только вся подлость, но и вся дурость союзписательская, представленная Кузнецовым!

Е.П.: Нет, он не дурак, почему же это он дурак?

А.К.: Потому. Во-первых, не на то тебя ловил, не тем тебя брал...

Е.П.: Это правда...

А.К.: Не подготовился к беседе с начитанным молодым человеком, считал тебя, как ты правильно понял, сибирским валенком. Во-вторых, назвал дурацкую цифру. Хотя бы поинтересовался, какие гонорары-то бывают на Западе. Узнал бы, может там писатель, если это не автор супербестселлера, заработать миллион?..

Е.П.: Я ведь к чему веду? В то время был Аксенов в зените славы советской, понимаешь... Он имел уже автомобиль «Волга»...

А.К.: «Волга» позже, по-моему, появилась, перед самым отъездом.

Е.П.: Ну, как позже? Когда я с ним познакомился, у него уже была «Волга» зеленого цвета. Огуречного зеленого цвета, похожая на танк, с которой вечно происходили всякие приключения.

А.К.: А до этого были «жигули», в которых задние двери не захлопывались, а стягивались веревкой, я уже вспоминал...

Е.П.: А перед этим, задолго до нашего знакомства, была у него машина «запорожец»... Я почему про это знаю? Когда меня исключили из Союза писателей, я довольно сильно разбогател. Потому что мне многие стали заказывать «негритянскую» работу из сочувствия – ну, переводы с языков народов СССР, – анонимную, естественно. У меня отбоя не было от заказов, как у пострадавшего за правду. И я тогда, значит, купил машину «запорожец» и прекратил пьянствовать, поскольку за рулем...

А.К.: В этом деле автомобиль – полезная вещь.

Е.П.: ...и когда я написал Василию Павловичу в Америку про мою машину «запорожец», он в ответ разразился целым эссе, которое, к сожалению, у меня не сохранилось... Он очень радовался и писал, что в свое время вся молодая русская проза ездила на «запорожцах».

А.К.: Это у него в каком-то тексте про шестидесятые есть: молодые русские писатели на маленьких машинах...

Е.П.: Ну ладно, Бог с ним... Так вот, все восхождение Аксенова по ступеням советского богатства было от джинсов, которые он в детстве, во времена ленд-лиза, с благотворительной американской посылкой получил, через кооперативную квартиру на Красноармейской и «запорожец» до «Волги» и, наконец, – купленной, а не полученной, – дачи в Переделкине. Это уж перед самым отъездом.

Александр Кабаков

А.К.: Да, другие советские писатели, даже не так много издававшиеся, побогаче были. А весь его путь богатея действительно был от «запорожца» к «Волге» и от случайно доставшихся американских штанов к знаменитому клетчатому пиджаку, я уж его вспоминал – он его за пятьсот фунтов в Англии купил, чем и поразил тамошних скромных знакомых, университетских славистов... Он в этом пиджаке на многих фотографиях, в том числе на знаменитой фотографии метропольской, сделанной в мастерской Бориса Мессерера Валерием Плотниковым. И, собственно, вот и все Васино богатство вплоть до его отъезда. Квартира в высотке на Котельниках – это уже когда женился на Майе, это была ее квартира, оставшаяся после смерти Кармена. Котельники – это уже отдельно, не из «миллиона на Западе». Так что Феликс Феодосьевич неудачно соврал, легко опровергаемо. Впрочем, я уверен, что «миллион Аксенова на Западе» придумал не он сам, а те же, что потом придумали: Аксенов затеял «МетрОполь», чтобы подготовить себе почву для эмиграции... Те же, что придумали, например, будто Солженицын – еврей по фамилии Солженицер (хотел бы я найти такую еврейскую фамилию!), что распространяли слухи, будто Боннэр Сахарова бьет и заставляет диссидентствовать... Они придумывали всю эту чушь, которая, по их мнению, и небезосновательному, должна была пойти в народ. Они неплохо знали свой народ... Но народ народом, а писателю Евгению Попову, хоть и молодому, хоть и из Сибири, Кузнецов про аксеновский миллион вручивал зря.

Е.П.: А народ, в том числе и простой член Союза писателей, верил. Е-мое! Зеленая «Волга»! Вылезает оттуда возле цэдээла весь в джинсах! Ну, конечно, у него миллион на Западе есть! В это любой посетитель ЦДЛ, особенно нижнего буфета, верил охотно. Кто там собирался, в нижнем буфете...

А.К.: И собирается в основном...

Е.П.: Знаешь, не хочется употреблять по отношению к коллегам уничижительных слов, хотя... вполне заслуживают...

Евгений Попов

А.К.: В Америке было такое понятие – «белая рвань», на Юге... Можно ввести такое: «писательская рвань». Вот такие там сидели.

Е.П.: Я-то хотел слова «подонки» избежать, понимаешь?

А.К.: А мне нечего терять, я не член Союза писателей... И вот в те времена там какой-нибудь стол обязательно собирался яростно антисемитский. Там они сидели и считали успешных в литературе евреев. Однажды я своими глазами видел, как они развернули журнал «Крокодил», который в каком-то торжественном номере опубликовал список и фотографии своих постоянных авторов, – а там список был будь здоров, там и хорошие писатели печатались, – ну, вот, они сидели, развернув «Крокодил», и карандашом ставили галочки со словами «нос», «нос», «нос»... Это они евреев считали. Вот для них слух, что у Аксенова на Западе миллион, был в самый раз. Они верили, а кто не верил, тот делал вид, что верил, так им было приятней себя чувствовать – я вот на рюмку сшибаю, а у него, продавшегося империалистам и евреям, миллион. И сам, конечно, еврей. Удачная история для людей нижнего буфета.

Е.П.: Аксенов, который все время переводился да еще время от времени появлялся тут же, в ЦДЛ, одетый черт его знает как, и широко гулял, часто гулял, много платил... Гулял наверху, а не внизу, гулял в резном дубовом зале, а не в нижнем буфете...

А.К.: Конечно, для них он был отвратительная «белая кость», конечно же, у него есть миллион на Западе, а раз миллион у него есть, а у них нет, то у него от кого? – от ЦРУ, конечно. Которому он продался, а они нет. Их, правда, и не покупали...

Е.П.: Между тем, были же и действительно очень богатые советские писатели.

А.К.: Одного Алексея Николаевича Толстого вспомни, не говоря о Горьком. Вот там были миллионы в пересчете на любую валюту.

Е.П.: Ну, это далеко мы уже уходим, до советских классиков...

Александр Кабаков

А.К.: И среди современных Аксенову писателей были богатые. Был, например, Юлиан Семенов...

Е.П.: Был Юрий Нагибин, у которого была фраза, я ее сам слышал и часто вспоминаю: «Я от советской власти построил забор из денег».

А.К.: Гениальная, кстати, фраза, я бы сам так хотел сказать про любую власть и про весь мир. Увы, бодливой корове...

Е.П.: Я уж не говорю о том, что и в Переделкине Вася не получил дачу, как многие нормальные члены Литфонда, а купил, и что в элитном поселке Красная Пахра, где они с Майей жили недолгое время перед отъездом, дача была тоже не его, а Майи.

А.К.: Это можно все отнести к его некоторому снобизму. Ну не рвался он в Переделкино, не хотел жить среди советских писателей, да еще и за казенный счет... Чем и подтверждал: ну, у такого точно миллион на Западе. В это верили те, кто ни миллиона, ни одного доллара в жизни не видел. Миллион там мог получить за свой «ГУЛАГ» Солженицын, потому что были заоблачные тиражи. А у Аксенова никогда таких тиражей на Западе не было. Никогда! Ни в советское его время, ни в эмигрантское.

Е.П.: Ну, получал он, получал приличные по советским меркам деньги. Плюс не забывай еще одну вещь: он много ездил по заграницам, а ведь тогда в поездки рубли меняли на валюту по официальному курсу. Так что у кого рубли-то были, в поездки получали... человек за триста наших бумажек получал примерно пятьсот полновесных долларов, тогдашних, а не нынешних, понимаешь? А вот это – поменять, сколько разрешалось, рублей на валюту – Вася мог себе позволить, потому что рублей у него было много. Издания, пьеса шла, сценарии... Но не думаю, опять же, что и рублей миллион у него был. Это даже смешно говорить.

А.К.: Да тогда, чтобы слыть богатым и даже быть богатым, миллион был и не нужен.

Е.П.: Точно. Тогда отец одного моего приятеля купил дачу в Переделкине за двадцать тысяч рублей, понимаешь? И это

Евгений Попов

нормальная цена была. А миллион... это психология одной купчихи у Островского, которая... забыл, в какой пьесе... говорит: так у него миллион!.. А для нее все, что больше десяти рублей, – это миллион. Для нижнего буфета ЦДЛ все, что больше полутора рублей на рюмку, – все уже миллион или почти. И вот Феликс Феодосьевич говорил со мной, как будто я из нижнего буфета, а я оказался не тот...

А.К.: Давно надо было покончить с этим эпизодом. Мы же говорим об Аксенове вообще и его отношениях с деньгами вообще... И вот что я надумал: в его отношениях с богатством, как и вообще в его жизни, есть несколько этапов. От рождения и до ареста родителей Вася жил как коммунистический принц – сын одного из коммунистических отцов города.

Е.П.: Ну, принц – это слишком. Это Василий Сталин был принц.

А.К.: Василий Сталин был не принц, а просто сын бога. А Василий Аксенов до пяти лет был именно принц. По казанским-то меркам! Да и по любым советским. Горя не знал, что называется. Особняк, прислуга... Понятное дело, в те времена что самое главное было? Еда. Ну, я думаю, кое-какая одежда. Что еще нужно советскому принцу? Потом, от пяти и до примерно двадцати трех-двадцати четырех лет жил он то более бедственно, то чуть менее бедственно. Менее бедственно, когда он был в Магадане, при Евгении Семеновне. То есть тогда жизнь даже со ссыльной матерью и ссыльным отчимом была более обеспеченной, чем жизнь на воле...

Е.П.: Да, потому что в городе Магадане много платили всем.

А.К.: Там было немножко получше, но все равно это была, конечно, нищета, и на мамины эти вот нищенские, зэковские, но все-таки деньги было построено то знаменитое его советское пальто, про которое он впоследствии, не так уже давно, написал: «Я его ненавидел больше, чем Иосифа Виссарионовича Сталина»... И после этой более или менее обеспеченной магаданской жизни была опять довольно нищая студенческая жизнь, но уже помогала Евгения Семеновна, не голодал, как многие студенты. И такая бедная, но мало-мальски приличная жизнь продолжалась лет до двадцати семи, до первой литературной публикации. А после этого Вася уже никогда не знал нужды. Он становился все более и более знаменитым советским писателем, все более и более высокооплачиваемым. Почему? Потому что он был талантлив и потому что вкалывал как лошадь. Он очень рано стал профессиональным писателем и очень быстро стал зарабатывать профессией. Он стал писать сценарии, пьесы. Пьесы получше, сценарии похуже, потому что он природный, от Бога, прозаик... А все остальное – это был заработок, более удачный, менее удачный, более художественный, менее художественный – но заработок. И он зарабатывал всегда много. При этом в последней части своей жизни, хотя она была наиболее обеспеченной, становился все более и более озабочен заработком. И вкалывал невероятно. Вот и все. Вот и весь его миллион. Миллиона у него не было ни там, ни здесь, но денег под старость было порядочно. Потому что он всегда работал, как трактор, и при этом был всегда востребован. Вот и все. А работал он как трактор или лошадь или как они вместе, потому что он очень – и вот на этом я закончу пока – высоко ценил деньги, как их ценят все нормальные люди: как средство большей или меньшей возможной независимости. Как... Как ту самую стену, которую воздвиг Нагибин. Вася тоже всю жизнь воздвигал стену из денег, но не только между собой и советской властью, а между собой и, по чести говоря, всем окружающим миром.

Е.П.: Да, действительно, он труженик был. Мне рассказывал Жора Садовников про шестидесятые еще годы: «Я как-то за Васей пришел, куда-то собирались вместе, а он сидит за пишущей машинкой и мне говорит: "А, привет! Извини, сейчас еще пять минут". В эти пять минут еще что-то напечатал, потом стал одеваться... ну, переоделся и говорит: "Стоп, еще одну секунду". Сел и еще страничку напечатал, а уж потом пошли...» В общем, труженик... Ну что я заладил – труженик, труженик! Он ведь просто любил работать, писать. Вот ты говоришь – пьесы так себе, а ведь они не были просто заработком, он их с наслаждением писал, всерьез. Вот сценарии были действительно ради денег... А пьеса у него только одна шла, «Всегда в прода-же». Какой мог быть шанс поставить пьесу «Четыре темпера-мента»? Про «Цаплю» я вообще молчу, он ее написал уже в диссидентстве. А сценарии – это другое дело. Например, фильм «Центровой из поднебесья»... Сценарий был сделан исключительно ради денег, это очевидно.

А.К.: А бывало и просто, как делали многие советские писа-тели с именем: получали заказ на сценарий, аванс, на этом де-ло и кончалось. Прекрасная это история, как они собрались большой компанией писать сценарий где-то в Одессе... Аванс ими был получен, а сценарий написал какой-то один из компа-нии, я не помню, он и получил весь гонорар за вычетом аван-са. Так вот: почему же Аксенов был такой работящий? Может быть, объясняется это тем, как ни странно, что он был стиляга. Всю жизнь.

Е.П.: Интересная мысль. Стиляга – и что?

А.К.: А на это деньги нужны. Для того чтобы всегда хорошо выглядеть, нужно много денег, много. А представляешь ты Васю? Чтобы так хорошо выглядеть в широком смысле – и одежда, и машина, и гулять широко, – просто очень много денег надо.

Е.П.: Но не хочешь ты сказать, что все стиляги были такие работники?

А.К.: Кто как. Кто фарцевал, что тоже своего рода зарабо-ток, да еще и опасный, кто в профессии делал карьеру... Вот Леша Козлов, про которого мы часто вспоминаем, очень рано начал зарабатывать музыкой, при этом далеко не сразу от сво-ей профессии по образованию – он архитектурный закончил – отказался.

Е.П.: А как музыкой зарабатывали хиппи?

А.К.: Многие из них, как только рок-музыку, их музыку, не-много разрешили, тут же стали зарабатывать. Но они музыкой зарабатывали, понимаешь, на прокорм и горсть травы, а Леша Козлов начинал играть на эстраде – это другие заработки, вполне приличные. Быть стилягой при советской власти, быть хорошо, модно и во все западное одетым требовало очень больших денег. Поэтому стиляги были сынками начальников –

а Вася был сынок начальников, но угодивших в зэки, поэтому он стал и всю жизнь оставался стилягой на свои деньги, заработанные. Он сильно не любил окружающую советскую действительность и отгораживался от нее деньгами. А когда попал на Запад, понял, что и там желательно от действительности отгородиться деньгами. Потому что среди действительности везде трудно жить.

Е.П.: К этому мы еще перейдем. Итак, что мы имеем... то есть он имеет к восьмидесятому году, когда писатель Аксенов покидает пределы родной страны? Значит, квартиры все остаются здесь, дачи остаются, «Волга» остается, и ничего, в сущности, он с собой из накопившегося в советском богатстве не берет. Тогда и нельзя было взять с собой приличных денег.

А.К.: Ну, ты мне не рассказывай, я знаю, как исхитрялись люди более простые, чем Вася, жадные и более простые. Они давали здесь какому-нибудь иностранцу все свои рубли...

Е.П.: Ну, рассказывай, рассказывай...

А.К.: А тот иностранец им там возвращал доллары. Но такие вещи Васи не касались.

Е.П.: Такие вещи его, во-первых, я думаю, действительно не касались, а во-вторых...

А.К.: А во-вторых, Васе и не дали бы это сделать. Васе никто бы не дал продать дачу, и чтобы деньги куда-то исчезли. Не дали бы. Его бы замордовали при выезде таможня и прочая гэбэ.

Е.П.: Так что он туда, на Запад, прибыл нищим абсолютно.

А.К.: Ну, не абсолютно. Его там ждали гонорары...

Е.П.: Это да, гонорары. И плюс у него было приглашение читать лекции. Так что какие-то у него денежки там были, Феликс Феодосьевич только в сумме сильно ошибся.

А.К.: На первое время, конечно, какие-то незначительные деньги были.

Е.П.: Он мне рассказывал потом, что первое место, где они с Майей в Америке жили – это был чердачок Карла и Элендеи Профферов в Анн Арборе. Ну, «чердачок» – я просто так говорю, скорей мансардочка... То есть он не снимал жилье, не

Евгений Попов

в гостинице жил, как нормально обеспеченный человек, оказавшийся временно без своего дома, а жил в гостях... При всем том, что у него уже был заработок, лекции по контракту.

А.К.: В общем, как все советские писатели, кто эмигрировал, приехал. И как теперь писатели из России приезжают – договор на лекции, иногда дорогу оплатят, иногда и гостиницу, но чаще живут у друзей – я вот сам только что так в Америку съездил ненадолго...

Е.П.: И у него даже не на год был контракт сначала, а, кажется, на полгода... Но когда его лишили советского гражданства, это, я думаю, в какой-то степени ему помогло найти работу и заработок. Университет Джорджа Мэйсона в Вашингтоне...

А.К.: Нет, он сначала работал в другом университете, тоже в Вашингтоне.

Е.П.: Ну, неважно, а важно, что писательством он там не мог много зарабатывать. И началась другая совсем жизнь. Здесь он был великий писатель и получал большие – советские в основном, но большие – гонорары. А там он был великий писатель для Профферов и многих других славистов, но не для коммерческих американских издательств. И заработок – лекции, сначала по контракту, потом – еще через много лет – настоящим профессором стал...

А.К.: Тут нельзя не вспомнить еще раз историю с «Ожогом». Он очень сильно был огорошен в Америке этой историей с «Ожогом». У него – я не просто предполагаю, я точно знаю от него самого, – были большие надежды на этот роман, в том числе и надежды на коммерческий успех. И второй раз в жизни его коллега и отчасти приятель помешал... В первый раз это было с «Джином Грином – неприкасаемым», у которого был огромный коммерческий успех в СССР, кино собирались снимать – и после разгромной статьи Евтушенко в «Литературке» все накрылось. Но с «Ожогом» все было гораздо серьезней. Эта история надолго, если не навсегда отодвинула вхождение Аксенова на американский литературный рынок.

Е.П.: Ты знаешь, что-то вроде этого было у всех наших писателей-эмигрантов.

Александр Кабаков

А.К.: Да, это было почти у всех. Но очень многие на этом застряли или стали выбираться в какую-то сторону – в сторону журналистики, в сторону «Радио Свобода», Довлатов газету делал, Лимонов, то есть Эдуард Вениаминович Савенко, устроился прислугой...

Е.П.: Ну, извини, Эдуард Вениаминович и в Москве не гнушался быть портным штанов...

А.К.: Это ему как раз не в укор, за это уважать можно. И бородку под Троцкого не носил, а носил нормальные модные волосы до плеч, и вообще был нормальный андеграундный поэт... В общем, все, обнаружив, что советские литературные ранги здесь не засчитываются или почти не засчитываются, а засчитываются только тиражи, устроились по-разному. К «Радио Свобода» многие прибились, например, Анатолий Тихонович Гладилин. Кто-то скудно кормился от эмигрантских журналов, от «Континента», например... А Вася сразу взял курс на университет. Уцепился, если мне позволено будет так выразиться, и не отпускал, не бросал ни при каких обстоятельствах, и проработал двадцать с лишним лет.

Е.П.: И стал действительно профессором, «профессором в штате», так, кажется, это у них называется...

А.К.: То есть стал обеспеченным американцем, потому что среди наиболее стабильно обеспеченных американцев всегда числились и числятся университетские профессора. Но что я тебе хочу сказать: хлебнул до этого Вася – будь здоров! Тут я сделаю непозволительную, особенно для писателя, но распространенную ошибку, а именно: я припишу биографию героя автору. Потому что это не всегда ошибка, потому что есть такие вещи, которые не мог автор описать, не пережив, не мог – он бы их не знал. Бедность, в которой некоторое время живет приехавший в Америку герой «Нового сладостного стиля», – эту бедность Вася знал не понаслышке. Во всяком случае, близко видел. Герой там некоторое время работает охранником на автостоянке – Вася не работал охранником на автостоянке, но, значит, он этот уровень близко видел. Человек, который всю одежду покупает в *second-hand,* – понимаешь, это

Евгений Попов

Вася видел. То есть он хлебнул опять относительной бедности в первые годы за границей...

Е.П.: Историю ты сплел очень красивую, я прямо заслушался. Но я с тобой совершенно не согласен. Начиная с одежды – да ему привезенной из Союза хватало! И у него была жена, звездная Майя, которая не стала бы, это самое, сухой корочкой питаться после той жизни, к которой она привыкла...

А.К.: А куда бы она делась? Если нет денег...

Е.П.: Нет, я с тобой все равно не согласен. Он для начала тратил деньги, которые у него там были, и не снизил уровня жизни. И он был у Карла Проффера почетный гость, а не приживал, понимаешь? Вот Довлатов небогато поначалу жил, это да. И многие другие... Кстати, вот история про отношение некоторых других писателей-эмигрантов к богатству Аксенова. Довлатов, который очень хорошо к Аксенову, в принципе, относился, однажды, выступая в Лос-Анджелесе на конференции, где эмигранты были, сказал примерно так: «Мы и в Советском Союзе плохо жили, нас не печатали, а они, вот эти, как Аксенов, и там печатались, и здесь прекрасно живут, а мы и здесь девятый... ну понятно, что... без соли доедаем...»

А.К.: Тоже преувеличение в обе стороны.

Е.П.: Это отражение распространенного писательского мнения о богатстве Аксенова. И не только нижнему буфету ЦДЛ оно было свойственно, но и некоторым вполне приличным людям. Вот история, которая связана с Фридрихом Горенштейном. Я его как-то спросил: зачем ты все-таки эмигрируешь? Так он знаешь как ответил? «Если бы я тут жил, как Васька Аксенов, я никуда не поехал бы». А мне Вася рассказывал про их взаимоотношения по поводу богатства. Однажды Фридрих, который тогда еще не был известен и успешен, увидел, что Аксенов выходит из машины, очевидно, из «Волги», и говорит: «Ну что, Вася, все машины коллекционируешь?» Потом Фридрих разбогател как сценарист, он очень хорошо сценарии писал – и построил себе мечту детства и голодной юности: пальто с шалевым воротником из хорошего меха. Шапку купил, как у Брежнева, и золотые перстни. Ну, такие у него были жела-

Александр Кабаков

ния… И вот Вася его встретил и не удержался, показал на перстни: «Ну что, Фридрих, все золото коллекционируешь?»

А.К.: В этой истории много про богатство Аксенова и отношение к нему других писателей. Люди, чуждые стилю, за богатство принимали стиль.

Е.П.: Вернемся к началу жизни Аксенова в Америке. Я опровергаю твою версию о том, что в первые месяцы ему там трудно пришлось. Потому что как только у него… знаешь, стрелочка на красной линии, бензин кончается… как только у него бензин кончался, деньги исчерпывались, так возникал и заработок, так возник университет…

А.К.: Да, проявились его всегдашнее умение и готовность зарабатывать.

Е.П.: Понимаешь, он был нацелен на то, чтобы зарабатывать, и делал все, что нужно для этого. Когда все шло к отъезду, мы тогда зиму провели на даче в Пахре, он с Майей и я. И Вася английский язык учил там постоянно. У него в ванной был приемничек, и там все время шуровало не то Би-Би-Си, не то еще что-то. Но когда он встречался с какими-то иностранцами, потом жаловался: «Ох, сегодня наспикался, устал…» То есть он старался, но у него еще не было свободного английского, когда он приехал в Штаты, понимаешь? А потом у него стал свободнейший английский, богатейший, его студенты мне рассказывали. Значит, он, как всегда, делал все необходимое для зарабатывания денег, овладевал профессорством как следует. И его коллеги по университету, преподаватели, мне же рассказывали, что он относится с крайней серьезностью к учебному процессу, не просто нашел писатель синекуру…

А.К.: Да это он и сам говорил, что для него университет – не просто заработок, но существенная часть жизни. Хотя в то же время это стало и основным источником его американских денег.

Е.П.: Здесь я опять вспоминаю свой разговор с Бродским, в Лондоне, в девяносто втором году. Я его среди прочего спросил, зачем он в университете работает. Он сказал: «Так из-за денег!» Я говорю: «А Нобелевская?» И он ответил вот что: «Так деньги, Женя, быстро кончаются». То есть для него это был просто заработок, вот он, величайший поэт, просто приходил в университет, показывался студентам, реял над ними. А Аксенов был нормальный «господин профессор», преподаватель, дававший знания, а не только возможность просто общения с собой.

А.К.: Это абсолютно точно. Хотя, конечно, был в его преподавании и определенный акцент – вот этот господин профессор еще, говорят, и русский писатель, как интересно... Такой профессор *Aksionov*, как персонаж его книжек...

Е.П.: Он русский писатель... Но, знаешь, там это не такое уж диво. Он в этих своих «американских» книгах описывает, там кого только нет: и генералы южновьетнамские, и просто всякие беглые, и чудаки... Там этого хватало и хватает, в Америке, там на этой экзотике не проживешь. А он стал еще и настоящим профессором, университетским человеком. И это одновременно давало ему и интересную работу, и деньги. А деньги, которые здесь, в Советском Союзе, были нужны, чтобы отгородиться от действительности, там нужны были поначалу, чтобы встроиться в жизнь. Деньги для витальности, как кислород... чтобы вольно дышалось там, «где так вольно дышит человек», понимаешь? И он с этими деньгами стал такой типичный американский *middle class*, не выше, чем *middle class*, но и не ниже.

А.К.: Ну все же высший *middle class*. Университетский штатный профессор – это высший *middle class*. Профессор – это хорошая позиция, как говорят в Америке, хорошая позиция. Конечно, не то что богатый адвокат или успешно практикующий врач, но очень неплохо.

Е.П.: И он, прямо скажем, очень за это держался. А там ведь свои интриги, одна кафедра другую не любит, один преподаватель другого не любит, все конкурируют, а ведь у него же долгие годы не было пожизненного контракта, его продлевали, и надо было стараться, чтобы его продлили на следующий год. И, как водится в американских университетах, чтобы продлили преподавателю контракт, надо, чтобы на его лекции записалось достаточно много студентов. Так к нему, как я узнал, записывалось огромное количество студентов!

А.К.: Для этого нужно приложить очень серьезные усилия, чтобы понять, что́ американскому студенту интересно.

Е.П.: Надо одновременно и дать информацию, прагматичные молодые люди понимают, что это пригодится в жизни, и дать... и напустить на них такого обаяния, чтобы они к тебе все записались ради удовольствия...

А.К.: А записалось бы мало, или, еще хуже, студенты бы пожаловались на «консервативного профессора» – и не было б контракта.

Е.П.: Я помню, с каким удовлетворением он мне написал, что теперь пожизненный профессор, уже не надо продлевать ничего. А это значит – большая пенсия... Потом, правда, он влетел по части пенсии со страшной силой. Там бывают пенсионные фонды вроде наших пирамид, вроде МММ. И он откладывал деньги на пенсию, а потом все эти деньги пропали...

А.К.: А, это я знаю. Все пенсионные деньги сгорели...

Е.П.: Ему этот фонд какой-то дальний родственник или знакомый порекомендовал. И когда все эти деньги накрылись, он еще дослуживал профессором, собирал заново на пенсию. Если бы не это, у него была бы больше пенсия. Он рассчитывал вообще-то на бо́льшую пенсию, но... Однако с любой американской пенсией жить в Европе – одно удовольствие. Тут у него появился дом в Биаррице, он привез из Америки подержанный «ягуар» и купил еще маленькую машинку «рено» для хозяйства...

А.К.: Вообще его жизнь – как бы образцовый пример правоты протестантского взгляда; честный труд вознаграждается. Вася всю жизнь хотел быть обеспеченным, в строгом смысле слова обеспеченным человеком, то есть человеком, которому обеспечена его жизнь дальнейшая без снижения уровня при любых обстоятельствах. Вот он все время этого хотел и к старости, к последним пятнадцати годам своей жизни этого добился.

Евгений Попов

Е.П.: И у меня сейчас даже мелькнула мысль, что, может быть, угадал Кузнецов: получил-таки Вася свой миллион...

А.К.: Всей собственности он, конечно, имел на миллион.

Е.П.: Значит, если бы он к концу возвратился бы сдаваться Феликсу Кузнецову, то он бы мог ему в качестве взятки дать миллион, продав свою недвижимость и прочее и поселившись, будто и не уезжал, на Котельниках... Но в реальной жизни он хорошо зарабатывал до последнего дня и прилично содержал семью. И любимого внука Ваню до самой его трагической гибели, и падчерицу Алену, тоже нелепо погибшую... Он был главой большой семьи и хорошо ее содержал.

А.К.: А сам к старости просто получил все то, что должен получить к старости человек, который всю жизнь пахал. Должен, но не всегда получает...

Е.П.: И в главном результате вот этот дом в Биаррице... Это был такой его уход от Америки.

А.К.: Он на Америку был немножко обижен. Обижен, что ни одна книжка не стала американским бестселлером.

Е.П.: Он татуировку мог бы себе сделать классическую: «Нет в жизни счастья». Потому что когда его обосрали уже в перестроечном «Крокодиле», он уже не был такой уж «штатский», он уже не имел иллюзий насчет Америки. И, как только смог, получив пенсию, переехал в Биарриц, в Европу.

А.К.: И переехал, я думаю, вот еще по какой причине, кроме обиды на американскую литературную среду: из Франции в Россию лететь ближе. А летал он в год раз по шесть. И дело даже не в цене билета...

Е.П.: Билет до Парижа стоит столько же, сколько до Нью-Йорка...

А.К.: Вот именно. Но дело в самом ощущении близости. Все-таки в Америке очень оторванным себя чувствуешь от Европы и тем более России, а из Франции вроде близко.

Е.П.: И если ты летаешь шесть раз в год, то есть все-таки разница: лететь десять часов или три...

А.К.: Я сейчас хочу вернуться к «миллиону на Западе». Ведь желающих повторять эту подлую глупость нашлось огромное количество в новейшие времена. Развелось довольно много новых кузнецовых. Ненавистники Аксенова, люди, как правило, с большими комплексами по личной части, обязательно тыкали его носом среди прочего в его богатство. «Вот порядочные-то люди, хорошие писатели, настоящие – кто в нищете умер, кто от пьянства, кто бедствует, кто эмигрировал и в Россию вернулся; слава богу, ему квартиренку Гаврила Попов дал, вот он там бедно квартирует на окраине... А Аксенов?! Ну что ж это такое?! Уехал в Америку – жил хорошо. Вернулся – живет в высотке...»

Е.П.: Так мы начинаем третью часть нашего разговора: постсоветское богатство Аксенова.

А.К.: «Вернулся, блин! Живет в высотке! Обязательно продался кровавому режиму, иначе он же в высотке жить не мог бы... Раньше ЦРУ продался, теперь кровавому режиму, и всё за хорошие деньги... А мы что же?!»

Е.П.: Пардон, пардон, в высотке же он был жилец у Майи...

А.К.: А это их не интересует нисколько. Факт: живет в высотке, дом в Биаррице... У кого есть дом в Биаррице? У кого вообще есть дом – дом! – в курортном заграничном месте? Из этих, которые в нижнем буфете?.. И даже не только из них...

Е.П.: У тебя был.

А.К.: Квартирка была ничтожная в Испании. Так ведь я не из нижнего буфета и вообще тоже продался. Только не так дорого... Правда, сейчас у многих жилье за границей завелось. Скажу тебе, в Хорватии сейчас понакупали домов наши просто журналисты... Но нижний буфет этим не переубедишь... Между прочим, моя испанская квартирка, студия, отчасти имела, как мне кажется, отношение к решению Васи купить какое-то жилье в Европе. Он очень оживился, когда узнал про эту квартирку, и долго меня расспрашивал о деталях. И купил дом, когда я свою квартирку уже продал – прошли золотые времена... В общем, никому сейчас это лыко в строку уже не ставится: что там себе купил Акунин, допустим, никто даже не знает. Но что Вася живет в Биаррице – не было интервью, которое бы не начиналось с того, что Аксенов живет в Биаррице. Точно так же,

Евгений Попов

как все знали, что «у Аксенова миллион на Западе», когда он еще в первый раз жил здесь. Сказать почему?

Е.П.: Эх, молодец был Вася!..

А.К.: Да, молодец. А знаешь почему? Потому что Вася был стиляга. Потому что он в большой степени жил, ну, как бы не обидно сказать... открыто. Попросту – напоказ. Ничего не скрывал, еще и прихвастнуть мог. За рулем темно-красного «ягуара» снимался для российского телевидения. Как когда-то, еще на заре американской жизни, снимался, присев на капот новенького «мерседеса», а «мерс» – это и в Америке круто. А он снимался босиком перед «мерседесом»... Одно слово – стиляга. Я и сам такой... А у другого в кубышке действительно миллион, а то и не один, но об этом никто не узнает. В те времена, когда Вася жил в Советском Союзе, были писатели куда как побогаче, мы уж говорили, но можно ли себе представить, чтобы они выставляли это богатство напоказ в виде, допустим, пиджака за пятьсот фунтов или джинсов с ног до головы? Да они тихонечко жили, только в Переделкине и по квартирам мебель антикварную, павловскую копили да шубами шкафы набивать моли на радость, женам на гордость... А у Васи, кстати сказать, на «Аэропорте» мебель-то была скромненькая. Его одежда стоила дороже. А настоящие литературные советские богачи скупали антиквариат, скупали картины, и не Булатова с Целковым, а Шишкина с Саврасовым – в качестве валюты безусловной. И, глядишь, дачка внутри-то была действительно на миллион – а богач у нас Вася, потому что он сидит в ЦДЛе в моднейших джинсах, в поразившей мое воображение в те ранние семидесятые замшевой куртке джинсового цвета – а тогда и обычная замшевая куртка была чудом... Сидит, и еще за весь стол платит. Конечно, у него обязательно миллион на Западе. Потому что пижон был, стиляга. И Биарриц свой демонстрировал, когда настоящие богатые русские уже замки покупали в Европе и дворцы в России строили – но старались все это делать без огласки.

Е.П.: А ты знаешь историю красного «ягуара»? Он его по дешевке купил и красил потом...

Александр Кабаков

А.К.: Я точно так же «форд» ржавый купил и красил... То, что ему «ягуар», то мне «форд».

Е.П.: Ты помнишь, как он одно время, очень короткое время, уже вернувшись, ездил на машине «Ока»?

А.К.: Конечно!

Е.П.: А ты знаешь, откуда она взялась? Ее Алеша, сын, купил по проекту «Властилина», которую Властилину потом за мошенничество посадили, но Алеша успел купить. И вот Вася, пижон, ездил на «Оке»! Правда, она сломалась сразу же, в первые дни...

А.К.: Мы где-то встречались, в ресторане каком-то, и Вася приехал на этом чудище. И мы когда вышли и я увидел, как Вася садится в машину «Ока», я понял, что он в Америке растерял понятие о престижности автомобиля, там плюют все на марку, лишь бы ехала, а маленькая машина еще больше ценится – экология... А он заметил мое удивление и гордо так говорит: «Очень удобный автомобиль, парковаться легко...»

Е.П.: А я вспомнил, как мы были однажды почему-то в гостинице «Radisson Славянская» – Белла, Борис, я... И Вася приехал на «Оке». И до метро чтобы не идти, мы попросили Васю нас подвезти. Так мы не могли все влезть, и он нас по очереди до метро возил! А потом, когда он переехал в Европу, у него уже и в Москве стали появляться приличные машины...

А.К.: Я помню появившийся у него в России после возвращения автомобиль «вольво». На который потом пересел Лешка и Васю возил. Еще я помню у него автомобиль «Форд Фокус», ярко-красный, на котором он довольно долго ездил. Он и в больницу попал из «Фокуса»...

Е.П.: Был вроде слух, что ему Березовский купил машину какую-то...

А.К.: А мы слухами не занимаемся, мы не журналисты, а Васины друзья. Что сами знаем, то и говорим... И говорим сейчас об Аксенове и деньгах, об отношениях между ним и деньгами. Он был, конечно, очень прилично обеспеченный человек к концу жизни, что не мешало ему очень беспокоиться о том, чтобы деньги все время были, не кончались. И это, на мой взгляд, подвигло его на некоторые необдуманные поступки. Не буду ставить покойному другу это в упрек, мне его мотивы очень понятны...

Е.П.: Я знаю, что ты имеешь в виду.

А.К.: Вот и хорошо, знай, а других это не касается. Да, он был очень озабочен тем, чтоб деньги все время были, чтобы деньги не кончились. И его понять можно: он был единственный работник на огромную семью. Была жива Алена. До этого не очень задолго погиб Ванечка. Майя... И он – единственный кормилец. И кормилец стареющий, быстро стареющий. Его панику, может, кто-то не понимает, а я прекрасно понимаю.

Е.П.: Ты даже паникой это называешь?

А.К.: Да, к концу жизни он был в состоянии некоторой паники относительно денег.

Е.П.: У него же вроде довольно высокие гонорары были...

А.К.: У него были доходы, но все они оказывались меньше, чем он ожидал. А деньги имеют свойство кончаться, как правильно тебе сказал Иосиф Александрович Бродский, имеет свойство кончаться даже Нобелевская премия... И Вася был очень этим озабочен. Хотя заканчивал жизнь в довольстве – вот правильное русское слово. Довольство. В довольстве. Но это довольство очень сильно преувеличивалось новыми кузнецовыми. На которых неизгладимое впечатление производил дом в Биаррице и прочая роскошь вроде подержанного красного «ягуара». Вася был на вид гораздо богаче, чем на самом деле.

Е.П.: Совершенно верно, да... Ну все, мы эту тему... наверное, закрыли. Деньги в жизни Аксенова как одна из его *романтик*. Как и любовь, и сочинительство... А что уж там на первом месте? Разумеется, не деньги...

А.К.: Так я и говорю, Женя! Вот я поэтому и говорю, что на вид он был гораздо богаче, чем на самом деле, потому что он был во всем романтик. Он умудрялся романтизировать все: тряпки, бытовые увлечения... И даже деньги. Потому что, извини, кроме романтика такую глупость, как покупка по дешевке «ягуара», никто не сделает.

Е.П.: И этим объясняется некоторая странность его романа «Редкие земли»...

А.К.: Конечно! Он романтизировал деньги. Вот как царь Мидас прикасался к чему угодно, и оно превращалось в золото, так Вася прикасался к чему угодно, хоть к золоту, и оно превращалось в романтику. Знаешь, он все романтизировал, он все немножко... наигрывал, немножечко накручивал, немножечко напоказ, немножечко слишком видно. Стиляга... Понимаешь? Вот и все. Вот в чем проявлялось то, что он был прежде всего художник все-таки, а уж потом работник, зарабатывавший деньги.

ПРИЛОЖЕНИЕ

О «штатниках», сребрениках и свиной тушенке

Из журнала «Крокодил», 1988, № 1, 7, 9, 11

Признаемся: был соблазн, публикуя фрагмент нового сочинения Василия Аксенова, тут же прокомментировать его, дать ответ по существу, расставить точки над i и над ё. Вероятно, срабатывал стереотип, инерция старого мышления – объяснять, расставлять, а не спорить, выслушивать мнения... Однако нам удалось избежать соблазна. Правда, мы сделали оговорку: читатели вправе высказать свое собственное мнение о публикации. Не скроем, мы верили нашему читателю и не ошиблись в нем: сотни писем уже принесла почта международного отдела. Сегодня – первая подборка откликов.

...Почитал, почитал я, дорогой «Крокодил», опубликованный тобой первоисточник, выпорхнувший из-под пера «таланта и титана», именуемого *Basil Aksionoff*, и хочу категорически заявить, что жил он у нас чисто символически, ибо как только заработал у него в полную силу пищеварительный тракт и отведал он американской тушенки, то всем своим существом – и умственно, и душевно – сиганул в эти самые Штаты, а обитали в нашей стране только штаны с присущим им содержимым, образно названным поэтом антиголовой.

Здесь закономерность такая: как только потребности штанов станут преобладать над всем иным и смещается в пространстве мыслительный аппарат, бегут аналогичные типы в соответствующие посольства и подвывают у порога: «Возьмите меня, ведь я уже давно и сердцем, и душой у вас. Вот только штаны перевезите».

Такая получается «утечка мозгов» – от *Basil Aksionoff* до *Saveli Kramaroff*.

Стиль – это личность, как говаривали корифеи. И употребил *Basil* слово «штатники» не случайно, ибо еще не забыл, что есть в нашей современной разговорной речи и слово «нештатник». Правда, спутал, где он штатник, а где нештатник. Придется помочь. Кое-что уточнить. Все-таки, дорогой «Крокодил», в Гаучерском колледже работает он нештатником. А штатник он совсем в другом месте, давным-давно состоя на повременно-гастрольной, но постоянной работе в парижском филиале радиостанции «Свобода» – обычного подразделения ЦРУ. И, как не раз об этом сообщалось, руководят там литературно-эстетическими и социологическо-экологическими направлениями американские «искусствоведы в штатском» от сержантов до майоров включительно. И, как водится в литературно-цэрэушной среде, ставят они регулярно по стойке смирно всяких там *Basil* и *C°* и дают им команды: «Оплевать! Оболгать! Оклеветать!» И слышится в ответ дисциплинированное: «О'кей, сэр!» или «Яволь, ваше благородие!» Тут, как понимаете, все зависит от того, кто команду подает – американский сержант или бывший власовско-гиммлеровский поручик.

Желчь и злоба по заказу постепенно топят даже склонность к беллетристическому чистописанию. Эх, *Basil, Basil*! Тушенка свиная, галстук намалеванный, девочки с пробором, радиола-автомат и Брод…

Вл.Жигалко, Москва

Приложение

МЫЛЬНЫЕ ПУЗЫРИ
Отклики читателей на отрывок
из новой книги В.Аксенова

Почта приносит все новые и новые письма, в которых наши чи-татели выражают свое мнение о «штатнической философии» Василия Аксенова.

...Вы, господин предатель, опубликовали себе приговор... а ес-ли ваши пасквили появятся и еще, то я соберу подписи города, об-ласти и отправлю петицию американскому президенту с просьбой взыскать с вас суммы за обучение в пользу нашего государства – это какие-то тысячи, и... за моральный, духовный ущерб – вот здесь счет пойдет на миллионы. А если президенту будет неловко и он вышлет вас обратно, вас будем судить за оскорбление целого народа...

Н.К.Климов, Северодвинск Архангельской области

А письма все шли и шли, формируя в редакционном портфеле уже третью подборку читательских откликов на отрывок из но-вой книги Василия Аксенова.

...Сам я отбывал срок, был хулиганом, но никогда даже в ду-ше не поливал грязью ни Советскую власть, ни кого-либо. Не знаю, получилось или нет, написал что-то вроде стишка, но это от сердца.

...Чужим вы голосом запели.
Да, видно, платят хорошо
За эти бесовские трели,
Коль так скрипит у вас перо.
Вы смели написать от поколенья,
Мертвец уже для всех.
И нету вам от нас прощенья.
Профессор, ваш отрывок – просто смех.

Знаю, что неграмотно и грубо, зато честно.

А вам, уважаемая редакция, пожелаю одно: почаще помещать такие вот отрывки горе-писателей из-за рубежа.

Сергей С., Новокузнецк

...Неужели не переживает Аксенов-87 страшных минут, часов, дней и лет одиночества? Неужто он и впрямь стал заурядным «штатником»? Мне, человеку того же поколения, что и Аксенов, становится не по себе от мысли, что он согласился – сам решился на это! – писать (за деньги, только за деньги!) что угодно – о Штатах, что угодно – о Родине.

И.Горелов, доктор филологических наук,
профессор Саратовского университета

ГЛАВА ЧЕТЫРНАДЦАТАЯ
«ВЫ ВЕДЬ, АКСЕНОВ, СОВЕТСКИЙ ЧЕЛОВЕК?»

АЛЕКСАНДР КАБАКОВ: Мы уже говорили о его органике, о его происхождении и пришли к выводу, что Василий Павлович – универсальный советский человек. Помнишь это, да?

ЕВГЕНИЙ ПОПОВ: Помню, я все прекрасно помню. Почти все.

А.К.: Что он одновременно и элита, и простонародье, и провинциал, и столичный пижон. Аксенов – универсальный советский человек, поэтому имеет право и может *органично* писать о любом советском человеке. Вот. А сегодня мы должны поговорить о нем как о советском человеке по отношению к советской жизни. По отношению к советской власти, советскому устройству, советскому обществу. К какой категории советских людей он принадлежал, был ли он человеком подлинно советским, антисоветским или внесоветским. Он борец был или не борец? Повлияла ли на него как на человека советская власть? Деформировала ли она его личность? То есть у нас был такой... как бы физиологический очерк происхождения Аксенова, а сегодня разговор у нас будет строгий, идеологический.

Евгений Попов

Е.П.: Что ж, давай тогда рассуждать уже не про менталитет российского и советского народа, а про Васину идеологию. Если она у него, конечно, имелась. Можно и грубее поставить вопрос, употребив слово «конформизм». С вопросительным знаком. То есть был ли Аксенов конформистом, в чем его неоднократно обвиняли, или он был нонконформистом, в чем его тоже неоднократно обвиняли, но уже с другой стороны. С советской. А про Аксенова-конформиста любили толковать его отдельные недоброжелатели из числа диссидентов таких записных. Да и матушка его, Евгения Семеновна Гинзбург, мы об этом уже вспоминали, как-то намекнула сыну, что он слишком легко, весело и замысловато пишет. Ее-то книга «Крутой маршрут» совершенно, извини за идиотский невольный каламбур, совершенно прямо написана против советской власти. Удивительно, что ей за эту книгу в конечном итоге ничего не было. Ее даже из партии не исключили.

А.К.: Старая она уже была для новых репрессий. Ей было семьдесят два года, когда она умерла в 1977 году.

Е.П.: Стало быть, Вася на пять лет дольше матери прожил. Ему в 2009-м было семьдесят семь.

А.К.: Семьдесят шесть. Полутора месяцев он до двух семерок не дожил.

Е.П.: А сколько было Солженицыну, когда напечатали «Один день Ивана Денисовича»?

А.К.: Ты не поверишь. Сорок четыре года! По нынешним меркам – молодой писатель! Вон Диме Быкову уже сорок три, а Дима по сравнению с нами мальчик, понимаешь?

Е.П.: Даже когда Александра Исаевича выслали из СССР в 1974-м, он был нас с тобой моложе. Пятьдесят пять лет было мужику.

А.К.: Ладно. Продолжаем...

Е.П.: Продолжаем. Может, ее потому не тронули, что она никакого участия в собственно диссидентском движении не принимала. Написала книжку – и все. Я не знаю, я никогда Васю не спрашивал, были ли у нее неприятности.

Александр Кабаков

А.К.: Я даже не уверен, что ее таскали на Лубянку. Хотя никто теперь этого наверняка утверждать не может. А если и вызывали, то легко себе представить следующий диалог: «Ваша книжка проникла на Запад? Вы передавали книжку на Запад?» – «Нет, не передавала». – «Все, до свидания». Вот если бы она устроила *кружок* по изучению «Крутого маршрута» или начитала бы текст на Би-Би-Си – тогда другое дело. А так – «Я книжку написала, Твардовскому ее в журнал "Новый мир" носила, еще в разные журналы, откуда я могу знать, как она оказалась в Италии?» Я даже не могу сказать, была ли Евгения Семеновна членом Союза писателей...

Е.П.: Вряд ли.

А.К.: Тогда ее и исключать было неоткуда. А в тюрьму сажать писательницу, прославившуюся на весь мир, тоже как-то было... некрасиво.

Е.П.: Из партии ее все же могли попереть. А из Союза писателей хотели гнать старика Домбровского, с которым я дружил, за «Факультет ненужных вещей», напечатанный в Париже, но он их обманул, старый зэк, – взял, да и умер, я как сейчас это помню – похороны его на кладбище в Кузьминках...

А.К.: Подожди, мы что-то совсем от темы отвлеклись.

Е.П.: Нет, не отвлеклись. Мы обсуждаем модуль поведения писателей. Не диссидентов в чистом виде, но *инакомыслящих*.

А.К.: Тогда давай сформулируем по-другому вопрос: а хотел ли Аксенов быть советским человеком или намеревался войти с советской системой в противостояние? Хотел ли он встроиться в эту систему или, наоборот, совершенно из нее выпасть?

Е.П.: Во-первых, давай определимся с терминологией. Что значит – советский человек? Ты вот можешь мне сказать, что это такое – советский человек? Ну, применительно, допустим, к молодому писателю.

А.К.: Для молодого писателя быть советским человеком – это значит опубликовать книжку в советском издательстве и посредством этой книжки вступить в Союз писателей СССР.

Е.П.: Так.

Евгений Попов

А.К.: Поехать сначала на две-три декады советской литературы в какой-нибудь там Азербайджан и Таджикистан, потом в Болгарию, а потом, глядишь, и в Хельсинки пустят бороться за мир. Ну, естественно, построить квартиру кооперативную на Красноармейской улице или улице Усиевича. Купить через Литфонд машину без обычной, *для всех*, очереди: «запорожец», если деньги только от одной книжки, а если подоспела вторая книжечка, то «жигуль», – «Волгу» потому что не по чину пока. И как предел мечтаний – получить для пожизненного проживания дачу в Переделкине. И писать при этом – вот что очень важно, – продолжать при этом писать не постыдно, как те мерзавцы, у которых умный рабочий и кристально чистый парторг перевоспитывают заблуждающегося интеллигента, а прилично писать, *почти* честно. Но и прямо про зверства большевиков, про душную атмосферу в стране не писать, а так писать, чтоб своим понятно было, а чужие чтоб не прискреблись... Вот я нарисовал, на мой взгляд, портрет советского человека, если этот человек писатель, особенно молодой. Вот что такое советский человек применительно к советскому молодому писателю.

Е.П.: Совершенно верно, у меня нет никаких возражений против нарисованного.

А.К.: А ты не догадываешься, кого я описал?

Е.П.: Экий бином Ньютона! Ты описал Василия Павловича Аксенова с одним только исключением – дачу в Переделкине он купил себе сам. И существенно позже того времени, когда прославился и когда уже никаких разночтений относительно его инакомыслия не было. Ты абсолютно точно нарисовал портрет раннего Аксенова. Аксенова до романа «Ожог».

А.К.: С некоторыми отклонениями в ту или иную сторону.

Е.П.: И я не думаю, что он хотел вписаться в уже существующую систему. Он хотел, я полагаю, на первых порах своей деятельности эту систему улучшить до некоего варианта «социализма с человеческим лицом».

А.К.: Вот на этот твой «социализм» Вася вполне бы мог обидеться. Потому что, извини, но это в какой-то степени приятие системы.

Александр Кабаков

Е.П.: Совершенно верно. Но я об этом не стал прямо говорить из деликатности.

А.К.: А вот еще один интересный эпизод его жизни. Когда ему мама и Антон Вальтер порекомендовали медицинский институт. Дескать, все равно сидеть, а врачу в лагере легче. То есть не готовили из него борца, отказника от работ или барачного пахана, а – врача. Чтоб он в больничку попал лепилой.

Е.П.: Я думаю, что эти люди, а за ними и Вася полагали, что «царствию Ленина не будет конца». Никогда. А жить-то как-то надо. И не как паскуда советская жить, понимаешь, в чем дело?

А.К.: Но и не как вечный сиделец...

Е.П.: А это, между прочим, тоже, извини меня, народная психология. Помнишь, я тебе рассказывал про алданских бичей, которые в моей жизни сыграли роль Арины Родионовны, про их веселую поговорку «Мы не из тех, кто под танки бросались и первыми входили в города». То есть они выделывали все, что хотели: пьянствовали, не работали, жили в теплотрассе, но на рожон не лезли, с ментами не заедались. И я полагаю, что Аксенов тоже поначалу не лез на рожон...

А.К.: Потому что он ученый был. Детством без родителей, Магаданом. С другой стороны, его поколение не допускало существования какой-либо другой жизни в России, оно принимало советскую жизнь как единственно возможную.

Е.П.: Да, другой жизни для них не было. И поэтому, смотри, вот те факты биографии Аксенова, о которых мы уже говорили. Например, с чего бы, казалось, Василию Павловичу стишки писать в институтскую газету, если он у нас изначально борец с режимом? Замечу тебе, что когда я напомнил ему про публикацию в «Юности», перед «Коллегами», двух его первых «комсомольских» рассказов, у него это особой радости не вызвало. Там ведь в рассказе «Асфальтовые дороги» хороший парень, но бывший стиляга, в армии отслужил, а его старые дружки – подонки, фарцовщики и уголовники – хотели дембеля к дурным делам вернуть, но здоровая натура советского молодого человека взяла свое, он совершил трудовой подвиг, всю ночь

Евгений Попов

аврально укатывая асфальт. В результате чего не смог сдать вступительный экзамен в институт. То есть сложный такой хеппи-энд. Вася не хотел, как комиссар из «Сокровенного человека» Андрея Платонова, потерять «некую внутреннюю честь». Он хотел жить, не теряя этой чести. И этого, кстати, желали все шестидесятники, да не у каждого получилось...

А.К.: Вот я об этом и говорю, что целое поколение, если не два поколения, глубоко советских людей, не допускающих существования никакой другой системы в России, кроме советской, хотели и невинность соблюсти, и капитал приобрести, какой-никакой, но позволяющий хоть как-то чувствовать себя человеком. Они хотели лишь приспособиться к системе, не делая сверх нужды ничего подлого. Я сам был полностью такой человек.

Е.П.: Да и я, пожалуй. Вот я поступаю в шестьдесят третьем году в Московский геологоразведочный. Активно участвую в художественной самодеятельности, а также блестяще сдаю в первую же сессию экзамен по марксизму-ленинизму, предварительно написав работу по раннему Марксу об отчуждении. Ранний Маркс, кстати, тоже был тогда некоторой фрондой. Равно как и ранний Маяковский. И за умненькую эту работу заслужил, значит, любовь и ласку марксиста-лениниста доцента Штейнбука, который привык, что геологам на его коммунизм начихать. Еще фронда заключалась в том, что сдавать экзамен мы с приятелем явились к Штейнбуку, остригшись наголо. Для эпатажа!

А.К.: Ох ты! Прямо плюнули тем самым в лицо советской власти!

Е.П.: Это в наши планы не входило. А повыпендриваться перед властью в лице товарища Штейнбука хотелось. Думаю, мудрый коммунист с человеческим лицом это понял и поставил нам по пятерке.

А.К.: Да. Это была общая модель поведения. Хотели плюнуть, но не попасть. Я так прожил значительную часть своей жизни.

Е.П.: Однако у всех рано или поздно возникали какие-то рубежные моменты. Для одного это был пятьдесят шестой год,

Венгрия, для другого – шестьдесят восьмой, Чехословакия, третьего возмутила высылка Солженицына, четвертого – Афган. То есть, понимаешь, советская власть, конечно же, была подлая безнадежно, но если бы она не была такая глупая, наглая и *беспредельная*, то она еще бы продержалась лет, ну, сто, например...

А.К.: Так многие думают, но я скажу на это вот что: она бы тогда не была советской.

Е.П.: Ты Петера Эстерхази когда-нибудь читал?

А.К.: Читал. Очень хороший современный венгерский писатель.

Е.П.: Мировая знаменитость вдобавок. У него слава сейчас на Западе такая же примерно, как некогда у Аксенова. И вот я его однажды спросил: «Петер, а когда ты написал книгу "Производственный роман"?» Он говорит: «В семьдесят девятом». – «А напечатал когда?» – «Тогда же и напечатал». – «Где?» – «В Будапеште». Я говорю: «Как так в Будапеште? У нас за такие издевательства над коммунистами в те времена из Союза писателей выгоняли, а то и сажали. У вас что, социализма не было?» Тут ему стыдно стало, что у них социализм такой травоядный был, он и говорит: «Ну уж вторую книжку – "Малая венгерская порнография" – мне пришлось в Вене печатать». А первые буквы названия «Малая венгерская порнография», МВП, – это ни больше ни меньше аббревиатура названия венгерской компартии. Это все равно, если я бы сатирический роман назвал, например, «Краткий Путеводитель Сукиных Сыновей», «КПСС». Я говорю: «И что тебе было?» – «Ничего. Потому что наш дядя Янош Кадар в отличие от вашего дяди Лени Брежнева провозгласил, что кто *не против нас, тот с нами*. А у вас все было наоборот». Я тогда плюнул с досады и говорю: «Если бы у нас, Петер, была бы такая же мягкая советская власть, как у вас, то никакой перестройки бы не было, и ты до сих пор ходил бы под красным знаменем». В Венгрии, между прочим, все новые западные фильмы показывали, и каждый венгр мог раз в год поехать на Запад к какому-нибудь своему дяде-контрику,

Евгений Попов

который бежал из страны в пятьдесят шестом. Колбасу в магазинах продавали.

А.К.: Вот! А накрылись все коммунисты вместе, извини за злорадный смех. Как тут накрылось, так и там накрылось. Почему ж там советская власть – гуманная, неглупая – тоже не удержалась?

Е.П.: Значит, из Москвы велели «перестраиваться». Тогда ведь еще советская империя не была разрушена. ГДР, Чехословакия, Венгрия – кончай перекур, становись на руки.

А.К.: Это все феномен Прибалтики и Грузии. Прибалтика и Грузия в Советском Союзе были зонами наименьшей советской власти. Однако, как советская власть закачалась, так эти страны первыми с телеги соскочили. Я помню до сих пор, как кричал после событий в Вильнюсе один мой сослуживец по «Московским новостям», из бывших гэбэшников: «Чего им не хватало? У них и так советской власти не было!» Значит, что-то не так просто было с советской властью и с советскими людьми типа Аксенова. Да и, пожалуй, с нами тоже. Вот какое-то было в нас качество, которое не позволяло нам внутри себя, до конца, окончательно стать антисоветчиками.

Е.П.: Что значит «до конца»?

А.К.: То и значит, не прикидывайся, что не понимаешь. И я думаю, в Васе это было в большой, очень большой степени. Хотя бы потому, что он еще в детстве был сильно пуган. *Они* отгородились от всех стенкой, а *мы* мечтали не сломать эту стенку, а перелезть через нее туда, где *они*. Чтобы мы оставались для них чужими, но одновременно были как бы даже и *свои*. Однако они тоже не были дураками. Ни меня, ни тебя, ни Васю туда не пускали...

Е.П.: Подожди-подожди, что ты такое говоришь? Твою прозу, допустим, не печатали совсем, меня печатали в год по чайной ложке, но Васю-то тут же приняли в Союз писателей после «Коллег».

А.К.: И тут же начали долбать.

Е.П.: Эта долбежка была ритуальная.

Александр Кабаков

А.К.: И все время подчеркивали: ты не наш! А он-то всего лишь перелез через стенку в *их* рай и хотел встать там с краешка, в таком гордом одиночестве, *байроническом* – это Васино слово.

Е.П.: Васино, да. Мы к нему еще вернемся, когда будем о его последних книгах говорить.

А.К.: Хотел им *как бы* сказать: вот вы все подлое сервильное говно, отчего здесь и обитаете. А я к вам тоже через стенку перелез, живу, как вы, но думаю, чувствую по-иному, а сделать вы мне за это ничего уже сейчас не можете.

Е.П.: Мне кажется, это взгляд из нынешних времен. Хотя... как сказать... У всех была надежда, не только у Васи. «Надежды маленький оркестрик», как в песне Окуджавы. А также «Добро пожаловать, или Посторонним вход воспрещен», как в фильме Элема Климова 1964 года. Считалось: главное, что нам мешает, – *дураки*.

А.К.: Вот именно! Не подлецы, не уроды, не людоеды, каковыми они являлись, а дураки. Но ведь это же лицемерие, Женя? Или все-таки самоубеждение?

Е.П.: Самоубеждение. В рассказе Аксенова «Дикой» старый, отсидевший при Сталине большевик, папаша героя, с восторгом описывает некоего военачальника, за которым легко угадывается запрещенный тогда Троцкий. Как, значит, Троцкий блестяще усмирил банду красноармейцев-дезертиров. Или еще где-то, не помню где, чуть ли не в «Золотой нашей Железке», Аксенов описывает секретного академика, любителя тоже не одобряемого тогда абстрактного искусства. И у этого «декадента» на стене висит фотография, где он изображен во время Гражданской войны с красным бантом, бандитским чубом и наганом. Вася об этом пишет без иронии, персонаж этот, если примитивно рассуждать, *положительный*. И я полагаю, что *на первом этапе* Вася рассуждал так: раз Сталин подох, а матушку отпустили из Магадана, то придется поверить этим чертям еще раз. Тем более что многие из них вон как *трансформировались*, вроде этого самого секретного академика.

Евгений Попов

А.К.: Иосиф посадил, Никита выпустил. Поэтому Вася на разносе в Кремле вполне искренне сказал Хрущеву: «Никита Сергеевич, мои родители живы, и наша семья видит в этом вашу заслугу». И он вовсе не подлизывался и не унизился. Он просто сказал правду, и это вдруг сработало. Никита прекратил орать.

Е.П.: Сейчас буду признаваться. Действительно, не были мы до конца антисоветчиками. Если бы во время перестройки победили горбачевы и александры яковлевы, если бы сформировалось нечто такое полукоммунистическое, социал-демократическое, даже с цензурой и ослабевшей КПСС, *меня бы это устроило*. Я понимаю, что сейчас подставляюсь, развенчивая свое, так сказать, славное «диссидентское» прошлое...

А.К.: Подставляешься... Но это честно в рамках наших рассуждений о том, что молодой врач Аксенов все свои дальнейшие жизненные перспективы связывал со вступлением в Союз писателей СССР. Ему же и в голову не пришло бы, я думаю, как не пришло в голову Борису Леонидовичу Пастернаку, когда его исключали, сказать им: «Да пойдите вы в жопу с вашим Союзом советских писателей! Ваш этот Союз был механизмом для отбора людей в лагеря, а ваш фюрер Фадеев визировал списки на уничтожение. Не хочу я быть вашим членом, горите вы огнем, уроды!» Никто так не сказал. Самые вольномыслящие, самые непримиримые обещали лишь «поименно вспомнить всех, кто поднял руку». Поэтому на вопрос, любили ли шестидесятники, да и мы, постшестидесятники, советскую власть, существует два ответа. Первый: другой-то не было. Второй: немножко любили.

Е.П.: И тот, и другой ответ немножко правильные. Другой не было.

А.К.: И не будет никогда: я был в этом настолько уверен, что года за три или четыре до перестройки кому-то заявил в споре, что вот этот рейх — действительно тысячелетний. А уже через пять лет, в восемьдесят восьмом — наоборот, написал «Невозвращенца»...

Александр Кабаков

Е.П.: Успокойся. Бжезинский тоже так считал. Когда помер Леонид Ильич, Бжезинский сказал в одном интервью, что в СССР будет править «вечный Брежнев». Всегда! А ведь человек был сведущий, не чета тебе, у которого, кроме злобы на коммунистов, ничего не было. А на Бжезинского целый аппарат аналитиков работал.

А.К.: Совершенно верно. И именно такими вот типичными шестидесятниками были сначала и Аксенов, и Гладилин, и Евтушенко, и Вознесенский, и Юлиан Семенов. В разной, конечно, степени.

Е.П.: Ты знаешь, мне тут пришло сравнение в голову: понимаешь, в любом воздухе существуют микробы, но когда их набирается дикое количество, то возникают эпидемии, пандемии. Но какое-то небольшое количество микробов в воздухе непременно должно присутствовать, иначе этот воздух неправильный. Так что все зависит от процента *советскости* в человеке. Определенный процент советскости был и в Сахарове, и в Солженицыне. Ты не согласен?

А.К.: Почему? Согласен.

Е.П.: И у одного и того же человека процент советскости меняется в течение жизни. В один ее период у него, например, восемьдесят процентов советскости, когда он, например, воюет за родину или запускает в небеса космическую ракету, как старший брат в «Звездном билете». А в другой момент, когда вводят войска в Чехословакию или понесло коммунистов в Афганистан, — тогда этот процент сокращается до пяти процентов, например. Но присутствует этот процент *всегда*.

А.К.: Я вот сейчас тебе тоже одну вещь скажу, крамольную с либеральной точки зрения. Все приличные люди, такие, как Вася, были в большей или меньшей степени советскими. Вот грех говорить про покойника Анатолия Кузнецова, но у того-то никаких иллюзий не было. Поехал в Лондон изучать ленинское наследие и тут же остался. Немедленно начал выступать по радио.

Е.П.: Где признался, что сотрудничал с КГБ, стучал, иначе бы не выпустили.

Евгений Попов

А.К.: А потому что на войне как на войне. Он с советской властью воевал, он чувствовал себя к ней засланным, а Вася не был засланным. Вася был блудный, но сын.

Е.П.: Да, это ты точно сейчас говоришь. Вася-то ведь сто раз мог остаться. Он мне рассказывал с некоторым даже негодованием, как его однажды чуть было не подставили. Как-то во время одной из поездок он сидел в парижском кабаке с приятелем-эмигрантом и приватно поливал советскую власть. А на следующий день вдруг слышит свой голос в передаче, посвященной великому празднику трудящихся Седьмое ноября. Приятель диктофон включил... Все тут же решили, что Вася тоже, как Кузнецов, решил свалить. Но, с другой стороны, ему и за это *ничего не было*. Очевидно, в благодарность, что все-таки не остался.

А.К.: Мне кажется, все это, о чем мы сейчас рассуждаем, очень важно для того, чтоб понять не только Аксенова того времени, но понять всех нас, понять несколько поколений, понять ситуацию, понять, что такое была советская власть – ну, на ее излете, будем говорить. Ведь тогда порядочные люди даже искренне оскорблялись, когда их называли антисоветчиками. Это феноменально, но это так. Вот Андрей Вознесенский на той знаменитой встрече в Кремле сказал Хрущеву: «Я, как и мой великий учитель Маяковский, не коммунист...» Никита возопил: «И вы этим гордитесь, что не коммунист? А я вот горжусь тем, что я коммунист!» В зале свист, вой. «Позор Вознесенскому!» Идиоты! Ведь это было открытое признание связи с системой, преемственной связи. Андрей в этом признавался искренне, я глубоко в этом убежден. Искренне. Он не пытался увильнуть. Так что на вопрос, советские они были люди или не советские, у меня есть странный ответ. Они были больше советские, чем многие члены ЦК. Потому что они хотели *улучшить систему*, а тех сложившийся порядок вещей вполне устраивал, и наплевать им было на систему, им на свое место под советским солнцем было не наплевать. Еще с тридцатых годов боролись только за свою голову, чтоб не полетела, и за свое место. Исключением был, пожалуй, лишь фанатик Суслов Михаил Андреевич, «серый кардинал» КПСС, который годами ходил в одних и тех же галошах и старом пальто.

Е.П.: Согласен. Возможно, этим и объясняется то, что Сталин троцкистов гноил почище, чем белогвардейцев. Или вот поэт Анатолий Жигулин получил нечеловеческий срок за то, что создал подпольный комсомольский кружок, исповедовавший *правильный коммунизм*. Мне кажется, что и в семидесятые годы *правильный марксист* тоже был для властей куда хуже, чем какая-нибудь вражина, повесившая на стене портрет Черчилля или Николая Второго.

А.К.: Так что на вопрос, был ли Вася советским человеком, я бы ответил так: да, Вася был советским человеком, но его сама же советская власть довела до антисоветизма.

Е.П.: Тут сразу же возникают вопросы – когда и зачем? Ведь если бы советская власть вовремя, а не устами Горбачева во время перестройки, сказала: «Вы знаете, мы тут немножко погорячились, зря мы семьдесят лет сажали, стреляли, людей гнобили, мы все это чуть-чуть неправильно, извините, делали», – то это, между прочим, многих бы устроило.

А.К.: Пожалуй, устроило бы. Но давай вернемся к нашему герою. Ты спрашиваешь, когда и зачем. Так я считаю, что для этого потребовались годы усилий советской власти – годы! На верхнем уровне, на среднем, на нижнем уровне, на уровне холуёв – чтобы из Аксенова сделать жесткого, непримиримого антисоветчика. А вместо «зачем» попытаемся понять, *что* для этого потребовалось. Потребовалась эстетическая тупость советской власти, этическая тупость советской власти, политическая и идеологическая тупость советской власти, потребовались в совокупности все эти составляющие, чтобы из Васи и таких, как он, сделать врагов.

Е.П.: В пользу твоей версии свидетельствует и вечный вопрос «чего ему еще не хватало?», который, например, часто задавали во время погрома «МетрОполя».

А.К.: Когда Вася перелез через стенку, но при этом не разрушал ее, он должен был стать для этих мудаков вроде как своим. А они вместо того чтобы сказать – ну ладно, раз уж перелез, то все, черт с тобой, живи как хочешь... Они ему вдруг – это нельзя, это нельзя. Он и подумал: «А зачем я, собственно, через стенку перелезал, зачем здесь оказался?»

Е.П.: Они понимали, что расширять пространство свободы ни в коем случае нельзя. Ты, товарищ Берлингуэр, чего это там ересь плетешь про какой-то там еврокоммунизм? А вы, чехословацкие товарищи, что, совсем охренели с вашей «Пражской весной»? А ты, товарищ Ив Монтан, падла, мы тебя привечали, а ты вон кем оказался! Ты ведь помнишь, Саша, гулявшее в самиздате знаменитое «письмо» будущего редактора «Юности» Бориса Полевого «прогрессивному американскому писателю» Говарду Фасту, которое начиналось гениально: «Эх, Говард, Говард!» А дальше уже прямым текстом. Тебя в Крым возили? Возили. Радиопостановку «Тони и волшебная дверь» по радио крутили? Крутили. Коньяк, икру жрал? Жрал. Деньги получал? Получал. Так че ж ты, мужик, *не по-честному* себя ведешь? Многих этих «прогрессивных» под конец уже тошнить стало от советской власти. Андре Жид, Дос-Пассос, Стейнбек, Сартр...

А.К.: В том-то и дело. В сущности, в поколении Аксенова, и в нашем с тобой поколении, и даже в следующем за нами поколении, и даже немножко в предыдущем перед аксеновским – во всех советская власть получила сначала просто критиков, а потом и настоящих врагов. И не потому, что люди были такими к ней непримиримыми, а потому, что перед каждым из них встал выбор: оставаться приличным человеком, то есть хоть как-то уважать себя, или наоборот.

Е.П.: И это не только в нашей стране было. У польского писателя, критика, литературоведа Виктора Ворошильского, некогда ярого и молодого коммуниста-комсомольца, все началось с пятьдесят шестого года. Ему не понравилось, что в *советскую* Венгрию *советские* же танки ввели, и он стал отъявленнейшим диссидентом. Или польский русист Анджей Дравич! Или чех Зденек Млынарж, который вместе с Горбачевым в МГУ учился!

А.К.: А я вот тебя сейчас познакомлю с одним своим соображением, которое мне только что в голову пришло. По поводу

Александр Кабаков

танков – что в Венгрии, что спустя двенадцать лет в Чехословакии. Нам с тобой хорошо известно из рассказов старших товарищей, как в августе шестьдесят восьмого московская молодая интеллектуальная элита отдыхала в Коктебеле «у лазурной колыбели». Где и получила сообщение, что в братскую Чехословакию по-братски введены братские танки. И они, естественно, дико возмутились. А давай зададимся вопросом: а чем, собственно, вы, молодые *советские* писатели, возмущены? Резонной, эффективной и необходимой для сохранения социализма мерой? Ведь когда система перестала танки вводить или стала вводить их в ограниченном количестве, как в Литву, то тут же и рухнула. Так что если бы она не ввела их в пятьдесят шестом в Венгрию, от нее еще тогда ничего бы не осталось, потому что следом за Венгрией поднялись бы Польша и Германия. А если бы не было «братской помощи» Чехословакии, то берлинская стена, пропади она пропадом, рухнула бы в шестьдесят девятом, а не в восемьдесят девятом. Резонно? Да. Однако Аксенов и иже с ним, оставаясь советскими людьми, тем не менее хотели сохранить порядочность, чтоб западные сверстники и коллеги им в морду не плюнули за очередные проделки большевиков. Но когда ты недоволен *любыми* действиями тоталитарной власти, ты становишься ее врагом. Советская власть остаться в мире с такими людьми, как Аксенов, не могла. Советская власть самими попытками сохранить свое существование таких людей отторгала рано или поздно.

Е.П.: Я тут догадался, как Мальчиш-Плохиш, персонаж Аркадия Гайдара, какова была главная *военная тайна* советской власти, тайна, которую она тщательно охраняла: советская власть знала, что любая попытка ее реформировать для нее гибельна. Поэтому все вы, господа реформаторы, пошли к едрене фене! Мы будем вас только по тактическим соображениям терпеть, не более. А так вообще-то вы для нас – враги. А Горбачева советская власть проглядела. Никиту скинула, хотя и поздно, а Горбачева проглядела.

А.К.: Я вот сейчас о себе думаю. И, извини за пафос, думаю весьма честно. Вот если бы в семьдесят втором там каком-ни-

Евгений Попов

будь году, когда я мечтал опубликовать свою первую повесть, ее бы вдруг сдуру опубликовали, то я, может, еще тогда стал бы советским писателем, как, допустим, Юрий Михайлович Поляков? Кстати, моя повесть была ничем не более антисоветская, чем его первая повесть в «Юности» про комсомольцев «ЧП районного масштаба», он, пожалуй, даже резче моего написал, он ведь меня помоложе как-никак и писал позже. Но она прошла, а моя не прошла, а вот если бы прошла, то, глядишь, был бы я, увы, совершенно советский человек. И рано или поздно советская власть меня поставила бы в такое неудобное положение, в котором я должен был бы выбирать: или я все еще приличный человек, или уже непристойный.

Е.П.: *I'm afraid that...* боюсь, что поставила бы. Если взять подшивку журнала «Юность» за оттепельные годы, то там найдешь очень много имен людей, которые хорошо начинали и прескверно кончили.

А.К.: Вот и с Васей произошло то, что сначала советская власть решила, что из него можно сделать своего, и раскрыла ему объятья...

Е.П.: Тем более что он этой власти немножко подмигивал, как морячок из его же рассказа «На полпути к Луне», который все по горлу пальцем стучал, делая кому-то приглашающие выпить знаки.

А.К.: ...но не случился у них роман. Мало у кого из заметных писателей случился. Диапазон отторжения был от сознательной враждебности до постепенного неприятия и полного развода, как у Аксенова. Ну почему все-таки не позволили Аксенову, несмотря на все перечисленное, стать нормальным советским писателем? Ведь *формализм* его учителю Катаеву простили. Равно как и «идейно ущербное», говоря гэбэшным языком, содержание катаевской повести «Уже написан Вертер». Ввиду старости и заслуженности?

Е.П.: И ввиду того что Валентин Петрович всегда живо и верноподданически откликался на любой бред партии и правительства. Аксенов же один-единый раз напечатал письмо в «Правде» по просьбе Бориса Полевого, заклинавшего «звезд-

Александр Кабаков

ного» автора спасти журнал «Юность» от Хруща, а потом всю жизнь мучился, что дал слабину. И – Катаев был лауреатом Сталинской премии, Героем Социалистического труда, а против Аксенова каждый год какие-нибудь кампании разводили. То появлялось письмо мифических «крымских таксистов» по поводу «клеветнического рассказа "Товарищ красивый Фуражкин"», то поднимали хай из-за публикации в журнале «Кодры» стихотворного отрывка, показавшегося «Литературной газете» непристойным. Это, кстати, был отрывок из тайного антисоветского «Ожога», о чем, естественно, никто тогда не знал, но чутью «Литературки» можно только позавидовать. К слову, если забежать вперед, уже в годы перестройки коммунисты спустили на Аксенова всех собак, обвиняя в низкопоклонстве перед США и напечатав, как в старые добрые времена, в журнале ЦК КПСС «Крокодил» целую подборку писем разгневанных «трудящихся». Помню, к слову, что в начале шестидесятых этот же «орган» отличился тем, что просто, без комментариев, перепечатал стихотворение Беллы Ахмадулиной «Маленькие самолеты», совершенно аполитичное. Дескать, полюбуйтесь, дорогие читатели, какой бред сочиняют эти молодые писатели, существующие на народные деньги! Так что Катаеву, я думаю, изысканную форму простили *в виде исключения*. А у других были в связи с этим сильные проблемы. У того же Битова, например, с романом «Пушкинский дом». Советская власть понимала: этим аксеновым-ахмадулиным-битовым полмизинца дай – они всю руку оттяпают. Форма! Говоря об Ахматовой, советские мерзавцы с наслаждением цитировали довольно дурацкий ответ Маяковского на вопрос одного из читателей, как он оценивает стихи Ахматовой *по форме*. «Форма как форма, белогвардейская», – весело острил «агитатор, горлан, главарь».

А.К.: А вот Васе Маяковский нравился.

Е.П.: Я здесь ни при чем. Он и Цветаевой нравился. А я ни Цветаеву, ни Маяковского не люблю. Мое право.

А.К.: Твое, твое! Ты что разошелся?

Е.П.: А я вот хочу проиллюстрировать тему советскости Василия Аксенова одной знаковой историей, которую он же мне и рассказал. Однажды наш Василий Павлович сидел в «Пестром зале» ЦДЛа, пил нечто из бутылки и стакана, и вдруг сидевший рядом с ним за барной стойкой какой-то писатель внезапно разворчался примерно как старик Моченкин в «Бочкотаре»: что нынешняя литературная молодежь не знает советских классиков, не выказывает им никакого почтения. Тогда Аксенов его и спрашивает: а кто ж вы такой? Тот говорит: «Губарев моя фамилия, и я, между прочим, первым открыл Павлика Морозова, книгу про него написал, которую в школе изучают!» – «А-а-а, так это вы, значит, воспели юного предателя, поздравляю», – мгновенно отозвался Аксенов. Тот опешил и говорит: «Чего-чего? А ну-ка, сиди здесь, никуда не уходи...» – и куда-то побежал, скорей всего цэдээловскому гэбэшному куратору жаловаться. А тот ему скорей всего ответил, что это же Аксенов, что с него взять? Старик возвратился злой как черт, бормотал, что кругом одни антисоветчики, и с тех пор повадился Васю преследовать. Как его увидит, обязательно какую-нибудь *политическую* гадость скажет. И вот однажды в ЦДЛе напился будущий редактор «Континента», а тогда сотрудник журнала «Октябрь» Владимир Емельянович Максимов. Напился и вдруг вскричал, покидая этот «дом нечестивых»: «Коммунистов на фонари! Коммунистов давно пора вешать!» А случившийся рядом Губарев тут же засуетился и начал Василию дело шить: «Товарищи! Будьте свидетелями. Все слышали, как Аксенов предлагал уничтожать коммунистов?» Тут наш Василий осерчал, прижал старика к стенке, двинул ему под дых и спросил: «Больно? Так вот если ты, старая падла, от меня не отвяжешься, я тебя вообще пришибу». И случилось чудо. Губарев действительно к Аксенову больше не лез. Очевидно, подумал, что идеология – она, конечно, идеологией, а вдруг и *на самом деле* пришибет, *реально*, а не на бумаге? Хотя... какой Губарев тогда был старик? Ему тогда и шестидесяти не было.

А.К.: А слабо было Васе просто сказать: «Слушай, иди ты, старый мудак, некогда мне с тобой и с твоим Павликом разбираться!»

Е.П.: Давай не будем беллетризировать действительность.

Александр Кабаков

А.К.: А чего ее беллетризировать? В начале семидесятых чистота идеалов успеха уже не имела даже у официалов, наоборот, воспринималась как некая придурь или демагогия. Понимаешь, чем советские писатели отличались от других советских людей? Они думали, что ЦДЛ – это метафора советской жизни. Что наша страна – один огромный ЦДЛ. Они в этом были уверены, как чеховские персонажи в том, что вся Россия – вишневый сад. Тут пьяный Максимов, отсидевший по уголовной статье, призывает коммунистов вешать, там выпивает плейбой Аксенов, в углу ест бифштекс Юз Алешковский, член Союза писателей по детской секции и автор песни «Товарищ Сталин, вы большой ученый», которую знает вся страна и уважают даже стукачи, в парикмахерской стригут, в парткоме заседает партком, внизу отсидевший в ГУЛАГе брат Сергея Владимировича Михалкова, бывший разведчик Михаил Михалков, копия сам автор гимна, играет в бильярд, в буфете бранится старый классик-стукач, с ним вступает в перепалку, допустим, стукач нового поколения, написавший не про Павлика, а про БАМ... Они подерутся, их разнимут, и, если не выгонят, они снова подерутся. В Большом зале в это время – закрытый просмотр. Только для членов СП СССР. Показывают черно-белую, краденную советскими дипломатами копию фильма Боба Фосса «Кабаре»... В Малом зале наконец-то разрешили вечер Марины Цветаевой... Многим, очень многим этот мир представлялся вечным.

Е.П.: Совершенно верно, вечным.

А.К.: А оказалось, что он сам себя разъедает – по глупости ли коммунистов или по какой другой их органике. Максимов был «из народа» – стал диссидент, Аксенов составил «МетрОполь», Алешковский вдруг взял да уехал в Америку... И вот они уже не украшение стола, а враги. Так вот, следует признать, что этот типичный для советского человека путь из конформистов во враги Вася проделал, мне кажется, с наименьшими нравственными потерями. Потому что вражда и ненависть не делают человека лучше. Вася не испытал вот этого разложения, растления ненавистью.

Евгений Попов

Е.П.: Да, я диссидентов многих знал, хотя и не участвовал никогда в их диссидентских свершениях. Я видел, что и там свои кланы, и там борьба за власть идет, и там «кто не с нами, тот против нас». При всем к ним уважении и сочувствии.

А.К.: Думаю, что еще и поэтому диссидентский мир не особенно Аксенова любил, предпочитая ему его же матушку Евгению Гинзбург, Варлама Шаламова, Владимира Войновича, Георгия Владимова, Юрия Домбровского… И других. Имен достаточно.

Е.П.: Да, это факт. Такой же, как и то, что этот мир не принял роман Владимира Кормера «Наследство», где всего лишь нелицеприятно были изображены «инакомыслящие первого призыва» с их дрязгами, склоками, пьянством, пустословием. И у Аксенова, кстати, в антисоветском «Ожоге» есть глава под постмодернистским названием «Арест пропагандиста», где борцы с режимом, о которых в интеллигентских кругах полагалось говорить с придыханием, были изображены весьма иронично. Поэтому он не был равным среди равных ни в официозе, ни в диссидентщине. Не было в нем вот этой… осатанелости, понимаешь?

А.К.: А эта рутина советская, она ведь была цельная, устоявшаяся, добротная. Она многим позволяла жить. Я вот никогда не забуду прощальный концерт Андрея Волконского перед тем, как он эмигрировал, уехал на Запад в начале семидесятых. Попал я, никто и звать никак, туда, конечно, с помощью Василия Павловича. И это было зрелище, я тебе скажу! Та же картинка, что в ЦДЛ, но еще более наглядная… Потому что в первом ряду сидели высшие чины КГБ и рядом с ними – высшие чины диссидентства. Например, сам Александр Исаевич Солженицын. И дальше по рядам – Сахаров, Шафаревич и тут же Бобков, понимаешь?.. Мы с Васей сидели в восьмом или девятом ряду. Я его на джаз водил, а на этот раз он меня с собой взял, и оказался я там совершенно не по чину. Такая была в этом зале… действующая модель замкнутого мироздания. И, казалось бы, живи и живи так, родная советская власть, на радость всем советским трудящимся, да? Но не сумела она так жить, не смогла выжить!

Е.П.: А гармония отношений, пускай совершенно ущербная, все же действительно существовала, подтверждаю. Вот я, уже

Александр Кабаков

исключенный из Союза писателей, вдруг получил изрядное количество денег за какую-то прежнюю халтуру, напился в ресторане ЦДЛ и подрался на стоянке такси с неким поэтом, заехав ему по физиономии в ответ на участливый вопрос «как у тебя дела?». Потому что неделей раньше он гневно выступал на каком-то собрании, где клеймил меня и говорил, что я – позор нашего поколения. Утром, трясясь с похмелья, я рассказал об этом Васе, и он страшно оживился, сообщив мне, что сам дрался там не менее десяти раз, на этом известном месте, где пьяные писатели в ожидании таксомотора начинают выяснять отношения. Но я к чему это начал? А к тому, что мне потом Андрей Андреевич Вознесенский, царство ему небесное, рассказал, что его вызвал к себе Верченко и говорит: «Слушай, Андрей, ты скажи там Жене, что сейчас ставится вопрос о его восстановлении в Союзе писателей, а он напился пьяный, ударил человека, кричал: "Красные фашисты!"» Андрей ему отвечает, что это еще один аргумент, чтоб Попова скорей восстановить в Союзе писателей, а то «теряем хорошего парня». То есть, понимаешь, Верченко же не сказал Вознесенскому про меня, что все, больше мы с этим говнюком дела не имеем. Он *как бы* понимал, что если человека не за хрен собачий исключили отовсюду, то что же ему остается кричать, напившись, – «Слава КПСС», что ли?

А.К.: То есть он просил Андрея Андреевича «как старшего товарища» на тебя воздействовать. Получается, что самые умные из них, такие как Верченко, действительно пытались, как они сами утверждали, спасти заблудших – что тебя, что Аксенова. Не по человеколюбию отнюдь, а чтобы сохранить эту цельную картину цэдээла, вот эту гармонию.

Е.П.: Да, Верченко умен был... Но не нужно *их* и идеализировать. Мне однажды сказал старый Семен Липкин: «Женя, вы их зря *антропологизируете*». Ты что-то хочешь еще добавить к сегодняшней теме?

А.К.: Пожалуй, что не добавить хочу, а попытаться сформулировать. Таких людей, которые хотят взорвать стенку, – а не перелезть через нее, чтобы попасть *туда*, – разрушить все до основания, а затем стать одним из тех, кто был никем, а оказал-

Евгений Попов

ся всем – таких людей всегда много. Но наш Вася не из их числа. Вася хотел добиться своего тихо, без ломки, но никого и ничего не предавая, никем и ничем не поступаясь.

Е.П.: Вот это и есть органический финал наших сегодняшних рассуждений. То, что сделал Вася, и все то, что с ним произошло, называется эволюцией, а не революцией. Он хотел войти в этот мир, оставаясь собою, и хотя бы немного улучшить его, сделать немного другим, а не разрушить. Вот и все.

А.К.: Сделать мир немного другим – это очень опасный путь. На мой взгляд, в рассуждениях о том, что вот я вступлю в бандитскую КПСС, чтобы улучшить ее изнутри, было много у одних – откровенного лукавства, у других – наивной глупости.

Е.П.: Да, КПСС невозможно было улучшить, но жизнь-то ведь не состояла из одной КПСС.

А.К.: Были люди, которые, если снова перейти на литературные реалии, изначально писали заведомый непроходняк, отправляя его на Запад или в самиздат. Но Вася не делал так. Никогда. Он ведь сначала даже «Ожог» рассчитывал здесь опубликовать. Только потом понял: нет, это уже все. Вот в этот момент он и порвал с системой окончательно. На провокационный гэбэшный вопрос-утверждение «Вы ведь, Аксенов, советский человек?» – он сначала отвечал, как его научили «борцы за права человека» и сторонники «социализма с человеческим лицом»: «Я – гражданин СССР», а потом его и гражданства эта власть лишила.

ПРИЛОЖЕНИЕ

ПИСЬМО ДЕСЯТЕРЫХ

Из газеты «Московские новости», 1987, № 13–15

От редакции

Так называемый интернационал сопротивления появился несколько лет назад. Его образовали представители различных эмигрантских кругов из ряда социалистических стран совместно с «контрас» из Анголы, Кампучии, Афганистана и Никарагуа.

В этой компании оказались также несколько лиц, в разное время и по разным мотивам выехавших из СССР. Причем если одни из них давно подвизаются на антисоветском бизнесе, то другие не слишком демонстрировали свою враждебность к нашей стране и советской власти. Так или иначе, десятерых объединило письмо, которое реакция на Западе с наслаждением цитирует и обыгрывает.

Письмо подписали В.АКСЕНОВ, В.БУКОВСКИЙ, А. и О.ЗИНОВЬЕВЫ, Э.КУЗНЕЦОВ, Ю.ЛЮБИМОВ, В.МАКСИМОВ, Э.НЕИЗВЕСТНЫЙ, Ю.ОРЛОВ, Л.ПЛЮЩ.

Перепечатывая это письмо, как оно опубликовано во французской газете «Фигаро», редакция полагает, что, в общем-то, оно не требует особого комментария, ибо говорит само за себя. И все-таки, поскольку это письмо, – оно ждет ответа.

Из «письма десятерых»

Лавина новостей из Москвы вызывает в последнее время удивление и даже смущение у многих честных людей как на Востоке, так и на Западе: неужели наступил такой поворотный момент в нашей истории, о котором можно было только мечтать, когда будет положен конец репрессиям, нищете, международному разбою? Или же речь снова идет о временной оттепели, о тактическом отходе накануне следующего наступления, как определял это Ленин в 1921 г.?

. . . .

Может ли обветшавшая теория выдержать сегодняшнюю практику? А если нет, что же тогда произойдет?

Отклики на письмо

МИХАИЛ УЛЬЯНОВ: И вот когда эти люди, которые начинали вроде бы со стремления сделать что-то доброе, помочь решить проблемы, скатываются на позиции, общие для всех антисоциалистических сил, – тут уж просто страшно становится: что же они за люди, если позволили себе так низко пасть? Если меня вор обкрадет, я, конечно, огорчусь, но чего же иного ждать? Но когда тебя знакомые обворовывают – тут уж совсем другие чувства возникают.

ЕГОР ЯКОВЛЕВ: А венчают они всю эту мешанину следующим: в результате процесса демократизации «мы только чуть-чуть приблизимся к положению черного населения Южной Африки».

МИХАИЛ ШАТРОВ: «Интернационал сопротивления перестройке» – иного названия это сборище и не заслуживает.

ОЛЕГ ЕФРЕМОВ: Больше того, думаю, дальнейший их путь – к более глубокой деградации, к участию в политических играх западной реакции на ролях более жалких и подлых.

Читательница МАЙЯ ФАНДЕЕВА (Москва): Эти люди не совершили ошибку, они предали Родину сознательно. Им не нужна Советская власть, они не признают нашу идеологию, им наплевать на нашу историю...

ЛЕН КАРПИНСКИЙ: Авторам письма с народом оказалось не по пути.

ГЛАВА ПЯТНАДЦАТАЯ
ПРАВОСЛАВИЕ И ВОЛЬТЕРЬЯНСТВО ХРИСТИАНИНА АКСЕНОВА ВАСИЛИЯ

ЕВГЕНИЙ ПОПОВ: Я мыслей об этом мало имею, я наблюдений больше имею. Я вспоминаю следующую сцену, относящуюся к теме. Мне рассказывал Юра Кублановский примерно году так в восьмидесятом... А он, надо сказать, воцерковленный человек... Воцерковленный человек, да, и всегда интересовался древнерусским искусством, а вообще-то из семьи скорее всего атеистической, отец актер...

АЛЕКСАНДР КАБАКОВ: Ну, актер... Знаешь, как старые мхатовские актеры – утром в храм, каяться в лицедействе, днем на репетицию, вечером на спектакль, утром – каяться...

Е.П.: Опять мы принялись болтать. Ну, давай болтать, потому что Василий Павлович это с восторгом принял бы, ему это нравилось, сочинительство. Вот, значит, историю мне рассказал Кублановский... Когда я с ним познакомился, он был, по моему мнению, типичный такой неофит, понимаешь. Сейчас он глубоко и правильно религиозный человек, а тогда у меня с ним были споры религиозные, я ему объяснял, что как я крещен при рождении, так у меня никаких проблем нету, крещен – и все. А кто, намекал я, побывши в комсомоле, крестился, тот пускай и разбирается... В общем, это все чушь, зря только потеряли три минуты тридцать две секунды.

А.К.: Ни в коем случае эту чушь не выкинем.

Е.П.: Так вот, он мне рассказывает, что он пошел в церковь перед Пасхой, по-моему, это было в Переделкине. В церковь пошел и там обнаружил Василия Павловича, который, как Юра рассказывал, был очень красив, одет хорошо и истово молился. Как показалось Кублановскому – ну, слегка так, чуть-чуть слишком истово, понимаешь, в чем дело-то... Вот, это было наблюдение Кублановского. А вообще, если за эту тему браться с самого начала, то и ты, и я, мы знаем по воспоминаниям Василия Павловича, что он был крещен. В раннем еще детстве...

А.К.: Нянькой или бабкой.

Е.П.: Тайно был крещен нянькой или бабкой по отцу.

А.К.: Есть про это в рассказе «Зеница ока», там точно указано, кто его крестил, – нянька.

Е.П.: В этом рассказе или в другом, но я читал, что нянька крестила, а крестным отцом был шофер отца, Павла Васильевича. Довольно интересно, ты представляешь, шофер-то был партийный? Наверняка. И еще, глядишь, гэбэшник был.

А.К.: Это как раз много говорит о религии при советской власти, тут я могу долго рассуждать. С религией были сложные отношения у коммунистов, в том числе у верующих коммунистов, то есть верящих и в Бога, и в коммунизм. Очень-очень сложные.

Е.П.: Я мимоходом, по крайней мере, должен отметить, что самое страшное чудовище, которое руководило нашей страной...

А.К.: Да, чудовище, изверг, выродок, который руководил нашей страной в течение тридцати почти лет, он ведь был – доучен, недоучен, – но семинарист. Крещеный-то уж всяко. И при нем к церкви, которую, конечно, продолжали истреблять, как начали при Ленине, но стали относиться постепенно... ну да, как к конкурентам, почтенным конкурентам, уважаемым. К исламу, по указанию Ленина, как известно, относились как к союзнику. Он писал, что, мол, наш первый и естественный союзник в борьбе с международным капиталом и православной церковью – это ислам. А после него положение и отношения с православной церковью стали меняться... Это кое-что объясняет и насчет шофера, и начет верующей няньки. У кого?! У председателя горисполкома. А у председателя горисполкома Казани не то что нянька, но и посудомойка, кухарка – всё это должны были быть служащие НКВД. А были верующие простые люди... Сложно все это было, очень сложно.

Е.П.: Важно, когда она его окрестила. Васенька – тридцать второго года, то есть когда бывший семинарист окончательно утвердился у власти.

А.К.: А родись он в двадцатые, когда тут бушевала первая, ленинская банда! Главарь – интернационалист-атеист, вольтерьянец – заметь, вольтерьянец! – Владимир Ильич Ульянов. При нем попов прибивали гвоздями к дверям храмов. Вряд ли в его времена сына советского начальника крестили бы – страшно было. А у Иосифа Виссарионовича хватало дел – народ-то в крови топить, но тенденция, тренд, как теперь говорят, по отношению к церкви немножко повернулась. Побаивался душегуб...

Е.П.: Знаешь, очень красивая теория, но...

А.К.: Смотри, как повел бы себя Владимир Ильич Ленин, доживи он, черт, до Второй мировой войны? Он бы непременно обратился к немецкому пролетариату, дескать, немецкий пролетариат должен восстать и спасти первое пролетарское государство в мире, правильно? А Иосиф Виссарионович что сказал? «Братья и сестры!» – это ведь к православным обращение. И я еще удивляюсь, что он сказал «сёстры», а не сказал «се́стры», по-церковному, как произносил в свое время. «Пусть осеняет вас знамя Александра Невского, Суворова...» – и так далее что-то вроде этого. А Суворов Емельку Пугачева, революционера, ловил... И только что не сказал тогда напуганный мерзавец «святого благоверного князя Александра Невского», все-таки неловко ему было бы... В общем, тут много всего. Из-за этого, в частности, многие белые эмигранты монархического, правого направления говорили: «Сталин, конечно, зверь, жестокий, но государь». А Ленина-то честили исключительно разбойником... И то что Васю крестили, в каком получается там... в тридцать...

Е.П.: Ну, он родился в августе тридцать второго, в тридцать третьем, получается...

А.К.: В начале тридцать третьего, я думаю. Так вот, это крещение не было подвигом. Думаю, что многих детишек советских начальников тогда крестили. Всегда находились бабка, нянька, тетка... вот в чем дело.

Е.П.: Ты знаешь, может быть, не время и не место, но я вспоминаю уже восемьдесят третий, что ли, год, когда Светлана Анатольевна Васильева, моя жена, крестилась в Грузии, крестился Пригов и дочка Беллы Ахатовны Лиза. Я был крестным у Пригова, а у Светы – Чабуа Амирэджиби... Так вот, нас везли до места на машинах два мужика грузинских, про одного из них потом наши грузинские знакомые говорили, что он гэбэшник. Просто, без осуждения говорили, ну, гэбэшник он, что такого... Ну, и когда обряд крещения состоялся, он расцеловал ближних к нему, этот гэбэшник, и сказал, что «ну вот, еще прибыло три православные души». Он сказал это искренне абсолютно!

А.К.: Да, такая любовь-ненависть была у коммунистов с православной церковью...

Е.П.: Ты знаешь, интересно у нас получается. Я сейчас читаю книжку под названием «Двести лет вместе», так там кое-что о подобных вещах тоже есть.

А.К.: Последнюю фразу могу сказать на эту тему, но по советской привычке полагаю, что ее вычеркнут все редакторы, начиная с тебя. Если и была какая-то нераспавшаяся связь времен в нашей стране, то она была только в православии. Я повторяю здесь слова людей, многие из которых тебе неприятны, да и мне тоже. Но если бы православие не было сохранено, если бы государство не было вынуждено в определенный момент обратиться к православию за поддержкой, вот это был бы конец.

Александр Кабаков

Е.П.: Хорошо же ты обо мне думаешь! С чего же ты взял, что я эту фразу буду вычеркивать, если я с ней согласен?

А.К.: А от страха?

Е.П.: Какого страха? Иудейска страха ради? Да ты все правильно говоришь, только ведь еще и в тридцатые попов сажали. И те попы, кого раньше посадили, они и сидели там, и новых подсаживали время от времени.

А.К.: Но церковь выжила, став сергианской, ее привели к повиновению. Как приводили церковь к повиновению многие русские ужасные государи, начиная от Ивана Васильевича или Петра Алексеевича.

Е.П.: Все-таки, ты знаешь, у нас предмет рассуждений не история православия при коммунистах, мы собрались говорить про религиозность Василия Павловича Аксенова.

А.К.: Который, будучи по крещению православным человеком, в восьмидесятые годы, на мой взгляд, был уже вполне законченный и безусловный экуменист.

Е.П.: Погоди, я хочу тебе сказать относительно нашей преамбулы... С церковью более или менее примирилась власть только в войну, когда уже начали храмы открывать. А до этого все-таки я не уверен, что в тридцатые годы, например, это крещение было так безобидно. Если в тридцать третьем на старшего Аксенова донесли бы, что в его семье крестили Васю, у него большие неприятности были бы.

А.К.: Нет, не большие.

Е.П.: Ну не знаю... посадили бы, в общем. Ну, враги бы его посадили... Да его и так посадили... Нет, пожалуй, ты прав. Просто был бы большой партком и сказали бы: «Павел Васильевич, как же ты недоглядел?» – и всё. Кстати, ты знаешь, я вспоминаю, что когда у нас бабушка умерла, то мой партийный папаша, это пятьдесят третий год, он был в церкви на отпевании. Ему там страшно не нравилось, и он свой протест выразил в том, что когда стала старуха ходить какая-то церковная, собирать свечки погасшие, он ей свечку не дал, дескать, отойди и не мешай... И ничего ему по партийной линии за это отпевание не было... В общем, переходим наконец к сути: Василий Павлович был крещен с детства, так вот на что это в нем повлияло?

А.К.: Он с этим жил.

Е.П.: Он же узнал нескоро это все.

А.К.: Про крещение можно и не знать, но с этим жить, на то оно и крещение, а не просто окунание в воду. Он с этим жил и в детском доме...

Е.П.: Детский дом ладно, он жил с этим в хрущевские годы! Но он жил с этим и во время войны, понимаешь, в чем дело, жил в довольно простой семье, где Бога не забывали, как это было во многих простых семьях, и какой бы там тоталитаризм ни был, а простые люди как бы имели право в церковь ходить, куличи святить... Чем проще люди, тем меньше они боялись в Бога верить. Помню, много позже был снят фильм «Старшая сестра», так там на школьницу написали донос, что она святила... Но в простых семьях этим страхом пренебрегали. Я к чему это веду-то – это была обычная русская семья, где особо не были они воцерковленными, но на Пасху куличи пекли, всё, что полагается... И Вася рос простонародно православным. А вот ты начал про экуменизм Аксенова в восьмидесятые годы... Знаешь, я думаю, откуда пошел этот экуменизм? Из Магадана, куда Вася шестнадцатилетним к ссыльной матери приехал. Потому что Вальтер – его отчим, с которым он там познакомился и который на него сильно повлиял, – он был лютеранин, и глубоко верующий лютеранин. Мама, Евгения Семеновна, она была атеисткой, конечно...

А.К.: Почти уверен, что она была атеисткой. Такого толка, может быть... как любили себя определять советские интеллигенты: я верующий, но вне религий.

Е.П.: А, верующие, так сказать, в высший разум...

А.К.: Да, верующие вообще.

Е.П.: Или в переводе на русский язык это так звучит: я верующий, но только потому, что это большевики запрещают.

А.К.: Ну, я не берусь утверждать, что психология отношений Евгении Семеновны с верой была именно такая, но думаю, что она в этом была типичным советским интеллигентом...

Александр Кабаков

Е.П.: Да, советским. Советским таким же был Копелев, например.

А.К.: Ведь Евгения Гинзбург была убежденной коммунисткой, троцкисткой...

Е.П.: Многие как еще рассуждали? Смешно же, товарищи, какие высшие силы? Есть законы природы, законы истории, а вы поклоны бьете... Но Василий-то Павлович другой был, вот в чем дело.

А.К.: А Вальтер был первым верующим, которого Вася узнал и сообразил, что можно быть благородным христианином, не будучи православным и не будучи малограмотным. Отсюда и началось движение в сторону экуменизма.

Е.П.: Не будучи малограмотным — это, кстати, очень важное соображение. Потому что если уж теперь можно услышать от какого-нибудь батюшки в церкви, что католики или лютеране — это еретики и их вера неистинная...

А.К.: Ну вот, значит, смотри, с одной стороны, он додумался, что не обязательно христианину быть малограмотным, темным, очень простым человеком. С другой стороны — что христианин, глубоко верующий, может быть неправославным. То есть можно быть вполне интеллигентным человеком и верующим, и можно быть христианином и не обязательно православным. И это стало основой, на которую спустя целую жизнь легли впечатления и переживания его эмиграции. И вот в эмиграции, как мне кажется, Вася стал совсем близок к экуменизму, оказавшись вне современной православной русской культуры, вне возрождения религиозного, которое было в России, еще в Советском Союзе, в конце семидесятых — начале восьмидесятых, когда его уже здесь не было... А там он пришел в эмигрантскую церковь, а там люди не такие, как он, там люди простые, как его нянька, хотя многие — потомки князей и графов. Но они в мыслительном отношении в массе своей простые, как нянька, которая его крестила... А у него мощный ум, ему там, в такой церкви, среди таких прихожан... ну, не по размеру. И, конечно, все это вместе его подтолкнуло, я думаю, к экуменизму. Он ведь ходил, ты сам знаешь это, захаживал в католические храмы.

Евгений Попов

Е.П.: Но это уже в Штатах.

А.К.: Я и говорю – эмиграция.

Е.П.: А по возвращении, конечно...

А.К.: Он уже таким и остался.

Е.П.: Но, с другой стороны, вспомни, он дружил там, в эмиграции, со священником Виктором Потаповым.

А.К.: Да, отец Виктор Потапов... Ну, они работали вместе на «Голосе Америки». И Виктор Потапов священниками ортодоксальными, православными был обвиняем в экуменизме постоянно. Вообще большая часть интеллектуалов русской эмиграции стала экуменистической... Понимаешь, ну не могли они стоять в церкви и молиться истово рядом с какой-нибудь старой княгиней, а потом, идя от службы с ней, говорить о чем-то...

Е.П.: Позволь, позволь, но он же с восторгом описывал таких княгинь! В «Острове» и не только...

А.К.: А ты вспомни: с восторгом – и с иронией.

Е.П.: Ну, и с иронией, да, потому что...

А.К.: Потому что они безнадежно выпали из жизни.

Е.П.: Нет, с иронией – не в «Остров Крым», а в основном в американских своих книгах. Он их описывал даже в беседе со мной иронически, их лексику...

А.К.: А их нельзя без иронии описать, они прелестные очаровательные люди, но они, естественно, у современного человека вызывают иронию. Чудесные, благородные люди, но из времени выпали... Слушай, давай к теме вернемся. Если мы в целом разговор посвятили религиозности Аксенова, то, я думаю, будет правильным сделать такой вывод: Вася был безусловно верующий человек, христианин... Но Вася был очень небезупречный православный.

Е.П.: То есть, ты говоришь, безусловный христианин... А как насчет какого-нибудь буддизма по американской моде? И всяких восточных дел...

А.К.: Нет, нет, он ко всему этому относился даже не с иронией, а с такой злой издевкой.

Е.П.: Ну, уж не говорим об исламе, конечно же.

Александр Кабаков

А.К.: К исламу у него вообще было тяжелое отношение, он был ярко выраженный антиисламист, это все знают, здесь мы ничего не открываем. Но нам об этом стоит здесь сказать, потому что это была проблема. Василий Павлович Аксенов и сам это заявлял, ну, может, прямо не употреблял слова «антиисламист». У него теория была – довольно распространенная, он не открыл Америки – относительно того, что исламская цивилизация представляет угрозу европейской христианской цивилизации, вообще современному цивилизованному миру. Он об этом много раз писал, его в это много раз тыкали носом. Его не слишком корректное и даже по-писательски не очень складное выражение в одной статье – «муллы, пропахшие бараниной» – ему припомнили столько раз! Но... Но! Я хочу вот что сказать: это не было антиисламской позицией православного русского человека, предки которого веками знали, что если будет война, то она будет с басурманами, то есть с мусульманами в первую очередь. А у Аксенова его антиисламизм был позицией современного западного правого либерала... Вася был правым либералом во всем, и с этим ничего не поделать, и в его отношении к исламу было гораздо больше правого либерализма, чем религиозных соображений, потому что, как правильный экуменист, он всегда помнил, что Бог един, вот и всё.

Е.П.: А не хочешь ли ты сказать, что тут уже были элементы и вольтерьянства?

А.К.: Нет, здесь их не было. А насчет вольтерьянства... Вот вольтерьянство Аксенова – совсем особая вещь и с религиозностью, даже и с экуменизмом, соотносится сложно...

Е.П.: Но ведь вольтерьянство не прямая враждебность к религии...

А.К.: Прямая, прямая. Высказывания самого Вольтера достаточно вспомнить. И как Вася, человек верующий, мог восхищаться вольтерьянцами, Вольтером, и как он мог написать вольтерьянский, по-настоящему вольтерьянский до последней буквы роман, и какие психологические проблемы за этим стояли? Это очень серьезные вопросы. И, честно тебе сказать, у меня на них нет достойного ответа. Нет.

Евгений Попов

Е.П.: А как ты думаешь, у кого-нибудь есть достойный ответ на это?

А.К.: Да.

Е.П.: У кого же?

А.К.: Достойный в смысле логики – у завистников и недоброжелателей Аксенова, которых полно и теперь, когда уж земная зависть и недоброжелательство до него не доходят...

Е.П.: Пожалуй... Есть такие, которые и сейчас могут написать огромнейшую статью о его непоследовательности, о его легкомыслии...

А.К.: Нет, нет, даже не об этом, а о том, что он сам... не хочется говорить «позиционируя»... ну, предъявляя себя как верующий христианин, прославлял вольтерьянство, то есть настроение умов антирелигиозное, и самого Вольтера – между прочим, на мой взгляд, предшественника всех этих емельянов ярославских и демьянов бедных, воинствующих безбожников... Как сказано в одном известном тексте, распоротые брюха католических попов были подготовкой к гильотине. Это так и есть. А Вольтер призывал «раздавить гадину» – это о католической церкви...

Е.П.: Да, сложный это вопрос. А как думаешь, Василий Павлович смог бы это объяснить?

А.К.: Нет.

Е.П.: Ну, вот если бы он сейчас находился тут...

А.К.: Отвечаю тебе – нет.

Е.П.: Вот сейчас мы с тобой спрашиваем: «Василий Павлович, как ты так одновременно: человек религиозный, по крещению православный – и вольтерьянец?» Что бы ответил Василий Павлович на это?

А.К.: Вася человек был чрезвычайно умный, у него был мощнейший и быстродействующий ум. Он бы придумал что-нибудь.

Е.П.: Ну, это не ум, это остроумие, знаешь ли.

А.К.: Нет, вообще ум, он придумал бы целую...

Е.П.: Концепцию.

Александр Кабаков

А.К.: Концепцию. Грех, конечно, так говорить, Васи нет, никто мне не ответит, но я полагаю, что эта концепция все равно не была бы убедительной, она не была бы до конца логична, понимаешь.

Е.П.: Понимаю, понимаю. А ведь мы в тупик зашли с тобой.

А.К.: Почему в тупик?

Е.П.: А потому что мы не можем никак связать православие его и вольтерьянство.

А.К.: Можем. Василий Павлович Аксенов не был изваян из куска гранита, как Владимир Ильич Ленин на Октябрьской, теперь вроде снова Калужской площади. Он был нормальный, честный, достойный, интеллигентный, благородный и чрезвычайно противоречивый человек.

Е.П.: Вот я думал: прозвучит слово «интеллигент» или нет? Прозвучало.

А.К.: А как же ты хотел? Интеллигент, противоречивый человек, который сам про себя не все знал. И что мы от него хотим, что мы пристали к человеку-то? Да, верил в Бога, и да, восхищался Вольтером, который в Бога не верил и издевался над священниками, а Аксенов священников жалел, которых, значит, на Соловки – и бревна таскать. Да, был и такой, и такой.

Е.П.: А чем все-таки ему так нравился Вольтер?

А.К.: Да умом, умом опять же. Сильным и свободным умом, вот чем. Аксенов же не был – мы уже об этом сказали – таким строгим, придерживающимся всех канонов православным, можно сказать, он склонялся к экуменизму... А я вам так скажу, Евгений Анатольевич, я вас хочу по-дружески предупредить: вы не смотрите, что я следователь НКВД, но от экуменизма до вольтерьянства – один шаг.

Е.П.: О-о-о-о-о, да вы, я вижу...

А.К.: А что «я вижу»? Это я вижу, вижу вас насквозь.

Е.П.: Так вы, может, и против отца Александра Меня?

А.К.: Нет, я не против отца Александра Меня, я не против и Василия Павловича Аксенова, я просто отмечаю то, что, как мне кажется, есть. Отец Александр Мень был великий христианин, но многие его последователи, ученики, не знаю, как сказать, находятся в определенных... сложных отношениях с каноническим православием.

Е.П.: Тогда, может, гражданин следователь, вы не против и вольтерьянства?

А.К.: Как сказать – против? Против. Я против вольтерьянства, но это не значит, что я против вольтерьянца Аксенова.

Е.П.: Да, как уж на сковородке...

А.К.: Это же не значит... Вот, например, некто может быть против многих характерных черт в женщине, которую любит, но любит же ее! И из-за того, допустим, что она, сука, скандалы устраивает по пустякам, он головой об стенку бьется, но он же ее любит!

Е.П.: Ну да... Ладно, куда-то мы в сторону уходим...

А.К.: Не в сторону. Я люблю Аксенова, но вижу аксеновскую противоречивость – в том числе в мировоззренческих вещах. Вася был весьма противоречив...

Е.П.: Это верно, да.

А.К.: И что, нам мешает эта противоречивость его любить? Нет. Или, наоборот, моя любовь к нему мешает мне отметить, что он был противоречив? Что за глупости...

Е.П.: Игры такие у нас... Что-то мне не по себе: обсуждаем религиозность Аксенова, а почему-то на лубянский тон выходим сразу.

А.К.: А потому что принципиальные вещи, принципиальные. Потому что многосмысленная, сложная, скользкая – шаг влево, шаг вправо – тема.

Е.П.: «Больно тема какая-то склизкая, не марксистская, ох, не марксистская».

А.К.: Совершенно верно. Как нельзя более к месту процитировал.

Е.П.: Если все рассуждения о Василии Павловиче могут вызывать ярость, потому что к нему многие относятся пристрастно, в конце концов, все миллионы его читателей к нему пристрастны и имеют на него свой взгляд, то уж такая тема, как его религиозность, не может не вызывать ярости, причем со всех сторон...

Александр Кабаков

А.К.: Тут я подумал про уже упомянутого Юру Кублановского. Жалко мне, что, слава богу, живой и здоровый Юра сегодня, например, не участвует в разговоре.

Е.П.: Кстати, это идея хорошая, я запишу потом, что он думает о религиозности Аксенова.

А.К.: Юра настоящий, твердый русский православный человек. И при этом он, я думаю, хорошо относится к Аксенову…

Е.П.: Хорошо.

А.К.: Вот и пусть скажет, что он думает насчет аксеновского вольтерьянства. Насчет аксеновской склонности к экуменизму, к такому вполне вольному христианству. Насчет аксеновского романа «Вольтерьянцы и вольтерьянки». И так далее.

Е.П.: Это ладно, договорились. А теперь давай вот о чем еще поговорим: о весьма странных, тоже как бы религиозных идеях Васи в поздних его романах, например в «Кесаревом свечении», в «Новом сладостном стиле», его рассуждениях о бессмертии, о душе… Тут я вспоминаю и то место из опубликованной его беседы со мной, где он рассказывает про изгнание Адама из рая как про начало течения времени, про ДНК как Божественное начало… Потом кое-что из этого и в романах было. Какие-то не совсем религиозные, во всяком случае, ни в какой религиозный канон не укладывающиеся рассуждения…

А.К.: Вот и об этом надо бы с Юрой Кублановским поговорить. А на мой взгляд, это означает только одно: Аксенов мучительно размышлял о совершенно религиозных проблемах – о бессмертии души, о вечной жизни, о присутствии Божественного начала в мире… Но у него были мировоззренческие трудности и проблемы, и не надо делать вид, что их не было, называть их по-другому не надо. Были трудности и проблемы с приходом в ту или иную конфессию окончательно, бесповоротно и с закрытием дверей. Он был православным, но двери в храм за собой оставил открытыми. Мне это не подходит – так я не Аксенов…

Е.П.: Двери открыты были, понимаешь, но он оставался православным. Я надеюсь, ты согласен, что у него не было даже мысли взять и перейти куда-то, в католичество, допустим.

Евгений Попов

А.К.: Ну хорошо, мы уже, кажется, согласились: он был православный, но небезукоризненного поведения, так скажем.

Е.П.: А мне кажется, что он был безукоризненного поведения в том смысле, что он просто был открыт. И в этом смысле его вера для меня – народная вера, о которой я в начале говорил.

А.К.: Народная-то вера Вольтера считала дьяволом.

Е.П.: Да ну! Пошли сейчас на улицу, спросим про Вольтера. Кто его знает, какой еще дьявол?.. Его читать же надо. Это дьяволом его считают ученые люди из религиозных. А Василий Павлович... Он к вере относился очень спокойно, мне кажется, и никаких, что называется, религиозных исканий у него не было. Он, ощущая себя внутри православия, свободен был внутри православия, вот как я бы сказал.

А.К.: Это хорошо сказано. Хорошая идея насчет того, что он был свободен внутри православия.

Е.П.: А дальше я могу сказать и не только об Аксенове, но вообще... И, например, о себе. Если я знаю, что я православный, и я знаю, что есть Бог, то не надо меня учить, как мне стоять в церкви и в какой, понимаешь, и не надо мне вообще пять мозги, извините, я сам разберусь, у меня свои взаимоотношения с Богом.

А.К.: Да, обязательно Юру Кублановского надо звать.

Е.П.: Непременно, непременно. Но пока я просто хочу тебе сказать, что вот такого христианина я считаю идеальным – ну, пусть не идеальным, но хорошим православным, понимаешь?

А.К.: Ты считаешь хорошим, ты считаешь нехорошим, а еще есть то, как положено православному.

Е.П.: Что значит «Как положено»?

А.К.: Видишь, в чем дело, ведь религия – это же не только душа, это еще и институт церкви.

Е.П.: А я хочу сказать, что народное понимание религии с институтом не очень связано. Хотя я, наверное, сам себе противоречу, кто его знает. Вот у тетки у моей, простая женщина, не связано было, понимаешь? А постилась без всякой натуги, радостно постилась, именно как положено...

Александр Кабаков

А.К.: Ученые люди, как ты их называешь, как раз попрекают простых людей обрядоверием вместо религии, то есть что они соблюдают обряды и правила, а истинной веры не имеют. Так что тут, Женя, очень сложно. И боюсь, что мы оба говорим глупости, и любому сведущему человеку, имеющему веру и убеждения, наш спор покажется детским. Ты говоришь, что Аксенов был православным – и этого достаточно, а я говорю, что Аксенов в православии своем метался и в метаниях иногда заходил очень далеко. Вот наш спор, а у нас возник спор. Потому что эта глава получилась не только про Аксенова, а про тебя и про меня.

Е.П.: Тогда давай мы твердо сформулируем позиции. Я полагаю, что Василий Павлович, поскольку он при рождении был окрещен в православную веру, то в этой вере и под дланью Господней и находился, в этом как бы коконе, но он был там свободен. Вот что значит его экуменизм несомненный, называй это как хочешь. Он мог заходить в католический храм, и это никого не касается, и я тоже это делаю, понимаешь?

А.К.: Так и я захожу, и священник православный может зайти. Не о том речь...

Е.П.: Василию Павловичу в свое время очень нравилась глава из моего романа «Мастер Хаос», где есть эпизод, в котором православный присутствует на лютеранском богослужении, описано это. Так вот, и Василий Павлович мог описывать и Вольтера, которого он обожал, но именно как умного человека, понимаешь, и при этом, я думаю, как чужого. Я бы так сказал: чужой умный человек.

А.К.: А я считаю, что Василий Павлович, как ты правильно говоришь, был по крещению человек православный, под дланью Господней прожил свою христианскую жизнь, но под этой дланью был не только свободен, но – а в церкви это не одобряется – и своеволен. Своевольничал, и это против не только церкви, но и религии.

Е.П.: Видишь, наш спор продолжается. А ведь глава у нас называется «православие и вольтерьянство», а не «воцерковленность Аксенова» или «соблюдение Аксеновым обрядов и канонов».

А.К.: Нет, это как раз про православие и вольтерьянство, потому что своевольничал, причем в мыслях, в душе, уж поведение ладно, не так важно.

Е.П.: Он резко отличался от других людей даже своего круга. Один из его ближайших друзей... Не буду называть фамилию, мы об Аксенове пишем, а не об этом человеке. Да, так вот, один из его ближайших друзей, наш общий приятель... Однажды перед Пасхой, не в Вербное воскресенье, а до этого, по-моему, решил я пойти в церковь. Прихожу, это около метро «Аэропорт», и там, значит, встречаю этого человека, который прихожанин этой церкви очень уважаемый, его старушки приветствуют, его там знают в этой церкви. Я ему тогда говорю: «Слушайте, я плохо знаком с обрядами, но я вот пришел, хочу и постоять, и исповедоваться, и причаститься... Пожалуйста, если можно, помогите мне, руководите мной». И он мне давал короткие указания, что мне делать... А я и постился перед этим, все как надо... Служба прошла, исповедь, причастился я, а потом была проповедь. Я стою, весь такой благостный... И вдруг я слышу, что православие – это истинная религия, а, допустим, католичество и другие религии – они ложные и только уводят от пути, и что те, кто на этих ложных путях находятся – ну, католики, например, – они будут в геенне огненной гореть. Тут я спросил моего приятеля как опытного, воцерковленного человека: правильно ли я понимаю, что католики будут гореть в огне и что, например, будет гореть в огне Венедикт Ерофеев, который в католичество крестился? На что он мне сказал: «Женя, не обращайте вы на это внимания, дело в том, что это очень хороший батюшка, но он же связан, он же принадлежит РПЦ...» Я говорю, в каком смысле связан? «Ну, донесут на него, если он по-другому будет говорить. А так он очень хороший. Я его, когда мы оказались одновременно в Вашингтоне, совпали, я его к Васе водил, они много беседовали...»

Я эту историю потому и вспомнил сейчас, что в ней Вася упоминался... Да... И тогда я говорю: вы меня извините,

Александр Кабаков

я пришел в дом Божий, в храм, и здесь я почему-то должен принимать двойную игру, которую ведет священник...

А.К.: Так ведь люди ж не ангелы... Донесут.

Е.П.: А мне-то какое дело, кто на кого доносит?! Уж лучше я пойду домой. Причастился, да... И покинул я храм. Понимаешь?

А.К.: Это уже совсем серьезный у нас разговор получается. Сейчас я с тобой буду спорить...

Е.П.: Погоди. И вот я рассказал тогда же, вскоре, эту историю Василию Павловичу, историю, в которой участвовал его близкий друг. Мне интересна была его реакция... А никакой реакции не было! Его эта история вообще мало заинтересовала, понимаешь?

А.К.: Ну, я тебе скажу, что сама по себе эта история меня тоже мало заинтересовала, я не вижу в ней ничего, кроме обычных человеческих качеств. Люди есть люди. Батюшка – человек, и общий наш приятель – человек, и ты – человек, и тот, кто на батюшку донесет, тоже человек, и Русская православная церковь – это устроение и небесное, но и земное, и там, значит, тоже люди, а люди несовершенны. И вся эта история с возможным доносом – это чепуха, а вот что я тебе хочу сказать, за что ты меня сейчас, может, и убьешь... В определенном смысле (когда говорят «в определенном смысле», это значит, что «в неопределенном смысле», потому что не могут определить)... Так вот, в определенном смысле и я придерживаюсь того взгляда, что католики, протестанты и вообще иноверцы по отношению к православным будут... ну, можно и так сказать, гореть в геенне огненной. В определенном смысле, заметь! То есть в духовном смысле, в смысле церковном. Потому что если я не буду считать, что моя вера истинная, то ее у меня не будет вообще. И любой католик, и любой лютеранин считает свою веру истинной, а другую ложной, иначе он не католик, не лютеранин. И если не считаешь свою веру единственно истинной, то ты и не православный. Понимаешь ты меня?

Е.П.: Угу. Очень хорошо понимаю.

Евгений Попов

А.К.: Да, и соответственно я отношусь к католичеству Венедикта Васильевича Ерофеева. По-другому быть не может: нельзя быть и католиком, и православным.

Е.П.: Сейчас тот, кто нас читает, подумает: «Это совершеннейшие два идиота, темные...» Вернее, не темные, а в церковном смысле неученые.

А.К.: Именно темные.

Е.П.: Нет, все-таки это не значит «темные». Скажем так – несведущие. Если академик Петр Капица вполне серьезно полагал, что актеры, играющие в кино, в это время играют за экраном, то это не значит, что он был темный человек, он просто устройства кино не знал.

А.К.: Что-что?! Как это?..

Е.П.: Капица был уверен, что за экраном актеры.

А.К.: Не может быть.

Е.П.: Ну, он не интересовался кинематографом, вот про него и не знал ничего.

А.К.: Но он же физик был, он же не мог...

Е.П.: Он не интересовался этим, он думал, что это театр теней.

А.К.: Это анекдот, наверное.

Е.П.: Но это не означает, что он человек был темный и неученый, это означает, что он просто не знал чего-то. Впервые его отвели в кино, когда ему было сорок семь лет... А до этого ему некогда было. Я это прочел про него... К чему я тебе все это говорю? Потому что я сейчас выдвину тебе аргумент. Ведь за тысячи лет тома исписаны о том, о чем мы с тобой говорим, уже можно было бы многое понять... Почему бы и лютеранину, и католику, и православному не ощущать себя просто христианами?

А.К.: Для этого должно произойти нечто, что воссоединит церковь. Этого до сих пор не произошло.

Е.П.: Вы меня, конечно, извините, господин ученый человек, но ведь когда-то была одна религия, единая, потом она распалась... Но какое отношение это разделение имеет к Господу Богу нашему? А я вот верю в то, что все это – единая наша христианская религия...

Александр Кабаков

А.К.: Тогда я скажу тебе совсем просто и тоже по-темному, но уж такие мы темные... ну ладно, несведущие люди. Так вот: к Господу Богу нашему что имеет отношение – это Господу Богу видать. А вот к православию что имеет отношение – видать православному священнику. И как он мне скажет...

Е.П.: О чем бы то ни было?

А.К.: Да, как он скажет, так и буду считать – если я православный.

Е.П.: А ведь попы-то разные бывают: одного зовут Александр Мень, а другой поп говорит, что жиды Христа распяли.

А.К.: Если поп дурен, жалуйся на него в епархию. Пусть его уберут, а то и расстригут, если он преступный поп. А так нельзя – ты себя считаешь православным и при этом говоришь: «Я православный, но полагаю все религии едиными».

Е.П.: А я, значит, вот что тебе скажу: это и есть свобода – я православный, но считаю так, как я сам считаю...

А.К.: Тогда в экуменисты...

Е.П.: То есть экуменизм – это прекрасно.

А.К.: Тогда в чем твое православие? Если ты скажешь: я христианин-экуменист, то вопросов нет. Если же ты говоришь: я православный, но считаю, что я экуменист, – я задаю тебе сразу вопрос: а что значит тогда, что ты православный?

Е.П.: Тогда, значит, надо говорить: я христианин. Просто-напросто.

А.К.: Ааа! Приехали...

Е.П.: Нет, позволь – приехали! Что значит «я православный»? Это все равно что сказать, что я служу в гусарском полку, понимаете, вообще-то я не военный, но служу... «Ты военный?» – «Нет, я, знаете ли, не военный». – «А кто такой?» – «А я служу в гусарском полку...» – «Позволь, но гусарский полк – это часть армии, всей армии?» – «Нет...»

А.К.: Неплохо, однако не работает. Вот по какой причине: тогда нет смысла в определении «православный».

Е.П.: Так я и говорю: Василий Павлович Аксенов – христианин. Тогда все укладывается – и заходы в католический храм, и метания.

Евгений Попов

А.К.: То есть экуменист. Что и требовалось. Тогда не надо говорить: Василий Павлович Аксенов был православным. Надо говорить: Василий Павлович Аксенов был христианин, что касается православия, католичества, лютеранства и других конфессий христианских, то у него были сложные отношения с ними. Он не был воцерковленный православный, хотя крещен был в православие, он, конечно, не был лютеранин, несмотря на влияние Вальтера, он не был и католиком, хотя интересовался. Что касается других религий, то у него были сложнейшие отношения с исламом, в которых он не всегда был прав просто по-человечески. Вот и все. Христианин.

Е.П.: Ура! Спор на этом закончен! Я согласен.

А.К.: То-то же.

ПРИЛОЖЕНИЕ

Мнение поэта Юрия Кублановского

Говорить о религиозности другого, тем более писателя, – вещь чрезвычайно деликатная, и тут надо быть осторожным. Следует десять раз обдумать, прежде чем что-то сказать, предварительно утвердившись в том, что говоришь.

Помнится, в середине восьмидесятых годов, вскоре после моей эмиграции, я брал у Василия Аксенова интервью для газеты «Русская мысль». И спросил его, как он в принципе относится к монархии.

Он сказал, что монархия импонирует ему как культурная школа нации, как то, что бережет национальную традицию. Думаю, отчасти и религия, в частности православие, были для Аксенова именно такой школой. Во всяком случае, в отличие от многих его современников, либералов-шестидесятников, он скорее тянулся к церкви, чем от нее отшатывался или относился к ней с прохладцей. Не было в нем этого дежурного антиклерикализма. Когда он молился, а я видел это два или три раза, он делал это искренне, я бы даже сказал, красиво.

Я теперь часто его вспоминаю. Вот сейчас, например, только что вышли в «Новом мире» («Новый мир», 2010, № 9–10. – *Авт.*) фрагменты моих дневников, я уж и забыл, что писал об этом – о первой встрече с Аксеновым около Центрального телеграфа в семьдесят восьмом году, когда я передавал ему стихи для альманаха «МетрОполь». Он был, как я записал тогда в дневнике, «ореспектабельневший стиляга». Одет был одновременно и стильно, и элегантно.

Помнятся всякие мелочи, связанные и с ним, и с другими ушедшими. В общем, я его числил и сейчас чувствую как человека органично православного. Хотя, конечно, одновременно и как писателя, человека своего времени, своей эпохи со всеми вытекающими из этого последствиями.

ГЛАВА ШЕСТНАДЦАТАЯ
ПИСАТЕЛЬ ПИСАТЕЛЕВИЧ АКСЕНОВ

АЛЕКСАНДР КАБАКОВ: Разговоры наши идут понемногу к концу, а собственно о *писателе* Аксенове, человеке, который пишет буквы, слагает слова и составляет из них предложения, пока что ничего не сказали.

ЕВГЕНИЙ ПОПОВ: Может, ты литературовед, филолог? Может, ты Литинститут окончил? Или филфак МГУ?

А.К.: С Божьей помощью учился на механико-математическом факультете Днепропетровского ордена Трудового Красного Знамени Государственного университета имени Трехсотлетия воссоединения Украины с Россией, на отделении механики, специальность «Динамика и прочность летательных аппаратов», диплом «Колебания нелинейного осциллятора под действием негармонического возбуждения». Все, успокойся.

Е.П.: Позволь тогда и мне в который раз представиться: выпускник Московского геологоразведочного института имени Серго Орджоникидзе, диплом о чем был – не помню и не вспомню никогда. Поскольку в России все не своим делом занимаются, давай и мы, Александр Абрамович, рассуждать о предлогах, флексиях да рефлексиях в прозе видного представителя новой литературной волны второй половины XX века В.П.Аксенова.

А.К.: Ты еще повыдрючивайся у меня! Не о флексиях-рефлексиях, а о том, как написан «Ожог», каким образом Вася проделал такой дивный путь от «Коллег» к «Бочкотаре», потом путь еще более невообразимый – к «Ожогу», дошел до «американских романов», возвратился к текстам «комсомольским», почему «Кесарево свечение» – это «Коллеги» нового Васиного времени. О литературе предлагаю говорить, Евгений Анатольевич: из чего она сделана. Как устроена.

Е.П.: Я тоже предлагаю: не корчить нам из себя коллективного Эйхенбаума, автора бессмертного труда «Как сделана "Шинель" Гоголя», а вести себя поскромнее. Кабаков и Попов, читатели, «шестидесятники», технари, выпускники указанных вузов, обсуждают творчество писателя Аксенова, внезапно «открытого» ими. Полагаю, что первая публикация молодого писателя Василия Аксенова, выпускника Ленинградского мединститута, ничем не выделялась среди десятков других дебютов «Юности». Лично я обнаружил два этих рассказика лишь после того, как прочитал «Коллег» и «Звездный билет». К пятьдесят девятому, году его появления в «Юности», там уже были напечатаны следующие знаменитости: Анатолий Гладилин – 21 год; Евгений Шатько – 26 лет; Анатолий Кузнецов – 28 лет; Владимир Амлинский – 22 года; Анатолий Приставкин – 27 лет; Евгений Евтушенко – 25 лет.

А.К.: Но даже в этих первых рассказах уже проскальзывает аксеновская интонация, заметно неожиданное устройство аксеновской фразы. Аксенов своего первого, молодежного периода отличался от других дебютантов только тем, что у него както ловко, странно и, думаю, пока что неосознанно была организована речь. Это была речь его поколения.

Е.П.: Ну да. Не случайно фраза о том, что стоячая вода в питерском канале напоминает герою запыленную крышку рояля,

Евгений Попов

привела в восторг мэтра Катаева, и он тут же дал молодому дарованию свободный ход. Фраза действительно блеск, но у кого нет блестящих фраз?

А.К.: От тех ранних текстов и, сильнее всего, от аксеновских «Коллег» – это название, кстати, предложил Катаев, в рукописи называлось гораздо хуже: «Рассыпанная цепь», – у меня осталось незабываемое ощущение. Вот картинка: балтийский ветер и юноши, идущие навстречу этому ветру в туго подпоясанных плащах... В этом все «Коллеги». И с самого начала – изумительно точный слух, который он сохранил до последнего дня, на котором выстроены были стилистически все его поздние романы. Когда у него инвалид в «Коллегах» говорит: «Куда клонится индекс, точнее, индифферент ваших посягательств?» – это надо услышать! Или придумать. А чтобы придумать – перед этим нужно отдельно услышать «индекс», отдельно «индифферент», отдельно встретить этого инвалида на скамейке... Он мог вообще ничего не услышать, но уловил в воздухе времени речь вот такого инвалида. И в этой речи, в этой короткой фразе есть всё: и симпатия фронтовика к юным персонажам, детям XX Съезда, и полемика, и непонимание, и стена – всё, всё в этой фразе. Слух у Васи был гениальный. Гениальный слух. А дальше – «Звездный билет», где одна эта заголовочная метафора мироздания чего стоит! Думаю, Василий Павлович Аксенов вернул в русскую советскую литературу те ее достижения, которые возникли в ней в двадцатые-тридцатые годы. И никакой это не постмодернизм – это модернизм русский!

Е.П.: Да, все это придумано им *в первый раз*, все это первой свежести. Это не рефлексия, не отыгрыш, не переделка Игоря Северянина или Федора Сологуба.

А.К.: По своему «Звездному билету» Вася автоматически попал в компанию Тынянова, Олеши, Катаева. Дырчатая картонка, на просвет похожая на звездное небо, равновелика «цыганской девочке величиной с веник» и «ветви, полной цветов и листьев» у Юрия Олеши. Литература молодого писателя Аксенова, взятая из воздуха, была на очень мощной культурной подкладке русской и советской литературы двадцатых-

Александр Кабаков

тридцатых годов. А постмодернизм – это когда подкладку выдают за верх, утверждая, что так и надо. Или вот «Пора, мой друг, пора», один из любимых моих романов: ведь это же надо было так *услышать*, что Кянукук, ничтожный, несчастный комплексующий мальчишка, каким и я был в то время, именует себя *полковником*.

Е.П.: Тут я готов с тобой поспорить. Не ничтожный и несчастный, а полный сил, энергии, но *пока еще* щенок. И если бы писатель Аксенов не угробил своего персонажа с помощью асфальтоукладчика, Кянукука ждало бы большое будущее. Диссидентом или экономическим преступником стал бы при Советах, в новой жизни – некрупным олигархом. Ты, кстати, не знаешь, как он, Василий, сам относился к этому своему роману? Я с ним об этом никогда не говорил, а ты?

А.К.: Помню, я восхищался, он угрюмо молчал в сторону.

Е.П.: Ты знаешь, я думаю, это из-за того, что там есть мотивы вполне *советские*, про которые, допустим, Лен Карпинский, в те годы секретарь комсомольский, но прогрессивный, вполне мог ему сказать: «Ну вот, Вася, умеешь же ты писать, *как надо*, когда захочешь». Это когда он своего главного героя из Прибалтики в Сибирь отправляет, жизнь изучать.

А.К.: А я думаю, это был переход от реалистическо-иронического Аксенова к Аксенову *нереалистическому*. К Аксенову, распрощавшемуся с примитивным реализмом навсегда.

Е.П.: Это чувствуется и в уже, казалось бы, совершенно реалистическом раскладе рассказа «На полпути к Луне». Его мы уже вспоминали... Или вот рассказ «Катапульта». Там есть как бы западническая линия – это два московских «творческих работника», которые плывут на теплоходе по Северной Двине, а есть как бы российская – летчики в сатиновых трусах и официантка с металлическими зубами... Как ни странно, но правоверные с точки зрения советской идеологии «Коллеги» и «Звездный билет» – куда более городские *западные* вещи, чем народная «Бочкотара». В тех романах возникает чуть ли не классовый конфликт, а в «Бочкотаре» катит по стране одна и та же бесклассовая компания...

Евгений Попов

А.К.: Смотри, как странно все переплетается. Писатель Аксенов, переходя от иронического реализма своих первых вещей к абсурдистскому гротеску «Бочкотары», одновременно сильно движется в сторону русскости. Казалось бы, должно быть наоборот. Россия – реализм, Запад – модернизм...

Е.П.: Это распространенное, но ошибочное восприятие *русского* как *кондового*. Всю русскую литературу XIX века приравнивают к дворянским сочинениям или текстам разночинцев, «образованцев» тех времен. Выносится за скобки Лесков, не учитывается мощный пласт потаенной, скоморошьей, фольклорной русской культуры, о которой писал академик Лихачев в книге «Смех в Древней Руси». Почему-то считаются эталоном русской традиции романы Тургенева, которые иногда просто-напросто написаны плохим русским языком. «И они пожали друг другу руку» – это из романа «Накануне». За скобки выносятся байки, анекдоты, частушки, «Заветные сказки» Афанасьева, полные эротики, безумия, гротеска, абсурда и весьма своеобразных понятий о нравственности. Все это тоже *русское* и предшествует модернизму, авангардизму, абсурдизму. Не случайно первая абсурдистская пьеса в мире – «Елизавета Бам» Даниила Хармса, целиком построенная на русском фольклоре, а вовсе не пьесы Самюэля Беккета или Эжена Ионеско.

А.К.: Да, в «Бочкотаре» нет этих «звездных мальчиков», нет стиляг, европеизированных врачей из Ленинграда... Там есть «старик Моченкин дед Иван», Володька Телескопов, жук-фотоплексирус и полное русское безумие. А Запад представлен Арчибальдом Жозефовичем Хунтой и элегантным Вадимом Афанасьевичем Дрожжининым, фанатиком страны Халигалии, написанными Васей с издевательской симпатией. В «Затоваренной бочкотаре» меняется точка авторского зрения, меняется точка изображения. С кем живет автор, с кем он едет в грузовике? С дедом Моченкиным, морячком Глебом Шустиковым, бабкой Степанидой. Понимаешь? Это – принципиальный перенос взгляда. Взгляд автора становится взглядом русским, а не европейским. Это Лесков, а не Тургенев.

Александр Кабаков

Е.П.: А также Федор Сологуб, Замятин, Ремизов, Зощенко, Добычин, Хармс. Прямая дорога, ведущая от Н.С.Лескова до В.П.Аксенова и далее, прямиком в XXI век.

А.К.: А я теперь не побоюсь тебе сказать и про «наше всё» применительно к Аксенову. Пушкин сначала глядел на русскую жизнь глазами европейца, а потом, если угодно, глазами евразийца. Вот, например, его персонаж господин Дубровский. С идеалами свободы, справедливости, европейскими понятиями о благородстве, чести и так далее превращается при всем этом в обычного русского разбойника, из тех, что на дорогах «шалят». В каком еще языке так по-доброму разбой обозначается?! А совершенно русский герой «Капитанской дочки» мыслит европейскими понятиями. Евгений Онегин – это Вадим Дрожжинин из «Бочкотары», а граф Нулин – старик Моченкин в чистом виде. Это раздвоение личности, которое существовало, существует и всегда будет существовать в нашей стране, в нашей литературе, в нашей культуре. Это раздвоение нам и демонстрирует Василий Павлович Аксенов, делая шаг от своих первых сочинений к «Затоваренной бочкотаре»...

Е.П.: Что, пожалуй, вполне естественно для страны, половина которой находится в Европе, половина в Азии, понимаешь? Страны, где на севере белых медведей пасут, а на юге лезгинку пляшут.

А.К.: Вот как раз на севере должны плясать лезгинку сосланные туда кавказцы, а на юге пусть аборигены пасут белых медведей, которых туда направили по распределению...

Е.П.: Это еще почему?

А.К.: Согласно логике и традициям русского безумия. И согласно той же логике Аксенов – один из немногих *в мире* писателей, который вошел в одну и ту же реку славы, успеха и читательских потрясений и дважды, и трижды, и четырежды. Сначала с «Коллегами» и «Звездным билетом» – раз, потом с «Затоваренной бочкотарой» – два, потом с «Ожогом» и «Островом Крымом» – три, с «Новым сладостным стилем», другими американскими и снова комсомольскими романами – четыре. Четыре раза вошел человек в бурную реку литературную, где вершатся катастрофы и катаклизмы – такое редко бывает. Обычно писатель входит в эту условную литературную воду и тихо плывет по течению. Аксенов же примерно раз в семь лет совершал некий переворот в себе, писателе Аксенове. «Поиски жанра», с гениально придуманным появлением мертвецов ночью на штрафной площадке ГАИ, – это сказка, русская народная сказка! А «Круглые сутки нон-стоп» – русская народная сказка про Америку... В связи с этим что ты думаешь по поводу «Ожога»?

Е.П.: Что с социальной точки зрения «Ожог» – следствие исторической обстановки, сложившейся в то время. Роман он начал писать после ввода войск СССР и других соцстран в Чехословакию. Шестьдесят восьмой год – конец всех иллюзий, помнишь? После шестьдесят восьмого года верить в коммунизм мог только дурак или подлец. Надеяться на социализм с человеческим лицом, на какое-нибудь там наилучшее устройство, на эволюцию социализма стало невозможно после шестьдесят восьмого года. Василий перестал себя сдерживать, как он делал это раньше, беря в расчет цензуру, комсомол, политбюро, КГБ. Это его первый роман *наотмашь*! Что хочу, то и пишу, понимаешь? И у меня странное ощущение, что он задумывал «Ожог» как свою последнюю книгу. Выскажусь от души, думал, а дальше – хрен с вами. Бог не выдаст, свинья не съест.

А.К.: Я уверен, всякий писатель несколько раз в жизни пишет свою последнюю книгу. Жизнь берет его за глотку, и у него возникает ощущение: все, полный п...ц. Все, достали, надо написать книжку, где я вам, бл...м, скажу все, что о вас думаю. И что думаю о себе-гадине, и о чудовищных этих трансформациях жизни, любви, верности, дружбы... Я вам наконец покажу, где вы на самом деле живете. Ну а дальше действительно – как Бог даст. Больше, чем я скажу, мне сказать будет нечего. Все, что у меня есть, я здесь скажу. И поэтому получается, как правило, синтетическая вещь. В «Ожоге» он использовал все, что наработал в реалистическом Аксенове, то есть в «Звездном билете», плюс безумная «бочкотарная» фантасмагория. Этот

Александр Кабаков

танк, например, гуляющий в «Ожоге» по Европе, – это не просто фантасмагория, это такая метафора антисоветская, что дальше некуда. Заблудившийся советский танк! Если бы танк был послан с заданием, это было бы другое. Это была бы сатира. Но он за-блу-дился. Понимаешь?

Е.П.: У Гумилева «заблудившийся трамвай», у Аксенова – «заблудившийся танк»… Позволь короткое отступление. Не помню, успел я рассказать Василию Павловичу или нет, но я года три назад был в Словакии, где местные жители обижаются, что весь мир считает, будто советские танки входили только в Прагу. Мужик-словак, который тогда был мальчишкой, рассказал мне, как на деревенском поле вдруг встал танк, у которого кончилась горючка. И стоял так почти неделю в ожидании подмоги. И крестьяне сначала ненавидели, а потом стали жалеть русских солдатиков. Потому что идиотизм доходил до того, что русским запрещалось покидать танк, и они справляли естественные надобности прямо с танка: один другого за руки держал, когда другой, значит, свешивал задницу над словацкой землей… Крестьяне стали им приносить жратву – молоко, хлеб, всякое прочее… Все, продолжаем дальше, извини. И читатель – извини за такие подробности бытия!

А.К.: «Ожог» – это синтетическое произведение, где Вася демонстрирует все. Ну, как тот анекдотический человек, который пришел наниматься в цирк и на вопрос, что он умеет делать, отвечает: «Да ничего особенного. Падаю из-под купола головой на рельс, потом встаю, играю на скрипке и раскланиваюсь». Вася все это проделал в «Ожоге». И головой вниз, и на скрипке сыграл, потому что таких лирических сцен, как в «Ожоге», у Аксенова до «Ожога» не было. Василий Павлович, кстати, считал всех людей нашего цеха, литераторов, – фокусниками. Вспомни «Поиски жанра»… Добрыми фокусниками, которые выходят на площадь и радуют зрителей. Это, замечу, прямая перекличка с его поздней оценкой романа как ярмарочного жанра…

Е.П.: Я тоже считаю, что литература – это сказки, которые взрослым на ночь рассказывают. И ты ведь утверждал, что твои «Московские сказки» были задуманы, собственно, как «рассказы на ночь».

А.К.: «Ожог» – синтез. Все, что Василий наработал в «Жаль, что вас не было с нами», «Рыжем с того двора», во всех этих своих рассказах московско-тусовочных, и даже в «Маленьком Ките, лакировщике действительности», непосредственно перешло в «Ожог». Плюс – несомненная связь с воспоминаниями Евгении Семеновны Гинзбург «Крутой маршрут». Плюс – мощнейший социальный заряд, а если прямо говорить – *впервые* несомненная антисоветчина, аукающаяся в дальнейшем с «Московской сагой» и «Островом Крым». «Ожог», как мы это выяснили в одном из предыдущих разговоров, стал итогом его советской жизни. Это – последняя книга члена Союза писателей СССР Василия Аксенова. «Остров Крым» писался уже несоветским писателем Аксеновым. «Крым», кстати, – вообще особенная книга в сочинениях Аксенова. Ничего похожего у Василия Павловича до этого не было. Да и во всей, пожалуй, русской литературе со времен антиутопии Замятина «Мы», когда это на короткое время стало *модным*. Вспомни «Месс-Менд» «железной старухи» Мариэтты Шагинян, «Аэлиту» красного полуграфа Толстого. Тридцать лет русские не писали антиутопии – ни в СССР, ни в эмиграции! Более того, оно и в воздухе не носилось.

Е.П.: Как не носилось? А за что же тогда Синявского и Даниэля посадили в шестьдесят пятом?

А.К.: Я тебе говорю: «Остров Крым» написан уже не советским человеком, уже *бывшим* членом Союза писателей СССР, исключенным за антисоветскую деятельность. Хотя мог быть написан и белогвардейским эмигрантом. А Синявский и Даниэль писали свои антисоветские тексты еще как советские писатели. Видишь разницу?

Е.П.: Вижу в некотором тумане.

А.К.: Тогда я скажу тебе еще одну странную вещь. «Остров Крым» написан вообще не совсем Аксеновым – он из его творчества выпадает куда-то. Он какой-то такой... сбоку. Движение от «Коллег», «Звездного билета» к «Бочкотаре» и «Ожогу» – логично, все американские романы – тоже логичны. А что такое «Остров Крым»? Какие итоги он подводит в писательско-человеческой судьбе Аксенова? Какие итоги он подводит и отмечает в русской литературе, в истории русской литературы сам по себе? Ведь это не «Коллеги», хотя в чем-то молодой Лучников оттуда, и не «Бочкотара», потому что где там старик Моченкин? Там нет старика Моченкина! Это немножечко вроде бы «Ожог», потому что есть в романе и московские картинки. Но в «Ожоге» вся эта лирика, любовь, все это написано на надрыве сердца. А здесь скорее бытовой роман, где все эти любовные истории не вызывают никакого читательского сердечного сочувствия, потому что они скорее не любовные, а сексуальные.

Е.П.: Мы говорим об Аксенове как писателе, поэтому предлагаю не обсуждать здесь, какой это на самом деле роман – бытовой или, как многие считают, политический.

А.К.: Скажу лишь два слова. Вот когда к континентальному Китаю мирно присоединили Гонконг, я подумал – слава богу, обошлось, а ведь могло быть как с «Островом Крым». А вот Тайвань, боюсь, будут присоединять точно как аксеновский «Остров Крым». Если будут, что маловероятно, – я уже объяснял, почему я так думаю...

Е.П.: Не дай бог!

А.К.: Гениальное прозрение гибельной левизны западной интеллигенции, перенесенное в «русский мир».

Е.П.: Так вот это и есть фантасмагория! Потому что в жизни такого, разумеется, произойти не могло. Каковы бы ни были русские интеллигенты, никогда в жизни они не стали бы объединяться с Советским Союзом.

А.К.: Дружочек ты мой! А кто в конце сороковых, когда паспорта Сталин эмигрантам начал возвращать, повалил сюда массовым порядком? Покойный Андрей Волконский, которому было тогда шестнадцать лет, пытался бежать из поезда, предчувствуя, что здесь будет. А другие – ехали. Их стреляли, сажали, а они ехали. Один только бешеный ненавистник большевиков старик Иван Бунин коленом под жопу выставил московских эмиссаров Алексея Толстого да Симонова Константина Михайловича. А остальные рассуждали: «Великая страна выиграла войну, Сталин государь жестокий – а когда были великие государи не жестокие? а Петр? а Иоанн Васильевич? Жестокий, но великий! Выиграл войну, спас страну – и страна снова как бы Россия, а не Совдепия...» И с такими патриотическими мыслями прямо от границы – в Караганду.

Е.П.: А может, они думали как некоторые порядочные люди, которые в партию вступали, – что они разложат КПСС изнутри?

А.К.: Нет, они думали как герои «Острова Крым». Да, нас посадят в тюрьму, но это необходимая жертва Великой России! И реально они жизни в СССР, конечно же, не представляли. Как сказал кто-то из возвращенцев – не могу вспомнить кто: «Ну и пусть я буду обедать без салфетки в ГУЛАГе. Зато – на Родине!»

Е.П.: Да. Сергей Боровиков, уже мною упомянутый, много занимался Вертинским и однажды показал мне письмо, где Вертинский говорил о том, что когда он вернется, ему, конечно же, трудновато придется, но даже одного процента от пластинок, которые большевики будут *вынуждены* выпускать ввиду его всемирной популярности, ему хватит на скромное житье. То есть он всерьез полагал, что жизнь у него будет примерно такая же, как в эмиграции.

А.К.: Вот в чем было Васино прозрение. Он понял, что русская интеллигенция готова не только собой пожертвовать, но и выступает против единственного шанса развития страны – непримиримой войны с большевиками – ради вот этой выдуманной России. И это было, было, было! И в двадцатые годы, и в тридцатые, и в сороковые. Просто Вася понял, чем это может кончиться. Чем это могло бы кончиться. Чем это рано или поздно кончится везде, где власть бандитам вручают добровольно. Как, например, во Вьетнаме, где, кстати, как и в «Острове Крым», люди уплывали от коммунистических войск на лодках в открытое море. Поэтому роман «Остров Крым» – у Аксенова совершенно отдельное сочинение. И еще «Московская сага» нетипична, но только в другом роде. «Звездный билет»,

«Бочкотара», «Ожог», «Сладостный стиль» – вот развитие жизненного и литературного пути писателя Аксенова. А «Московская сага», равно как и «Остров Крым» – сильные рывки в сторону. Хотя происхождение «Московской саги» более объяснимо, чем создание «Острова Крым». Что послужило поводом для создания «Острова Крым», кроме Вьетнама? Не знаю.

Е.П.: Экий бином Ньютона! Маразм окреп к тому времени окончательно. Кроме Вьетнама – Афганистан с нашей «братской помощью».

А.К.: Это внешние события, а не внутренние. Мне кажется, что в какой-то момент он внутренне обратился к западной интеллигенции: если вы, ребята, будете, как всегда, потворствовать коммунякам и прочим уродам-террористам, то ваш прекрасный, ухоженный «Остров Крым» накроется окончательно. Если вы, ребята, будете сидеть на верандах и пить шампанское, пока танки входят в ваши города, вы обречены на финал моего «Острова Крым». И все это очень наглядно изображено Васей на фоне крымского пейзажа, знакомого каждому советскому «образованцу» с детства. Между прочим, я в девяносто пятом году был в Крыму по приглашению своего издательства, и меня в симферопольском аэропорту встретила машина, водитель которой был вылитый аксеновский «товарищ красивый Фуражкин». Древняя «Волга», красиво восстановленная для туристических целей, везла меня в Алупку. Я заснул. А потом просыпаюсь в какую-то секунду – и вдруг вижу: что это такое? Я еду по довольно знакомой мне крымской дороге, но это уже не тот, *мой*, Крым: слева огромная реклама «Кока-колы», справа реклама «Пепси-колы», вверху на скале – шикарнейшая вилла. «Да это ж вилла Лучникова из "Острова Крым"!» – подумал я. Вот какое было сильнейшее ощущение реальности аксеновской выдумки. Только-только капитализм настал, а уже Крым двинулся в сторону «Острова»... Реальность, понимаешь? Никакая это на фиг не антиутопия – это роман-предупреждение. А вот что такое «Московская сага»?

Е.П.: По ней можно изучать историю моей страны. Эта книга для всех, включая малограмотных и родства не помнящих.

Евгений Попов

А.К.: Ты сейчас сказал ключевые слова. Мы уже о «Саге» говорили, но надо окончательно прояснить. Зачем Вася написал ее? Не считая того, что он рассчитывал получить деньги за сериал, он сделал это, чтобы про советскую власть узнали те люди, для которых «Архипелаг ГУЛАГ» непомерен, для которых чтение «ГУЛАГа» или тем более Шаламова – ну не по силам и не по уму. Он написал простую книгу о советской власти, для народа. Не только американского, но и постсоветского.

Е.П.: Да. Ведь, например, про того же Троцкого, кроме того что он «иудушка» и подлец, советским людям ничего не было известно. А из «Московской саги» становится понятен *масштаб влияния* на страну этого главного конкурента Сталина, поставившего под угрозу конечные результаты его восхождения на коммунистический олимп. Троцкистские демонстрации в Москве и Питере, гражданские общественные беспорядки, которые потом в страшном сне советской власти снились... И троцкистов сажали не потому, что у Сталина было такое развлечение – сажать троцкистов, а потому что он их боялся, как огня. Позволь тебе напомнить, что Варлам Шаламов первый раз сел вовсе не за то, что у него отец священник, а за то, что он антисталинец, комсомолец-троцкист. Шаламов потом описывал, что троцкисты считались в лагерях врагами почище монархистов и белогвардейцев. Те уже в могиле или в Париже, а эти молодые, да еще и с идеями о *правильном коммунизме*.

А.К.: Согласен. Как мы уже говорили, троцкистов Сталин боялся не потому, что он был параноик или страдал манией преследования, а потому, что он их правильно боялся. Они были реальная для него угроза. Троцкий после смерти Ленина тоже был *начальник страны*, и еще неизвестно, что с нею было бы, если бы он одержал верх над «чудным грузином». Так что если «Остров Крым» – роман-предупреждение, то «Московская сага» – учебное пособие. Это курс истории СССР, написанный... я бы даже не сказал, что с сильно антисоветских позиций, а скорее с позиции здравого смысла.

Александр Кабаков

Е.П.: Я, кстати, тоже, как и наши начальники, за то, чтобы не фальсифицировали историю, а все оценивали объективно. И «Московская сага» – образец такой объективности.

А.К.: Ты вспомни, когда эта книга писалась. Когда в приличном советско-антисоветском обществе сказать, что троцкист такая же сволочь, как сталинист, было нельзя. Ведь троцкист мученик, он боролся против Сталина, значит, он автоматически хороший. Вот этот миф, что если кого Сталин расстрелял, тот праведник, развенчивался «Московской сагой» при всей ее, прямо скажем, примитивности. Это не советская или антисоветская книга, а книга о русской истории, написанная для людей, незнакомых с русской историей... Я считаю, что эту книгу в школе должны изучать вместе с «Архипелагом». «Архипелаг ГУЛАГ» – в старших классах, а эту чуть-чуть пораньше. Понимаешь, роман партийного прохиндея «из народа» с юной троцкисткой из высокопоставленной семьи, тот, что в «Саге», – больше говорит о *той* советской власти, о том времени, чем любые теоретические построения. Практически одновременно две книги вышли на широкую аудиторию, которая, как известно, обо всем узнает по телевизору: в смысле некоторой погруженности в бытовые детали и нестандартного подхода к описанию ужасов советской власти экранизация «Московской саги» перекликается с экранизацией романа «В круге первом». Не сравниваю художественные достоинства экранизаций, они, увы, несравнимы, не в пользу «Саги». Но, понимаешь, эти книги – и фильмы – одновременно и познавательные, и увлекательные, а что такое познавательная плюс увлекательная книга? Это книга для простого народа. Вот это бы нужно иметь в виду тем, кто наезжает на «Московскую сагу».

Е.П.: Тем и симпатична эта книга, что ее можно читать на разных уровнях. Ее читателем любой может стать – от человека, который вообще ничего не знает, до какого-нибудь эстета, который оценит превращение Сталина в жабу или жука, забыл, и который читал «Повесть непогашенной Луны» Бориса Пильняка.

А.К.: Понимаешь, грех на себя ссылаться, но я тоже пытался вот такую *обыкновенную тоталитарную* жизнь описать в своем «Все поправимо». Жизнь, где нет четкого разделения: вот тут ГУЛАГ, Кремль и Лубянка, а вот тут – все честные люди. Не такая была та жизнь. И Вася умудрился в «Московской саге» показать это. У Васи любая мелочь имеет значение, потому что у Васи – жизнь. Эта книга для очень простых людей, но не очень простая.

Е.П.: Теперь давай поговорим об американских романах. «Новый сладостный стиль», потом «Кесарево свечение»… Совершенно разные и *удивительные* (во всех смыслах этого слова) книги. Когда вышел «Новый сладостный стиль»?

А.К.: Точно не могу вспомнить, надо все записывать. Вася мне дал тогда сигнальный экземпляр, и книжка мне безумно понравилась. Я вообще тяготею ко всякого рода классификациям и, на мой взгляд, как я уже говорил, «Кесарево свечение» – это американские «Коллеги». А «Новый сладостный стиль» – это американский «Ожог», но очень упрощенный.

Е.П.: Поскольку я собственных мыслей не имею на этот счет, то склоняюсь к твоей версии. «Коллеги» так «Коллеги», «Ожог» так «Ожог»… У нас с Василием Павловичем есть общий близкий знакомый питерского происхождения, который живет в эмиграции. Он, как само собой разумеющееся, мне как-то говорит: «Надеюсь, ты понимаешь, что американские эти романы Васи – просто чистая графоманщина?» – «Не согласен, – говорю, – романы хороши, и это настоящий Аксенов». – «Да вы же в России не знаете, что такое Америка, что там все не так, как описывает Вася, которого я безгранично уважаю за прежнюю прозу».

А.К.: Странное мнение! И «Сладостный стиль», и «Ожог» – романы энциклопедические. Прочитав «Ожог», понимаешь, чем и как жила советская художественная интеллигенция конца шестидесятых. Из него можно узнать, что тогда пили, ели, где все это покупали, с какими девушками интеллигенты спали, как соотносились друг с другом. Думаю, что все то же самое можно сказать и про «Новый сладостный стиль». Это роман обо всем, роман об американской жизни русского человека. Об американской любви русского человека, об американской работе

Александр Кабаков

русского человека, об американских друзьях русского человека, о том, какие штаны носит русский человек в Америке, каким опасностям он подвергается... Да, не без аксеновских фокусов, то есть с выходом на фантасмагорию, на дичайшую, совершенно разнузданную иронию. Но это – тоже энциклопедия. «Новый сладостный стиль» я сравнил с «Ожогом», а вот «Кесарево свечение» – это в каком-то смысле комбинация «Коллег» и «Пора, мой друг, пора»...

Е.П.: А для меня два этих романа – дилогия. В первом томе автор готовит меня к вечным темам, а в «Кесаревом свечении» делится со мной самым заветным, рассуждая о возвращении к Адаму в духе своей мистическо-религиозно-биологической идеологии, которую он исповедовал последние годы...

А.К.: Да, это такая его новая как бы религия промежуточной жизни, жизни после смерти. Сейчас Василий наш в отличие от оставшихся в этом реальном мире уже знает, прав он был или нет, рассуждая о вечности...

Е.П.: Помню, что придирок было много к этому философскому «Кесареву свечению», таких *снисходительных* придирок – чего, дескать, еще от старичка дожидаться? Это, конечно же, сравнение, как говорится, из разных опер, но отношение к аксеновскому «Кесареву свечению» было примерно такое же, как у простых читателей XIX века ко второй части «Фауста». Дескать, в первой части все понятно, доктор трахнул Маргариту, а во второй – что-то такое начинается непонятное. Какие-то голоса, видения...

А.К.: Некто борзый написал, что Аксенов «Кесарево свечение» из себя *вымучил*.

Е.П.: Вот я и поссорился с тем русским американцем, потому что у него был тезис простой, который, давай прямо говорить, многие эффективно поддерживали: «Ну, конечно, да, да, был Аксенов писателем, но сейчас-то исписался, *это всем известно*... Какой-то у него там, в "Кесаревом свечении", взрыв в кафе, после которого души взорванных попадают в некий пространственно-временной промежуток... А еще у него начисто отсутствует собственный авторский отбор: что хочу, то и ворочу, что написал – то и публикую, мало того: отсутствует авторская воля, которая это... должна присутствовать по законам литературного института советских времен...» И дальше – сакраментальное: «А что, собственно, хотел сказать этим автор»?

А.К.: Вот понимаешь, ты сейчас произнес ключевое слово – *авторская воля*. Я боюсь, что нам действительно нужно задать себе этот вопрос и ответить на него: а была ли у Аксенова авторская воля? Ведь он мог вдруг, ни с того ни с сего, сделать блистательную, смешную путевую повесть из своей поездки в Аргентину на кинофестиваль, а потом долгое время использовать этих персонажей. Вплоть до «Бочкотары». Или взять да написать роман «Остров Крым» в брежневской Москве. Боюсь, что не было у Васи авторской воли – писать размеренно, конструктивно, *правильно*, по плану. Этим он и отличается от нас, грешных.

Е.П.: Ты меня извини, но и у меня, как у Васи, нет авторской воли. А про себя уж ты сам решишь, есть она у тебя или нет. Авторской воли у меня нет, однако авторское *своеволие* есть. Мы много раз эту тему с Василием Павловичем обсуждали. О том, что есть два основных способа письма. Первый: я наперед знаю, что напишу, у меня уже по главкам все расписано, я знаю, как будет действовать этот персонаж, что с ним произойдет в финале. Второй: у меня есть одна начальная фраза, а во что все это выльется, мне, автору, решительно непонятно. То есть что-то такое, разумеется, брезжит, в виде такого туманного облака хаоса. Который – хаос – требуется преобразовать в гармонию, и он сам станет гармонией, но не благодаря авторской воле, понимаешь? Меня всегда поражали советские писатели. Какой-нибудь хрен моржовый выступает по телевизору, и ведущий его почтительно спрашивает: «О чем будет ваш новый роман, Иван Сидорыч»? – «На примере семьи Рубанюк я расскажу читателям моего нового романа под условным названием "Сполохи" о становлении послевоенного колхозного крестьянства», – отвечает этот условный Иван Сидорыч. Я всегда удивлялся: «Откуда ж ты, дядя, все так хорошо знаешь, если еще не начал этот роман писать?» Отсутствие авторской воли для многих писателей просто *необходимо*, чтобы *расформализировать* текст. Для тебя, кстати, тоже.

А.К.: Ну, право, друг мой Моцарт, ты даешь!

Е.П.: При чем здесь Моцарт?

А.К.: При том, что ты здесь говоришь о двух писательских типах. Существует тип моцартианский — который не имеет авторской воли и который есть инструмент Божий, и сальерианский тип, который хочет алгеброй поверить гармонию. Так вот я тебе скажу, что «сальерианское искусство» — оно не всегда хуже и не обязательно лучше «моцартианского», оно просто другое.

Е.П.: Вот я об этом и говорю: плановое, рассчитанное искусство — это Василий Гроссман, но не Платонов или Зощенко.

А.К.: Совершенно верно, и ты меня в свою моцартианскую компанию не тяни, хотя я ее уважаю, но ты меня туда не тяни. Вы там с Васей вполне заслуженно пребываете, а у меня — Трифонов, Бунин, Чехов, Лев Толстой, наконец. Все с авторскими волями, причем сильнейшими.

Е.П.: Ты знаешь, если кто нас сейчас читает, то может сказать: «Ну, уже одурели окончательно: один себя Моцартом величает, другой — Толстым. Раздулись, пузыри!»

А.К.: И еще оба с Аксеновым равняются... Я надеюсь, что это скажет не один какой-нибудь человек, а очень много людей. Благодаря чему тираж этой книги поднимется до невообразимой цифры... Моцартианское у Васи письмо, поэтому его совершенно справедливо уличали в том, что в последних его американских романах полностью отсутствует авторская воля. И скажу я тебе, почему отсутствует. Да потому что Вася стал старый, плюнул на все и окончательно стал писать как хочется, как Бог на душу положит. Когда говорят «пишет как Бог на душу положит» — это на самом деле очень высокая оценка. «Кесарево свечение» — ведь это про что? Это про то, что «пора, мой друг, пора! покоя сердце просит — летят за днями дни, и каждый час уносит частичку бытия, а мы с тобой вдвоем предполагаем жить... и глядь — как раз — умрем»... Пришло

Евгений Попов

Васе в голову или где-то прочитал он, что рожденные кесаревым сечением не знают страха – это есть такая полумистическая чушь, – произвела эта чушь на него впечатление, он так и пишет – как добрый Бог ему на душу положил.

Е.П.: Я тоже хочу показать свою ученость. Тут уместно и другое процитировать: «Когда б вы знали, из какого сора растут стихи, не ведая стыда, как желтый одуванчик у забора, как лопухи и лебеда. Сердитый окрик, дегтя запах свежий, таинственная плесень на стене... И стих уже звучит, задорен, нежен, на радость вам и мне»...

А.К.: Я помню, как при мне один коллега-прозаик упрекнул Васю, что у него в романе «Москва Ква-Ква» уже в пятьдесят втором году успешно функционирует университет на Ленинских горах, а его тогда еще не достроили. Вася с явным раздражением и в то же время как-то так безразлично отвечает ему: «Это не имеет значения». Представляешь? «Не имеет значения!» Для него уже ничего не имело значения, он писал как Бог на душу положит в высшем, а не ущербном смысле этого выражения.

Е.П.: Мы постепенно переходим к двум последним его романам, если числить таковыми «Москву Ква-Ква» и «Редкие земли». Как я понял, ты считаешь эти романы американскими?

А.К.: Да, это американские романы, написанные американским профессором русской литературы. У него были западнические и молодежные «Коллеги» и «Звездный билет», были русские народные сказки типа «Затоваренной бочкотары», что не мешало этим сказкам быть модернистскими. А вот «Кваква», «Редкие земли», «Кесарево свечение», «Сладостный стиль» – это американские романы, но одновременно это романы еще одной категории, которую мы не упоминали – ну, упоминали мельком, – «комсомольские». Ты со мной согласен?

Е.П.: Пока нет. Пока еще не готов к этой твоей богатой мысли. Для меня пока что «Кесарево свечение» и «Новый сладостный стиль» – стопроцентно американские романы, а «Москва Ква-Ква» и «Редкие земли» – стопроцентно комсомольские. Кстати, у нас из обсуждения вылетели «Вольтерьянцы и вольтерьянки», но об этой книге нужно говорить отдельно. Это третья *отдельная* книга наряду с «Островом Крым» и «Московской сагой».

А.К.: Хорошо. Это космополитические романы, написанные американским профессором русского происхождения – в Америке, Биаррице, Москве, неизвестно где, хоть на Луне – неважно. Важно, что это – не русские романы. Это не «старик Моченкин», это не совсем «Коллеги» или «Пора, мой друг, пора». Это может быть написано, как «Московская сага» – просто, это может быть написано сверхсложно, как «Кесарево свечение», – понимаешь, тут, в этих романах, все слилось. И опыт «Ожога», и Васин опыт профессорства, и его жизни под большевиками, и его жизни вне большевиков. Это – космополитические романы, среди которых выделяется одно отдельное направление – комсомольские романы «Кесарево свечение», «Москва Ква-Ква» и «Редкие земли».

Е.П.: Ты уже несколько раз употребил словосочетание «комсомольские романы». Может, объяснишь, что такое комсомольский роман? В твоем понимании.

А.К.: Я начну издалека. Мне кажется, нас будут упрекать в том, что мы все время говорим про Аксенова как про какую-то икону. На упреки мне уже в высшей степени плевать, однако же не хотелось бы, чтобы эти упреки были справедливыми. Поэтому я отчасти повторюсь: Вася в последние годы своей жизни, в последние, пожалуй что, десятилетия своей жизни, хотя корни этого явления, вероятно, гораздо глубже, – стал сильно обольщаться насчет комсомольцев, выходцев из комсомола, тех, кто стал олигархами, новыми русскими. У него вновь, как в юности, появилась даже некоторая, как это ни странно, комсомольская романтика, над которой он сильно посмеивался в свое время. Дело вот в чем – насчет корней, которые глубже: когда он посмеивался над комсомольской романтикой в шестидесятые, он ведь над ней посмеивался добродушно. «Турусы на колесах», «глупая коза романтика» – это самое добродушное, приятное, милое, что можно было по этому поводу сказать.

Е.П.: Но в то же время он переделал слова известной комсомольской песни «Солнцу и ветру навстречу». У него в каком-то тексте, опубликованном, кстати, еще в СССР, комсомольцы идут, не «расправив упрямые плечи», как в каноническом тексте, а как-то так гадковато – «расправивши жирные плечи».

А.К.: Ну, не без этого, не без иронии. Но с комсомольцами Вася никогда не враждовал насмерть. Скажу тебе почему. Потому что в шестидесятые годы – тут я должен встать на Васину позицию просто из объективности, – в шестидесятые годы такие комсомольцы, которых он описывает в «Кесаревом свечении» и «Редких землях», играли, как принято выражаться, прогрессивную роль. С ними можно было иметь дело. Более того: с ними *необходимо* было иметь дело, потому что больше иметь дело было не с кем. Я тогда занимался постоянно организацией джазовых фестивалей, какой-то еще хреновиной – с кем я имел дело? У нас был свой человек в райкоме комсомола, который был за нас. В Москве все было под эгидой комсомола – и все молодежные кафе, и все васины встречи с читателями кто организовывал? Комсомол!

Е.П.: Ну, знаешь, тут между нами разница очень сильная. Ты с комсомольцами фестивали затевал, а меня, молодого геолога, воспитали алданские бичи с их образной народной пословицей: «*Хулиганом назвать тебя мало! Комсомолец ты, греб твою мать!*» Черти – они и есть черти! Это я не в осуждение ни тебе, ни Василию Павловичу, разумеется.

А.К.: Да, жизнь тогда была устроена так, что даже Василий Павлович Аксенов, знаменитейший писатель, был вынужден общаться с комсомолом. С лучшими в комсомоле – с такими, как уже множество раз помянутый Лен Карпинский, например. Он действительно был изумительным человеком, я его знал уже в пору его постдиссидентства, в перестройку, и до сих пор вспоминаю с нежностью.

Е.П.: Что-то когда говорят о лучших в комсомоле, то никого, кроме Лена Карпинского, не называют. Он единственный, что ли, был порядочный на весь комсомол?

А.К.: Наверняка были и другие ребята, которых мы не знали. Которые тайно или явно помогали Васе. Например, поехать в новосибирский Академгородок, после чего появился роман

Александр Кабаков

«Золотая наша Железка», который был напечатан в Москве только уже при «свободе».

Е.П.: Знаменитый культуртрегер-диссидент Александр Глезер начинал свою бурную деятельность, которая в СССР закончилась для него фельетоном «Человек с двойным дном» и эмиграцией, в комсомольском кафе «Аэлита».

А.К.: Совершенно верно! Кафе «Молодежное», «Синяя птица» – это места, где мы встречались и где всегда было хорошо.

Е.П.: Ярый, можно сказать, антисоветчик поэт Юрий Карабчиевский, участник «МетрОполя», мой друг, сильно смутился, когда я ему сказал, что обнаружил в старой «Юности» шестидесятых его первую публикацию.

А.К.: И я, который с комсомольцами общался по джазовым делам, одновременно, прости меня, Господи, их ненавидел лютой ненавистью. Знаешь за что? Именно за то, что они и такие, и такие, *и нашим, и вашим*. Поэтому меня трясло при чтении романа Василия Павловича Аксенова «Редкие земли», где фигурируют прогрессивные бывшие комсомольцы, которые «пилят бабки» в условиях «неокрепшей демократии». Комсомол, как социальная категория, закончился, а Вася решил его продлить. Поэтому он всех этих жуликов, снюхавшихся друг с другом еще в комсомоле, воспринимает как тех самых *прогрессивных* ребят из ЦК комсомола, которые ему помогали. Мне это не годится, поэтому мы на комсомольских романах с Васей разошлись. Не на их литературном качестве – роман «Кесарево свечение», я считаю, написан просто здорово, «Москва Ква-Ква» – хулигански смешно, «Редкие земли» – местами чрезвычайно выразительно. Но мы разошлись. Для меня комсомольцы, что и для вас, Евгений Анатольевич, как вы изволили выразиться, – черти, бесы, бесенята, нечистая сила.

Е.П.: Нечистая сила – это скорее даже не метафора, а реальность. У меня на родине в Красноярске, как тебе известно, есть скалы под названием Столбы, где всегда собиралась вольница – что при царе-батюшке, что при коммунистах. Пели под гитару, самиздат друг другу передавали, обсуждали, «доживет ли Советский Союз до 1984 года». И я был свидетелем, как *ком-*

са их громила, жгла их самодельные избушки, обливая бензином. Я видел, как из здания горкома комсомола, как по свистку, выскочили крепкие молодые люди, расселись в приготовленные трехколесные мотоциклы и покатили со страшной скоростью в сторону Столбов. Там потом был настоящий бой весь день, потому что *столбисты* тоже были не лыком шиты, прямо нужно сказать. Но превосходящие силы фашистских коммунистических чертей победили.

А.К.: А у меня есть одна-единственная комсомольская повесть, называется «Кафе "Юность"». Так там один из героев, тоже комсомольский фашист, насилует в сортире джазового клуба девушку. Потом, правда, понимая, что все как-то не так у него пошло́, вешается на фрамуге окна в общежитии...

Е.П.: И все-таки зря ты про «икону» относительно Аксенова загнул, скажу я, выдержав паузу. Мы описываем человека, которого и любим, и полагаем очень *значительным* человеком. Пытаемся ничего не утаить, кроме деталей, которые носят приватный характер. Но я совершенно искренне не считаю «Кесарево свечение» комсомольским романом. И, пожалуй, «Москву Ква-Ква» – тоже.

А.К.: Но ты, я надеюсь, признаешь, что «Редкие земли» – комсомольский роман?

Е.П.: «Редкие земли» – да. А «Москва Ква-Ква» с писательской, ремесленной точки зрения – это буйная фантазия на советские темы. С самовлиянием «Острова Крым». Где решаются вопросы скорее эстетические, чем этические. «Кесарево свечение» – философская книга, где автора занимают исключительно мировоззренческие проблемы: проблемы жизни, смерти, всего что угодно, но только не комсомола.

А.К.: Все, согласен, обвинения снимаю. Но «Редкие земли» – это роман комсомольский. С литературной точки зрения – роман отличный, понимаешь? Причем это явное продолжение прекрасных «пионерских» романов «Мой дедушка – памятник» и «Сундучок, в котором что-то стучит».

Е.П.: Я вдруг подумал, что с комсомольцами такая вышла «цветущая сложность», как у Константина Леонтьева. Были

Александр Кабаков

они комсомольцы, стали они олигархи, а теперь вот Ходорковский сидит в тюрьме... Кстати, Вася мне говорил, что не «Редкие земли» он начал в Биаррице писать, а совершенно другой роман под названием, по-моему, «Тамарисковая роща».

А.К.: «Тамарисковый парк».

Е.П.: Там первые страницы были про философскую сущность дерева, вот и дальше писал бы про тамариск, честное слово!.. Я надеюсь, что и тут Вася не даст мне с того света палкой по башке.

А.К.: Ну, правду нужно когда-нибудь начать говорить, взрослые ведь уже.

Е.П.: Ты прекрасно знаешь, что полемизировать с Васей было трудно. Точнее – невозможно.

А.К.: Да, он уходил от этого, и правильно делал, что уходил. Совершенно правильно. Что обсуждать, чего полемизировать, когда уже все сделано, написано? И пошли вы в жопу с вашей полемикой. Не нравится – не читай, и все тут. Свобода!.. Я думаю, он не дожил до еще одного настоящего большого романа, такого же масштабного, как «Ожог», например, который одно время воспринимался читателями как итоговый, а оказался все-таки промежуточным. Не создал Вася напоследок еще один шедевр. Не успел. И «Детей ленд-лиза» прелестных не закончил, хотя шедевр должен был бы быть не такой локальный и не только про детство-отрочество-юность...

Е.П.: Я тоже иногда думаю, какой могла бы быть его следующая вещь, и скажу тебе, что, конечно же, в его текстах буйствовала фантазия, но множество эпизодов он писал с натуры. Я это знаю по роману «Скажи изюм», в основу которого, как известно, положена история «МетрОполя» и который этим прежде всего интересен. А в последнее время эта *натура* у него была довольно специфическая. То есть у него жизнь была, с одной стороны, замкнутая – он очень много работал, много писал, с другой – эти его постоянные выходы на телевидение, на какие-то дискуссии, в *свет*, понимаешь? Вся эта *тусня*, на мой взгляд, была малопитательным продуктом для романиста.

Евгений Попов

А.К.: Ну да, но, с другой стороны, и в «Редких землях» есть изумительные сцены, и в великолепной книге рассказов «Негатив положительного героя» – простые, но точные детали нашей новой жизни воспроизведены. Но это как бы еще *старый* Аксенов в этом сборнике.

Е.П.: Ты знаешь, старый-то старый, а ведь там, помнишь, есть рассказ, где мерзавцы-комсомольцы лопаты за границу толкают, и лопаты те из стратегического титана. Они страшные там, эти комсомольцы, не то что потом в «Редких землях». Смешные и страшные.

А.К.: А у него, пожалуй, страшные персонажи всегда смешные. За исключением разве что «Ожога». «Стальная птица», о которой мы чуть не забыли – самая страшная его книга. И одновременно – смешная.

Е.П.: А «Рандеву»?

А.К.: Тоже смешная и тоже страшная.

Е.П.: Так к чему же Василий Павлович все-таки пришел в итоге-то?

А.К.: Он до окончательного итога не дошел. Сначала сознательная жизнь прервалась, а потом и телесная.

Е.П.: Но цену себе он знал *всегда*. Любил иногда процитировать себя и, если собеседник не «врубался», наставительно, хотя и в шутку, говорил ему: «Классику надо знать». Я, например, поразил его тем, что сразу догадался, в чем соль его литературной шутки: Гришка Офштейн из «Бочкотары», который по пьянке выдрал перо у павлина в мурманском зоопарке, – это, конечно же, не кто иной, как драматург Гриша Горин с его подлинной еврейской фамилией... И цену своему слову Вася знал. А главное в его прозе – все-таки слово. Не мысль, а слово. Слово с большой буквы, если хочешь.

А.К.: Сегодня мы говорили про Аксенова как писателя, но сюда входят и русскость его, и западность, и комсомольские романы, и американские романы – все сюда входит. Есть писатели, которых можно вообразить кем угодно. Человек умный, способный, взялся бы хорошо, например, за теоретическую физику – тоже был бы доктор наук. Но есть писатели, которых

Александр Кабаков

нельзя вообразить никем, кроме как писателем, даже вот во сне его другим не вообразишь. Василий Павлович имел образование врача, но жил как писатель, писал как писатель, вел себя как писатель, обращался с людьми как писатель и, наконец, с собой обращался как писатель. Он себе собственную жизнь строил писательскую. Вот мало ему было писательских несчастий в виде казанского сиротского детства, магаданской юности, так он и остальную свою жизнь выстроил по-писательски.

Е.П.: Ну да. Невозможно было даже представить его себе в такой роли, что вот он является блестящим врачом: днем принимает больных, а вечером пишет свои замечательные сочинения, что вообще-то бывает в жизни, ты знаешь. Самым лучшим моим литературным институтом было то, как он на моих глазах переводил Джона Апдайка для альманаха «МетрОполь». Сначала сам сделал себе подстрочник, где половина слов была по-английски, затем – второй вариант, где английские слова уже почти все были заменены русскими, и наконец третий вариант – русский уже целиком. Так вот Богом данным писательским талантом он *приблизительные* слова везде заменял *точными* и вставлял их ровно на то место, где им до́лжно быть. Вставлял, как патроны в обойму. Писатель Писателевич.

А.К.: Типичный нетипичный Писатель Писателевич, которому чего только не шили – и политику, и пропаганду, и агитацию…

Е.П.: Писатель Писателевич Аксенов.

ПРИЛОЖЕНИЕ

Дмитрий Галковский
Запись в ЖЖ 07.11.2009

Я собственно не об Аксенове, – слава богу, о нем все было известно и до Интернета, – а о некотором его разительном отличии от сегодняшней публики. Аксенов был большим, а люди, которые сейчас о нем пишут, – маленькие. У них ничего нет. Не то чтобы за душой, а вспомнить не о чем. Жил человек 20–30–40–50–60 лет, оборачивается, а – НИЧЕГО НЕТ. Там – на производстве потрудился, здесь – семья-дети, а вот и Обида – сослуживцы с днем рождения не поздравили. Пакости маленьких людей тоже маленькие – как раз «мелкое пакостничество». Пристать к человеку в блоге и поставить его на «дзынь-брынь» на пять лет. «Але, кто там?» – «Это я, почтальон Печкин». А «Печкину» сороковник, и не было у него в жизни ничего. Только два события: в Турции на пляже загорал и почти убил тещу. Я говорю не про обывателей, с этими все понятно, а про людей, вроде пытающихся жить «от себя». Но от себя не получается. Надо придумывать, становиться на цыпочки, жить по бумажке. «Здесь у нас будет талантливая импровизация». А Аксенов – и это судьба его великого поколения, поколения шестидесятников, – жил в благополучной семье: любящие родители, трое детей. Вдруг – 37-й год. Родителей направили умирать на каторгу, его, пятилетнего, швырнули в детдом для врагов народа. И пошла писать губерния. В 9 лет – 1941 год, потом Колыма. И не унылая страшилка пошла, а было в жизни все: и страшные катастрофы, и триумф, и изгнание, и смена судьбы, и любовь. Это жизнь в Океане, жизнь посреди вершин и ущелий. Уже это давало масштаб личности: талант, великодушие, обаяние. Такие почти все шестидесятники. Великую Россию они не застали, а великие потрясения, уничтожившие великую страну, – застали. И масштаб у них не советский, а русский. Когда говорят – хочется слушать. Последующие поколения слушать не хочется. Все понятно: «импровизация», «убил тещу». Неинтересно. Даже жалко, что гад русский язык знает.

ГЛАВА СЕМНАДЦАТАЯ
АКСЕНОВ ГЛАЗАМИ ЖЕНЩИН

ЕВГЕНИЙ ПОПОВ: Да, тоже тема... того... сложноватая... Аксенов и женщины.

АЛЕКСАНДР КАБАКОВ: Нет. «Аксенов *глазами женщин*». И у меня есть концепция отношения женщин СССР и России к Аксенову.

Е.П.: Думаю, ты обязательно ею со мной поделишься, на радость мою. Куда ж тебе еще с нею деваться... Что ж, если воспринимать наши разговоры как... фруктовый салат, например, то эта глава может быть маркирована как некая клубника, да?

А.К.: Ты, конечно, можешь надеяться на клубничку. Но, со своей стороны, я приложу все усилия, чтобы надежды твои не оправдались.

Е.П.: Ну хорошо. Шутки в сторону, давай говорить только об установленных фактах. Василий Павлович Аксенов официально был два раза женат. Правильно?

А.К.: Пока правильно.

Е.П.: Первая жена у него была Кира?

А.К.: Почему была? Она есть, слава богу, дай бог здоровья! Фамилию ее девичью я когда-то знал, но теперь уже не помню. Происходит она из такого хорошего интеллигентского московского круга. И что-то мне врезалось в память – не знаю, что, откуда, в каком разговоре с ней это всплыло? – что в детстве ее, значит, держала на руках Голда Меир. Или мне это мерещится...

Е.П.: Ну, ты это можешь легко проверить, встретившись с Кирой. Ты же с ней в хороших отношениях?

А.К.: В хороших, в хороших... В никаких уже тридцать лет. Кира относилась – по рождению – к кругу такой, я бы сказал, высокопоставленной интеллигенции. Которая восторженно приветствовала в 1948 году первого посла Израиля в СССР Голду Меир. Сталин ведь попервоначалу Израиль возлюбил, полагая, что тем самым прижмет хвост англичанам и американцам. Даже супруга самого Молотова Полина Жемчужина сообщила госпоже послу Израиля в Кремле во время приема, причем на идиш: «Я еврейская дочь». Полину, правда, вскоре посадили, когда вечной дружбы советских с евреями не вышло.

Е.П.: То есть это были круги высокопоставленной еврейской интеллигенции?

А.К.: Не обязательно еврейской. Это был определенный такой круг, очень специфический, в котором болтались всякие коминтерновские люди. Понятно, да? Которых собирались заслать на Запад или уже заслали, уже они там провалились, но успели смыться сюда.

Е.П.: Это очень интересно, почему-то я вдруг подумал сейчас, что ведь и в окружении Васиной мамы, Евгении Семеновны Гинзбург, были коминтерновские люди, еще на Колыме появились.

А.К.: Потому что половина примерно, даже не половина, а, наверное, девять десятых коминтерновцев пошли в лагеря. Зато последняя уцелевшая одна десятая использовалась на полную катушку.

Е.П.: Плюс уже в это время сталинские зэки стали возвращаться из лагерей.

А.К.: Кое-кто возвращался, да.

Е.П.: Причем возвращались в первую очередь *социально близкие* коммунистам, в их числе и коминтерновцы, я думаю.

А.К.: По-всякому было. Но речь не о том, речь о Кире, первой жене писателя Василия Павловича Аксенова, матери его единственного сына Алексея. Я даже не помню, кто она была по образованию. Образование у нее, кажется, было не гуманитарное. Однако по склонностям и способностям своим она себя ощущала певицей.

Е.П.: Певицей?

А.К.: Да. И, на мой взгляд, безусловно имела на это право. Эта ее склонность увенчалась триумфом, и я при этом присутствовал. Триумф заключался в том, что в семьдесят третьем году летом или, скорее, поздней весной, на исходе театрально-концертного сезона у Киры Аксеновой был афишный сольный вечер в зале Чайковского, что и для любого певца, в общем, почетно, а для певца не с самого начала, не от *младых ногтей* просто ну почти недостижимо. Значит, вечер был такой. Дмитрий Журавлев...

Е.П.: Ого! Сам Журавлев!

А.К.: Дмитрий Журавлев читает «Царя Федора Иоанновича», а Кира параллельно, как бы в монтаже таком, поет русские плачи. Я очень хорошо помню эту громадную афишу на зале Чайковского. И этот вечер. Зал, наполненный ну по крайней мере наполовину знаменитостями, друзьями Василия Палыча. Вот. Ну, в общем, это было такое событие, в котором, думаю, свою большую роль и Вася сыграл. А с Кирой мы встречались, только когда я приходил к Васе. Кира была очень ко мне доброжелательна, как хозяйке положено, хотя я был никто и звать меня никак. А она в те времена уже принимала у себя дома мировых знаменитостей, всяких там типа стейнбеков. А я, в общем-то, был, пожалуй, в ее глазах мальчишка, который прилип к Васе и ходит за ним по пятам. И она была права. Но, подчеркиваю, всегда была крайне корректна.

Е.П.: А вот я тебе хочу задать не бытовой, а литературный вопрос. У Аксенова в сочинениях присутствует образ тещи —

генерала бронетанковых войск. Как-то это может быть связано с Кирой и Голдой Меир?

А.К.: С Кирой не знаю, а с Голдой Меир – почему бы нет? Женщина – генерал бронетанковых войск, этот уровень, условно говоря, вполне мог быть вхож в эти околокремлевско-цэковские круги, где и вращалась Голда Меир.

Е.П.: Все понял. Ответ имеем. Я-то Киру, можно сказать, практически не знал, а если и знал в какой-то малой степени, то не думаю, чтобы она обо мне была хорошего мнения, если вообще меня запомнила. Я знал ее в тот момент, когда их с Васей брак распадался, если уже не распался. Ты с ними познакомился в семьдесят третьем?

А.К.: В семьдесят втором.

Е.П.: Вот. А я только в семьдесят восьмом. Поэтому давай лучше про вторую и последнюю жену Василия, его вдову Майю Аксенову, тогда известнейшую московскую красавицу, вдову Романа Кармена, носившую девичью фамилию Овчинникова.

А.К.: Извини, сначала ее звали Майя Змеул, лишь потом Овчинникова. Кстати, мне почему-то кажется, что по документам она никогда не была Кармен или Аксеновой, а всегда оставалась, непонятно почему, Овчинниковой.

Е.П.: Извини, но как-то вяло у нас сегодня беседа идет. Боимся мы, что ли, чего? Зачем-то принялись излагать анкетные данные двух Васиных жен...

А.К.: Тут не боязнь, а деликатность.

Е.П.: Ну да. Женщины – материя тонкая, а где тонко, там и рвется. И уж ни в коем случае не следует нам касаться интимных сторон Васиной жизни, его романов, которые не на бумаге, а в жизни. Слишком все еще рядом, *не остыло*. Да он и сам в этом смысле был очень скрытным человеком. Я, например, какие-то вещи этого толка узнал о нем только после его смерти.

А.К.: Верно. У нас разговор должен быть не *про это*. Мы должны понять, почему Аксенова любили все женщины с высшим образованием в Советском Союзе (Российской Федерации). Вот о чем мы должны говорить.

Александр Кабаков

Е.П.: *Все* без исключения?

А.К.: Нет. Все с *высшим образованием*. Ну, девяносто девять процентов.

Е.П.: Ну почему сразу с высшим образованием? Ты бы еще ляпнул «с высшим техническим».

А.К.: С техническим высшим образованием процент поклонниц писателя Аксенова был еще выше.

Е.П.: Что за чушь? Какое отношение имеет к женщинам образование? И как оно может влиять на их восприятие текстов и личности В.П.Аксенова?

А.К.: Ну, Жень, ты меня изумляешь. Ты... У тебя уже не только борода седая – ты сам весь седой и не понимаешь, что образование – это как бы одна из составляющих вообще статуса женщины. Ну, не образование, а ее культурно... культурно-образовательный уровень.

Е.П.: Что-то ты юлишь, виляешь. То говорил про высшее образование. Теперь толкуешь про какой-то, видите ли, «культурно-образовательный уровень».

А.К.: Я же сказал «с высшим образованием» как бы... как бы в шутку, как бы иронически.

Е.П.: Хорошо. Писательскую иронию А.Кабакова засчитываем. Но ставим прямой вопрос: могла ли полюбить Василия Павловича абсолютно неграмотная, к примеру, женщина?

А.К.: Не исключаю в биографии Василия Павловича Аксенова, особенно в ранней его молодости, недолгое, но взаимное увлечением им со стороны... ну, какой-нибудь там буфетчицы, умеющей лишь считать и обсчитывать. Мимо которой проезжает московский пижон.

Е.П.: Как в песне на слова поэта Николая Некрасова «Что ты жадно глядишь на дорогу»...

А.К.: Либо какой-нибудь гостиничной дамы. Не исключаю, не исключаю. Хотя это и нарушает мою стройную концепцию о поклонницах Аксенова с высшим образованием.

Е.П.: Это хорошо, что ты признаешься в своих ошибках. Но я скажу, что и здесь, пожалуй, молодой писатель Василий всего лишь *изучал жизнь*, как всегда рекомендовали партия и правительство всем молодым писателям. Вспомни его ранний рассказ «Катапульта»: с каким знанием дела воспроизведена там психология золотозубой официантки. Огромный диапазон – от нежности, хитрого женского ума до прямой вульгарности. А, извини меня, дивные *женские образы* в «Затоваренной бочкотаре»?

А.К.: Тут мы с тобой невольно касаемся краешком темы «Русскость Аксенова». Приятно, что этот московско-лондонско-парижско-нью-йоркский пижон был вполне не чужд русской народной психологии и русской народной бабы.

Е.П.: Совершенно верно. Такая баба изображена, например, в романе «Ожог», где босые интеллектуалы просят у продавщицы универсама их опохмелить. А она грезит о любви с ними обоими.

А.К.: Или крымская буфетчица со своим дорогущим коньяком, который она именует «Камус». Да, это у него всюду. Всюду жизнь и всюду женщины.

Е.П.: Слушай, мы, что ли, опять сбились с темы? Вдруг заговорили об «образах женщин в романах Аксенова», как будто собрались писать школьное сочинение.

А.К.: Ничего подобного. Мы говорим о тех, кто любил Аксенова. А чтобы Васю посмертно не компрометировать, вводим понятие «лирического героя», тем самым отодвигая автора в сторону. Для *автора* Аксенова золотозубая официантка – это экзотика. Он из другой *страты*. А для лирического героя – потенциальная подруга.

Е.П.: А еще в «Рандеву» интеллектуалочка, бывшая крановщица, которую беспутный и знаменитый Лева Малахитов зовет «мой добрый филин». Или в романе «Скажи изюм» вот эта «альпинистка моя, скалолазка моя», имеющая двух строгих тетушек, которые тем не менее не чураются отъявленной матерщины Шуза Жеребятникова, одним из прототипов которого является Юз Алешковский.

А.К.: Женщины, начиная с первой героини Аксенова в «Коллегах» и продолжая его главными, на мой взгляд, рассказами, особенно из ранних, о любви, – «Папа, сложи» и «Маленький

Кит, лакировщик действительности»... Тетя с зонтиком на бульваре... Помнишь?

Е.П.: Помню, помню, да.

А.К.: Это все переживания московской интеллигенции. Более того, я тебе скажу – вот странное сближение, но оно есть, если вдуматься, – подробное описание Аксеновым московских увлечений, связей, адюльтеров вдруг сближает его с Трифоновым. Тот же слой, там же крутится, понимаешь? Персонаж выходит на бульвар, а там его ждет тетя с зонтиком, о которой маме говорить не обязательно...

Е.П.: Что же привлекало женщин к Аксенову? У тебя ведь есть концепция, ты сказал?

А.К.: Есть. Я полагаю, что было два рода любви. Во-первых... или во-вторых, женщины Васю любили за то, за что они любят всех мужиков, которых они любят, – за то, что он был первоклассный, первосортный, высшего качества, редко встречающийся *мужик*. Давай попытаемся, не в обиду будет сказано нашему писательскому брату, вспомнить хоть одного современного литератора, из которого настолько бы перла мужская сила... мужское начало. Понимаешь?

Е.П.: Ну да.

А.К.: Лично я не знаю ни одного. То, что он был мужик, чувствовалось всеми женщинами без исключения. Извини, если уж это мною, совершенно не склонным к однополым влюбленностям, ощущалось, то уж для женщин это в воздухе было разлито. И второе, то есть первое: Аксенова женщины всего Советского Союза и некоторые иностранки любили за то же самое, за что Аксенова любили все его читатели. Аксенов сам по себе был как маленький Кит, лакировщик действительности. Он – чрезвычайно романтический персонаж и романтический писатель, я на этом настаиваю. Некоторые считают его модернистом или постмодернистом, но он прежде всего был романтиком, а романтиков все любят, особенно женщины. Причем это могут быть романтики чего угодно. Романтики хождения в горы, романтики оголтелого пьянства, романтики любви. Романтиков любви любят особенно, а у Васи вся любовь в его книгах – исключительно романтическая. У него самое что ни на есть сексуальное, самое что ни на есть откровенное, самое что ни на есть чистое траханье – насквозь романтическое. Пример – «Новый сладостный стиль», отношения героя с героиней. Сплошное траханье – бешеное, безумное, неудержимое – и сплошная романтика – ночные разговоры по телефону, мучения, страдания… У него невозможно найти книгу без траханья, но у него невозможно траханье без романтики – чего полно у многих сочинителей, злоупотребляющих сексуальными сценами. Ну нет этого без романтики! У него во всех сочинениях, начиная с «Коллег» и заканчивая «Редкими землями», все любовные отношения сугубо романтические. Вот за это его и любили – читатели и в особенности читательницы. Вот моя концепция.

Е.П.: Ну что же? Просто браво-браво. Хлопаем в ладоши.

А.К.: За «браво-браво» спасибо, а вот я ставлю вопрос, на который я бы хотел, чтобы ты мне ответил как человек, который много лет Васю знал. А как сам Аксенов, на твой взгляд, относился к женщине… к женщинам? Считаешь ли ты, что он был не только романтическим писателем, но и вообще романтиком?

Е.П.: Ну, ты знаешь, сразу ответить на это невозможно, причем по разным причинам. Во-первых, нельзя же все время скрывать лик Аксенова под маской «лирического персонажа»…

А.К.: Нельзя, но надо. Вовсе не предполагается обнародование аксеновского донжуанского списка.

Е.П.: А во-вторых, боюсь, что у нас с тобой сейчас начнется затяжная дискуссия на тему «Что это такое – романтик в жизни». Или *по жизни*, как теперь повадились говорить. И входит ли, например, в комплекс романтика цинизм.

А.К.: Цинизм внутри романтики вполне имеет право на мирное сосуществование с неземной нежностью.

Е.П.: Потому что побеждает все равно романтика, да?

А.К.: Романтика никогда не сдается, я бы так сказал.

Е.П.: Я однажды спросил Василия Павловича, где он познакомился с женой Кирой. Он ответил: на танцах. Это романтика или нет?

Александр Кабаков

А.К.: Романтика не в том, кто где познакомился, хоть в сортире…

Е.П.: Фу, как грубо…

А.К.: Ничего страшного. Романтика в том, *как* познакомился, *что* при этом происходило, что при этом оба влюбленных чувствовали. Тому прекрасный пример – вся женско-мужская линия в одном из моих любимейших фильмов «Однажды в Америке» режиссера Серджио Леоне. Начиная от сцены с шарлоткой, ты помнишь?

Е.П.: Нет.

А.К.: Когда мальчику его подружка обещает *дать* за вкусную шарлотку. Мальчик ее ждет на ступеньках и незаметно лакомство съедает. То есть сцена *романтизирует* раннее сексуальное влечение. Хотя сцена почти порнографическая. Я уж не говорю о другом сюжете – о женщине, которую изнасиловали, но которая на всю жизнь полюбила насильника-бандита и становится его сообщницей. Вот это и есть романтизм. Без романтики не получается вообще ничего. Без романтики писать ничего вообще нельзя.

Е.П.: И я, отвечая на твой концептуальный вопрос, твердо заявляю: романтический писатель Василий Павлович Аксенов и в жизни был романтиком. Тому есть множество примеров. Ну вот, например, едем мы втроем в Крым после жуткой зимы 1978/1979. Мы с Ерофеем все время предаемся различному выпиванию и беседам на довольно, я бы сказал, скользкие и грязные темы, употребляя полный букет ненормативной лексики. Василий нас слушал, слушал, ведя машину, а потом и говорит: «Вы что лаетесь, как пэтэушники? Фразы у вас нет без мата!» И это он, которого обвиняли в обильном использовании в тексте нецензурных слов и шоковых ситуаций. Сильно он тогда, помню, раздражился! А потому, что его и в описании сексуальных отношений всегда интересовала «прекрасная тайна товарища», а не разнузданность и мерзость. И все его романтические приключения, в том числе и любовные, во-первых, занимали огромное место в его жизни, ты прав, а во-вторых, были в большой степени движителем его творчества. Он и в чужих романтических историях с заинтересованностью принимал участие, в романтических историях товарищей. Его радовала даже чужая любовь. Какое потрясающее описание чужой любви в «Поисках жанра»! Эта тетка-попутчица, которая выглядит старше своего возраста лет на десять, старухой выглядит, отчего щемит сердце и у автора, и у читателя. И ведь едет она, заметь, тоже к любимому *романтику*, который на каком-то там земснаряде спивается. Жалко всех!

А.К.: Вот доказательство того, о чем мы говорим, – романтизации реальной действительности. Ведь одна из причин того, что она к своему машинисту земснаряда так стремится, – это его уникальное сексуальное качество. Странность в том, что к концу недельного запоя в нем вдруг возникает некая такая сексуальная *тяга*. Причем не тяга как желание, а тяга как у паровоза. И вот, казалось бы, весь этот эпизод только про траханье, причем в советской повести, которая по определению своему должна быть чужда эротике. А присмотришься – нет, не только про траханье...

Е.П.: Тяга. Это интересно. И, кстати, совпадает с однокоренным глаголом *тянуть*, ранее обозначавшим половой акт. До появления слова «трахаться».

А.К.: Совершенно верно. Но Аксенов тут же романтизирует эту весьма скабрезную ситуацию, и у тебя, как ты выражаешься, «сердце щемит». Но я еще раз говорю: сейчас *про это* только ленивый не пишет. Возьми книги многих модных современных авторов – никакой романтики. Исключительно механический, грязный или отчаянный трах. Даже не порнуха или физиология, а сплошная тоска. Так же тоскливо, как быт, они и секс изображают.

Е.П.: Ну вот, опять мы в литературу скатились.

А.К.: Невозможно про писателя говорить отдельно от его литературы. Даже *как бы* отдельно.

Е.П.: Как ты думаешь, на основании всех этих наших рассуждений можно умозаключить, что в современной литературе веселье исчезло, эти вот элементы того веселья, которое еще от скоморохов?

Александр Кабаков

А.К.: Ну, можешь называть эту *энергию* весельем.

Е.П.: Потому что, извини, но я опять же думаю что такой веселой энергией, кроме Василия Павловича Аксенова, редко кто обладал. Ну, может быть, Владимир Семенович Высоцкий да Василий Макарович Шукшин.

А.К.: Пожалуй.

Е.П.: У Шукшина один из лучших его рассказов «Сураз» *про это*. И почти в каждом рассказе у него изображены эдакие различные дамочки-розанчики. Интересно, что Василий Макарович куда более критично, чем Аксенов, относился к дамскому полу, создав целую галерею законченных стопроцентных советских стерв, среди которых самая безвинная – злобная продавщица в рассказе «Сапожки», которая неизвестно почему вдруг возненавидела деревенского мужика-покупателя.

А.К.: Тому есть объяснение. Василий Палыч от кого родом? От троцкистской литераторши и от весьма образовавшегося, хоть и деревенского партработника. Он родом пускай из лагерной, но городской интеллигенции, наш Василий Павлович. А наш Василий Макарович – из мужиков, из простых, хоть и был после армии директором сельской школы.

Е.П.: Из простых?

А.К.: Из простых. И наблюдал он простых людей. Уж не сравнить их с тем хоть и пьяным, но бомондом, который так любил изображать Василий Павлович. А простые люди к этому, которое *про это*, всегда проще относятся.

Е.П.: Проще. И чем случайней, тем вернее, вспомню я зачем-то...

А.К.: Романтизировать отношения им почти не свойственно. Вообще, степень романтизации жизни, на мой взгляд, прямо пропорциональна культурному уровню.

Е.П.: Это интересное наблюдение, но я не согласен с употреблением прилагательного «культурный». Многие так называемые простые люди органически, изначально культурны.

А.К.: Так ведь и я не про саму глубинную культуру говорю, а про ее видимый уровень. Весьма часто высококультурные

Евгений Попов

люди романтизируют жизнь до полного идиотизма или до полного ее непонимания.

Е.П.: И, романтизируя, все-таки, извини меня, облегчают эту жизнь, микшируют ее трагедийную сущность, делают жизнь сносной для существования, анестезируют жизнь.

А.К.: Конечно.

Е.П.: Ну и тем самым трагедию превращают в драму, понимаешь? Вот Аксенов – это драма, а Шукшин – все-таки трагедия. «Жена мужа в Париж провожала» – трагедия, а «На полпути к Луне» – драма. И это не хорошо и не плохо. Это – так. Персонаж рассказа «Жена мужа в Париж провожала» влюблен в свою мерзавку-жену, отчего и кончает жизнь самоубийством. И вообще – у Шукшина в рассказах такое творится, если хорошенько приглядеться!

А.К.: Да потому, что он реалист, Шукшин, он в этих наших категориях есть не романтик, а реалист.

Е.П.: Слушай, давай отвлечемся. Ты представляешь, как бы Шукшин написал рассказ по аксеновскому сюжету? Ну вот, например (из «Ожога»), как два мужика спьяну покупают у буфетчицы бутылку дорогущего коньяка «Камю», буфетчица очень довольна, что наконец какие-то дураки взяли бутылку, которую она год никому не могла втюхать. Тем не менее она тут же звонит *куда надо* и стучит на подозрительных проходимцев с деньгами. Ведь это вполне мог бы быть рассказ, написанный Шукшиным.

А.К.: Настоящий шукшинский рассказ, но у Шукшина все было бы другое, объяснимо и необъяснимо другое. Потому что Шукшин – реалист, а Аксенов – романтик. И я тебе знаешь, что скажу? То, что пытался излагать деликатно, ляпну попроще и погрубее. У *образованных*, которые с одними бумажками работают, кругом вообще все прекрасно. А простой человек, который вкалывает на земле или на заводе, – у него более трезвый, более холодный, более реальный взгляд на жизнь. Так всегда было. Любовь, как известно, выдумали поэты. А которые поэтов не читают, у тех любви нет.

Е.П.: Что же у них тогда вместо любви?

Александр Кабаков

А.К.: Тоже любовь, но не та, которую выдумали поэты.

Е.П.: А как же тогда твоя замечательная теория выдержит тот факт, что Шукшина, между прочим, дамы тоже вниманием не обходили?

А.К.: Не обходили, не обходили, совершенно верно.

Е.П.: А ведь, по твоему утверждению, он был не романтиком, а реалистом.

А.К.: Значит, я тебе скажу такую вещь: на мой взгляд, в Шукшине, во-первых, тоже побеждало мужское начало, оно, возможно, было у него еще сильнее, чем у Аксенова. Шукшин – тоже *мужик*, это понятно? А во-вторых, дело в том, что к романтикам женщин тянет *прямолинейно*. Вот я это не очень внятно излагаю, но попробую сформулировать. Женщин к романтику тянет прямолинейно, то есть – вот он, вот он какой хороший, думают они про романтика. А к реалистам их тянет по принципу *отталкивающего притяжения*. Вот он какой... все-то он знает, все видит, и меня насквозь видит, и, в общем-то, он злой, он плохой. Но совсем плохих любят не меньше, чем совсем хороших. По-другому, однако не меньше. Женщин к *жестокому* тянет, вот, нашел я слово...

Е.П.: А может быть, к сильному?

А.К.: Нет, все-таки к жестокому. Сильные ведь тоже разные бывают. Один сильный – это такой сильный доктор Айболит...

Е.П.: Или Укроп Помидорыч по Солженицыну.

А.К.: А другой – такой жесткий, как жесть. Ценят женщины жесткость, вся классическая литература об этом... Ты что-то тяжело задумался? О чем?

Е.П.: О том, что я сегодня чувствую себя скованным, потому что боюсь чего-нибудь сболтнуть и тем самым выдать какую-нибудь упомянутую «прекрасную тайну товарища».

А.К.: Я себя чувствую точно так же и по той же причине, но я-то говорю. Однако ведь мы с тобой, еще раз напоминаю, не *донжуанский* Васин список обсуждаем, хотя в нем имеются звучные и неожиданные женские имена. И не конкретизируем, кто, с кем, где и когда. Мы говорим о неких фундаментальных вещах, которые вообще-то могут касаться не только Аксенова.

Евгений Попов

Е.П.: Все-таки сделай милость, расскажи хотя бы в рамках конспирации, как ты однажды встретил в Таллине влюбленных Васю и Майю.

А.К.: Рассказываю, но с купюрами, чтобы непонятно было, какой это год, чтобы никого не обижать. Однажды мы с женой Эллой, в самом начале нашей долгой совместной жизни, *отдыхали* следующим образом – непонятно зачем целый месяц болтались в Эстонии, шатались по Таллину. С целью купания, как и все люди, ездили в Кадриорг, значит, в таллинский парк, где море, пляж. Помню, было там дико холодно и неуютно. Песок в глаза летел, и обязательно, где ни ляжешь, через некоторое время вылезает из-под этого песка корень сосны, которого только что там не было. Вылезает и впивается тебе в тело. Мне это сильно не нравилось, да я и вообще не большой любитель пляжа. Ну, вот мы и сидели в этих таллинских *европейских* кафе, пили кофе с вкуснейшими всякими булочками, чувствовали себя наконец-то почти *европейцами*. И вот однажды мы выходим на улицу Лабораториум, воспетую Аксеновым...

Е.П.: ...в «Звездном билете». Название этой улицы благодаря Аксенову знали все подростки, юноши и девушки страны, вообще все его читатели.

А.К.: Да, да, да. Улица Лабораториум. Это такая странная улица. В нее войдешь с одной стороны – и видно оттуда ее конец с другой, она короткая, и если кто-то с того конца войдет, то не разминешься. Она узкая: с одной стороны городская стена, высокая, старая, а с другой стороны – гладкие стены домов с окошками только в верхних этажах. Такой коридор каменный. И мы вошли туда, и я говорю своей жене: «Здесь витает дух Василия Павловича». При этих моих словах с той стороны на эту улицу входят Василий Павлович и Майя Афанасьевна. Вот тогда Вася нас и познакомил, несколько часов провели мы вместе. Майя была совершенно очаровательна, можно сравнивать ее с куклой Барби, которой тогда еще не было, но сравнение выйдет немножко такое обидное. Поэтому я скажу, что у красавицы Майи был тогда типаж Мерилин Монро...

Е.П.: Не Брижит Бардо?

Александр Кабаков

А.К.: Нет, Мерилин Монро. Причем вот той Мерилин Монро, знаменитой Мерилин Монро того знаменитого кадра, где ветер из подземной вентиляции ей подол платья задирает.

Е.П.: Да, да, да.

А.К.: И взлетает ее платье! Вот Майя была именно такая, даже и платье на ней было похожее. Очаровательная Майя. Мы бродили по таллинской брусчатке, она стерла ноги и, нимало не смущаясь, сняла босоножки и дальше ходила босиком, взяв босоножки в руки. Надо заметить, прекрасные у нее были и ноги, и босоножки, и в прекрасном она была платье... Вот. И Вася был весь джинсовый, супермодный...

Е.П.: Извини, что перебиваю, но она мне как-то показала некий свой джинсовый костюм ценою в тыщу долларов, что по тем временам было примерно как десять тысяч сейчас. Ей этот костюм, по ее рассказу, подарил чуть ли не сам Берт Ланкастер.

А.К.: Нет, тогда она была в платье. Было еще далеко до их отъезда в Америку.

Е.П.: Понятно.

А.К.: Бродили мы, бродили, я со свойственной мне тупостью так бы и дальше с ними ходил, но жена меня ткнула и сказала: «Оставь влюбленных в покое. Ну встретились, ну побыли, но все уже, надоели мы им, мы им совершенно не нужны...»

Е.П.: Э-э! Жена-то у тебя поумней будет, чем ты.

А.К.: Это не очень трудно – быть умней, чем я. Особенно в таких вот *тестах* на сообразительность. Прелестный был день с этим его, Васиным, появлением на словах о витающем его духе! Я им, конечно, тут же рассказал, что только что Васю призывал-вспоминал, и мы все очень смеялись. Да. Это было явление такой, я бы сказал, прелестной пары, которая вполне конкурировала с окружающим *как бы* европейским пейзажем, была, пожалуй, даже куда более космополитична, чем этот таллинский и одновременно советский пейзаж. Зачем я это все тебе рассказываю?

Е.П.: Затем, что такое живое свидетельство куда важнее общих слов. Ладно! Нам, наверно, уже пора подытоживать, и я напоследок хочу поделиться с тобой одним своим наблюдением. Вот ты какую даму ни спроси, которая знала или хотя бы видела Аксенова – в жизни или по ящику, – какую даму ни спроси про Аксенова, обязательно у ней лицо озаряется, и она вспоминает, ка-а-кой он был *интересный*!

А.К.: Это абсолютно так, но это вовсе не означает, что все в него были влюблены, все-все-все. Он всем нравился – это да. Но «нравиться» и «быть любимым» – вещи разные. Знаешь, съезжая с темы женщин чуть-чуть в сторону, зададим вопрос: а кому, собственно, не нравился Аксенов? Его враги – это нормально, завистники – тоже. Но вот кому он именно что *не нравился* – даже не как писатель, а как человек, человеческий тип, персонаж? А я тебе скажу кому, я этих людей знаю, высказывания их читал – людей закомплексованных, убогих. Бог которых обидел и которые от этого озлели. Вот таким людям Аксенов категорически не нравится, потому что он им противопоказан. Понимаешь? Я вот знаю одного, ну, по моим-то меркам молодого такого литератора, журналиста, кто-нибудь из современных назвал бы его культурологом или еще как-нибудь... Так вот, этот «культуролог», когда писал об Аксенове, прямо трясся в текстах от бешеной ненависти к нему. Тебя и меня он тоже упоминает, но мы там всего лишь в перечислении моральных уродов. А почему такая ненависть? Да потому что на этого литератора посмотреть достаточно по-простому, чтобы всё понять: его бабы не любят.

Е.П.: Ну, фрейдизм какой-то ты развел!

А.К.: Да очень простой фрейдизм, если ты это житейское наблюдение считаешь фрейдизмом. Те, кого бабы не любят, очень не любят тех, кого бабы любят.

Е.П.: Знаешь, ты вспомнил про относительно молодого литератора, а я-то знаю одного литератора очень известного, у которого при упоминании имени Аксенова чуть не истерика начинается...

А.К.: Этот тоже известный, хоть и молодой.

Е.П.: А мой известный литератор – сверстник Аксенова. И если, по Чехову, в человеке «все должно быть прекрасно», то для него, этого литератора, в Аксенове отвратительно все: «и лицо, и одежда, и душа, и мысли».

А.К.: Все то же самое! Товарища бабы не любят. И не то чтобы он Васе завидовал, что Васю бабы любят, а его – нет! Он оттого, что его бабы не любят, стал таким вот аксененавистником.

Е.П.: Думаю, Вася это понимал.

А.К.: Понимал прекрасно.

Е.П.: Помню, что в каком-то его рассказе, я название забыл, там спортсмены некие, и один из них, жовиальный весельчак, другому, унылому, говорит: «Я с девчонкой познакомился, пошли, у нее подружка есть». А унылый и закомплексованный спрашивает: «Девчонка красивая?» – «Красивая», – отвечает весельчак. «Ну, у красивых подружки всегда некрасивые», – констатирует пессимист.

А.К.: Немножко это из другой оперы. А я тебе вот что скажу, я до этого только что додумался, следи за моей мыслью: вот те писатели, которые не Аксенов, они о плотской любви пишут с точки зрения тех, кого бабы не любят. Поэтому для них плотская любовь – исключительно одно траханье. А Васю бабы любили. И для него любая любовь – и плотская, и самая что ни есть возвышенная – все равно, это… ну, радость, потому что как же иначе? Ведь бабы-то его любят! Для него это радость всегда. А для *этих* – не радость, потому что их бабы не любят, даже если с ними вовсю трахаются. И изображение плотской любви в большей части современной литературы – это изображение сделано людьми, которых не любят женщины, поэтому оно такое тоскливое.

Е.П.: Все, на этой мудрой сентенции и заканчиваем… Про сентенцию говорю без иронии.

А.К.: Почему заканчиваем?

Е.П.: Потому что – финал, финальная точка темы. Сложное действительно сводится к простому: «*Он бабам нравился за то, чего не должен знать никто*», как некогда пел Вилли Токарев.

А.К.: При чем здесь Токарев? Пошлость ни к селу ни к городу…

Евгений Попов

Е.П.: Ну, плохая шутка, согласен. Кстати, и весь «МетрОполь» вершился в антураже романтических отношений. Инна Львовна Лиснянская и Семен Израилевич Липкин именно в это время оформили свои многолетние отношения, Фридрих Горенштейн нашел свою рыжую Инну, а Вася сочетался законным браком с Майей. При свидетелях, каковыми были Белла Ахатовна Ахмадулина и Борис Асафович Мессерер. Ну, и Майя вдруг превратилась из советско-светской дамы в подругу лидера оппозиции. Кстати, так назвала однажды Аксенова в не только моем присутствии лет за десять до перестройки странно прозорливая писательница Виктория Токарева.

А.К.: Вот я и говорю. Атаманшей «МетрОполя» была Майя Афанасьевна.

Е.П.: Да, Майя с радостью во всем этом участвовала. Она и кормила, и поила нас в своей квартире на Котельнической набережной, когда мы туда приходили время от времени. То есть в Москве было три «метропольских» точки: однокомнатная квартирка Евгении Семеновны Гинзбург около метро «Аэропорт», мастерская Бориса Мессерера на улице Воровского и Майина квартира в Котельниках. Я, кстати, забыл сказать, что и сам именно тогда встретил свою будущую жену Светлану, а в 1981 году Белла стала свидетельницей уже на нашей свадьбе, когда Васю товарищ Брежнев уже лишил советского гражданства. Говорю же – сплошная романтика. Может, еще и поэтому «МетрОполь» занимает такое важное место в жизни каждого из нас. А не только потому, что мы занимались делом, запретным в советской стране.

А.К.: Не удержусь добавить, что в советской стране и любовь была делом запретным. По крайней мере, не сравнимым с любовью к социалистической родине.

Е.П.: Позволь тебе со свойственной мне тягой к демагогии заявить, что, в отличие от любви к социалистической родине, любовь к женщине и любовь к литературе – это *together forever*, вместе навсегда.

А.К.: Жень! Есть хорошо тебе известный роман Джорджа Оруэлла «1984». Все говорят, что это роман о тоталитаризме.

Александр Кабаков

Но я, прочитав его еще в незапамятные времена, убедился, что роман этот прежде всего о запретной любви. И о том, что тоталитаризм с любовью борется, как с вещью опасной. Поэтому, я считаю, занятие любым запретным делом, ну, например, выпуском бесцензурного альманаха – подходящее время для любви. Что ты и подтвердил, перечислив, сколько народу в это время у вас там... это... повлюблялось, у кого возникли или как-то повернулись отношения.

Е.П.: Я еще думал о том, что женщины даже в Советском Союзе всегда хотели жить более возвышенно, порядочно, достойно, чем это им диктовали внешние обстоятельства. Потому их, может быть, и тянуло неосознанно к Аксенову, может, это еще одна из причин его успеха. У читателей вообще, у женщин в частности.

А.К.: Глупо и малохудожественно, когда соавторы все время соглашаются друг с другом, но здесь ты сказал то, что и я хотел. Женщинам советская жизнь не нравилась куда больше, чем мужчинам, пусть даже они и воевали с ней меньше. Так они вообще почти всегда воюют меньше, они по-другому живут, чем мужчины, они – кроме по-житейски глупых – устраиваются, пристраиваются к обстоятельствам, а не воюют с ними. А не нравилась им та власть по естественным и уважительным причинам. Им надеть на себя было нечего. Сапоги стоили три зарплаты, и достать их было нельзя. А дальше можно перечислять все что угодно...

Е.П.: Очереди за этим самым... за суповыми наборами. Пьяные мужики перед телевизором. «И денег нету на аборт», как писал замечательный поэт Александр Величанский.

А.К.: И запретное дело должно было стимулировать запретную любовь. Для того чтобы эту запретную любовь сделать открыто счастливой. Как у Липкина и Лиснянской, как у Васи с Майей.

Е.П.: Интересно. Ведь и «Ожог» – это роман, в сущности, о любви. Может быть, и вся литература о любви?

А.К.: Нет, нет, успокойся. Не вся. Но у Васи литературы не о любви нет.

Евгений Попов

ПРИЛОЖЕНИЕ

Из романа «НОВЫЙ СЛАДОСТНЫЙ СТИЛЬ»

С той ночи многое изменилось в их отношениях. Они поняли, что их любовь под угрозой и угроза исходит от самой любви. Если считать, что жажда любви – это когда одна половинка ищет другую в бесконечном хаосе тел и душ, чтобы соединиться в некую до-Адамову и до-Евину цельность, то случай Алекса и Норы был, быть может, неким приближением к идеалу вроде любви израильтянина Шимшона и филистимлянки Далилы. Любую любовь, увы, где-то поблизости подстерегает предательство, и данный библейский пример не исключение. Ревность для Алекса и Норы была синонимом предательства, она то приближалась, то отдалялась от них, словно армия филистимлян, вихри хаоса.

Ну, давай заведем такой своего рода пылесос против ревности, о'кей? Давай исповедоваться друг другу, и чем чаще, тем лучше. Давай я первая признаюсь в том, что с нашей первой встречи я больше ни с кем не спала. И я ни с кем не спал. И я больше ни о ком не могу даже и подумать. И я не могу даже посмотреть на другую. Оба были самую чуточку, ну, сущую ерунду неискренни в своих признаниях, так как обоим пришлось так или иначе закруглять предыдущие отношения. Негласно они старались как бы чуть-чуть снизить градус своей любви…

БОРЩ ДОЛЖНЫ ВАРИТЬ СЛУГИ

Из беседы Василия Аксенова с Александром Щупловым
«Российская газета», 2005

– Нормальное ли явление – женщина-политик?

– А вот здесь я – за! Я вообще считаю, что женщинам надо поактивнее в политику входить, и пора найти в конце концов женщину, которая станет президентом нашей страны. Возобновить XVIII золотой век в России. Если бы не российские женщины XVIII века, мы до сих пор были бы дикой, чудовищной страной. Именно женщины-императрицы внесли элементы гражданского общества в Россию. В XVIII веке 75 лет Россией правили женщины, и это было великое благо для страны.

— Женщины будут править, а кто будет варить борщ и делать пельмени?

— А борщ будут варить слуги. Когда Екатерина собирала мнения, отменять крепостное право или нет, поэт Сумароков спросил ее: «Ваше Величество, где же мы тогда будем брать слуг?» За императрицу ответил Вольтер, написавший Екатерине: «Слуг надо нанимать, а не держать как рабов». Просто нанимать за деньги!

ГЛАВА ВОСЕМНАДЦАТАЯ
АКСЕНОВ
И ЕГО СУХОЙ ЗАКОН

АЛЕКСАНДР КАБАКОВ: Мне кажется, что испуганный читатель придет в некоторое недоумение...

ЕВГЕНИЙ ПОПОВ: Мы его пока не сильно пугали, читателя...

А.К.: А вот тут и напугается, и придет в некоторое недоумение, вдруг обнаружив в книжке об Аксенове беседу, посвященную алкоголю, потому что Василий Палыч, царствие ему небесное, не был так уж широко известен в этой своей деятельности – это ж все-таки не Венедикт Васильевич Ерофеев или... ну кто...

Е.П.: Поэт Рубцов Николай Михайлович.

А.К.: Ну, Рубцов – это далеко, а вот, пожалуйста, ближе – прозаик Юрий Казаков. Вот если бы мы о нем говорили, то такая отдельная тема была бы оправданна. А что касается Васи, мне кажется, это может восприниматься как некоторая неожиданность. В сознании людей, лично, но не близко знавших его в последние тридцать пять лет его жизни – то есть в течение значительной части его публичной жизни, – он остался таким джентльменом, пьющим очень умеренно хорошее красное вино или пиво, очень понемногу, абсолютно без всяких последствий для поведения и, как он утверждал, исключительно с положительными последствиями для здоровья, потому что красное сухое вино полезно. И герои его в последних романах, обрати внимание, герои его, за редчайшими исключениями, непьющие, ведущие правильный образ жизни, как и он сам, естественно, никогда не напивающиеся, не бесчинствующие в пьяном виде, не способные в пьяном виде, в соответствии с классическим таким архетипом русского пьяного человека, уехать, например, в Ленинград, как в известной кинокомедии, или еще куда-нибудь к черту на рога, или, например, в пьяном виде пообещать жениться, или даже жениться... а потом не понимать, что произошло, – «кто это?!» Классический вопрос русской советской литературы, утренний вопрос: «Где я? Кто это рядом?» Этого ничего не было. Василий Павлович Аксенов был умеренно, очень умеренно выпивавший джентльмен – заметь, не то чтобы ни капли в рот не бравший, какими бывают обычно завязавшие алкоголики, просто умеренно употребляющий за едой красное вино. И в качестве пьющего человека не был известен. Более того, именно в последние годы жизни в связи с тем, что как-то он стал порезче в суждениях, он несколько раз не очень одобрительно высказался о главной алкогольной книге русской литературы – «Москва–Петушки» Венедикта Ерофеева не его любимая книга была... И вот резонный вопрос: что значит – Аксенов и алкоголь? Почему такое особенное внимание? Странно... Как если бы отдельно обсуждать «Пушкин и алкоголь» или «Чехов и алкоголь».

Е.П.: А что? Отличная идея. А? Сделать сборник под названием «Русские писатели и алкоголь»...

А.К.: Издание будет запрещено министерством здравоохранения – или как оно там называется...

Е.П.: Зато будет иметь огромный успех. И можно будет составить второй сборник – «Мировая литература и алкоголь». Проза в основном, поэтов не будем брать. В прозе как-то яс-

Евгений Попов

нее. Откуда я знаю, сколько выпивал Александр Сергеевич, например...

А.К.: От самого Александра Сергеича. Ты почитай его сочинения. Там идет дюжинами шампанское!

Е.П.: Сочинения – это все же не документальный источник. Вот, пожалуйста, я прочитал сочинение писателя Кабакова, называется оно «Все поправимо». Там описано, как студента вербовали в КГБ, и он сбежал от них в армию. Значит ли это, что подобный эпизод был в жизни писателя Александра Кабакова?

А.К.: Нет, то была выдумка.

Е.П.: Ладно, давай к теме вернемся. Почему же Вася не любил «Москву–Петушки»? Тут надо углубиться в его биографию. Я ведь его никогда не видел пьяным, понимаешь? То есть неприятие «Москвы–Петушков» может рассматриваться как принципиальное неприятие непьющим человеком пьющего... Говорю ж, не видел его пьяным *никогда*.

А.К.: И я, мы с ним познакомились в тот год, когда он бросил пить.

Е.П.: Вот. А я еще позже... Джентльмен, сдержанный, спортивного склада, никогда ничего лишнего себе не позволит... А о том, что до этого происходило, я только с его слов знаю, но там есть объяснение. Он сам и, между прочим, с некоторым удовольствием рассказывал, как он пил, запивал. Так, по его же рассказу, пил что однажды, когда встретил уже в новом, непьющем и сдержанном качестве какого-то старого собутыльника, тот заплакал: «Что, Вася, ты сделал с собой?! Ты же был человек как человек, морда у тебя была красная, глаза красные, пузо над ремнем свисало... А теперь как с тобой общаться? Ты, может, на стадион сейчас пойдешь бегать...» Махнул рукой и ушел – потерян Вася для настоящей человеческой жизни. В общем, это значит – была у Аксенова и такая жизнь. Мне рассказывали различные граждане истории – и, я думаю, не врали, потому что рассказывали при Василии Павловиче, – как, например, его доставляли домой путем возлагания его туловища на спину рассказчика... И ничем он в этом смысле не

Александр Кабаков

отличался от прочих: тогда, в эти годы, все пили довольно много, люди новой русской литературы...

А.К.: Хотелось бы мне, чтоб ты назвал годы, когда люди русской литературы *не* пили.

Е.П.: А вот пожалуйста: двухтысячные. Или как их... нулевые. Старые писатели стали пить поменьше, потому что постарели, а новые... у них вроде другие занятия...

А.К.: Другие занятия сами собой, а пьянство – само собой. Прямо говоря: жрут, как родные, сам наблюдал и вообще...

Е.П.: Вот, пожалуйста, и объяснение, почему мы говорим об Аксенове и алкоголе: потому что это не только его ранняя писательская биография, но и вообще важнейшая тема и даже просто часть русской литературы. И Аксенов как русский писатель не может рассматриваться вне этой темы. Заметь, мы как только начинаем про него говорить непьющего, так называем его джентльменом, не по-русски.

А.К.: Несправедливо. Пьянство – часть только русской литературы? А Хемингуэй? А Фолкнер? А Ремарк, в конце концов? Что они, русские писатели? А спившиеся до смерти «проклятые поэты» французские, они что – русские? Я не люблю квасной патриотизм в каком бы то ни было виде. И утверждение, что так, как русские пьют, никто не пьет – это чепуха.

Е.П.: Ладно, допустим. Но все же есть одно возражение. Одна тонкость. Понимаешь, русский писатель почему пьет? Потому что это вообще... массовое явление, все кругом пьют. Это часть национального образа жизни. То есть русский писатель почему пьет? Потому, что он русский. Я упрощаю для ясности... А твой, допустим, Фолкнер – почему пил? Не потому, что американец, а потому, что писатель, выродок в некотором смысле. И прочие писатели американские, и другие иностранные монстры...

А.К.: Тут с тобой полностью согласен. Там пила богема, а здесь все пили и пьют как богема. У нас вообще полная страна богемы, хотя талантов как везде...

Е.П.: Ну да, на самом деле трудно представить среднего американца... у него счет в банке, бизнес... чтобы он, как

Фолкнер, пришел в гости, ему там надоело, и он спьяну взял, вылез в окно и ушел. А Васю я уже застал совершенно другим, он уже – думаю, сознательно – порвал с богемной жизнью, как бы перестал в этом смысле быть «писателем»... Но с превеликим удовольствием – как всякий завязавший – рассказывал всяческие алкогольные истории из собственной жизни. В частности, одну – ну совершенно из «Иронии судьбы». Значит, рассказывает: «Однажды, помню, я вышел из ЦДЛа, вышел... а дальше очнулся в самолете, который летит неизвестно куда. И очнувшись, немножко посидел спокойно и как-то стал соседей окольными путями, осторожно выспрашивать, куда мы, собственно, летим...»

А.К.: Видишь, это архетип, это потому и в кино вошло классическое, «Ирония судьбы».

Е.П.: В общем, прилетели они в город Ригу. Василий Палыч вышел из самолета, порылся в записной книжке – и позвонил знакомой девушке, значит, среди ночи, очевидно, ну, или под утро... И сказал, что вот он в Риге и надо бы немножко пересидеть ему до обратного самолета, в себя прийти... Не знаю, может быть, и денежек надо было на обратный путь призанять... Нет, скорей всего у него деньги были. А девушка, значит, его превратно поняла. Она подумала, что он приехал с предложением руки и сердца, что его вдруг так... потянуло. Понимаешь? И вот Вася у нее немного поспал на диванчике, а к обеду стали уже собираться ее родственники, знакомиться. Такие рижско-еврейские родственники... Дядюшки толкали локтем в бок, хлопали по плечу, подмигивали – правильное решение приняли, молодой человек. И он понял, что это все, это капкан... И тогда он поступил совершенно как персонаж моего одного рассказа – клянусь тебе, я его написал раньше, до того, как узнал всю эту историю. Он сказал, что пойдет побриться, в парикмахерскую, ну, привести себя в порядок. И действительно пошел в парикмахерскую. А выйдя из парикмахерской, сел в самолет и улетел в Москву. И все. Потому что объяснить ничего не удалось бы...

Александр Кабаков

А.К.: Вот такой человек и проступает сквозь его ранние сочинения. А последующий – непьющий, корректный джентльмен – он виден сквозь его более поздние романы.

Е.П.: А когда мы познакомились, мы были как бы... не по разные стороны баррикад... ну, в противофазе, что ли. Поскольку он завязал, а я-то как раз очень много тогда пил... Ну, я не был алкоголиком, я просто пил много. И однажды, будучи с похмелья, страдая, я задал старшему товарищу вопрос. Вась, говорю, скажи, пожалуйста, что такое запой? Тут он страшно оживился и говорит: «Как-то в твоих устах этот вопрос странен, будто ты не знаешь, что это такое». Я говорю: «Понимаешь, я могу выпить много, на следующий день, опохмеляясь, я могу перебрать, но в третий день я уже не могу пить просто по физиологическим причинам...» И тут он сказал: «Значит, ты счастливый человек. А запой – это вот ты просыпаешься утром, мучительно начинаешь восстанавливать в голове, что вчера было, потом натягиваешь джинсы, по стеночке, осторожненько, спускаешься вниз, в кафе, там стаканчик коньяку... По жилам пошло, мотор завелся. Возвращаешься домой, завтракаешь яичницей, работаешь утром, все нормально, потом два-три часа поработал – и по делам поехал, на киностудию или еще куда-нибудь, потом обед с вином и с большим количеством водки, скорее всего в ЦДЛ, потом еще дела какие-то, встречи, вечером опять ужин в ЦДЛ, а дальше, опять же, попадаешь домой неизвестным путем. И все это повторяется – годами». Вот когда он на этом кончил, я был поражен. Я тогда его спросил: «А как же ты прекратил вообще это дело? Было какое-то медицинское вмешательство?» Он говорит: «Не-а». Я не поверил: «Ну, так не бывает, у меня врачи-психиатры знакомые, они знают...» А он говорит: «Нет, так бывает. Мать мне стала говорить: чего-то ты, Вася, совсем стал плохой... и пишешь ты что-то не то, да и вообще как-то ты ведешь себя странно... И я бросил».

А.К.: Ну это... не знаю, следует ли углубляться в медицину... Но думаю, что Вася ошибался. Имею соответствующую информацию. То что он описал – это не просто запой, это настоящий алкоголизм, который нельзя вылечить, но который можно прижать, прижать. Он его прижал на долгие-долгие годы. Молодец. И тут доказал, что он – исключение.

Е.П.: Он его прижал на всю жизнь.

А.К.: А вот запой... Боюсь, что один раз я видел Васю действительно в запое. Когда мы с ним еще не были знакомы, но я-то знал, кто такой Аксенов. Я увидел его часов в одиннадцать утра... в общем, вскоре после открытия кафе, было кафе «Север» такое на улице Горького. Спустя эпоху там открылся первый в Москве бордель почти официальный под названием *"Night flight"*. И вот я иду... Только открылось кафе, а оно открывалось довольно рано, будучи кафе-мороженым, и подавали там, кроме мороженого, коньяк и шампанское. И я вижу, что оттуда – нельзя даже сказать «выходит» – оттуда выводят Василия Палыча какие-то дамы, ну, некая свита, и он идет только исключительно с помощью свиты. Лицо сильно опухшее, и глаза закрыты. Было совершенно очевидно, что эта компания, которая гудела всю ночь, нашла заведение, где раньше всего утром можно выпить шампанского или коньяку. Вот тогда он явно был в запое... Слушай, хватит про это, в конце концов, дело не в этом. Давай скажем вот что: а какое значение, собственно, для литературы, его литературы имело то, пьет Вася или нет?

Е.П.: Знаешь, какое значение? Такое, что вот эта сцена, которую ты описал, – она прямо из романа «Ожог». И в ней есть настроение того времени. Следовательно, его пьянство, его запои, или алкоголизм, как хочешь, они были частью его литературы тогда.

А.К.: С этим я не спорю, вот об этом и интересно – как именно алкоголь входит в литературу, через сюжет, или настроение, или интонацию...

Е.П.: А мне интересно и биографическое значение алкоголя в жизни Аксенова. Мне всегда было интересно, не почему он пил, это понятно, почему пьют в России...

А.К.: А почему?

Александр Кабаков

Е.П.: Почему… А потому… Чтобы жизнь… чтобы еще несколько измерений ей придать. Потому что на трезвую голову она плосковата…

А.К.: А в Америке почему пьют? Ну, допустим, писатели?

Е.П.: Потому что для писателя жизнь везде плосковата…

А.К.: Ну вот… вот сам смеешься, потому что чувствуешь, что сказал ерунду!.. Почему он пил? Вася? И почему Казаков, например, которого Вася очень любил и в последние годы о нем очень хорошо писал, тоже пил? И почему Казаков не бросил, а Вася бросил? Почему? В чем тут суть? И почему Вася, во всяком случае, в последние годы, не любил «Москву–Петушки», есть здесь связь?

Е.П.: Ты знаешь, есть ответ в пьесе Петрушевской «Чинзано». Там очень мудрый ответ. «Почему мы пьем все время?» – спрашивает один персонаж, а другой говорит коротко: «Да потому, что нам это нравится».

А.К.: Это хороший ответ, точный и честный. И это объясняет, как и почему Вася бросил пить – ему это перестало нравиться. И ему такая… алкогольная литература перестала нравиться, и чужая – думаю, до этого он по-другому относился к книге Венедикта Васильевича, – и своя, и он стал из нее понемногу выгонять алкоголь. И больше он не пил, причем не просто не пил, а мог выпить красного вина и не начать сильно пить…

Е.П.: Я тогда у него спросил – что, и никогда с тех пор? Он говорит: «Ты знаешь, один раз чуть было не сорвался, когда умерла мама, на поминках мне налили стакан, и я уже потянулся рукой к стакану и… и понял, что – нет, я уж и здесь не буду пить, и не выпил». И еще одна была история. Мы жили зимой с семьдесят девятого на восьмидесятый год в Пахре, у Майи на даче. Однажды решил я посетить местный кинотеатр в Доме офицеров. Я иду, метель была, и вдруг вижу – мне навстречу машина, помигала фарами, Василий Павлович в машине. Говорит: «Ты знаешь, у меня в "Континенте" вышла пьеса "Цапля"». «Континент», эмигрантский запрещенный парижский журнал, антисоветский…

А.К.: Это ты мне объясняешь? Или читателям?

Евгений Попов

Е.П.: «Возвращайся, давай отметим, шампанского выпьем», – говорит. Я сел в машину, в кино не пошел... Вот тогда Вася выпил не один-полтора-два бокала, как потом всегда пил, а бокала три, а то и четыре...

А.К.: То есть бутылку шампанского...

Е.П.: И вдруг я увидел другого Аксенова, понимаешь, даже по лицу. У него такое... У него черты лица заострились, он стал более такой кошачий, стал так хихикать чуть-чуть и стал немного агрессивнее, что ли... Это продолжалось, сколько там это опьянение продолжалось, ну, полчаса, наверное, или час. Но я понял, каков он может быть, если еще, еще и еще...

А.К.: Ну, последняя история на эту тему. Это году в семьдесят третьем я был на пьесе Васиной «Всегда в продаже» в «Современнике», тогда еще на Маяковке. Это был уже не премьерный спектакль, не знаю, почему там много народу собралось... Может, потому, что знали – скоро его из репертуара снимут... А после спектакля все намеревались большой компанией ехать в театр на Таганке на ночь, ночью там должен был быть концерт «для своих» группы Леши Козлова, группы «Арсенал» первого созыва, которую еще никто тогда не слышал, должно было быть большое такое неофициальное событие музыкальное. Ну, спектакль кончился, и мы все стоим возле «Современника». Стоит Вася, еще кто-то, я затрудняюсь вспомнить теперь, кто именно, кто-то из современниковских женщин. И вот одна из них говорит так мечтательно, видно, что приятное воспоминание: «А помнишь, Вася, когда была у нас твоя премьера, как ты выпил и в носках плясал?» И сразу встала передо мной некоторая картина, понимаешь? Как именно Вася выпил, что в носках плясал... Он, конечно, стал совсем другой человек, когда бросил пить. И литература его не могла не стать другой.

Е.П.: Потому что без пьянства не существовало бы раннего Аксенова, а такого, каким он стал позже, не могло быть, если бы он продолжал пить. Включая «Остров Крым».

А.К.: И включая «Ожог»...

Александр Кабаков

Е.П.: Нет, «Ожог» был еще алкоголический.

А.К.: Женя, заспорим? Герой «Ожога» в середине романа бросает пить. И в это же время бросил пить Аксенов. И поэтому там отчетливо видно: до половины роман написан на одной энергии, а с половины – на другой.

Е.П.: Но только к концу романа у героя «белочка» начинается… И еще – сцена в «Острове Крым», когда приезжает Лучников в Москву на выборы и проводит ночь среди московской богемной пьяни, тоже, по-твоему, безалкогольная?

А.К.: Ко времени написания «Острова Крым» у него еще воспоминания алкогольные были яркие. А постепенно они выветрились, и из литературы его вымылась эта краска.

Е.П.: А я тебе говорю, что он до конца это все помнил. И в его последних книгах имеются на эту тему фразы опытного человека. У него в жизни был сухой закон…

А.К.: Суховатый в смысле поведения и сухой – в смысле вина.

Е.П.: …а в литературе – не было у него сухого закона. И я могу говорить долго на тему, почему ему не нравились «Москва–Петушки». Например, о том, что «Москва–Петушки» не нравились Аксенову – и одновременно не нравились абсолютно полярно противоположному ему как писателю Виктору Петровичу Астафьеву…

А.К.: Тоже не нравились? Странно…

Е.П.: Я и того, и другого прямо спрашивал, почему, и четкого ответа не было, а было такое злобноватое мычание – и у того, и у другого. То есть четких, конкретных претензий не было.

А.К.: А я думаю, что им сам подход не нравился – эдакая умиленная эстетизация интеллектуального люмпенства и специфический юмор, все эти «слезы комсомолки», «ханаанский бальзам»…

Е.П.: Вполне может быть. Мы вспомнили истории про молодого Аксенова, можно таких историй набрать и про Астафьева… У которого еще и отец был, как он писал, сильно пьющий. И они – и Аксенов, и Астафьев – с этим расстались, им *перестало это нравиться*, их перестала вдохновлять *поэтика*

Евгений Попов

пьянства, на которой была построена большая часть литературы тех лет. Причем хорошей литературы.

А.К.: Если решиться сказать от их имени, получится примерно такая формулировка претензий: ты наше больное сделал предметом литературной игры.

Е.П.: Вот именно, из-за того, что, несмотря на человеческую биографию Венедикта Васильевича, в книге у него алкоголизм стал игрой литературной. То есть, мне кажется, – парадокс, но «Москва–Петушки» и для Аксенова, и для Астафьева была слишком интеллигентская книга.

А.К.: Помнишь, когда героя «Ожога» совсем со всех сторон обкладывают, он устраивает себе такое бегство – залезает в постель с бутылкой виски, с «Белой лошадью», которая как-то к нему попала... и у него наступает счастье такое, он... он изолировался от всех. Знаешь, это искреннее чувство, а когда игру из этого сделали, Васе не понравилось.

Е.П.: Значит, вот что возникает в нашем разговоре: на примере Аксенова можно сделать вывод, что есть тип русского писателя, для которого алкоголь – сакральная вещь. И не обязательно при этом писателю самому быть алкоголиком, и не обязательно писать исключительно о пьянстве.

А.К.: Что не исключает и такого утверждения: во всех странах мира писатели и вообще художники склонны каким-то образом расцвечивать жизнь, склонны к изменению сознания. Если говорить о выпивке, то художники менее склонны к простому пьянству, чем к алкоголизму. Пьянство – это распущенность, алкоголизм – это состояние психики, склонность психики.

Е.П.: Меня это не утешает, потому что я всегда считал себя пьяницей...

А.К.: Считайся ты кем угодно...

Е.П.: Значит, это распущенность. О, горе мне!..

А.К.: ...хотя бы октябренком!

Е.П.: Значит, я все время распущенным был, вон оно как.

А.К.: Давай о присутствующих, как и о покойниках: либо хорошо, либо ничего. Нечего каяться, здесь не Сенная площадь. А вот лучше еще поговорим насчет зависимости. Скажи, пожалуйста, что такое любовь к женщине? Ну, как она выглядит просто?

Е.П.: Кто? Женщина? Или любовь?

А.К.: Любовь к женщине, любовь, не придуривайся. Ведь тебе хочется ее увидеть, да?

Е.П.: Любовь – это значит колоть дрова, как говорил Маяковский.

А.К.: Колоть дрова – это как раз наоборот, от любви помогает, как учит нас физиология. А любить женщину – значит, если ты ее долго не видишь, тебе скучно, тебе томно, тебя тянет, корежит, тебе очень хочется с ней увидеться, к ней прикоснуться, заговорить, с нею остаться... Это – болезненная зависимость от другого человека. А алкоголизм, как и всякое другое изменение сознания, – болезненная зависимость от состояния психики. Вот и все. А художник сильнее других людей зависит от своей психики, она у него все время... в работе, он из нее свой продукт извлекает, образы и так далее. Поэтому все сильно пьющие художники – не пьяницы, а алкоголики. А пьяница – тот, кто пошел, возле магазина сшиб на полбутылки с сосиской или, допустим, в американском ресторане *TGF*, что расшифровывается и переводится как «слава богу, уже пятница», это специально для офисного планктона ресторан, выпил и закусил жареными крылышками, тут же подрался или чуть не подрался, потом протрезвел, умылся, пошел на работу, поработал трактористом или менеджером по продажам, потом в следующую субботу пришел, опять сшиб на две бутылки или опять в ресторане, ну «Елки-палки», выпил, подрался еще... Вот он – не алкоголик, он настоящий что ни на есть пьяница – пьянь! А человек, который утром встал и, весь колотясь, дошел до опохмела, а потом сел стихи писать... Он не пьяница. Он, может быть, Некрасов. Или Есенин... Хотя тот и подраться мог, конечно, но ведь это не по пьяни, а наоборот – это было такое же отклонение психики, как и само пьянство, следствие психического устройства...

Е.П.: Не буду я с тобой спорить, потому что мы можем спорить весь остаток книги. Или весь остаток жизни.

Евгений Попов

А.К.: А давай вернемся к началу разговора: мы зачем этого скользкого предмета вообще коснулись применительно к Василию Павловичу Аксенову?

Е.П.: А затем, что этот предмет играл огромную роль и в его жизни, до поры до времени, и в его творчестве.

А.К.: В жизни понятно какую: до поры до времени пил, потом завязал. А вот в литературе Аксенова какую роль сыграл алкоголь? Мы ведь конкретно так и не определили эту роль.

Е.П.: Вот, пожалуйста – назову: раскрепощение.

А.К.: В литературе?

Е.П.: Я и говорю – в литературе, да, да, в литературе. Смотри: самые первые два рассказа, напечатанные Аксеновым, – это вообще-то самые обычные советские рассказы, молодой писатель прижал уши и аккуратно пудрил мозги литературному начальству, пробиваясь на олимп... «Коллеги» он писал, опять же помня про прижатые уши, про родителей репрессированных и так далее... Но все же чуть-чуть посмелей. Уже жил взрослой жизнью, в которую выпивка входила составляющей, она и придавала куража... В «Звездном билете» уже следующий шаг. Там уже все повеселее, уже есть буйные сцены...

А.К.: Тогда получается, что выпивка – не средство раскрепощения литературы, а как тема – свидетельство раскрепощения...

Е.П.: Нет, именно средство. Потому что... э-э... ну, попросту говоря, в постоянно трезвом виде страшно было бы ему писать то, что он стал писать. Я не имею в виду, что он именно процесс писания совершал в пьяном виде, я имею в виду, что у него понемногу общее состояние стало такое... отчаянное. А в пьяном виде мог писать только Андрей Платонов, как утверждал знавший его мой старший друг Федот Сучков. Федот Федотович рассказывал: «Я однажды к нему пришел, Платонов еле на табуретке держится, но пишет... такими каракулями...» А насчет Аксенова я считаю так: состояние пьющего человека, постоянно такое... немного приподнятое, немного над миром, раскрепостило его как автора.

Александр Кабаков

А.К.: Да, как говорил один мой приятель, увы, уже отправившийся в неведомый путь естественным для любого, даже не очень сильно пьющего человека путем, «бутылку взял – и советской власти нет».

Е.П.: Есть еще проще фраза: «С утра выпил – и весь день свободен»...

А.К.: Свобо-оден... А пожалуй, что и так: самым легким и коротким путем к свободе было для советского человека пьянство. И вообще... Дурман – самый соблазнительный путь к свободе для художника в любом обществе.

Е.П.: Вот тебе и ответ. Потому что мы же здесь не лекцию о вреде пьянства проводим, а честно говорим, как чувствуем. Вот и ответ – почему пьют, почему Вася пил. Я утверждаю, что Аксенов с помощью алкоголя боролся со страхом перед жизнью, перед системой и, в конце концов, перед литературой... Потому что вообще-то страшно писать, разве нет? Это раз. И второе: он с помощью алкоголя познавал страну, поскольку все его тогдашние персонажи были его как бы алкогольные братья.

А.К.: Пожалуй... Да, непьющий человек вообще много ли мог понять в тогдашней России? Он бы ее даже не увидел. Он не попал бы в большинство мест, куда попадают герои Аксенова, он бы не общался с такими людьми. Непьющий человек просто ничего про Россию тогдашнюю не знал бы... Впрочем, и про сегодняшнюю он узнает немного.

Е.П.: Извини, я опять про себя вспомню. У меня пьеса была «Плешивый мальчик», где одна пьянь да рвань действует. И помню реакцию на это уважаемого мною Арбузова. Он меня взял в свою студию молодых драматургов, но тут же меня решил разоблачить, мою драматургию. Он так примерно выступил на обсуждении моей пьесы: «Да, это талантливо, но таких людей, которые тут изображены, их быть не должно, я их не знаю и знать не хочу. Когда я захожу в магазин и вижу, что они там стоят и деньги считают, я просто... я их не замечаю, прохожу и все...»

А.К.: Ну правильно, Арбузов был барин...

Евгений Попов

Е.П.: Кто-то и спросил – а вы, мол, в магазин зачем ходите, яичного ликеру купить? Он, к чести его, признался – нет, ребята, яичный ликер я привожу из Лондона...

А.К.: Вот поэтому – не будем говорить именно про Арбузова – поэтому у такого рода советских аристократов литературных жизнь в сочинениях так же была похожа на настоящую жизнь, как их собственная жизнь – на жизнь всей страны... А Василий Палыч, будучи тогда нормально пьющим человеком, жизнь видел и писал такую, которая вокруг была. Но Аксенов – это же не просто какой-то человек, который сначала пил, потом завязал. Аксенов – это писатель Аксенов. И вот мы говорили о водоразделах в творческой биографии Аксенова ранний Аксенов, начиная от коллег до «Бочкотары», средний Аксенов, начиная с «Ожога», «Острова» и так далее, и поздний Аксенов, условно говоря – со «Сладостного стиля»... Да?

Е.П.: И что дальше?

А.К.: А вот: не водоразделы, извини за убогий каламбур, а *водко*разделы. Сначала литература пьющего Аксенова – не просто реалистически, а честно, *реально* видящего окружающую жизнь во всем ее безобразии и фантасмагории... Начиная с «Ожога» – литература непьющего Аксенова, для которого жизнь без алкоголя стала представляться фантастической, как бы расплываться. То есть трезвый Аксенов стал видеть жизнь более нетрезво, чем пьющий Аксенов, что часто бывает... А третий этап – это Аксенов, наконец полностью ставший бывшим алкоголиком. Вот говорят, что бывших алкоголиков не бывает, но Аксенов последних лет и последних романов – он уникальный случай, как во всем, он действительно бывший. И в этом состоянии он окончательно расплевался с реальностью в своей литературе, он стал свободен от нее, и у него литература стала совершенно свободна. Его комсомольские «Коллеги» перекочевали в фантасмагорические «Редкие земли», в «Кесарево свечение» – он стал свободно путешествовать между трезвыми и пьяными мирами. Как в жизни стал свободно позволять себе бокал красного сухого...

Александр Кабаков

Е.П.: Я полагаю, что важнейшим жизненным обстоятельством в его преодолении последней внутренней несвободы был отъезд его за границу. Еще в «Острове» полным-полно алкогольных сцен и вообще, несмотря на совершенную фантастичность всей истории, роман вполне реалистический. И в «Бумажном пейзаже»… В этих книгах еще есть плоть реализма какого-то, пускай фантастического, как в «Острове Крым». А дальше все пошло уже совершенно без всякой привязки к реальной жизни. Потому что мир для свободного от алкоголя Аксенова стал более закрытым, более таинственным…

А.К.: Он стал ему представляться фантазией. И значит, и алкоголь, и отказ от алкоголя применительно к судьбе Аксенова сыграли роль чисто литературную. Не столько это было частью житейской биографии, сколько литературной. Хотя сам он, как мы уже говорили, литературную игру на эту тему недолюбливал… И тут он стал отдаляться от русской алкогольно-литературной традиции, в которой тяжелое пьянство – это рок, и приближаться к западной. Алкоголь в западной литературной традиции – всегда немного игра. Вот, например, Хемингуэй: у него это было средство движения сюжета, раскрытия характеров, и так далее, и так далее. Как и у несправедливо теперь полузабытого Ремарка…

Е.П.: Ну, у него такое немного подростковое отношение к пьянству, у Ремарка. Я восторгался в пятнадцать лет фразой: «Жидким золотом тек коньяк…»

А.К.: Но у Аксенова алкоголь, точнее, отказ от него стал более глубоким литературным явлением. Он перестал быть темой сочинений, перестал быть средством письма и стал освобождением от реальности.

Е.П.: И этим-то, думаю, и объясняется, почему нелюбима была Аксеновым книга Венедикта Ерофеева. Потому что алкоголь – это был такой золотой ключик, которым молодой Аксенов открывал дверцу известную, а за ней – мир как он есть. Потом отказ от алкоголя стал способом уже не мир открыть, а, наоборот, полностью от мира освободиться… А у Венедикта

Евгений Попов

Васильевича алкоголь остался предметом изображения, а не средством освобождения… Кстати, если бы я был литературовед, я бы сопоставил концовку «Москвы–Петушки» и соответствующие главы «Ожога». И там и там видения появляются, но очень разные…

А.К.: Дело в том, что Аксенов – писатель с первой до последней строчки романтический. *Романтический*, мы об этом в прошлый раз говорили. Романтик – он им был, им и оставался. И этим определяется почти все в его собственной литературе, и этим определяются его отношения с другими писателями, другими литературами, и этим определяется, например, мое отношение к его литературе. А, соответственно, неромантический… при всей его комической, клоунской романтизации алкоголизма – неромантический писатель Венедикт Ерофеев Аксенову был чужд.

Е.П.: А я вдруг вспомнил опять Шукшина…

А.К.: А Шукшин – неромантический писатель, это мы тоже выяснили.

Е.П.: Но, несмотря на их разницу с Аксеновым, ведь между ними много общего, даже и в сюжетах… и в энергии, в духе…

А.К.: Что, на мой взгляд, отличает романтического писателя от неромантического? Романтический писатель полон юмора. Всегда. Неромантический писатель может быть полон сарказма, иронии, но не юмора. А отсюда и отношения с нашим… э-э… химическим реактивом, который вскрывает все, – с алкоголем. Вот вспомнил, надеюсь, он простит меня, Андрея Георгиевича Битова. Ненамного моложе Аксенова, ненамного позже начал, вообще вроде бы рядом. И нельзя сказать, что чужд рассматриваемому нами предмету. Но смотри, какая разница: рассказ о недоразумении, о том, как человек попадает в неловкую ситуацию, о слабом и жалком человеке, классическая коллизия. Однако у Битова это великолепная и сумрачная, рвущая душу «Пенелопа», а у Аксенова – великолепный и радостный, сверкающий рассказ «Жаль, что вас не было с нами». Неромантический и романтический писатели…

Е.П.: И уж никак нельзя по-простому решить, что «лучше», что «хуже». Но если уж вообще что-то с чем-то сравнивать, то

Александр Кабаков

романтический взгляд на действительность – более народный. Тут к месту поставить и неожиданный вопрос: почему именно алкоголь, а не наркотики? Ведь американцы вроде Трумэна Капоте уже вовсю в шестидесятые ушли в наркотики... И у меня есть ответ: опять в романтизме дело. Выпивка с ним сочетается, а наркота – нет.

А.К.: Это точно, наркотики появляются тогда, когда романтизм из жизни исчезает, когда реальность остается такая, какая есть, не украшенная романтизмом, тогда выпивки мало, она хорошо дополняет и усиливает легкость, свойственную романтику, а когда кругом только реальность – нужна просто другая реальность, наркотическая. Это и подтверждается совершенной НЕроматичностью наркотического поколения...

Е.П.: Насчет поколений... Сомнительно. Были же и раньше наркоманы...

А.К.: Это была большая редкость, даже в англоязычных странах, где наркоманов всегда было больше благодаря влиянию английских колоний. И наркотики в художественной среде всегда были частью изыска, декаданса... А пьянство – вполне народным занятием народного такого художника. Как у Куприна, допустим...

Е.П.: Пора же и резюме сделать, как полагается, а то тема получилась неисчерпаемая.

А.К.: А резюме у нас, собственно, уже было. Какую роль сыграл алкоголь в литературе Аксенова? Алкоголь и последующий отказ от него стали средством, стимулятором перехода от литературы робкой к литературе безоглядной. Когда он перешёл к безоглядной литературе, алкоголь ему не понадобился больше. При этом собственно жизненной роли, судьбообразующей, алкоголь в биографии Аксенова не сыграл – Вася никого не убил по пьянке, не валялся на земле, не потерял дом и семью из-за этого, не погрузился в нищету и даже умер не от этого... Ни в социальном отношении, ни в физиологическом алкоголь на него не повлиял.

Е.П.: Следовательно, это чистый случай – алкоголь как часть литературы. На том и покончим.

Евгений Попов

ПРИЛОЖЕНИЕ

КРИВДА И ПРАВДА ОБ АЛКОГОЛЕ

Из лекций кандидата физико-математических наук по специальности «Оптика», профессора Сибирского гуманитарно-экологического института, президента Международной ассоциации психоаналитиков, члена совета Союза Духовного Возрождения Отечества, одного из учредителей Международной Академии Трезвости, члена экспертного совета по алкоголю Государственной Думы Российской Федерации, члена общественной организации «Международная славянская академия», председателя «Союза борьбы за народную трезвость», сопредседателя общероссийского движения «Трезвая Россия» ВЛАДИМИРА ЖДАНОВА*.

В состав пива, вина, водки входит алкоголь – этиловый спирт, химическая формула которого C_2H_5OH. Это всем известно из уроков химии. Но, к сожалению, на этих уроках не говорят, что алкоголь является смертельным наркотическим ядом. При приеме еще небольших доз алкоголя происходит тяжелое нарушение функций всей центральной нервной системы с вовлечением спинного и продолговатого мозга. Развивается глубокий наркоз и коматозное состояние. При приеме дозы 7–8 г алкоголя на килограмм веса, что приблизительно соответствует 1–1,25 л водки для взрослого человека, наступает смерть. Для детей смертельная доза (г/кг веса) в четыре–пять раз меньше, чем для взрослых! 800 г чистого спирта любого человека убивают мгновенно. Кто-то скажет, что есть люди, которые приучили себя к этому яду. И медицина использовала алкоголь при операциях для обезболивания. Почему отказались от него в медицине? Да потому, что очень узка наркотическая широта: пьет, пьет – больно, больно, больше выпил – умер, проскакивает, когда не больно.

Люди научились делать алкоголь с древних времен следующим оригинальным способом: в сосуд наливали виноградный сок (это водный раствор витаминов, сахаров и ферментов, кстати,

* Источник – сайт http://nashe-soznanie.narod.ru/pravda_i_krivda.

очень полезных для человека) и запускали в этот сок дрожжевых бактерий. Они очень большие сладкоежки, эти бактерии: под микроскопом видно, как бактерия поедает сахар, а сзади из-под хвоста из клоаки выходит этиловый спирт C_2H_5OH. Таким образом, алкоголь есть не что иное, как моча дрожжевых бактерий, по-научному это называется экскременты. И вот эти бактерии, поедая сахар, мочатся, мочатся, а когда концентрация мочи в объеме достигает 11%, то, как всякий живой организм, они в собственном дерьме захлебываются и подыхают. Если это пойло тут же разливают по бутылкам, то называют его «вино сухое». А если два года отстаивают с остатками сока, то это пойло называют «вино сухое марочное». Стоит оно в два раза дороже. Любопытно, что эти бактерии могут перерабатывать в алкоголь не обязательно сахар, они перерабатывают вообще любую органику. Вот на гидролизных заводах они перерабатывают опилки. Замачивают опилки, запускают дрожжи, им нечего есть – едят опилки, мочатся, мочатся. У Высоцкого даже песня такая была: «И если б водку гнать не из опилок, то что б нам было с трех, четырех, пяти бутылок?».

ГЛАВА ДЕВЯТНАДЦАТАЯ
ВАСИЛИЙ. СТАРОСТЬ ВООБЩЕ И СМЕРТЬ В ЧАСТНОСТИ

АЛЕКСАНДР КАБАКОВ: Вот скажи, пожалуйста, как по твоему мнению, причем беспристрастному, откровенному и искреннему, – был ли Вася стариком?

ЕВГЕНИЙ ПОПОВ: Понимаешь, в чем дело... Мне, разумеется, подобало бы ответить, что конечно же не был, что вы, товарищи? Он, дескать, *мэн был крутой*, как мы это выяснили в одной из предыдущих глав. Что он мэн был крутой *до конца*. Но мне подвирать неохота, и я поэтому скажу: «Да, он был стариком». И не только те полтора последних года, что провел в коме на койках клиник имени Бурденко и Склифосовского... Он стал стариком примерно за полгода до своего главного несчастья. Примерно, знаешь, с какого времени? – с того самого, когда ему поставили кардиостимулятор в Кремлевке, помнишь, как мы с тобой его однажды навестили, пили с ним чай в этой самой кремлевской больнице...

А.К.: В ЦКБ.

Е.П.: Что такое ЦКБ?

Александр Кабаков

А.К.: Центральная клиническая больница Управления делами Президента Российской Федерации.

Е.П.: Один хрен. Когда мы у него в ЦКБ, что в районе Рублевки, около кольцевой дороги, были, помнишь? Лишь тогда я впервые заметил в нем нечто старческое, понял, что он из крутого мэна на моих глазах превращается в красивого старика. Тогда только. И знаешь, почему я это заметил? Да потому, что обратил тогда внимание на одну деталь быта. Когда мы зашли к нему в комнату, даже не больничную палату, а комнату такую хорошую, на первом этаже, с выходом в сад, – он нас стал угощать чаем, извинился и сказал: «Вы только не подумайте, что чашки у меня грязные, это на них чайный налет такой неотмываемый». «Чайный налет», понимаешь? В этих его словах было лично для меня что-то такое, я бы сказал, старческо-отцовское, щемящее, потому что у меня отец умер, когда мне было всего лишь пятнадцать лет, и я помню, что незадолго до его смерти мы с мамой уехали куда-то там за город, и он лето проводил один. Я как-то приехал на денек в Красноярск, и он тоже меня чаем угощал, тоже извинялся, и была у него в доме такая… старческая такая чуть-чуть, ну, неопрятность обеденного стола, что ли? И такой же коричневый чайный налет внутри чашек. Хотя… моему отцу тогда было всего лет пятьдесят, а Васе, когда мы его навещали в ЦКБ, уже семьдесят пять. Но ведь и мне уже не пятнадцать, увы, когда всякий, кому больше сорока, кажется тебе глубоким стариком. Дыханье старости я вдруг почувствовал тогда в этой самой ЦКБ. Как среди августа вдруг чувствуешь дыхание осени… И лицо Васино, как мне показалось тогда, изменилось в сторону *старения*, скулы как-то по-особому заострились, если сравнивать с его же портретами конца семидесятых – начала восьмидесятых…

А.К.: Да, пожалуй, и в середине девяностых он выглядел еще очень молодо. Хотя ему уже было далеко за шестьдесят.

Е.П.: Правильно! А ведь когда он уезжал из СССР в восьмидесятом перед Олимпиадой, ему и пятидесяти еще не было. Сорок восемь лет тогда ему исполнилось. Пацан по сравнению с нами сегодняшними.

Евгений Попов

А.К.: Да, мальчишка...

Е.П.: Пятьдесят ему стукнуло, когда он уже обосновался в Америке, преподавал. Я почему помню, потому что мне тогда Сэм Рахлин сказал, что Васины тамошние друзья хотят сделать сборник к его юбилею и предлагают мне принять в этом издании участие. Однако не стану скрывать, хотя мне лучше бы эту деталь моей жизни обойти стороной, я тогда *отказался*. Потому что это был восемьдесят второй, год смерти «дорогого Леонида Ильича», и я к тому времени уже имел официальное «прокурорское предупреждение» от КГБ, суть которого заключалась в том, что гражданин такой-то, то есть я, находится на пути *совершения преступления*, уж и обшмонать меня успели товарищи гэбэшники, и рукописи отобрать, которые они же и вернули потом. Понятно, что приняв участие в сборнике, посвященном «отщепенцу Аксенову», еженедельно вещающему на страну по «Голосу Америки», нужно было или *садиться,* или *уезжать.* А мне ни того ни другого не хотелось.

А.К.: Ты, кажется, оправдываешься?

Е.П.: Кажется, да. А на ранних своих портретах, середины – конца шестидесятых, Василий Павлович вообще такой был могутный хлопец. Такому хлопцу старичок в одном из рассказов Шукшина говорит: «Да об твой бы лоб поросят бить».

А.К.: Ну да. Спортсмен такой, безо всяких комплексов. Помнишь фотографию для сборника «Жаль, что вас не было с нами»? Тяжеловес в рубашечке с перламутровыми пуговками...

Е.П.: Да, да, да...

А.К.: Без усов еще... И с таким ликом типичного спортсмена... А к концу он старalarм коватый стал, усохший такой чуть-чуть. Стариковатый, но красиво стариковатый.

Е.П.: Замечу тебе, как Добчинскому с прямотою Бобчинского: «Это я первый сказал: "Красивый старик"».

А.К.: Это ты сегодня первый сказал. А вообще это было расхожее мнение, чему подтверждение ты можешь найти в наших же разговорах про Аксенова и женщин. Он стал очень красив. Такой очень красивый старик. Хотя и нос у него немного повис, и щеки обвисли, превратились в то, что называется «брылы».

Александр Кабаков

Знаешь, на кого он в старости стал похож, особенно в профиль? На немецкого президента Гинденбурга со старинных монет, которые я коллекционировал когда-то. И у того был орлиный нос, и брылы такие, очень благородные, но старческие. Здесь я с тобой абсолютно согласен. Последние два года он был стариком, он и ходить стал как старик, хотя по-прежнему бегал, прыгал, кидал мяч в баскетбольное кольцо, даже на голове стоял, как ты знаешь...

Е.П.: Знаю, знаю, угрюмо отвечу я тебе. Он и в день, когда его *настигло*, на голове стоял, мне Майя рассказывала... А что ты имел в виду, когда сказал, что он ходить стал как старик? Я при этих твоих словах вспомнил известную строчку Окуджавы – «Еще моя походка мне не была смешна»...

А.К.: Ме-е-дленно... Раньше он ходил медленно, потому что был стилягой и так это вальяжно *хилял*, а тут он стал просто ходить медленно. Думаю, он физически начал слабеть к тому времени. Хотя и джоггинг этот его оставался при нем, и баскетбол... Внешне он становился стариком, но дело не в этом. Да, он постарел *физически*. Но у меня к тебе еще один вопрос: а стал ли он стариком *психологически*? У меня-то есть ответ.

Е.П.: И у меня есть. Нет, не стал. А ты считаешь, стал?

А.К.: Я считаю, да, стал. На мой взгляд, последние годы своей жизни он всего себя – физически, психологически, творчески, если угодно, – посвятил борьбе со старостью – подсознательно, не осознавая этого, но посвятил... Он остался наедине со старостью и, мотивируя, видимо, для себя это не совсем отчетливо, я в этом уверен, начал по всем линиям бороться со старостью. Ну вот как человек, который тонет. Человек, когда тонет, начинает барахтаться, барахтаться бестолково, теряя при этом силы. Барахтаться, барахтаться, барахтаться... Терять, терять, терять... Старость начала его засасывать. Психологически пытаясь не быть стариком, он не барахтался, он вел себя как мужественный человек, не желающий сдаваться. Не сдаваться старости ни по какой линии! Он пытался чувствовать себя как юноша. Он жил как юноша, он стоял на голове как юноша, он писал новый роман вполне себе юношеский, о юношеских годах, и писал его как бы... как будто юноша, потому что эротические сцены в «Таинственной страсти» написаны с пылом юноши и, извини меня, абсолютно без мастерства зрелого писателя, которым был Вася... А незаконченные «Дети ленд-лиза» вообще как будто тридцатилетним написаны! И так далее. Он погружался в старость. Он был стариком – и не желал им быть. В этом заключалась, на мой взгляд, трагедия последних двух лет его жизни. Последние лет семь жизни у него были трагедии иные... ну, у него погиб внук, у Майи были проблемы с дочерью Аленой, и так далее. На их семью судьба смотрела неблагосклонно, все время подбрасывала им такие вот трагедийные сюжеты. В давние времена сказали бы: над их семьей висел рок. То, что испытала Майя, трудно представить – внук, дочь и потом муж... А у него в последние два года была еще и трагедия человека, который сильно, энергично, мужественно, бескомпромиссно воюет со старостью, но старость, увы, побеждает. Старость в конце концов жесточайшим образом Васю победила. Я думаю, что она победила таким жестоким образом именно потому, что он очень сопротивлялся. Старость, знаешь ли, пленных не берет в случае жестокого ей сопротивления, именно она обрекла Василия на эти полтора больничных года... существования или несуществования? – Бог весть. Вот тебе мой развернутый монолог.

Е.П.: Ты меня этим монологом, пожалуй что, полностью убедил. Признаю, что ответ мой был легкомысленным и тривиальным. Дескать, не стареют душой ветераны, «оставайтесь, друзья, молодыми», как в советской песне. Беру свои слова обратно, ты прав, я думаю, стал под конец Вася стариком. Можно спорить по деталям, но суть, разумеется, в том, что он не хотел становиться стариком...

А.К.: А становился мало-помалу.

Е.П.: И это следовало из всей его натуры тоже. Из того же романтизма, например. Старость? Не может быть. *Так* не может быть! Ведь он прожил такую огромную, насыщенную, осмысленную, интересную жизнь, что ему погружаться, *вязнуть* в болоте старости *западло* было, да?

Александр Кабаков

А.К.: Да. Жизнь в таких случаях и таким людям навязывает некоторые… ну ложные, что ли, решения, загоняя их в ловушку. Ты вот это сделай, жизнь исподтишка советует, и тогда ты и себе самому, и всем вокруг, и вообще жизни и старости докажешь, что ты вовсе не старик…

Е.П.: Где-то я это уже читал. В одной старинной книге, где искушали одного молодого человека тридцати трех лет. Дьявол ему говорит: «Прыгни со скалы для доказательства существования Бога». Помнишь?

А.К.: Помню. И как эта книга называется, тоже помню… Но здесь не совсем то. Жизнь подкидывает… как сказать?.. ну, такие как бы возможности. Ты же не старый еще человек, Василий, ты чего же, дурашка, опасаешься-то? Вот ты думал, что ты старый, а какой же ты старый?! Вот тебе, пожалуйста, замечательный выход… Но это не выход на самом деле, а тупик, ловушка, капкан. Человек, вместо того чтобы спокойно, умело, *по-стариковски* вытащить приманку, бросается туда, и его прихлопывает, как мышь в мышеловке. Старость побеждает.

Е.П.: Я тебя прекрасно понимаю, но предлагаю далее не обсуждать эту «прекрасную тайну товарища». Давай лучше поговорим о бытовых деталях старости. Я как-то, помню, еще в *те* годы, рассматривая нашу совместную фотографию, вдруг обнаружил у него на макушке маленькую такую лысинку. Притом что седины у него в волосах совершенно не было никогда.

А.К.: Зато усы у него были совершенно седые. Мы с ним этот феномен много раз обсуждали. Я ему говорил: «Как странно ты устроен: у тебя в шевелюре практически нет седых волос, а усы – совершенно белые. Вот у меня наоборот…» На что он мне каждый раз однотипно отвечал: «Уж не думаешь ли ты, что я волосы крашу?»

Е.П.: А он не красил?

А.К.: Никогда. У него действительно так был устроен волосяной покров.

Е.П.: Скажи, пожалуйста, ты не помнишь, он в жизни чем-нибудь серьезно болел?

Евгений Попов

А.К.: Ну не знаю. У него диабет был, поэтому он и шампанское пил только брют. Потом незадолго до его первого приезда в Москву из Америки, когда у меня еще не было с ним прямой связи, я не помню, от кого услышал, что Васе сделали операцию, сложную, на предстательной железе. В те теперь уже давние времена даже в Америке эту операцию еще не делали в один раз, а делали в два этапа. Операция эта и сейчас не очень простая, но, как тебе сказать, – такая рутинная считается.

Е.П.: Да, он мне рассказывал об этом в городе Вашингтоне, когда я к нему приехал в девяностом году и мы с ним гуляли по этой тихой американской столице. У меня фотография осталась, как он мне покупает в китайском магазине майку с надписью по-русски «Свобода». Он мне тогда и поведал эту историю, присовокупив, что удивляться тут нечему, что мы ребята уже немолодые.

А.К.: В рекламе по телевизору утверждают, что аденома простаты после сорока лет у каждого второго мужчины…

Е.П.: Мне тогда было сорок четыре во время этой нашей встречи, Васе – пятьдесят восемь. На шесть лет меньше, чем мне сейчас, на девять, чем тебе.

А.К.: Извини, что перебиваю, но просто кстати: прекрасно описаны эти *симптомы* в романе «Новый сладостный стиль», когда старый Корбах вдруг обнаружил, что может мочиться, только уперев руку в стену над унитазом.

Е.П.: Васю тоже в экстренном порядке в клинику увезли, а медицинские подробности опускаем. Думаю, что было ему тогда пятьдесят семь. Тьфу, привязались эти цифры. Меня всегда раздражало, когда в компании, где *старшие*, какой-нибудь из них меня спрашивает: «Тебе сколько лет?» Я, к примеру, отвечаю: «Пятьдесят два». А мне в ответ: «Да ты еще совсем мальчишка!» Сейчас, когда почти все *старшие* уже на кладбище, меньше раздражает.

А.К.: Как-то так слово «кладбище» в контексте нашей темы звучит…

Е.П.: Звучит, как сказано, как слышится, так и пишется. Так вот, Василий мне рассказывал, что когда его привезли на операцию, он с жизнью мысленно попрощался – дескать, пожил, и хватит.

А.К.: Но это действительно довольно тяжелая болезнь.

Е.П.: Да я знаю.

А.К.: А кардиостимулятор ему вставили? А уже упомянутый диабет? Ты про диабет почему-то забываешь, а у него был довольно сильный диабет, и меня всегда удивляло, когда мы с ним ходили по московским заведениям, что он практически не соблюдает никакой диеты. То есть он заказывал все, что диабетикам есть нельзя, и ел со вкусом, довольно много, всегда с приличным аппетитом.

Е.П.: Например?

А.К.: Например, сладкое на десерт. Правда, почти никогда не брал мясо, предпочитая ему рыбу. И выпивал бокал, а то два, а иногда, если уж совсем разгуляется, три бокала красного вина. И я знаю, что он до определенного времени не принимал никаких лекарств от диабета, хотя сахар в крови у него был очень высокий. Потом, правда, посадили его на таблетки. Но до уколов инсулина дело не дошло.

Е.П.: Ты знаешь, я вдруг сейчас вспомнил, как мы однажды встречали какой-то Новый год в Доме кино, две тысячи какой-то... Были, помню, Ахмадулина с Мессерером, Тонино Гуэрра... Столы, можно сказать, ломились, но шампанского – сухого или брюта – не было. Вася говорит: «Мне полусладкое шампанское нельзя». – «А другого нет, – ему отвечают, – другое найти невозможно». Вася нахмурился, пошептался о чем-то с официанткой, и, к нашему величайшему изумлению, она вдруг принесла несколько бутылок отменного новосветского брюта. Бард Миша Кочетков недавно утверждал, что якобы после его телепередачи «Гнездо глухаря», где мы с Васей вместе выступали, Миша привез нас к себе домой и напоил Васю спиртом с виноградным соком, внушив ему, что по составу эта смесь ничем не отличается от шампанского. Что-то я сомневаюсь в подобной Васиной внушаемости...

А.К.: Диабет – болезнь наследственная, генетическая, как правило, если не ошибаюсь, от женщин наследуется, а многие еврейские женщины больны диабетом. И, пожалуй, наверно, больше действительно ничем не болел наш Василий Павлович, был очень спортивный, тренированный человек. Баскетболист, бегун, йог, плавал прекрасно, ну а в молодости еще и в волейбол играл, и это было видно. Он был такой, я бы сказал, не накачанный, а крепкий.

Е.П.: Крепкий, вот именно. До старости крепкий.

А.К.: У него были очень мощные ноги. Он ведь поднятием тяжестей для накачивания плечевого пояса никогда, насколько я знаю, не занимался. Зато всегда бегал, играл в баскетбол, отсюда и ноги такие – с большими икрами. Он поэтому джинсы не любил носить, особенно когда стал немолодым человеком. В молодости носил, и сидели они на нем – извини, Вася! – плохо. Он джинсы носил, когда все их носили, когда только-только мода на джинсы появилась, и ему деваться было некуда. И то он клеши такие носил джинсовые, это одно время супермодно было.

Е.П.: Вообще он к бегу относился даже с каким-то маниакальным упорством. Он бегал *везде*, где оказывался. Во всех городах и весях. Я тебе уже рассказывал, что когда мы втроем поехали в Крым, где мы с Ерофеевым беспробудно пьянствовали, он каждое утро нас будил, чтобы и мы, значит, к нему присоединялись. Ну, мы из уважения к старшему товарищу трусцой за ним трусили с похмелюги, но если он утром бегал минут сорок – час, то лично у меня терпения хватало минут на десять, после чего я тихонечко возвращался к месту нашей стоянки. Это все немножко напоминало нравы элиты города Томска, где тогда правил будущий перестройщик и борец с алкоголизмом Егор Лигачев, помешанный на здоровом образе жизни. Он, как мне рассказывали, был за физкультуру, а не за спорт, и когда бегал по утрам, то все местные подхалимы-чиновники устремлялись за ним, только чтоб он их заметил. А поприветствовав начальника, тут же бежали домой досыпать. Вот и я, как те чиновники...

А.К.: А у нас, когда я служил в армии, был капитан, который заставил нас бежать кросс на три километра, и сам с нами выбежал. А потом приотстал, спрятался за дерево, достал чекушку, выпил ее из горлышка и там же под деревом заснул. А когда мы шли на четвертый круг, последний, очухался и побежал за нами.

Е.П.: Приветствую из нашего светлого будущего твоего прошлого капитана! Это ведь и мой был метод. Когда мне в институте пришлось бежать кросс, то я, ненавидя физкультуру еще больше спорта, сделал то же самое, что твой капитан, только чекушки у меня не было.

А.К.: А Вася бегал с удовольствием, вот в чем дело, понимаешь?

Е.П.: В Пахре бегал, в Переделкине бегал, в Вашингтоне бегал, в Биаррице бегал, когда в Москву возвратился, снова бегал... прямо около Кремля по набережной.

А.К.: Он и в Казани бегал, когда мы первый Аксенов-фест проводили, а было Василию Павловичу тогда уж семьдесят пять.

Е.П.: И в Самаре, когда мы туда несколько раз приезжали на фестиваль «Из века XX в век XXI». Тогда там мэром был Олег Сысуев, он для Васи, которого обожал безгранично, даже баскетбольный щит на набережной велел соорудить, и Вася там по утрам мячик бросал. Кстати, я недавно узнал, что Сысуев тогда там потихоньку выставил ментовской пост, чтобы Аксенова, не дай бог, кто не обидел. Времена-то были лихие, сам знаешь... И я просто как наяву сейчас вижу, как Вася бежит в Биаррице краешком океана по твердому после отлива песку.

А.К.: Он мне как-то рассказал лет десять назад, что в Америке есть соревнования по разным видам спорта в каждой возрастной группе, и вдруг заявил, что хочет стать чемпионом по бросанию мяча в корзину среди людей его возраста, чтобы получить приз размером в миллион долларов и этим богатством обеспечить собственную старость.

Е.П.: Прикалывался?

А.К.: Да кто ж его знает?

Е.П.: Я б ему ответил с простонародным юмором – иди у Феликса Кузнецова получи свой миллион, раз он мне про него говорил. Вот, понимаешь...

Евгений Попов

А.К.: Господи, опять ты про этого разнесчастного Феликса!

Е.П.: Ты прав. Глупая мужицкая шутка, грубый алкогольный юмор.

А.К.: Старость. Старость Васина для меня, например, очень поучительна. Возможно, я непозволительные вещи говорю, но она для меня поучительна в том смысле, что ее не обманешь. Хотя все попытки обмануть старость, оттянуть старость, создать видимость, что ее нет, жить как молодой, они... они прекрасны! Цитируя Горького, «безумству храбрых поем мы песню...»

Е.П.: Песню? Не славу?

А.К.: Песню, песню... А вообще-то говоря – вечную память. Безумству храбрых поем мы вечную память... Молодец Горький! Хотя я, конечно, Горького времен «Буревестника» и всяческой «Старухи Изергиль» терпеть не могу, меня от него тошнит. «Высоко в горы вполз уж» – за одну эту строчку его следовало бы выгнать из писателей...

Е.П.: ...и принять в советские писатели.

А.К.: А вот *безумство храбрых* – это красиво, тут я ничего не скажу, и, будучи романтиком, Вася не мог быть не подвержен безумству храбрых. Ведь борьба со старостью, непризнание старости, отрицание ее законов – это безумство храбрых.

Е.П.: Но я надеюсь, ты согласишься со мной, что он не принадлежал к категории тех стариков, которых ласково именуют «мышиный жеребчик»?

А.К.: Разумеется, соглашусь. Седеющий сладострастный волокита – это вовсе не Вася.

Е.П.: Это я, имею в виду. Хотя он женской красоте цену знал. Я помню, были мы с ним на каком-то приеме, убей бог, не помню по какому случаю, в гостинице этой шикарной, как ее? «Рэдиссон-Славянская». И он засобирался было уходить, тогда к нему устроители приема подослали четырех таких красавиц длинноногих, ну, знаешь, таких, у которых ноги из ушей растут, специально вымуштрованных...

А.К.: Хостес...

Е.П.: Чего?

Александр Кабаков

А.К.: Это хостес называется. Ну которая хозяйка, принимает гостей. Или, точнее, нанятая девица, отвечающая за встречу гостей.

Е.П.: Вот, вот, точно. И они подошли к нему, значит, и такими сиренообразными, как в «Одиссее», тианственными голосами говорят, позвякивая, как бубенчики: «Вы, Василий Павлович, покидаете нас? Так рано? Нам вас очень будет не хватать». Загадочно так улыбаясь, понимаешь?

А.К.: Вася растаял, конечно?

Е.П.: Растаял. Растаял наш Василий, прекрасно зная, что вся эта *ласка* в принципе ничего не значит. Абсолютно ничего. Растаял и даже как-то, я бы сказал, внутренне заухал, как персонаж из его же «Цапли». Приободрился и никуда не пошел, еще некоторое время мы там провели. Это я к тому, что и здесь не было в нем этой *паниковщины*, как у персонажа «Золотого теленка» Михаила Самуэлевича Паниковского, то и дело восклицавшего: «Фемина! Фемина!»

А.К.: «Мышиный жеребчик» делает вид, что он не старый, а Вася своего возраста не скрывал, но искренне воевал со старостью. Не признавал ее. Не признавал глубоко в себе. И он не *пытался* жить и чувствовать как молодой. Он *действительно* жил и чувствовал как молодой. Он не *делал вид*. Делать вид – это другое дело.

Е.П.: Да.

А.К.: Видишь ли, он жил и чувствовал как молодой, а на самом деле был уже старый.

Е.П.: Скажи, пожалуйста, как ты думаешь, вот если мы с тобой начнем перебирать его тексты, обнаружим ли мы, что он весьма часто задумывался о смерти?

А.К.: Странный вопрос! Почти риторический. Разумеется. Часто. Особенно в последних этих романах, начиная с «Нового сладостного стиля». Начиная с «Нового сладостного стиля» все его книги заканчивались рассуждениями о смерти или смертью героев. Я не беру «Вольтерьянцев» – они отдельно. А все его последние тексты, конечно же, не реалистические, но, как ни странно, *жизнеописательные*. И «Редкие земли», да и «Москва

Евгений Попов

Ква-Ква» как бы описывают некую неизведанную жизнь. На-фантазировано вокруг этой жизни много, но все-таки это жизнь. Вот ответь, комсомольские олигархи существуют?

Е.П.: Существуют.

А.К.: И Сталин существовал, и дом на Котельнической набережной до сих пор стоит. «Вольтерьянцы и вольтерьянки» — это вообще неизвестно что, где и когда, правда? А все другие его сочинения тех лет столь же фантастические, сколь жизнеописательные. И все к финалу — только о смерти, об осмыслении смерти.

Е.П.: Ты знаешь, я вдруг подумал, что у него *тема смерти* появилась только в американских романах. В «Ожоге» ее нет, этой темы. Даже если это связано с тем, что *до Америки* он был все же относительно молод, то почему бы молодому человеку не задуматься было о смерти, как какому-нибудь, например, я не знаю... Лермонтову?

А.К.: Скажи, пожалуйста, ты в сорок лет много думал о смерти? В молодости жизнь кажется вечной.

Е.П.: Гёте было двадцать пять лет, когда он сочинил «Страдания юного Вертера», а у Васи даже в «Бумажном пейзаже», написанном уже в Штатах, смерти еще нет. И вдруг именно в «Новом сладостном стиле» все заканчивается рассуждениями о смерти.

А.К.: А чего бы ты хотел от романа, который начинается с описания такой тяжелой операции? «Кесарево свечение» вообще о смерти и бессмертии. И вот недавно вышедшая книга его публицистики, которая называется «Логово льва», заканчивается его прекраснейшим рассуждением о вечности и земной жизни.

Е.П.: Пожалуй, именно это действительно было основной темой его последних лет. Я вспоминаю, как в две тысячи втором, к его семидесятилетнему юбилею, мы с ним беседовали для журнала «Огонек», и там он много рассуждал о возвращении к Адаму, о ДНК, о передаче из поколения в поколение генетической программы, о новых формах жизни после смерти... С этим он и на конференции в Самаре годом раньше выступал, об этом же он толкует в «Редких землях». И это, конечно же, связано с тем, что он пытался не быть старым.

А.К.: Он не «пытался не быть» – он действительно не был старым. Он, как я уже говорил, не был старым, будучи стариком. Он ничего для этого не старался делать специально, искусственно. Он просто так жил, непозволительно молодо жил. Так у него получалось.

Е.П.: Но, значит, судя по текстам, все время об этом думал?

А.К.: Он не о старости думал, а о смерти. Я вспомнил сейчас, что единственное упоминание смерти у раннего Аксенова есть в каком-то одном из его предотъездных сочинений, забыл в каком, это когда один персонаж другому говорит: «Бабы – глупые. Они не смерти боятся, а старости». А он старости не боялся, он ее просто не признавал.

Е.П.: Опять же в духе столь любимых им комсомольских песен. Помнишь такие слова: «Старость меня дома не застанет, я в дороге, я в пути». Понимаешь?

А.К.: И вот мы опять возвращаемся все к той же теме романтизма, на которую влезли и никак спуститься с нее не можем.

Е.П.: Может, еще и этим объясняются эти его «комсомольские» романы. Не есть ли здесь описанное Есениным стремление «задрав штаны бежать за комсомолом»?

А.К.: Нет, наоборот. Он не за комсомолом бежал, комсомол этот вонючий – это я от себя говорю и повторяю «вонючий» – подтягивал до своего романтизма. Он ему придавал свой романтизм, а не бежал за ним, он романтизировал этих подонков.

Е.П.: Не боишься вступить в конфликт с олигархами, которые почти все из комсомола?

А.К.: Не все олигархи – комсомольского разлива, бывают и гэбэшного, и фарцовочно-экономического, и просто ученые-экономисты советской поры, которые теоретически заранее продумали, как жить, *случись что*. Ну, например, Анатолий Борисович Чубайс. А потом, олигархи люди циничные, они же первые и скажут: «А что? Писатель и должен к нам так относиться, чего с него возьмешь. Вот поэтому мы – олигархи, а он – незнамо кто».

Е.П.: Может, это не цинизм, а зачатки толерантности?

А.К.: Может. Вот так они, надеюсь, и скажут. Он же, этот Кабаков-писатель, жизни не знает, он же не стоял с нами плечом к плечу, когда мы под видом МНТК, молодежных научно-технических комплексов, создавали первые капиталистические предприятия... Я к отдельным этим олигархам отношусь, может, и неплохо, а к явлению в целом – совершенно без романтики, к которой был склонен Вася.

Е.П.: Ладно, бог с ними, с этими деньгами. И власть над людьми имущими. Извини, что я отвлек тебя от основной нашей сегодняшней темы.

А.К.: Ничего ты не отвлек. Мне, собственно, и сказать-то больше про Васину старость нечего. Старость для меня сейчас, как ты можешь догадаться, тема не просто актуальная, она болезненно актуальная, и я могу закончить свои речи тем, что снова повторю: Васина старость поучительна, очень поучительна, чрезвычайно поучительна.

Е.П.: Но я тебе неоднократно рассказывал эту историю, как мы с ним шли по Патриаршим прудам, и его там узнали хиппи местные, и как они к нему бросились, как мыши на крупу, получать автографы. Ведь его тексты воспринимались молодежью, понимаешь?

А.К.: И в этом смысле, надо предположить, он понимал, а может быть, и бессознательно чувствовал, что молодежи годится, что нет, а критика за это же бранила его последние романы. И не только критика, а вообще почти вся профессиональная литобщественность. Последние его романы было принято поносить в профессиональном кругу. А молодежь их восприняла как свои. Так, может, он что-то такое просек, чего критика и профессиональные литераторы не просекают?

Е.П.: Думаю, что это будет осмыслено лишь следующими поколениями. Как вот, например, значительно позже поняли то, что делал Свифт.

Александр Кабаков

А.К.: Я тебе более близкий пример приведу. Катаев. Поколение Катаева, все эти советские писатели, которые считали его блестящим стилистом с тех пор, как прочитали «Белеет парус одинокий», вовсе не пришли в восторг от его «мовизма», от новой, написанной в старости прозы. «Мовизм» тогда приняли и одобрили молодые – Вася, молодой тогда совсем, Толя Гладилин...

Е.П.: Я вообще полагаю, что «мовизм» возник у Катаева только тогда, когда он стакнулся с молодыми.

А.К.: Вот так же может быть, что и Васины последние романы молодое поколение одобряет, а нам они чуть-чуть чужеватые уже. Может быть, он перескочил через наше время? Не знаю. Но допускаю это просто как вероятность – он перескочил через свое время, а возможно, и через наше с тобой.

Е.П.: Ну а что все-таки после наступления старости с ним случилось?

А.К.: Странный вопрос. Что после старости происходит с человеком? После старости он, увы, умирает.

Е.П.: Ты не понял. Я говорю о тех его полутора предсмертных годах с января две тысячи восьмого года до июня две тысячи девятого года, до физической кончины его *тела*. О тех днях и месяцах, что он провел в двух знаменитых клиниках, не приходя в сознание. Где он в это время был, на каком свете?

А.К.: Это знание нам недоступно. Полтора года он был неизвестно где, не то *здесь*, не то уж *там*. Не то, я полагаю, с непрерывными заходами *туда* и возвращением *сюда*, и опять туда, и опять сюда – и вот все эти полтора года. Повторюсь, еще раз скажу: писателю нужно быть крайне осторожным в конструировании сюжетов и изображений. Ведь Вася почти такое состояние описал когда-то в «Кесаревом свечении».

Е.П.: Совершенно верно.

А.К.: И вот он его получил. Надо быть осторожным, надо быть осторожным! Ужасная сущность ситуации: мы не знаем, где он был, мы не знаем, находился ли он в это время с нами, когда мы бывали у него в больнице. Ты говоришь «не приходя в сознание»? А вдруг он все это время был в сознании и понимал, что с ним происходит? А вдруг он все это время был *здесь*?

Евгений Попов

Ты представляешь, какой это был ужас для него? Несоизмеримый, пожалуй, даже с ужасом для семьи, для Майи. Да, старость рассчиталась с ним по полной программе.

Е.П.: Ты знаешь, я вот думаю сейчас – а что было бы, если бы этого ничего не было бы?

А.К.: В каком смысле? Что сейчас две тысячи десятый год, и здоровому, веселому старому Васе было бы семьдесят восемь лет? Или в том смысле, что было бы, если пятнадцатого января две тысячи восьмого он просто сразу умер?

Е.П.: Мы ведь оба видели его в последний раз у меня на дне рождения, за десять дней до того, как его жизнь практически кончилась, перестала существовать в привычных всем нам формах. Расцеловались на прощанье, и больше того, прежнего Аксенова я уже не видел. И ты ведь его не видел, да?

А.К.: Перезвонились пару раз...

Е.П.: И я с ним перезванивался, а в роковой этот день пятнадцатого января связь эта вроде бы оборвалась. Ты знаешь, сейчас я к этому отношусь уже чуть-чуть по-другому. Ты не сочти это за бред или некую высокопарность, но я все больше и больше убеждаюсь, что связь эта существует, никуда не делась. Понимаешь, он вроде бы мертвый, я вроде бы живой, мы как бы по разные стороны... если не баррикады, то забора, а связь между нами все равно существует. Но сегодня речь идет не о мистике наших отношений, а о вполне конкретных вещах. О том, что и тебе, и мне уже немало лет. И Вася был уже далеко не мальчик. Безумная мысль, что *скоро встретимся*, обретает реальность, и поэтому смерть его на сегодняшний день уже не ощущается так остро, как, например, ощущалась бы, если мне было бы двадцать, а ему, например, тридцать пять. Жизнь-то, считай, прожита.

А.К.: Пожалуй. Это не связано даже с тем, что мы сейчас его вспоминаем. Это означает, что он из нашей жизни уже не уйдет, слишком много с ним вместе было прожито, чтобы он ушел, исчез. В данном случае расхожая мысль, что вот пока мы живы, и он жив, – не пошлость, а истина. *С ним* времени у нас прошло гораздо больше, чем, увы, пройдет без него.

Александр Кабаков

Е.П.: Я не говорю о том, что «время затягивает все раны». Просто Василий в моем сознании по-прежнему жив, и это ощущение, скорей всего в силу моего возраста, уже не кажется мне каким-то искусственным.

А.К.: Ну а всем другим я бы посоветовал заново взять в руки аксеновские книжки и перечитать их. Получив тем самым важнейшие сведения о его мироощущении, становлении характера, о жизни его, старении и смерти... Дело в том, что если у любого настоящего писателя прочитать *все*, что он написал, то эффект будет примерно тот же самый, как если бы ты прожил бок о бок с этим писателем всю жизнь. Человек, который прочитает все написанное В.П.Аксеновым, может считать, что знает его не хуже нас. Писатель – это то, что от него остается.

Е.П.: Это не каждому писателю дано.

А.К.: Я и сказал, что дано только *настоящему*.

Е.П.: Но и с настоящим может выйти облом. Этот твой гипотетический Писатель должен быть и настоящим, и абсолютно с тобой откровенным.

А.К.: А если писатель не откровенен, то какой же он настоящий, ты что?

Е.П.: Я надеюсь, ты не станешь отрицать величие автора «Чевенгура» и «Котлована», но ведь он скрытный был, гениальный Андрей Платонов.

А.К.: Так ты из его книг и понял, что он скрытный. Не случайно одна из лучших его повестей называется «Сокровенный человек». Ты ведь с Платоновым знаком, как я понимаю, не был и водку с ним не пил, потому что он умер в пятьдесят первом году, а ты в сорок шестом родился.

Е.П.: Ну, вообще-то да, из книг. Хотя, впрочем, еще и от Федота Федотовича Сучкова да от Семена Израилевича Липкина. Они мне о нем много рассказывали, о его привычках и нраве.

А.К.: Я тебе еще скажу нечто варварское, но верное: даже гения можно постичь таким вот образом, через его книги, даже гения. Вот если всего Пушкина прочитать, то даже про гениального и потому вроде бы непостижимого Пушкина все можно постичь. Поэтому мы, прожившие рядом с Васей большой и главный кусок

Евгений Попов

собственной жизни, но одновременно знающие практически все его тексты, имеем, пожалуй, право рассуждать о нем.

Е.П.: Как-то все это незаметно и быстро прошло. Еще когда Вася жив был, я вдруг стал подсчитывать, что мы с ним познакомились в семьдесят восьмом, когда ему только-только стукнуло сорок пять.

А.К.: О Господи, опять цифры! Если в семьдесят восьмом, то сорок шесть.

Е.П.: У него день рождения двадцатого августа, а мы познакомились весной. Тридцать с лишним лет знакомства. Огромный срок!

А.К.: Мы уже об этом говорили. На сегодняшний день ты был бы с ним знаком тридцать два года, я – тридцать семь.

Е.П.: То есть с чего начали, тем и заканчиваем... Цифры, цифры неумолимые... Тривиальные, жалкие вещи говорим о том, что писателя, дескать, нужно перечитывать, что это есть овеществленная вечная память, понимаешь?

А.К.: Понимаю. Я тебе скажу, что это и есть бессмертие, причем не в метафорическом смысле «бессмертная литература», а в самом что ни есть смысле нормальном, человеческом. То есть старость есть, а смерти нет.

Е.П.: Точка?

А.К.: Точка так точка.

ПРИЛОЖЕНИЕ

Василий Аксенов
МОНОЛОГ ОДИНОКОГО БЕГУНА НА ДЛИННЫЕ ДИСТАНЦИИ*

Это же не я придумал – бег на длинные дистанции. Вышла тоненькая брошюра в конце 60-х, ее написали два австралийских стайера. Авторов не помню, называлась «Бег ради жизни». Спорт-

* Записал Василий Попов. Журнал «Взор», Самара, 2007.

смены ушли на покой, мгновенно стали терять форму, болеть, раздражаться. И они снова стали бегать! А мне тогда нужно было прекратить пить, я тоже решил последовать их примеру. В то время не было всемирной моды на бег, и зачем эта книга вдруг вышла в Советском Союзе — непонятно. Я был одним из первых таких «бегунов» среди писателей.

Я начал в литовской Ниде, у подножья огромной дюны. Бежал вверх, на вершине делал огромный круг, спускался. С каждым днем бегал все больше и больше, до двух с половиной часов, а начинал с пятнадцати-двадцати минут. Сейчас я бегаю в среднем минут сорок пять в день.

Если перечислять страны, начать следует с Голландии. Приехал я на машине в Амстердам в восемьдесят каком-то там году, а в Амстердаме тогда было как в Коктебеле в разгар сезона: МЕСТ НЕТ. Ночлег мы нашли наконец в маленькой гостинице, ночью вселились, а утром, когда все наши спали, я решил побегать. Бегаю-бегаю по совершенно не знакомым для меня улицам и чувствую — все встречные смотрят на меня с какой-то таинственной ухмылкой. А некоторые, в частности женщины, даже хохочут. Я не понимал в чем дело, оглядел себя, вроде бы все в порядке. Что такое? Бежит человек, и все над ним издеваются! Оказалось, что я бегал по кварталу «красных фонарей» с его секс-шопами и неодетыми красавицами, томящимися за стеклянными витринами. Там, наверное, впервые видели человека, КОТОРЫЙ НЕ ЗА ЭТИМ ПРИШЕЛ, оттого и веселились.

Когда я оказался в Америке, там уже вовсю бегали к тому времени. В Америке до сих пор все бегают. Там парень, который показывал нам съемную квартиру, учил меня в лифте ездить. Говорил: «Запоминайте: чтобы попасть на второй этаж нужно нажать кнопку № 2, на третий — № 3». Потом смутился, поняв, что вляпался, и уже небрежно так стал демонстрировать какой-то никогда не виданный мной доселе механизм. «Ну, это вы, конечно, знаете, сюда сначала нужно бросить мусор». — «А потом?» — спрашиваю я. «Потом нужно нажать вот эту кнопочку, и мусор прессуется, становится толщиной в полоску.

У вас наверняка в России такие приспособления в каждом доме есть».

А в Праге у меня однажды была потрясающая встреча. Я жил в гостинице-корабле, пришвартованном к берегу реки Влтавы. Вышел рано утром пробежаться по набережной. Никого нет, пустота, лебеди плавают в изрядных количествах. Вижу, навстречу бежит некая фигура, и чем ближе она ко мне приближается, тем я отчетливо понимаю по каким-то неясным признакам, что это — американец. Потом он остановился и стал растяжки делать. Я вижу, что это — Питер Оснос, бывший корреспондент «Вашингтон пост» в Москве, а в то время — вице-президент моего издательства «Рэндом Хаус». Я подбежал и говорю: «Питер, держу пари, что ты привез миллион Вацлаву Гавелу». (Гавел тоже в этом издательстве печатался.) Оснос посмотрел на меня невозмутимо и сказал: «Как ты угадал, Василий? Я действительно привез президенту его гонорар».

Еще у вас в Самаре очень хорошо бегать, там эта ваша длиннейшая набережная великолепная вдоль Волги, я там всегда бегаю, когда у вас бываю.

И вообще я бегаю везде, куда бы ни приехал. Везде и всегда. Каждый день. Прерываюсь только для баскетбола. Или уж бегать, или мячик бросать. Гром, молнии — это, конечно, чересчур, но вот дождливая погода чрезвычайно способствует бегу. Как-то особенно приятно бежать совершенно мокрому, твердо зная, что вернешься домой — высохнешь.

Кто еще из литераторов бегать любил? А вот есть такой знаменитый прозаик и поэт Алан Силлитоу, который на четыре года старше меня. Он написал замечательный рассказ *"The Lonelines of the Long Distance Runner"*, «Одиночество бегуна на длинные дистанции». Его в Советском Союзе привечали как автора «рабочего романа», хотя и критиковали «товарища англичанина» за «натуралистические тенденции». Я с ним в Аргентине познакомился.

Бегали другие знаменитости из этого же поколения английских «рассерженных молодых людей», которых всех почему-то звали Джонами — Джон Уэйн, Джон Брэйн, Джон Осборн. И знаменитый американец Филипп Рот бегал, и Апдайк (тоже Джон, который, кстати, был единственным иностранным автором альманаха «МетрОполь»).

Когда бегаешь, постоянно приходят в голову всякие идеи, слова, фразы, сюжеты и их поворотики. Когда я писал «Новый сладостный стиль», то пользовался маленьким диктофоном, чтобы придуманное на ходу не забылось. Стихи очень часто слагаются. Бежишь, бормочешь что-нибудь вроде:

Паштета не отведав,
Вы не уйдете, нет.
Месье Велосипедов –
Отведайте паштет.

А потом это становится частью романа «Бумажный пейзаж», написанного мною уже вне России.

А вот русские классики XIX века хотя и не бегали, но тоже были спортивными господами. Пушкин – вот был настоящий наездник! – верхом, без сопровождения пересек Кавказский хребет. Я где-то прочитал, что Александр Сергеевич даже зимой плавал. И не в проруби – в то время в Петербурге уже были бассейны. Лермонтов фантастически точно стрелял, в пятак попадал с пятнадцати шагов. Роковой исход его дуэли – следствие великодушия поэта. А вот наши знаменитости начала прошлого века более склонны были к богемным эскападам. Хотя... хотя они очень авиацией увлекались. Футурист Каменский был настоящим пилотом. Блок был совершенно потрясен воздухоплаванием, хотя сам ни разу не летал.

Бег для меня не удовольствие даже, а образ жизни. Бегая, я ощущаю себя не ВНЕ, а ВНУТРИ мира. Особенно на берегу Атлантического океана, в Биаррице, где я сейчас живу. Чаще всего я стараюсь ухватить момент отлива. Кладу спортивные туфли в рюкзак себе за спину и бегу босиком по твердому мокрому песку. Вот это – наслаждение, это – кайф, кайф колоссальный! Необыкновенное чувство! Еще в горах потрясающе бегать. Даже в Москве с ее загазованностью можно сыскать оазисы для бега. Многим людям это занятие кажется напрасной тратой времени, а мне бегать никогда не бывает скучно! Для меня это редкая возможность побыть в одиночестве среди вселенской суеты.

ГЛАВА ДВАДЦАТАЯ
МЕРТВ ЛИ АКСЕНОВ?

АЛЕКСАНДР КАБАКОВ: Как-то странно мы об этом говорим... Мертв ли Аксенов? А что, вечно жив, как Ленин?

ЕВГЕНИЙ ПОПОВ: Не вижу здесь ничего странного, ибо сутью разговоров стали в конечном итоге наши личные (твои и мои) взаимоотношения с Василием. Как они менялись, какова динамика этих отношений. А мертв ли он в данный момент или жив, мне в определенном смысле, извини, все равно, понимаешь? Его физическая смерть ничего не меняет в наших с ним отношениях. Он, один из самых блестящих людей, встреченных мною в этой жизни, резко выделялся на общем фоне писательского сословия, отчего и не любил его главный в московском писательском околотке помощник партии Феликс Феодосьевич. Блестящий – слово довольно противное, но подбирать сейчас другое, более точное, у меня охоты нет. Я сейчас буду вспоминать, как мы вообще с ним познакомились.

А.К.: А что, Феликс Феодосьевич тоже умер?

Е.П.: С чего ты это взял? Жив он, жив, типун тебе на язык!

А.К.: Тогда почему ты про него в прошедшем времени?

Евгений Попов

Е.П.: Потому что время, которое прошло, является прошедшим.

А.К.: Для тебя – да. А для Феликса Феодосьевича тоже?

Е.П.: Послушай, ну какое мне дело до старенького, но судьбоносного Феликса Феодосьевича с его ролевым сознанием? Был писательским начальником, Аксенова гнобил, теперь снова какой-то начальник плюс член-корреспондент Академии наук. Я о нем не хочу говорить. В моей жизни были люди иной, *писательской* крови, которые если и не повлияли на меня, то что-то определили в моей судьбе. Вот я рассказы послал Валентину Петровичу Катаеву в девятнадцать лет, и он мне ответил. Андрей Вознесенский, с которым меня Роман Солнцев познакомил – страшно сказать – в 1963 году. Домбровский Юрий Осипович, Федот Сучков, Битов, несомненно, Астафьев... Но Аксенов – отдельная статья. Он для меня был, ну, самым, что ли, извини за это слово, важным жизненным *приобретением*. Напомню, что моя первая статья в моем первом самиздатском альманахе именовалась «Культ личности и "Звездный билет"». Аксенов для меня был если не небожитель, то персона недосягаемая, обретающаяся в каком-то ином пространстве, измерении, космосе. А познакомились мы с ним ранней весной 1978 года, когда начали делать альманах «МетрОполь». Впервые встретились в квартире покойной Евгении Семеновны Гинзбург. Он к тому времени уже прочитал мои рассказы. Впрочем, вру. Мы с ним до этого однажды виделись зимой на каком-то литобъединении, куда он пришел поддержать своего давнего знакомого, но все еще «молодого писателя», назовем его, к примеру, Гаврик. Но *представлены* друг другу не были. Тем более что я там довольно резко выступил при обсуждении только что прочитанного Гавриком рассказа с названием, как сейчас помню, «Луковый суп». Сюжет его был в том, как деревенская баба, которую автор именовал «простой крестьянкой», целую неделю кормила своего столичного постояльца луковым супом, полагая, что это ему нравится...

А.К.: А что, луковый суп – хорошая вещь, если его правильно приготовить.

Александр Кабаков

Е.П.: Однако в конце рассказа выясняется, что рассказчик с детства терпеть не может именно луковый суп. То ли он переел его в детстве, проведенном в писательском квартале близ метро «Аэропорт», то ли еще что, но, короче, он от этого угощения чуть ли не блевал *every day*. Но, как интеллигентный человек, все это скрывал от «простой крестьянки». Я от такой псевдонародной «аэропортовщины» пришел в тихое бешенство и рассказ разнес по кочкам. Аксенов, как выясняли мы с ним потом, меня тогда запомнил. Он рассказывал, что на литобъединении присутствовали две литературные девочки, и, когда я взял слово, одна из них тихо сказала другой, склонившись к кудрявой головке: «Ну, сейчас Попов этому Гаврику даст! Он ведь ученик Шукшина». Я то есть.

А.К.: А ты ученик Шукшина?

Е.П.: По молодости лет я на вопрос, кто мои учителя, отвечал, что я ученик всей русской литературы. Теперь же честно могу сказать: я ученик Шукшина и Аксенова, хотя между ними... как бы это пополиткорректней выразиться... искры приязни не бегали. Ну и, разумеется, всей русской литературы. А также лучших образцов литературы мировой. Помню, что в тот день когда нас познакомили, на столе стояла бутылка «Кампари», еще какие-то загранбутылки. Мне дико захотелось выпить. Я и выпил. Налил себе полный стакан «Кампари» и выпил. Вася мне ничего не сказал. Вернее, скользнул так рассеянно взглядом по мне и по «Кампари».

А.К.: А откуда ты взялся там по случаю «МетрОполя»?

Е.П.: А по случаю «МетрОполя» я там взялся потому, что меня туда привел мой друг Ерофеев.

А.К.: Твой друг Ерофеев пишет – я ведь вне всего этого находился, – он пишет, и я должен доверять, что «МетрОполь» придумали они с Аксеновым в зубоврачебном кабинете.

Е.П.: Совершенно верно. В России все делается «на троих». Я был третьим в этой затее. А с Ерофеем мы познакомились в Переделкине на семинаре рассказчиков, куда и его, и меня *они*, на свою беду, допустили.

А.К.: Это какой же год?

Евгений Попов

Е.П.: Год? Сейчас скажу… Семьдесят седьмой.

А.К.: То есть твои рассказы с предисловием Шукшина в «Новом мире» уже были напечатаны?

Е.П.: Да. Потому меня в Переделкино и пустили.

А.К.: А рассказов Виктора Владимировича в советской печати еще не было?

Е.П.: У него в советской печати рассказов вообще не было. А были две нашумевшие статьи в «Вопросах литературы». Одна – про маркиза де Сада, другая – про философа Льва Шестова. С названием, как сейчас помню, «Остается одно: произвол». Рассказы его обретались тогда в состоянии рукописи. «Начало было так далеко, так робок первый интерес». И на семинар *рассказчиков* его пустили из уважения к *литературоведу*, ибо эти две статьи *серьезного молодого человека*, подающего большие надежды сотрудника ИМЛИ, Института мировой литературы им. тов. Горького, знала, как говорится, вся читающая Эсэсэсэрия. И вот я захожу, значит, в конференц-зал и вижу, что там не стоя перед публикой, а *сидя* на стуле, да еще поматывая ногой, обутой в хороший башмак, выступает какой-то наглый длинноволосый молодой человек, который монотонно излагает окружающим, какое говно печатается кругом и какая жизнь в СССР вообще говенная.

А.К.: Ага, неужто это был Виктор Владимирович Ерофеев?

Е.П.: Он самый! Мне содержание его речей сильно понравилось. Я тоже выступил, что не печатают, житья не дают… Вот так и встретились, как поет в своей песне грузин Кикабидзе, «два одиночества». Обменялись рукописями, к вечеру напились. Как раз, помню, явился из Красноярска мой друг писатель Эдуард Русаков, а из Улан-Удэ – мой друг геолог Борис Егорчиков, которых я тут же поселил в выделенной мне переделкинской комнате. У Ерофея уже были тогда старые «жигули», что в те времена считалось необыкновенной роскошью, мы с ним съездили на станцию, накупили водки, закусок – и понеслась! Он там тоже остался ночевать в моей комнате, набитой пьяницами, и… это… ну да ладно… Нам тогда было по тридцать с небольшим.

Александр Кабаков

А.К.: Извини, что прерву твои увлекательные воспоминания. А Ерофеев Аксенова давно знал к тому времени?

Е.П.: Думаю, да. Московская литературная тусовка... ИМЛИ рядом с ЦДЛом, Домом литераторов. Сотрудники ИМЛИ ходили обедать в знаменитый ЦДЛовский кабак. А Ерофеева, если я не ошибаюсь, познакомил с Аксеновым Евтушенко. А Евтушенко «открыл» Ерофеева, как молодого талантливого автора исследования о Велимире Хлебникове и его зауми. Впрочем, об этом лучше Витю спросить. Он пока еще в пределах досягаемости, а не только в «зомбоящике».

А.К.: Все понятно. А потом, значит, Ерофеев с Аксеновым в зубоврачебных креслах придумали «МетрОполь», и Ерофеев вовлек нового друга, талантливого сибирского паренька, в это антисоветское мероприятие.

Е.П.: Ага. Совершенно верно. К весне 1978-го, когда мы окончательно сблизились и спелись, Ерофей подробно рассказал мне об этой затее и предложил участвовать. Я в ответ его поцеловал.

А.К.: С чего бы это?

Е.П.: Поцеловал и сказал: «Слава богу, хоть какой-то выход светит, а то я уж и не знал, что делать. За границей-то стремно печататься, еще посадят ненароком. А здесь, дома, за компанию с такими уважаемыми тузами и шишками, *why not?*» Я тут же к делу подключился с великим энтузиазмом и стал в альманахе играть роль такого, можно сказать, *ответственного секретаря*. Когда отбор рукописей был окончательно завершен, на мне было общение с машинисткой Таней, организация вычитки корректуры, наклеивания дикого количества машинописных листов формата А4 на ватман в двенадцати экземплярах. Связь между авторами через меня осуществлялась. Ведь многие «метропольцы» до этого не знали друг друга. Мне помогали, как нынче выражаются, «волонтеры». Снова вспомню добрым словом ныне очень-очень известного театрального художника, моего земляка Владимира Боера с женой Наташей, Галю Смородину, тогдашнюю жену телеведущего Димы Крылова, который в те времена еще не был столь популярен. Пусть

Евгений Попов

меня простят те, кого я забыл упомянуть. «Нас было много на челне».

А.К.: Ладно, давай вернемся к Василию Павловичу.

Е.П.: Я и говорю, он мои рассказы предварительно прочитал. И в первый же день спросил – почему так мало дал? Дай больше. Я и размахнулся тогда, отобрал тринадцать рассказов, но никак не мог придумать название цикла. Аксенов и здесь выручил. Снайперски точное название подборки «Чертова дюжина рассказов» – тоже его головы дело. Как название пьесы Вити Славкина «Взрослая дочь молодого человека». Это название тоже придумал Аксенов, когда цензура запретила первоначальное «Дочь стиляги». Мы начали общаться. Через некоторое время он доверился мне. Дал прочитать машинопись «Ожога», которую тщательно прятал от КГБ.

А.К.: А мне он вслух читал году эдак в семьдесят третьем действительно *рукописные*, писанные мелко-мелко авторучкой кусочки «Ожога» из толстой общей тетрадки большого формата. Причем я зримо помню, как это выглядело: на правой странице был текст, на левой – множество вставок.

Е.П.: Он лишь попросил меня ни в коем случае не выносить машинопись из дома, то есть из опустевшей квартиры Евгении Семеновны, где я тогда и поселился временно, на все время «МетрОполя», можно сказать. Я читал роман целые сутки. Подряд. В полном обалдении. Здесь было все то, чего мне стало не хватать в *легальном* Аксенове тех лет – даже в «Поисках жанра», понимаешь? Всё, *как надо*, было при чтении «Ожога» – и мороз по коже, и в каком-то месте заплакал, в каком-то захохотал. И тогда же Вася предложил мне перейти на «ты», но я этого сделать физически не мог, все произошло значительно позже, как-то само собой, после всяческих перенесенных совместно испытаний. И хотя мы стали очень близки, я, знаешь ли, всегда соблюдал дистанцию. Сам. Интуитивно.

А.К.: Понимаю.

Е.П.: Мне и в голову не приходило фамильярничать или вести себя развязно. Правда, был один жуткий случай, расскажу о нем, хоть и не к моей это выгоде. Сын Василия Павловича, хорошо известный тебе Алеша, в то время отличался... э-э-э... не совсем примерным поведением, в результате чего вылетел из ВГИКа и загремел в армию. Василий однажды утром привел его ко мне, чтобы бузотер познакомился с положительным, умным, талантливым молодым человеком, то есть со мной. Увы, я в то утро оказался пьян вдребезину и, увидев отца с сыном, схватил гитару и заорал им в качестве приветствия нечто духоподъемное.

А.К.: Ужас какой!

Е.П.: Нет слов! И мне кажется, что я не лукавлю – по крайней мере сам перед собой – для меня Аксенов всегда был в принципе *одинаковый*. И в пору физического расцвета, и в клинике имени Бурденко, когда перед нами лежал исхудавший маленький старичок, месяцами балансирующий между жизнью и смертью...

А.К.: Мертв ли Аксенов? Понимаешь, лет десять назад в больших количествах появились люди, которые доказывали, что Аксенов был мертв еще десять лет назад. В основном это были литературные критики, которые утверждали, что не только Аксенов начисто исписался, но что и вся идеология «шестидесятничества» давно в могиле. И Аксенов, как главный шестидесятник, помер раньше всех: мертвая у него, дескать, проза, мертвая литература. Кульминацией стала заметка в «Коммерсанте» годовой давности очень мною уважаемого, прекрасного, первостатейного журналиста Гриши Ревзина, написанная с какой-то необъяснимой для меня злобой как отклик на смерть Аксенова. Я даже не стал ему звонить, выяснять отношения, потому что дело не в нем, а в подходе. Подход же заключался в том, что время *Аксеновых* прошло. Для меня вопрос, мертв ли Аксенов, не имеет смысла и глуп, как рассуждения о том, мертв ли любой из русских литературных классиков. А для некоторых это вопрос актуальнейший. Потому что они не рассматривают прозу Аксенова как вечную русскую прозу, а считают ее крепко привязанной ко времени. Вопрос, мертв ли Аксенов, – это одновременно и вопрос: Аксенов – это русская великая литература или пре-

Евгений Попов

ходящая молодежная проза шестидесятых годов? Для меня и этого вопроса не существует.

Е.П.: Для меня – тоже.

А.К.: Интересно, что у меня в связи с Аксеновым совсем другие жизненные истории, чем у тебя. Ты, в общем-то, как это ни смешно звучит, уже в 16 лет – профессиональный писатель. Ты *так* к этому относился. А я невесть чем занимался, жил вполне бессмысленно. Хотел быть сценаристом, но во ВГИК не стал поступать. Писателей среди моих знакомых не было. У меня были джазовые музыканты ближайшие друзья и неофициальные, широко известные среди других неофициальных, художники. Например, покойный Юра Нолев-Соболев, известная фигура среди людей андеграунда, их гуру тех лет, которого чтили и признавали даже Илья Кабаков и Иван Чуйков. Или совсем уж неизвестный Анатолий Урьев, Анатоль Ур, который потом уехал в Израиль – его вообще никто не знал, он был такой вездесущий невидимка... Я на писателей и на писательство смотрел как на явление ирреальное или по крайней мере ко мне совершенно никакого отношения не имеющее. Хотя уже писал... Аксенова же я боготворил в первую очередь как создателя той прозы, которую я ощущал как абсолютно *не сиюминутную*, вечную. Ну, и как учителя жизни, да. В прямом смысле учителя, который *учит* тебя, *как жить*. Что с целью «оттянуться», например, советскому человеку нужно ехать в Прибалтику. Что московские *девушки* требуют к себе особого подхода. И так далее. Хотя, я сейчас думаю, неточно его учителем называть. Он скорее был для меня *создателем стиля*. Я уже бессчетно во всяких интервью рассказывал, как я познакомился с Аксеновым, и в наших разговорах уже, кажется, вспоминал, но теперь хочу припомнить подробности и детали... Дело в том, что в начале семидесятых по Москве бродила легенда, что Косыгин любит джаз.

Е.П.: Глядя на его уксусную физиономию, ни за что бы не подумал.

А.К.: Ну, скорее уж эта «уксусная физиономия» могла любить джаз, чем поклонник бубна и гармошки Леонид Ильич

Александр Кабаков

Брежнев. И вот то ли действительно Косыгин любил джаз, то ли что-то сломалось в советской культурной политике, но подряд поехали в СССР великие музыканты: в семьдесят первом, например, Дюк Эллингтон, а в семьдесят пятом – Оскар Питерсон… Ну, и в семьдесят втором должен был приехать в Москву модный и едва ли не лучший в то время биг-бэнд Теда Джонса и Мэла Луиса. Они должны были играть в концертном зале «Россия», московское джазовое комьюнити было взволновано, около «России» выстроилась многосотенная и многосуточная очередь за билетами. А в очереди были так называемые *сотники*, которые имели на руках списки той или иной сотни фанатов джаза. И одним из главных сотников был я, потому что жил тогда недалеко от «России», на Маросейке, мне было удобно ночью очередь проверять. Спустился к очереди по Лубянскому проезду, минуя ЦК КПСС, и все. Это был конец апреля.

Е.П.: Сколько же дней в такой очереди требовалось выстоять?

А.К.: Дней пять. С отмечаниями три раза в сутки, ну, по полной советской программе. Я тогда еще инженером служил в одном НИИ около «Красных Ворот».

Е.П.: Три раза в сутки? Ни хрена себе!

А.К.: Ночью, утром и днем. Перекличка. Можно было перекликиваться за двоих. Называли фамилию, и кто-то должен был сказать: «Я за него!».

Е.П.: Отсутствующих вычеркивали?

А.К.: Безжалостно! Жестко все было.

Е.П.: То есть сотня от этого становилась меньше?

А.К.: Естественно. Сотни переформировывались, переписывались списки.

Е.П.: Ух ты! Здорово! Советише орднунг!

А.К.: Ну, и справедливо было сказано: власть развращает, абсолютная власть развращает абсолютно. Сейчас ты увидишь, как я потерял рассудок от власти. Значит, я был сотником, наконец-то открывается касса часов в восемь или девять утра, напирает очередь, тут же менты стоят, и мы боимся – по опыту

Евгений Попов

покупки билетов на Эллингтона, который приезжал накануне осенью, – что они сейчас нам очередь поломают, как в прошлый раз, и тут ко мне в самый такой напряженный момент подходит Гера Бахчиев, в джазовой иерархии человек куда круче меня – и посерьезнее, и постарше. И говорит мне Гера: «Слушай, чувачок, тут надо сделать билет писателю Аксенову». И что же отвечаю я, который «Бочкотару» знал наизусть, а из-за многочасового чтения романа «Пора, мой друг, пора» во время сессии не сумел подготовиться к очередному экзамену и экзамен этот блестяще завалил? Единственный, кстати, раз за все время обучения в университете! А я отвечаю: «Да ладно, пускай у себя в Союзе писателей купит этот твой Аксенов». Гера мне мягко, но настойчиво объясняет: «Во-первых, старичок, Вася в Союзе писателей уже лажанулся, не досталось ему там билета, а во-вторых, вот он и сам стоит». Я посмотрел и не поверил своим глазам. Классик Аксенов оказался совсем молодым человеком с длинными по тогдашней моде, вьющимися волосами. Стоит себе в сторонке, курит...

Е.П.: Так он и был тогда молодым человеком. Семьдесят второй – год его сорокалетия.

А.К.: Сорок есть сорок. А у него был вид модного пацана. Кудри до плеч, усы подковой по тогдашней опять же моде. Не просто джинсы, а настоящий джинсовый костюм *Lee* – дикая редкость в те времена. И сверху – моднючий финский плащ из «Березки». Я поморгал, присмотрелся – точно Аксенов, не врет Гера. Почти теряя сознание от смущения и ужаса – вдруг он слышал, что я про него только что сказал? – я подошел к нему и говорю: «Здравствуйте, Василий Павлович, вы в очереди будете двадцать седьмым, каждому из нас полагается два билета». Вот тогда он мне и объяснил, что в Союзе писателей билеты раздали кочетовым да грибачевым, которым не в коня корм, на джаз и даром не пойдут. А ни мне, говорит, ни другим ребятам ничего не досталось. *Другим ребятам!* Я говорю: «Что? Кто? Кому?» – «Да вот Толька бы Гладилин пошел», – отвечает Василий Павлович, с отдаленною надеждой глядя на меня. Но я отвел глаза, ибо это было уже вне моих сил – там джазовый народ строгий в очереди был, растерзали бы меня за Тольку.

Е.П.: Хорошо, что Ваську тебе простили.

А.К.: И вот, когда мы прощались, я, корчась от осознания собственной наглости и неловкости, спросил у него номер телефона, сказавши, что, может быть, я ему позвоню – не с просьбой, конечно, но по делу... Что-то такое я гундел невнятное. Причем мне стыдно было вдобавок, что я как бы использую свое *положение*. Но дело в том, что он, в отличие от очень многих писателей, в том числе, например, и от меня нынешнего, *не боялся чайников*. И от графоманов, которые суют ему свои сочинения, не кидался в сторону. Ты помнишь, как он вел себя в Казани во время первого Аксенов-феста? Семидесятипятилетний классик брал рукописи у первых встречных мальчишек и девчонок.

Е.П.: Слушай, я другое вспомнил. Я ведь все-таки встречался с ним и до того дня, когда мы вместе слушали песнь о «Луковом супе». Я однажды пришел в «Новый мир», где впервые появился с рассказами в девятнадцать лет, и смиренно дожидался в коридоре легендарную Анну Самойловну Берзер, открывшую в свое время «Один день Ивана Денисовича», заведующую отделом прозы. Ее же ждал Василий Павлович. А третьим в нашей маленькой компании был какой-то оголтелый графоман, который пристал к Аксенову, узнав в нем знаменитость, и принялся горько жаловаться, какие подлецы работают в «Новом мире», не печатают его гениальные сочинения. «Вот вы возьмите, нарочно, прочитайте меня, все сами поймете», – пристал он к Аксенову как банный лист. Я и то раздражился, хотя и был тогда молодым человеком с крепкими нервами, послал бы приставалу по матушке, и вся недолга. А Василий хоть и скупо, но спокойно с полоумным беседовал и, когда пришла Анна Самойловна, даже сделал графоману приглашающий жест – заходите, мол, товарищ, вы в очереди первый стояли...

А.К.: Так и меня ведь он вполне имел право послать. Мне было стыдно навязываться, но я понимал – это мой последний шанс, другого не будет. Я знал, что он джаз любит, но он же пи-

Евгений Попов

сатель, у него времени нет по очередям толкаться. У меня первая мысль была – сохранить с ним отношения и водить его на джаз.

Е.П.: Зачем?

А.К.: Ну, потому что он – Аксенов.

Е.П.: Почему б тебе тогда было не водить на джаз Кочетова, Шолохова или Берды Кербабаева например?

А.К.: Потому что Аксенов был мой литературный кумир. А они нет. И на фига им был джаз? И сказануть: пусть мой кумир у себя в Союзе писателей билеты берет – я мог только будучи абсолютно невменяемым от власти. У нас в семье, и говорил, выписывали «Новый мир», «Октябрь», «Искусство кино» – любимый мной тогда журнал, потому что я же хотел стать киносценаристом... Когда появилась «Юность», первым моим потрясением была «Хроника времен Виктора Подгурского» (Анатолий Гладилин), вторым – «Продолжение легенды» Анатолия Кузнецова, третье потрясение – явление миру Василия Аксенова... Да. И вот я, значит, волею судеб знакомлюсь с кумиром. Держа себя в руках, выжидаю неделю и звоню Васе по телефону 159-75-75, кажется, туда, на Красноармейскую. Он говорит «приходите»... Мы были, конечно, на «вы». Я пришел, у меня была со мной юношеская повесть, которую я потом потерял и нашел лишь недавно. Называется «Родные и близкие», в смысле погребального приглашения «родные и близкие, подходите прощаться». Такая, ну... *того времени* повесть. Юношеская. Я пришел к Васе и стал читать ее вслух.

Е.П.: Ох ты, Господи Иисусе! Повесть? Вслух?

А.К.: Сидели на кухне, Киры и Алешки не было, я стал читать ему вслух и за час прочитал всю повесть. Вася внимательнейшим образом все выслушал и сказал: никогда *по свежему следу* не пишите, подождите, выждите, пока чувства немного остынут – это был единственный совет, который он мне дал, и вообще единственное, что он сказал после чтения. Надо отдать мне должное, ни разу в жизни я потом не последовал его совету... Ну, и после этого у нас отношения стали уже другими. Он *как бы* считал, что я *как бы* молодой писатель. А я ни хрена почти тогда не писал. Ну, вот эту повесть – и еще какую-то чушь: рассказики всякие...

Е.П.: Но ему ведь надо было тебя как-то *идентифицировать*. Или как инженера, или как фарцовщика, или как... молодого писателя.

А.К.: Пожалуй, он тогда плохо врубался в мою реальность. Я как-то ему пожаловался, что меня, наверное, скоро выгонят из инженеров, а он в ответ: «Хорошо бы вам пойти работать в журнал "Советский экран"». Я ему говорю: «Вы смеетесь? Кто это, интересно, меня туда примет, беспартийного еврея с техническим образованием, когда там очередь ВГИКовцев с дипломами стоит? Мне об этом можно так же мечтать, как о выигрыше в сто тысяч рублей, не купив лотерейного билета». Он этой стороны жизни тогда уже не знал, ему казалось, что вот можно позвонить кому-то там, своему приятелю, и устроить меня в журнал «Советский экран». Больше мы к делам не возвращались. Вот так, Женя. И следующие восемь лет наши отношения были простыми, я звонил и говорил: «Вася, пошли на концерт...»

Е.П.: На «ты» уже, что ли?

А.К.: С какого-то момента на «ты». Вася, говорю...

Е.П.: Не помнишь момент этот?

А.К.: Не помню абсолютно. Не сразу, очень не сразу мы на «ты» перешли. «Вася, – говорю, – через три дня концерт в ДК "Москворечье", хорошие команды – поедешь?» – «Поеду». – «Ну, тогда встретимся возле телеграфа...» Он ехал со своего «Аэропорта», а я выходил из своего «Гудка». У телеграфа он меня подхватывал, и мы катили в «Москворечье». Это было... это были такие вот отношения. Практически до его отъезда. Все, я больше не заговаривал ни о какой литературе. Другое дело, что я и сам бросил тогда писать.

Е.П.: Позволь-позволь, что значит – бросил писать? А «Подход Кристаповича»?

А.К.: «Кристапович» был написан в начале–середине восьмидесятых. У меня и в семидесятых имелись юмористические рассказики, но их я ему не показывал. Даже когда один появился в «Литературной газете». Он случайно это обнаружил и говорит: «О, я видел, у тебя рассказ в "Литературке" напечатали». Я вяло отвечаю: «Ну да».

Е.П.: Он и сам на знаменитой шестнадцатой странице публиковался, в клубе «12 стульев».

А.К.: Тем не менее я прекратил с ним *литературные* отношения. Нас связывал только джаз. Вот моя любимая фотография, я ее уже вспоминал, где он, я и Леша Козлов — мы сидим втроем за столиком в буфете «Москворечья». «Москворечье», еще какой-нибудь ДК, джазовый концерт в Театре эстрады — вот наши отношения. Несколько раз я бывал у него дома, был знаком с его Кирой, разговаривал с маленьким Лешкой. Однажды оказался в весьма нелепой ситуации. Он позвонил мне, позвал в гости, я пришел с тогдашней недолгой моей женой. У него в огромном количестве паслись в тот вечер американские и английские слависты. А из русских были только мы с женой да Вася, а семья его была в отъезде. Все очень быстро напились огромным количеством красного вина из «Березки», и началась страшная ругань, потому что слависты все были леваки. Вася был в бешенстве от их взглядов и высказываний, но реагировал сдержанно. А я хорошенько поддал и попер на них, как танк, с воплями: «Раз вам так нравится советская власть — добро пожаловать в наш ГУЛАГ». И прочее в том же роде… И Вася смотрел на меня с некоторым ужасом. Позвал меня на светский прием, а я нажрался, как советский инженер, и попер антисоветчину.

Е.П.: Не помнишь, кто из славистов там был?

А.К.: Не запомнил ни одного имени… Был там один молодой парень, он, говорили, прославился потом, с такими длинными, косо свешивающимися волосами, с глубоким шрамом на лбу. Он стал меня упрекать: вот вы не выходите на улицы, не протестуете, а мне голову разбили полицейской дубинкой в шестьдесят восьмом году, когда были волнения в Кентском университете.

Е.П.: Кент — это в Англии, что ли?

Александр Кабаков

А.К.: Кентский университет – это в Америке. Там в шестьдесят восьмом, когда студенты бунтовали по всему миру от Чехословакии и Парижа до Бёркли, было настоящее восстание, там полицейские даже убили одного человека.

Е.П.: А-а, вспомнил...

А.К.: Я же ему: тебе, говорю, мудаку, по лбу дали, но даже из университета не исключили, и сейчас у тебя все о'кей, а меня бы не только вышибли, меня бы тут же в армию загребли! Или в психушку посадили, или в лагерь отправили. Вот так я разорялся, и хорошо помню Васю, который сидел там, подпершись, как бабушка добрая, и с одобрительной, но несколько изумленной улыбкой любовался, как я, значит, это... выступаю! Тогда, если помнишь, так прямо определять свою позицию было не принято. Тем более публичному человеку, каковым Вася тогда был. А я был никто, шпана. Я был его джазовый приятель. Мне было можно.

Е.П.: Ну, наше с тобой отношение к Василию Павловичу Аксенову понятно. Мы его обожали. Но как ты думаешь, насколько это отношение было типичным? Я бы рискнул высказаться, что Аксенова знали все молодые люди страны.

А.К.: Абсолютно верно.

Е.П.: По крайней мере я это видел в своей студенческой среде. Кто-то его любил больше, кто-то меньше, но когда появилась «Бочкотара», в студенческий сленг тут же вошло устойчивое словосочетание «Старик Моченкин дед Иван». Аксенова любила страна. Но как ты думаешь, были люди, которые его не любили тогда? Которые его мертвым считали уже тогда?

А.К.: Были. Первая категория, которой и он отвечал взаимной неприязнью, – это почвенники, такие ранние националисты. Они ненавидели его осознанно. Они считали его своим врагом.

Е.П.: Это интересно. Ведь Аксенов в то время печатался в журнале «Молодая гвардия». Роман «Пора, мой друг, пора» именно там напечатан.

А.К.: «Молодая гвардия» не была в то время столь уж «патриотической».

Евгений Попов

Е.П.: Но там уже в то время служил известный почвеннический критик Виктор Чалмаев. Помнишь такого?

А.К.: Тогда не было такого прямолинейного разделения на почвенников и либералов. Тогда советская власть всех инакомыслящих давила без разбора.

Е.П.: Я почему это спрашиваю, потому что я и в «Молодую гвардию» тогда рассказы носил. Там был такой человек, знаменитый Владимир Викторович Сякин, редактор одной из первых книг Евтушенко. Он отдал мои рассказы Чалмаеву, который, если не ошибаюсь, занимал там тогда пост замредактора. Чалмаев меня спрашивает: «Откуда вы родом?» – «Из Красноярска», – говорю. «Значит, не успели еще хлебнуть московской заразы», – говорит мне Чалмаев.

А.К.: Ну-ну…

Е.П.: Но, возвращая мне рассказы, был со мной сух. «Забирайте-забирайте, – говорит, – у нас это не пойдет». То есть я, по его мнению, все же хлебнул московской, то бишь аксеновской заразы.

А.К.: Другая категория его неприятелей – люди сталинского закала. Из простых читателей. Им в текстах Аксенова всё не нравилось – странные герои, стиляги, пьяницы, непризнанные художники и так далее.

Е.П.: Тогда я добавлю, если ты позволишь, что в последние годы – перед перестройкой, в разгаре перестройки и во время *начала конца* перестройки – была еще одна мощная категория граждан, которых Аксенов тоже не устраивал. До перестройки, когда он играл роль, как выражались персонажи Достоевского, *«гонимага и даже ссыльнага»*, когда соответствующее место в пробуждающемся общественном сознании заняли «Ожог» и «Остров Крым», Василия задевать как-то стеснялись. Зато потом – пошло-поехало. Раньше б – не посмели рта раскрыть, а тут публично принялись вставлять ему шпильки. Хотя был бы я ученым человеком, я бы эту *третью категорию* разделил на две *подкатегории*. С одной стороны, это – активные действующие диссиденты круга Сахарова или Солженицына, для которых он был слишком легковесен и аполитичен. С другой – ой, ну как бы это точнее выразиться? – люди академического склада, связанные, например, с Анной Ахматовой. Я, кстати, не знаю, как она относилась к Аксенову.

А.К.: С теми, кого недоброжелательно прозвали «ахматовскими сиротами», Вася подружился еще в Ленинграде. С Найманом, Рейном...

Е.П.: Ну да. И Рейн, и Найман – это точно. Но я не про них.

А.К.: Понимаю. Ты скорее всего имеешь в виду вообще тех писателей и поэтов, которые выше всего ставили классическую традицию.

Е.П.: Классическую традицию и антисоветчину...

А.К.: ...написанную в классической традиции...

Е.П.: ...безо всякого этого ёрничества! И я думаю, что реплика Евгении Семеновны Гинзбург во время того исторического разговора с сыном, когда она советовала ему писать проще и прямее, была в какой-то степени отражением позиции по отношению к писателю Аксенову, занятой немалым количеством интеллигентных, честных людей ее круга.

А.К.: Условно говоря, люди, сформировавшиеся в такую группу... ну, не группу, слой вокруг твардовского «Нового мира», Аксенова не любили. *Писателя* Аксенова, а не доброго милого Васю, сына Евгении Семеновны, написавшей великую и *серьезную* книгу «Крутой маршрут». Думаю, эта тема тоже обсуждалась в писательском гетто на «Аэропорту». И Евгении Семеновне говорили то, что она потом сказала сыну.

Е.П.: Да, но они все же уважали его. За рассказ, например, «На полпути к Луне», появившийся в «Новом мире».

А.К.: Правильно. Это, с их точки зрения, был редкий для Аксенова *реалистический* рассказ, вся правда жизни, правда жизни простого человека.

Е.П.: Но ведь там же был напечатан весьма странный с этой точки зрения рассказ «Папа, сложи».

А.К.: Ну, ничего... Помельче, конечно, чем «На полпути...», но все-таки ничего. А вот, например, рассказы «Маленький Кит, лакировщик действительности» или «Жаль, что вас не было с нами», не говоря уже о повести «Рандеву», они

Евгений Попов

на дух не принимали. Про кого он пишет? Про всякую бездуховную мразь – московских снобов, конформистов, недурно пристроившихся к этой жизни, разъезжающих по Крыму на такси.

Е.П.: Опять же какие-то подпольные скульпторы, авангардисты, личности, постоянно нигде не работающие. Явление Герострата на вокзале зимней Ялты. Что это? «Что это за дурь?», – как уважаемый Александр Трифонович написал на полях рассказа Эдуарда Русакова, еще одного «подаксеновика», изобретательнейшего, ироничного, культурного, фонтанирующего идеями писателя, самого интересного, пожалуй, на сегодняшний день прозаика по ту сторону Уральского хребта. Так Русаков в те годы сквозь строгого Твардовского и не прорвался.

А.К.: Вот я и говорю: люди, которые сформировались как слой советского общества в качестве читателей и почитателей того «Нового мира», превыше всего ценили в журналах не прозу Аксенова, Трифонова и Катаева, а скорее публицистику в духе Валентина Овечкина, понимаешь? Или Юрия Черниченко. Эти люди не могли любить Аксенова, они его эстетически не принимали, как Синявский эстетически не принимал советскую власть, помнишь его слова, которые он произнес на процессе, когда ему воткнули за это семь лет? И у Синявского, и у Аксенова были прежде всего *стилистические* разногласия и с советской, и с антисоветской литературой.

Е.П.: Совершенно верно. И я думаю, что ты совершенно правильно эти слова вспомнил, потому что Андрей Донатович по сути своей был такой же одинокий волк, как Василий Павлович.

А.К.: Всякое сравнение, как известно, хромает...

Е.П.: ...а это вообще с помощью костылика передвигается. Разумеется, они были совершенно разные, но вот в этом были схожи – в полной своей самостоятельности и отдельности. Часто – в ущерб себе. Что вообще-то свойственно крупным, *очень крупным* личностям. Вспомни Свифта, Джойса, Кафку, Сальвадора Дали, Андрея Платонова. Или – гораздо ближе и, казалось бы, совершенно из другого лагеря – Виктора Петровича Астафьева. Ладно! Мы куда-то очень далеко уехали от рассуждений на тему «мертв ли Аксенов». Может, поговорим о *живых* взаимоотношениях Аксенова с современной молодежью?

А.К.: Это отдельная тема, огромная, серьезная.

Е.П.: Ну тогда, значит, практически подходит к концу наш сегодняшний *table-talk*, застольный треп об Аксенове, если переводить это с английского вместе с Пушкиным, обожавшим подобную необязательную болтовню и видевшим в ней глубокий смысл.

А.К.: Эк ты хватил! Пушкин! Мы вдруг ни с того ни с сего предались сегодня воспоминаниям, кто и как с Васей познакомился, а на главный вопрос, мертв ли Аксенов, так и не ответили. Может, это все-таки глупый был вопрос?

Е.П.: Глупых вопросов не бывает, глупыми бывают ответы.

А.К.: Тогда давай задумаемся вот о чем. Мертв ли Аксенов в простом таком бытовом *смысле памяти*? Мне вот лет уже много, и я похоронил стольких, что не сосчитаешь. Однако немного было среди них тех, чей облик после смерти остался таким – ну, как сказать? – *ясным*.

Е.П.: Точным?

А.К.: Ясным. И ясность эта – уже не литературное качество Аксенова, а чисто человеческое. Для меня он был и остается чрезвычайно влиятельным человеком в ситуациях *простой* жизни, я будто вижу его облик, так много для меня значащий, так сильно отпечатавшийся в моем сознании. В моем сознании, в моей памяти, в моем восприятии. Я еще раз говорю, он был для меня не только классиком русской литературы, мгновенно оцененным мною, начитанным юношей, а все-таки, хоть и с оговорками, учителем жизни. Он меня незаметно учил самым простым вещам – ну, в какой руке вилку держать, в какой нож, я и до него знал, а вот какие штаны надевать, как с девушками говорить… Я, помню, всякий раз с интересом ждал, в каком виде Вася сегодня появится. Я помню, какое на меня сильное впечатление произвело, когда он свои длинные волосы вдруг остриг…

Евгений Попов

Е.П.: Ну, я-то познакомился уже со стриженым и непьющим Аксеновым. Ты знаешь, вот что интересно: при всем к нему безграничном уважении учителем жизни в твоем понимании этих двух слов он для меня, как ни странно, тогда не был. Слишком далек он был от меня, слишком недоступен. Я ведь тогда совершенно ничего не знал о его нищем казанском детстве, и передо мною был уверенный, красивый, пахнущий дорогим парфюмом московский плейбой, мировая знаменитость. Недоступный, как его джинсовая фирменная куртка, которую я уже вспоминал. Помнишь мой ныне заезженный афоризм «Все мы вышли из аксеновской джинсухи, как из гоголевской шинели»? Так каким же Аксенов мог быть для меня *учителем жизни*, если у него на столе «Кампари» из «Березки», а у меня – портвейн «Кавказ» и пельмени из пачки, которыми я всех метропольцев угощал?

А.К.: Действительно. А я был стиляга. Нищий, но стиляга. И Аксенов для меня был хоть и недостижимым, но образцом.

Е.П.: А моим *учителем жизни* был Боря Мессерер, я за него неоднократно по этому случаю тосты произносил. Это он научил меня элегантно пить, а не нажираться. Король московской богемы Борис Мессерер меня многому научил.

А.К.: Отсюда и твоя тогдашняя черная шляпа взялась, в которой тебя Валера Плотников снял?

Е.П.: В каком смысле «отсюда»?

А.К.: В смысле – это Борино влияние?

Е.П.: Я вообще-то в шляпе ходил, еще когда в школе учился. А вот Вася никогда в шляпе не ходил!

А.К.: Точно! Никогда.

Е.П.: Я ходил в шляпе, и Боря Мессерер ходил в шляпе. У Бориса Асафовича в его мастерской на Воровского вечно был по вечерам дым коромыслом со всякими великими знаменитостями, шикарной выпивкой и жратвой. А как-то я к нему пришел, а у него на столе вдруг килька в томате, отварная картошечка, лучок, водка «Московская». И он меня сразу стал учить. В смысле, что сегодня, вот видишь, – килечка, так выпей водочки и килечкой закуси. А завтра, может, Господь пошлет тебе осетринку – тоже возрадуйся, но не гордись. Учитель! Мне это очень понравилось, я все это описал потом в автобиографическом романе «Душа патриота».

А.К.: С Васей такой разговор был бы абсолютно невозможен, и никакую «килечку» он бы на стол ставить не стал. На той вечеринке с американскими и английскими славистами, которая началась днем и продолжалась едва ли не сутки, стол ломился. Вася, конечно, все приволок, да и они – из «Березки». Я смотрел на все это с некоторым ужасом советского человека: ну, водка с винтом – это само собой, а вот вина! Вина французские! А закуска! Боже мой! А помидоры *не* гнилые! Боже мой! Боже мой!.. И еще одна история. Уже помянутая тогдашняя моя жена сшила мне из грубого полотна с аппликациями из какого-то старого шарфа такую сумку на длинной лямке через плечо. Такую торбу, с какими ходили тогда московские хиппари. И я заявился с этой говенной самодельной сумкой на концерт Киры Аксеновой в Зале Чайковского, где она пела старинные народные так называемые плачи, а чтец Журавлев читал «Царя Федора Иоанновича»...

Е.П.: Да-да, ты мне неоднократно рассказывал об этом выдающемся событии.

А.К.: А Вася созвал туда всех своих друзей. И очень волновался из-за Киры, надо сказать. Но тем не менее нашел время похвалить мою эту жалкую сумку. Представляешь? Вася весь такой модный, в своей синей замшевой куртке мне говорит, что моя сумка – *самострок* – очень *клевая*. То есть он мне просто делает приятное, очень точно понимая, что делает приятное.

Е.П.: Слушай, а я сейчас тоже историю расскажу, она тоже не имеет практического значения, но тоже здорово характеризует Васю как человека. Место действия – Пахра, дача Майи Кармен, где мы вместе прожили зиму 1979/1980 после того, как меня из Союза писателей выперли, а Вася оттуда сам вышел. Время действия – большое гуляние в честь приезда на дачу Васиного друга, американского дипломата Рэя Бенсона. Рэй уехал, «в трактире становилось все веселее», Майя Афанасьевна Кармен-Аксенова и Белла Ахатовна Ахмадулина направились с дружеским визитом на соседнюю дачу к народной певице СССР, лауреату Ленинской премии Людмиле Георгиевне Зыкиной. И возвратились оттуда примерно минут через сорок в крайне возбужденном состоянии. Ибо успели за это время поскандалить и наговорить антисоветских гадостей каким-то зыкинским гостям, высокопоставленным советским функционерам типа начальника Союза писателей СССР генерала Карпова. Возвратились в сопровождении свиты – знаменитого тогда эстрадного комика, жовиального господина Бориса Брунова, неизвестного баяниста и еще двух-трех неясных персон. Веселье продолжилось, баянист заиграл, персоны принялись петь частушки, смысл которых сводился к тому, как они с ансамблем ездят по всему миру, фарцуют, там купили на «суточные», здесь продали за рубли. Короче – бедлам, дым коромыслом. И Вася, который к тому времени не потреблял спиртного лет эдак уже десять, сидит отрешенно в углу, а веселый Брунов к нему пристает: «Тебя как зовут? Валерик? Валерик, ты что там как неродной? Иди, иди к нам, не стесняйся!» И это в разгар дела «МетрОполя», не говоря уже про аксеновскую славу дометропольскую. «Валерик», мля!

А.К.: Как ни странно, но ты и я своими этими воспоминаниями, совершенно бессмысленными, попали в тему, обозначенную как «мертв ли Аксенов?». О мертвых так, как мы сейчас говорили, не говорят. Об обычных мертвых так не говорят.

Е.П.: Ну, если безо всякого там доморощенного фрейдизма и заговаривания злых духов, дело, в принципе, наверное, в том, что нам приятно говорить о нем как о живом, а не мертвом, понимаешь?

А.К.: Вот это и есть ответ на вопрос, мертв ли Аксенов. Мы о нем говорим. Мы говорим о нем как о живом.

Е.П.: Более того. И я заканчиваю практически тем, с чего начал. Я, как это ни странно, почти не чувствую его *физического отсутствия*. Он и раньше покидал нас на долгие сроки. Общались, конечно же, еле-еле, но все эти письма шли от него из Америки, как из другого мира.

Александр Кабаков

А.К.: Да. Да.

Е.П.: Вот и сейчас он опять где-то *вне*. И опять же к нашему разговору – он ведь был христианин. Значит, в загробную жизнь верил. То есть я на это особо не упираю и вообще об этом мало говорю, но как-то не вызывает у меня скрежета зубовного ощущение того, что его сейчас, в данный момент, здесь нет, понимаешь?

А.К.: Понимаю. Грусть есть, а скрежета нет.

ПРИЛОЖЕНИЕ

Андрей Вознесенский. СОЛОВЕЙ АСФАЛЬТА

К выходу пластинки с авторским чтением
рассказа «Жаль, что вас не было с нами», 1978

Люблю прозу Василия Аксенова. Впрочем, проза ли это?

Он упоенно вставляет в свои вещи куски поэтического текста, порой рифмует, речь его драматургически многоголоса. Это хоровой монолог стихийного существа, называемого сегодняшним городом, речь прохожих, конкретная музыка троллейбусной давки, перегретых карбюраторов июльской Москвы. Впрочем, город ли это?

Грани города стерлись: в нем вчерашние чащи, теперешние лесопарки – все это взаимопроникаемо, это прозопоэзия. Поэтому ее можно читать вслух – как читали бы Уитмен или Хлебников свои тексты.

Уже 20 лет страна наша вслушивается в исповедальный монолог Аксенова, вслушивается жадно – дети стали отцами, села стали городами, проселочные дороги стали шоссейными, небеса стали бытом, «мода» стала классикой, – но голос остался той же чистоты, он не изменил нам, художник, магнитофонная лента нашего бытия, – мы не изменили ему.

Аксенов понятен не только русскоязычной аудитории, его читают, понимая как своего, и в Лондоне, и в Париже.

Сегодняшняя российская проза, как говорится, на подъеме. Голоса Трифонова, Битова, Окуджавы, Распутина звучат сильно и необходимо.

Дар Аксенова среди них уникален. Повторяю, это магнитофонная лента, запись почти без цезур сегодняшнего времени – города, человека, души.

Когда-то я написал ему стихи:

Сокололетний Василий!
Сирин джинсовый, художник в полете и силе,
Ржавой джинсовкой твой рот подковали усищи, Василий,
Юность сбисируй, Василий,
где начищали штиблеты нам властелины Ассирий.
Стали активами наши пассивы, Василий.

Имя, как птица, с ветки садится на ветку
И с человека на человека.
Великолепно звучит, не плаксиво,
велосипедное имя – Василий.

Первая встреча:
Облчудище дуло – нас не скосило.
Оба стояли пред оцепеневшей стихией.
Встреча вторая: над черной отцовской могилой
Я ощутил твою руку, Василий.
Бог упаси нам встретиться в третий, Василий…
Мы ли виновные в сроках, в коих дружили,
что городские – венозные – реки нас отразили?

О венценосное имя – Василий.
Тело мое, пробегая по ЦДЛу,
Так просвистит твоему мимолетному телу:
«Ваш палец, Вас. Палыч! Сидите красиво».

О, соловьиное имя – Василий.

ГЛАВА ДВАДЦАТЬ ПЕРВАЯ
ВАСИЛИЙ ПАВЛОВИЧ
И ЕГО ДРУЗЬЯ

ЕВГЕНИЙ ПОПОВ: Кто лучший друг Аксенова?

АЛЕКСАНДР КАБАКОВ: Вопрос довольно суровый, потому что сейчас лучших друзей Аксенова развелось до хрена и больше. Но думаю, что правильный ответ имеется. Это – Анатолий Тихонович Гладилин, писатель, с которым они вместе начинали, причем Толя прославился первым, несмотря на то что был моложе Василия ровно на три года. Два красавца, два плейбоя, две знаменитости. Друзья. Хотя и стали очень разными людьми к старости. Толя ведет образ жизни, подобающий пожилому человеку, а Вася… Васи уже нет. Они когда разговаривали, то друг друга понимали даже не с полуслова, а с жеста. А ведь, как известно, писатель писателю волк! И они были в молодости прямыми конкурентами! Работали, как теперь принято говорить, на одной поляне. Молодежная исповедальная проза – это Аксенов и Гладилин. Юрий Казаков, допустим, работал в совсем другом каком-то жанре. И Анатолий Кузнецов – совершенно другая поляна. Ничего похожего на «Бабий

Яр» не могло прийти в голову ни Гладилину, ни Аксенову. Гладилин и Аксенов толкались на одном пятачке, и при этом никакой вражды – абсолютная глубокая дружба. Это, конечно же, во многом зависело от Толи, надо ему отдать должное. Он ведь очень хороший, добрый человек. Он – в свои юные годы всесоюзная знаменитость – встретил робкого новичка Васю даже не то что не в штыки, а по-братски. Хотя, если уж говорить откровенно, мог бы сделать его своим *вторым номером*. Я, дескать, гений, автор «Хроники времен Виктора Подгурского», но вот появился еще один парень, который работает в *моем* направлении, Васек его зовут, из Казани он родом. Но ему это и в голову не пришло. Наоборот, он был инициатором того, чтобы Вася *стал первым*. И оставался первым до смерти. Эта дружба прошла через всю их жизнь и продолжается даже после Васиной смерти. Я имею в виду то, как Гладилин остро воспринимает все, связанное с аксеновским литературным наследием.

Е.П.: Да, например, эту таинственную историю с романом «Таинственная страсть», публикацией которого он был столь раздражен, что напечатал об этом статью в журнале «Казань». Да… Ну а другие? Вот человек, которого ты знал прекрасно. Володя… забыл его фамилию… по прозвищу Стальная Птица. Смешной мужик, который, кстати, научил Васю машину водить. Пил изрядно. Я помню, когда была свадьба у Васи и Майи и на второй день заночевавшая в Переделкине публика опохмелялась, Стальная Птица настолько всем надоел своей пьяной болтовней, что Алена хотела его прогнать, а он на полном серьезе говорит: «Не вздумайте меня выгонять, если Вася узнает, что вы меня, его лучшего друга, выгнали, он повесится!» Еще мне Василий рассказывал, что когда они с Гладилиным поехали в Дубулты и вели там… ну, можно сказать, *рассеянный образ жизни*, Стальная Птица оказался тут как тут и плотно сел им на хвост, сам, разумеется, не имея по своему обыкновению ни копейки денег. Славный был человек, царство ему небесное! В новые времена незадолго до смерти вдруг разбогател, мне Вася рассказывал. А тогда – Аксенов с Гладилиным идут

Александр Кабаков

в ресторан, он бежит следом и кричит: «Я знаю, куда вы пошли! Вы в ресторан идете! Возьмите меня с собой». Одним словом, Стальная Птица! Как в одноименной аксеновской повести про суперхалявщика.

А.К.: Ты прекрасно знаешь, что у Васи знакомых было на порядок больше, чем друзей... Его «вся Москва» знала, и он ее знал.

Е.П.: Хорошо. Давай, пройдемся по именам. Анатолий Найман – друг?

А.К.: Несомненно друг.

Е.П.: Андрей Андреевич Вознесенский?

А.К.: Друг, многолетний друг.

Е.П.: А, может, мы неинтересно тему разговора определяем – «Аксенов и друзья»? Может, лучше «Аксенов и близкие»? Или – «Аксенов и люди ему близкие (неблизкие)»...

А.К.: Вот обидная для нас обоих вещь: разговоры наши подходят к концу, и любому, кто с ними ознакомится, станет ясно, что мы с тобой без Васи не совсем самостоятельны. Нам его не хватает, вот как не хватает отца, руководителя, пусть он нами и не руководил никогда. Он меня никогда ничему не учил, хотя я и считаю, и объявляю себя учеником Аксенова. Единственный литературный наказ, который он мне дал – я вспоминал уже, – весьма странный: никогда не писать по свежим впечатлениям. Так я только и делал постоянно, что этот наказ нарушал...

Е.П.: Он и меня никогда не учил. В смысле... это... передачи мастерства...

А.К.: И тем не менее мы входили в некий «аксеновский ближний круг». Нечего важничать – мол, мы сами по себе. Ну, как Найман, Бродский, Рейн, Бобышев всю жизнь числились «ахматовскими сиротами». Ты вот такого писателя – Володю Мощенко – знаешь?

Е.П.: Слышал.

А.К.: На мой взгляд, он тоже входит в воображаемый «аксеновский круг». Он был близок Васе, хотя держался всегда поодаль. Я не знаю, где они с Васей познакомились, по джазовым, я думаю, делам. Он был офицером. Потом из армии как-то ушел. Он писатель, его долго не печатали. Он и стихи пишет, и прозу. У него сейчас книжка вышла. Называется «Блюз для Агнешки».

Е.П.: Вот про эту книгу я и слышал.

А.К.: Мы должны помнить, что Василий Павлович прожил огромную жизнь, и у него менялись друзья.

Е.П.: Так все-таки друзья или знакомые?

А.К.: Друзья, друзья! Были и такие, как в том анекдоте, когда немцы ведут партизана вешать, а рядом стоит полицай, который его сдал, и ест щи из котелка. Партизан, проходя, плюнул ему в котелок, и полицай удивился: «Петро, ты что, обиделся?»

Е.П.: Имена слабó назвать?

А.К.: Да, слабó. Эти люди теперь всегда будут числиться друзьями Аксенова, хотя он с ними, допустим, давно порвал, задолго до своей смерти. А ведь действительно друзья, никуда не денешься, в какой-то момент они были его друзьями. Один из них пришел мириться и извиняться на похороны. Произнес трогательную речь, и я это безо всякой иронии говорю, потому что речь была совершенно искренняя. А ведь они не то двадцать, не то тридцать лет не имели никаких отношений.

Е.П.: Э-эх... Не хотелось бы этой темы касаться, но другой такой друг порадовал его к юбилею статьей «Как хороши, как свежи были розы», где объяснил несведущей публике, что некогда великий писатель Аксенов к старости совершенно исписался. Обычно невозмутимый Вася мне тогда сказал: «Ты, когда встретишь его, передай, что розы вообще-то шипы имеют, можно уколоться». Но отношений с ним не прервал, тот к нему в Биарриц приезжал, как ни в чем не бывало. Вася мне потом говорит: «Неудобно как-то было прогнать *старого друга*, хоть на нем и клейма негде ставить». Ладно, давай потом это вычеркнем.

А.К.: Почему? Это жизнь. Вот я, например, прекрасно отношусь к Евгению Александровичу Евтушенко, но все же еще раз вспомню, как они поссорились после статьи Евгения Александровича в «Литературной газете», которая называлась «Под

Александр Кабаков

треск разрываемых рубашек». Там Евтушенко гневался, что авторы книги «Джин Грин – неприкасаемый» так легкомысленно пишут о судьбоносных проблемах, в то время когда вьетнамский народ, например, ведет титаническую борьбу с американским империализмом. Я помню, мы едем с Васей ко мне на Маросейку, и Вася говорит: «Спасибо *другу*! После его статьи с нами разорвали договор на "Мосфильме", а ведь должны были кино снимать по "Джину Грину"... Плакали наши денежки...» И таких историй у него было предостаточно.

Е.П.: Ну, в конце концов мы не книжку в ЖЗЛ пишем и не обязаны знать абсолютно все про Васю, все его истории. Никто никогда не знает абсолютно все даже про самого близкого человека, даже про самого себя.

А.К.: Я бы, пожалуй, заключил, что есть дружба, которая факт биографии, а есть дружба, которая факт литературной биографии. Питерских поэтов Рейна и Наймана Вася знал с незапамятных времен, а вот Андрей Битов порядочно его моложе.

Е.П.: На пять лет – это «порядочно»?

А.К.: Битов стал основоположником и знаменем следующего за ним поколения, постмодернистского. Аксенов писателям этого поколения чужд. Они его, конечно, это... уважают. Но Битов, в отличие от Аксенова, для них – свой. И я скажу тебе почему. Потому что Аксенов все еще романтик, а Битов уже нет.

Е.П.: Драматург Виктор Славкин – старый аксеновский друг, еще со времен «Юности». Но мы забыли еще одну главную дружбу – Белла Ахмадулина, Борис Мессерер. С Беллой и Борей у Васи были особые отношения. Белла рассказывала мне, как она Васю увидела в первый раз совершенно случайно в самолете, когда летела в Ригу. Она мне говорила, что всю жизнь относилась к нему, как к брату. Кстати, Боря с Беллой были свидетелями на свадьбе у Васи и Майи. Помнишь, я тебе рассказывал, как они в Переделкине выставили на улицу около дачи стулья со свадебными подарками – старинные кружева, еще какой-то антиквариат... Прохожие писатели с ужасом на них глядели – свадьба была в разгар «дела "МетрОполя"».

А.К.: Есть даже знаменитая фотография, как они значительно позже, уже во время перестройки, по Вашингтону бредут, Белла и Вася. Все еще молодые, красивые. Я берегу книжку «В поисках грустного бэби», где Вася на форзаце выкадрирован из этого снимка, такой вот настоящий глоб-троттер, мировой путешественник, в этом своем длинном пальто, английского стиля кепке с ушами...

Е.П.: Подзаголовок аксеновской «Гибели Помпеи» – «Рассказ для Беллы», а Белла посвятила ему одно совершенно гениальное стихотворение – «Сад». Так что Вася – родной человек для Беллы. Брат. «Мой старший брат»... Трифонова мы еще забыли, Юрия Валентиновича, в нашем свободном разговоре.

А.К.: Знаешь, тут удивительная вещь. При моем молитвенном отношении к покойному Юрию Валентиновичу я Трифонова, к сожалению, при жизни не знал. А Вася о нем особо не распространялся. Говорил как-то так, мельком, что вот мы от джаза балдеем, а Юра Трифонов от спорта торчит, от футбола. Мое ощущение – они, наверное, инстинктивно друг друга так это... уважали. Но были совершенно противоположными людьми во всех отношениях – и в литературном, и в человеческом. Принципиально разные писатели, принципиально разные люди. Думаю, это такая была взаимная заинтересованность двух, можно сказать, богатырей. Но отнюдь не дружба, тем более близкая.

Е.П.: Стоп! Мы забыли важнейшего друга Аксенова – Владимира Высоцкого. Причем не только друга, но и реального персонажа романа «Ожог»...

А.К.: И не только в «Ожоге», он его во многих текстах изображает, например в «Новом сладостном стиле»...

Е.П.: Мы когда ехали в Крым весной семьдесят девятого, то Вася бесконечно крутил в машине Высоцкого. Не джаз, а именно Высоцкого. Подпевал, как мог, услышав «Баньку по-черному»... В восьмидесятом, когда только-только оказался в Пари-

Александр Кабаков

же, позвонив оттуда Белле в разгар Олимпиады, чтобы спросить, как дела, услышал в ответ тихое: «А у нас Володя умер». – «Как? Какой Володя?» – и тут же все понял. И повторял оттуда в трубку: «Не может быть! Не может быть!»

А.К.: Мне вот что странно. Высоцкий в его искусстве – я не беру в расчет все остальное: «мерседес», подаренный Мариной Влади, его курточки джинсовые – Высоцкий в своем искусстве был человек сугубо русский. И блатная его лирика, и военная, и сатира – все это такое сугубо русско-советское. Или антисоветское, что одно и то же. А Вася западник был во всем. И тексты его испытали сильное западное влияние, понимаешь? Он в этом смысле не мог... не должен был быть близким Высоцкому. Вот что для меня в их взаимоотношениях интересно.

Е.П.: Здесь я с тобой не во всем согласен. Васю, я думаю, привлекала бьющая через край витальность, энергия текстов Высоцкого. И многие песни Высоцкого, об алкашах например, это и «аксеновские» сюжеты Аксенова. «Вы не смотрите, что Серега все кивает» – это ведь почти из «Ожога», из главы «Мужской клуб»... Но я вдруг о другом подумал. О том, что Вася, пожалуй, относился к Высоцкому в какой-то степени с бóльшим пиететом, чем Высоцкий к нему. Вот он мне рассказал историю, как он однажды пришел в театр на Таганке, и Высоцкий за кулисами с ним разговаривал как-то так сухо, скучно, раздраженно. Потом, не прошло и пятнадцати минут, снова Высоцкий откуда-то появляется, объятия распахнуты, глаза сияют... Вася только после смерти Высоцкого узнал, что тот принимал наркотики, хотя как врач мог бы и догадаться. А я во время Васиного рассказа задумался, как это гордый Вася мог Высоцкому позволить с собой беседовать «сухо, скучно, раздраженно»? Ведь во время наших совместных встреч были у них нормальные, ровные, *дружеские* отношения. Васю, возможно, массовая слава Высоцкого привлекала, привлекало, что он – любимец народа. А Высоцкого – то, что Вася профессиональный литератор, известный литератор, ибо Владимир Семенович комплексовал и страдал оттого, что его не считают полноценным поэтом. Да и к своему актерству он относился,

Евгений Попов

я думаю, спокойно, как к способу получения денег. И потом ему поклонницы докучали. Он однажды опоздал ко мне на полтора часа, пришел злой, как собака, ему какая-то истеричка антенну у «мерседеса» отломала, чтобы только кумир обратил на нее внимание. А где в советской Москве было новую антенну найти? Нашел. Через полтора часа... Белла мне рассказывала, что в свое время обращалась к тем людям, которые потом написали о нем прочувствованные некрологи, монологи и стихи, с просьбой посодействовать публикации хоть каких-либо его поэтических текстов. По ее словам, один известный поэт ответил ей тогда: «Перестань, Белла, какой из Володи поэт? Он же актер, бард, песенник, знаменитость, хороший парень». То есть перед Васей он робел, чувствовал себя начинающим. А Вася перед ним тоже робел, полагая его великим.

А.К.: Я, по-моему, уже вспоминал этот эпизод? Когда после аксеновского спектакля «Всегда в продаже» в «Современнике» мы все стояли отдельной толпой у выхода из театра, который тогда помещался на «Маяковке», ныне Триумфальной площади... Лишь прохожие таращились на такое скопище звезд, среди которых и я, никому тогда не известный, оказался: Галина Борисовна Волчек, Олег Табаков – ну все, кто в спектакле был занят. Плюс Вася, плюс Высоцкий вдруг появился. Михаил Козаков, помню, еще был... И все мы поехали в театр на Таганке, где контролеры билетов не спрашивали, а пропускали, заглядывая каждому в лицо. Весна была, май и один из первых подпольных концертов группы Леши Козлова «Арсенал». Где тогда еще, значит, солистом у него был и прекрасно пел такой страннейший парень, вроде бы украинский *возвращенец* из Канады, кажется. «Арсенал» показывал куски из *"Jesus Christ – superstar"*, еще какую-то самую модную тогда музыку, и я запомнил, что они все время как-то вместе держались, Аксенов и Высоцкий. Этот эпизод не имеет, пожалуй, никакого прямого отношения к нашей сегодняшней теме, но это было какое-то такое *братство* «шестидесятников». Ночной концерт... Запрещенная музыка... Сейчас милиция придет и всех разгонит... Юрий Петрович Любимов... Просто заглядывали

Александр Кабаков

в лицо, пытаясь понять, «свой» или «не свой»… Семьдесят третий, по-моему, год…

Е.П.: Да и я, наверное, повторяюсь, но снова вспоминаю ту новогоднюю ночь в Пахре на даче Эдуарда Володарского с семьдесят девятого года на восьмидесятый. Думаю, что это вообще была последняя встреча Аксенова и Высоцкого на этой земле. Трифонов… Высоцкий… Аксенов… Никого уже нет… Разошлись под утро, а днем пришла весть, что Володя разбился на своем «мерседесе», когда гнал с дикой скоростью в сторону Москвы по ледяному Калужскому шоссе. Слава богу – не до смерти! Я все голову ломал – что его так рано, спозаранок в столицу понесло после бессонной ночи? И лишь через много лет добрые люди объяснили, что все дело было опять же в наркотиках. К весне Высоцкий куда-то уехал, Васю летом «уехали», перед Олимпиадой, а во время Олимпиады и Володя скончался… Думаю, они очень нужны были друг другу. А считать ли их друзьями? Увы, не знаю.

А.К.: И вот я думаю, кто ж еще был Васе настоящим другом? А вот Олег Павлович Табаков, с которым дружба была большая и с которым тоже они…

Е.П.: Поссорились?

А.К.: Не нашего с тобой ума дело. Вспомни лучше, какую потрясающую трогательную речь Олег Павлович произнес на вечере памяти Аксенова в ЦДЛе, где мы все вместе были. Вася восхищался, помню, как Табаков в его «Всегда в продаже» изумительно играл. И вообще он Олега очень любил.

Е.П.: Да, и мне он множество историй рассказывал из их общей юности, суть которых сводилась к тому, что Олег Павлович, *актерище*, играл *всегда* и *везде* – в театре, кабаке, ЦК КПСС. Вася приехал в Болгарию и там в холле гостиницы случайно встретил Табакова. Олег Павлович сначала разыграл пантомиму на тему «глазам своим не верю», потом, кривляясь, ужаснулся, посуровел и, заняв позицию за пальмой в кадке, принялся палить в Аксенова из воображаемого пулемета. То-то радости было советским болгарам!.. Я только теперь вспомнил, что ведь Василий Олега Павловича изобразил под его на-

Евгений Попов

стоящим именем и, следовательно, с его согласия – в антисоветском романе «Ожог».

А.К.: Вообще-то в «Ожоге» из *той* тусовки не только Табаков присутствует. Там фигурируют еще несколько персонажей, чьи прототипы были в Москве широко известны. Например, Андрон Михалков-Кончаловский, человек, с которым Василий был... ну, во всяком случае, в таких... в тесных отношениях, они много пересекались. Эта компания *творческой молодежи* перемещалась по одним и тем же *центровым* местам – ЦДЛ, Дом актера, Дом кино...

Е.П.: Еще он нежно к Михаилу Козакову относился. Они как-то встретились в Прибалтике, сидели в кафе, и вдруг какой-то там мужик, случайный *прибалтиец*, увидевши Козакова, сказанул ему нечто антисемитское, после чего немедленно получил по морде от крепкого спортсмена Аксенова.

А.К.: Таинственные отношения были у Васи с художником Стасисом Красаускасом. Помнишь посвященный ему рассказ про баскетболистов? Мне кажется, он для Васи был такой частью Прибалтики...

Е.П.: Господи! Мы же Окуджаву забыли!

А.К.: Думаю, с Булатом Шалвовичем у Васи были хорошие, ровные, товарищеские отношения. Не более того. Хотя бы потому, что между ними была разница в возрасте. Не очень большая, но существенная, учитывая, что Окуджава успел побывать на фронте. А это принципиально важно! Ну и, думаю, у них было немножко разное отношение к окружающей действительности. Окуджава с советской действительностью не сразу рассорился. А Вася с ней, можно сказать, находился во вражде *всегда*. Полагаю, Высоцкий ему ближе был. А вообще-то меня изумил твой рассказ, что, когда вы ехали в Крым, Вася Высоцкому подпевал. Вася – джазовый человек. А джазовые люди к бардам относились с кривой усмешкой. И к Высоцкому, и к Окуджаве... А уж к остальным – и говорить нечего. Джазовые люди – у них другие немножко уши, им музыки надо больше, а не антисоветских или лирико-романтических стихов... разного качества.

Александр Кабаков

Е.П.: Между прочим, Вася как-то во время одного из своих явлений в Москву из Америки с превеликим удовольствием слушал у нас в доме Мишу Кочеткова, Андрея Анпилова, Бачурина, Туриянского. Клянусь!.. И еще, кроме возрастных различий, между ними была одна существенная разница. А именно: Окуджава был членом КПСС, понимаешь?

А.К.: Был. Но, с другой стороны, Васины приятели, они же соавторы книги «Джин Грин — неприкасаемый», не то что в КПСС состояли, но и еще бог знает где: военно-морской поэт Григорий Поженян, советский разведчик Овидий Горчаков. Это что?

Е.П.: Он и о том и о другом отзывался с восторгом. Про Горчакова рассказывал, что «советского разведчика» за какие-то чекистские провинности свои же коллеги загнали в убогую дыру на Дальнем Востоке, где он начал спиваться и задумываться о самоубийстве. Горчаков Василию хвастался своими военными подвигами...

А.К.: С Поженяном я познакомился у Васи, потом он меня встретил как-то на улице возле «Известий» и почему-то хотел подарить мне огромный нож из своей коллекции. Я еле отбился. И вот, казалось бы, что общего у Васи с такими людьми?

Е.П.: Думаю, дело в том, что и Горчаков, и Поженян под завязку были набиты гениальными историями. Вот Поженян при мне рассказывал Васе, как в конце войны служил в Дунайской военной флотилии на торпедном катере, и они вошли в какой-то румынский город, а в этом городе взяли банк со всей его наличностью. Как люди умные, они два чемодана денег сразу же отдали особистам, а с остальными не знали, что делать: в городе все закрыто, света нет, купить нечего. Заглянули в единственную освещенную лавку, где, как выяснилось, торговали бюстгальтерами. А у них был украинец-старшина, который особо горевал от жадности, что завтра в бой, и деньги, стало быть, пропадут даром. Он и говорит: «Лифчики так лифчики. Будем покупать». Но когда продавщицы увидели, сколько у русских освободителей денег, то они их поняли превратно и стали раздеваться. Что дальше с дамами было — Поженян

Евгений Попов

умолчал, но закончил тем, что старшина, купивший целый мешок бюстгальтеров, следующей ночью, когда они плыли по Дунаю, устроился в темноте под луною на корме... ночь лунная, и он бросает эти лифчики один за одним туда, в бурлящую темную воду...

А.К.: Пили они еще зверским образом во время сочинения «Джин Грина», Вася рассказывал. Хотя Овидий Горчаков лежал в лежку, поскольку у него было что-то с позвоночником и его мучили жуткие боли. Но, тем не менее, пили...

Е.П.: А вот еще мы о ком не поговорили – о Васиных друзьях казанского детства и юности. Его школьных соучениках, однокашниках по мединституту...

А.К.: Ты знаешь, я честно скажу: для меня это белое пятно. Может, на нашу книгу они откликнутся. Если, конечно, живы. Хотя что они могут вспомнить, когда целая жизнь у них врозь с Василием прошла? Как девчонок за косички дергали?

Е.П.: Я некоторых его казанских знаю. Вот, например, замечательный хирург Ильгиз Ибатуллин, Гизя, как его именовал Аксенов, не просто доктор, а еще и доктор медицинских наук. Или Ринат Зулкарнеев, профессор травматологии и экстремальной хирургии. Или знаменитый физик Роальд Сагдеев, который нынче в Штатах, женат на внучке Эйзенхауэра. Ильгиз и Ринат мне рассказывали, что когда Вася хотел перевестись из казанского в питерский мед, то его тормознули, потому что нужна была справка от матери. И они ему собирали деньги, чтобы он слетал в Магадан за справкой за этой, понимаешь? Есть мемуары его одноклассницы Лии Заровой-Дмитриевой, где она рассказывает, в какой бедности пребывал подросток Вася, спал на железной койке в коридоре. Бывают странные сближения: писатель Георгий Садовников, как мы уже вспоминали, тоже учился с ним в одном классе. Вася и Жора. Оба стали писателями. Садовников к Аксенову всегда очень нежно относился, и Вася платил ему той же монетой. Еще где-то на Ставрополье живет писатель Георгий Шумаров, сокурсник Аксенова по Ленинградскому мединституту, с которым Вася делил комнату в Питере, и они вместе, как говорится, *начинали*, печатались в студенческой газете.

А в Самаре – давний друг Аксенова профессор Владимир Виттих, джазовый пианист и по совместительству директор Института проблем управления сложными системами Российской академии наук. Мне очень жаль, что лет двадцать назад, когда уже стало *можно*, никому не пришла в голову здравая идея записать воспоминания друзей, знакомых, близких Аксенова. Сейчас, боюсь, уже поздно, уходят люди один за другим.

А.К.: Ты знаешь, о ком мы еще не поговорили? Об иностранных Васиных друзьях. А их ведь тоже изрядное количество было. Переводчица Лили Дени во Франции, датский журналист и писатель Сэм Рахлин…

Е.П.: …в какой-то степени мой землячок. Родился в Якутске, в ссылке, куда отправили перед войной его родителей, литовских евреев, по случаю присоединения Литвы к СССР. Их везли по Лене на север, все дальше и дальше, и пущена была *параша*, что их везут на Чукотку, а оттуда через Берингов пролив депортируют в Америку.

А.К.: Лили Дени, Сэм Рахлин, американская славистка Ольга Матич, американский отставной адмирал, забыл имя, еще какие-то неизвестные мне американские личности, прототипы его «американских» книг…

Е.П.: …русско-французский старик, правнук Льва Толстого Илья Иванович Толстой, с которым мы в Биаррице вместе встречали две тысячи шестой год, когда я гостил у Васи с Майей. А еще в Америке – польский профессор-физик Валерий Маевский, замечательная, по словам Васи, персона. Всех его забугорных друзей мы все равно не знаем.

А.К.: Самых главных американцев забыли, сыгравших огромную роль в жизни Васи, – Карла и Элендею Профферов, создателей легендарного издательства «Ардис», где печатались многие книги Аксенова…

Е.П.: …и альманах «МетрОполь», и альманах «Каталог», и «весь Набоков», и Фазиль Искандер, и Саша Соколов, и Лимо-

Евгений Попов

нов, и Копелев. И первая моя книжка «Веселие Руси» вышла в «Ардисе» в советском восемьдесят первом году.

А.К.: В сущности, когда Васю лишили гражданства, ему больше не к кому было ехать, кроме как к Профферам, которые его с Майей на первое время приютили в своем доме.

Е.П.: Такая несправедливость, что об этом сейчас забывают. Равно как и о том, что «Ардис» фактически спас на излете коммунизма всю новую русскую литературу. Потому что до «Ардиса» альтернатива была простая: или ты советский писатель, или антисоветский. Третьего не дано. Советский писатель – так иди служи большевикам, а если антисоветский, тебя рано или поздно посадят за то, что ты печатаешься в «Посеве» и «Гранях», изданиях Народно-Трудового Союза, официально объявившего своей целью свержение большевизма в СССР, или в «Вестнике РХД», который тоже считался антисоветским центром. А Профферы вдруг развели издательство, которое позиционировало себя как *чисто литературное*. Сначала это были перепечатки забытых писателей двадцатых годов, потом Булгаков, Набоков, потом пошло-поехало, и раскусили их только по случаю «МетрОполя», а за год до этого они еще участвовали в Московской книжной ярмарке, где их эмигрантский павильон продвинутые читатели осаждали с утра до вечера, раскрав половину привезенных ими книжек. Между прочим, с ведома Профферов, о чем мне говорила Элендея, которую по недосмотру пустили в Москву по туристической визе году, по-моему, в восемьдесят третьем, а потом, спохватившись, напечатали про нее фельетон в «Литературной газете», что она якобы приехала в Москву собирать второй номер «МетрОполя». И было это стопроцентным враньем про второй номер, можешь мне поверить. Вася очень их любил – и Элендею, и Карла, царство ему небесное. А еще в Васиной судьбе, равно как и в судьбах *всех* участников альманаха «МетрОполь», важную роль сыграл старый американский дипломат, работавший в Москве, Рэй Бенсон. Он сейчас на пенсии, в штате Вермонт живет.

Александр Кабаков

А.К.: Не хочешь разъяснить свои странные слова про судьбу «*всех* участников альманаха»?

Е.П.: Не хочу. Время еще не пришло, как обычно в таких случаях говорят... Так... В Штатах. С кем он еще дружил в Штатах? Общался с Сашей Соколовым, но вряд ли они дружили. Саша, когда был в Москве, отозвался об Аксенове в нашей частной беседе как-то несколько так иронически.

А.К.: Аксенов вообще довольно далеко держался от прочей литературы эмиграции. Он не дружил с Довлатовым, Юзом Алешковским. Юз близок к Бродскому, Бродский называл его «Моцартом русского языка», а Вася был с Бродским... ну в ссоре.

Е.П.: Хотя я однажды получил от Васи письмо, где он мне описал, как неожиданно встретился с Юзом во Флориде, и они сидели на набережной, пили пиво, предавались беседам о московском философе Викторе Тростникове, участнике «МетрОполя»...

А.К.: А вот с кем Вася действительно близко дружил в эмиграции, несмотря на разницу возрастов, это с Мишей Генделевым. Мишка просто пришел к нему однажды в Вашингтоне познакомиться, а подружились на всю жизнь. Генделев в Израиле воевал в качестве военного врача. Потом демобилизовался. В своем биографическом романе «Большое русское путешествие» он описывает, как явился в Америке к Аксенову в израильской шинели на голое тело. Вот. Они с возрастом дружили все сильнее, все глубже, и Миша – один из тех, про которых я говорю «ближний круг Аксенова»... Я вспоминаю вот, кто был у Васи в его шестидесятилетие, которое мы справляли уже здесь, в высотке на Котельниках... Юлик Эдлис был, тоже, надо сказать, очень Васе преданный человек. А вот кого мы непростительно посмели забыть, так это Алешу Козлова. Вот уж кто действительно Васе был близок всю жизнь. Ближний круг, джазовые люди... Я вспоминаю смешную мелочь. Вася, еще советский писатель, собрался в Штаты в семьдесят пятом году и спрашивает Козлова: «Что тебе из Америки привезти?» И тот, не задумываясь, отвечает: «Джинсы». Представляешь?

Евгений Попов

Не Фолкнера первое издание, не «Архипелаг ГУЛАГ», а джинсы. И Вася привез ему джинсы.

Е.П.: А что им друг перед другом было выдрючиваться, когда один из них великий музыкант, другой – великий писатель? Трудно разобраться, кто из них на другого влияние оказывал. Джазовый Козлов необходим был для прозы Аксенова, это понятно, но и в Аксенове Алексей, по-моему, нуждался. А Васе, следует заметить, и для жизни, и для прозы все друзья, знакомые и близкие были необходимы. Он когда закончил роман «Скажи изюм», в основу которого положена история с «МетрОполем», то сказал в каком-то интервью: «Не ищите здесь прототипов». А я свое предисловие к роману назвал «Вертеп Василия Аксенова». «Вертеп» не в смысле бардак или притон, а в смысле рождественский театр. И в этом предисловии написал, что *персонажи* этого романа есть, с одной стороны, продукты воображения Василия Павловича, а с другой – им приданы черты реальных «метропольцев»: усы Генриха Сапгира оказались на лице Фридриха Горенштейна, степенный Семен Израилевич Липкин обернулся старым фотографом князем Чавчавадзе, матерная лексика Алешковского перешла к некоему Шузу Жеребятникову.

А.К.: Значит, Липкин и Лиснянская тоже были очень близкие Аксенову люди?

Е.П.: Несомненно. Мы ведь и этот самый восьмидесятый год, пропади он пропадом, вместе встречали, но только они остались у Майи на даче, а мы пошли кутить дальше. Близкие, да. Ведь они вместе с Василием вышли из Союза писателей в знак протеста против нашего с Виктором Ерофеевым исключения, я уже рассказывал. После чего и начались их главные неприятности. Пожилых, больных людей лишили поликлиники Литфонда, их *вызывали*, им угрожали... Нет, извини, не люблю я советскую власть и никогда не полюблю. А то, что сделали Василий, Липкин и Лиснянская, всегда буду помнить.

А.К.: Да кто ж ее любит, советскую власть?

Е.П.: Заканчиваем?

Александр Кабаков

А.К.: Заканчиваем. Пусть не обижаются на нас те из «аксеновских», кого мы не назвали. Мы ведь не всех помним и знаем.

Е.П.: Войновича забыли, как Фирса в «Вишневом саду». Мы с Васей в Вашингтоне пошли к нему в гости, а когда с Владимиром Николаевичем курили на балконе, он мне сказал: «Знаешь, кто здесь в соседнем доме живет? Мой персонаж Иванько из "Иванькиады". Это называется нарочно не придумаешь». Говорят, советский функционер Иванько с удовольствием надписывал книжку Войновича, где был изображен, прямо скажем, в непотребном виде.

А.К.: А еще Василий в Вашингтоне дружил со священником Виктором Потаповым и югославским диссидентом, философом Михайло Михайловым, который у Тито много лет отсидел за свои статьи и книги.

Е.П.: Я Михайлу знал. С ним связана смешная история. Наступили новые времена, Вася звонит мне из Америки и предлагает: «Давай остров купим». Я говорю: «Какой еще остров?» Он: «Это идея Михайлы Михайлова. Его друг теперь большая шишка в правительстве Черногории, он нам остров продаст, и мы там устроим рай для писателей и поэтов, типа Дома творчества. Но для этого нужно составить солидное письмо, которое подписали бы известные люди. Ты подпишешь?» – «Подпишу, если ты меня считаешь солидным, – говорю. – Разумеется, подпишу, как же мне без такого райского острова теперь прожить?» – «Свяжись тогда, – просит Вася, – с поэтом Тимуром Кибировым и с Окуджавой». Тимура я нашел в деревне на даче, где он картошку копал, а Булату Шалвовичу позвонил в Москве и кратко изложил ему суть дела. «Женя, вы сильно пьяны?» – спросил Булат Шалвович. Но я ему объяснил, что это *вполне серьезно*, что остров продадут за чисто символическую цену – доллар-два. Он страшно развеселился и сказал: «Хорошо, ставьте мою фамилию. Физически я сейчас не могу расписаться: меня закрыли в квартире, чтоб я на улицу не выходил. По Москве грипп гуляет, а для меня грипп – это смерть». Вот... А потом через

Евгений Попов

некоторое время приезжает Вася, и я его спрашиваю: «Ну что там с островом?» – «С каким островом? – не понимает Вася. – А-а, с тем, что Михайло намеревался купить? Увы, все провалилось, потому что пока все это шло, друзей Михайлова уже выгнали из правительства».

А.К.: Знаешь, пока ты это плел, я думал о том, что вот есть люди, которых мотает от бабы к бабе, у которых главное место в жизни занимают женщины. Ты заметил, что я этой своей фразой женщин как бы вывел из категории людей?

Е.П.: Ну, они же, как известно, неземные существа. И у нас политкорректность пока не требуется в обязательном порядке, как в Америке.

А.К.: Еще есть люди, для которых самую большую роль играет семья, просто семья. Которые все в своей жизни связывают с происхождением, с семьей. Есть еще люди, в жизни которых решающее значение имеют сослуживцы, работа. А есть люди, в жизни которых лучшее место принадлежит друзьям. Друзьям! Причем из разных, разнообразнейших сфер. Это могут быть коллеги, случайно встреченные люди, даже женщины могут быть их друзьями. Я думаю, что Вася относился к последней категории. Здесь его судьба – и человеческая, и собственно писательская.

Е.П.: И на этом давай-ка мы завершим дозволенные нам Господом речи.

А.К.: Пожалуй...

30 декабря 2009 – 30 декабря 2010

ПРИЛОЖЕНИЕ

Белла Ахмадулина. САД

Василию Аксенову

Я вышла в сад, но глушь и роскошь
живут не здесь, а в слове: «сад».

Оно красою роз возросших
питает слух, и нюх, и взгляд.

Просторней слово, чем окрестность:
в нем хорошо и вольно, в нем
сиротство саженцев окрепших
усыновляет чернозем.

Рассада неизвестных новшеств,
о, слово «сад» – как садовод,
под блеск и лязг садовых ножниц
ты длишь и множишь свой приплод.

Вместилась в твой объем свободный
усадьба и судьба семьи,
которой нет, и той садовый
потерто-белый цвет скамьи.

Ты плодороднее, чем почва,
ты кормишь корни чуждых крон,
ты – дуб, дупло, Дубровский, почта
сердец и слов: любовь и кровь.

Твоя тенистая чащоба
всегда темна, но пред жарой
зачем потупился смущенно
влюбленный зонтик кружевной?

Не я ль, искатель ручки вялой,
колено гравием красню?
Садовник нищий и развязный,
чего ищу, к чему клоню?

И если вышла, то куда я
все ж вышла? Май, а грязь прочна.

Приложение

Я вышла в пустошь захуданья
и в ней прочла, что жизнь прошла.

Прошла! Куда она спешила?
Лишь губ пригубила немых
сухую муку, сообщила
что всё – навеки, я – на миг.

На миг, где ни себя, ни сада
я не успела разглядеть.
«Я вышла в сад», – я написала.
Я написала? Значит, есть

хоть что-нибудь? Да, есть, и дивно,
что выход в сад – не ход, не шаг.
Я никуда не выходила.
Я просто написала так:
«Я вышла в сад»...

КТО УПОМИНАЕТСЯ В БЕСЕДАХ

Абрамов Федор – писатель.

Авторханов Абдурахман – историк, публицист.

Аксенов Алексей – художник, сын Аксенова Василия.

Аксенов Павел – коммунист, партийный работник, отец Аксенова Василия.

Аксенова Алена – падчерица Аксенова Василия.

Аксенова Кира – первая жена Аксенова Василия.

Аксенова Майя – вдова Аксенова Василия.

Акунин Борис – писатель.

Алешковский Юз – прозаик и поэт, автор песни «Товарищ Сталин, вы большой ученый».

Алшутов Александр – поэт.

Амирэджиби Чабуа – грузинский писатель.

Амлинский Владимир – писатель.

Андропов Юрий – Генеральный секретарь ЦК КПСС (1982–1984), Председатель Верховного Совета СССР (1967–1982), Председатель КГБ СССР (1983–1982).

Евгений Попов

Анпилов Андрей – поэт-бард.

Апдайк Джон – американский писатель.

Арбузов Алексей – драматург.

Арто Антуан – французский режиссер, теоретик театра.

Астафьев Виктор – писатель.

Афанасьев Александр – исследователь русского фольклора.

Афанасьев Юрий – историк, политик.

Ахмадулина Белла – поэт.

Ахматова Анна – поэт.

Бардо Брижит – французская киноактриса, фотомодель, секс-символ Европы.

Баташев Алексей, Бахчиев Гера, близнецы Фридманы, Саша Петров – люди московской джазовой тусовки семидесятых.

Баткин Леонид – историк, культуролог.

Бачурин Евгений – поэт-бард, художник.

Бедный Демьян – поэт.

Беккет Самюэль – англо-ирландский поэт, драматург.

Белинков Аркадий – писатель, литературовед.

Белов Василий – писатель.

Бенсон Рэй – американский дипломат.

Березовский Борис – опальный олигарх, политик.

Берзер Анна – литературный критик, редактор.

Берия Лаврентий – советский государственный и политический деятель, входивший в ближайшее окружение Сталина Иосифа.

Берлингуэр Энрико – итальянский политик, лидер Итальянской коммунистической партии (1972–1984).

Бжезинский Збигнев – американский политолог, социолог и государственный деятель польского происхождения.

Битов Андрей – прозаик.

Бобков Филипп – бывший начальник 5-го управления КГБ СССР по борьбе с «идеологическими диверсиями», после перестройки – начальник службы безопасности компании «Мост» у владельца НТВ Гусинского.

Бобышев Дмитрий – поэт.

Боер Владимир – художник театра.

Александр Кабаков

Боер Наталья – юрист, жена Боера Владимира

Бондарев Юрий – писатель.

Бондарчук Сергей – кинорежиссер.

Боннэр Елена – общественный деятель, правозащитник.

Боровиков Сергей – критик, литературовед.

Боровский Давид – сценограф.

Борхес Хорхе Луис – аргентинский писатель.

Брежнев Леонид – Первый (1964–1966) и Генеральный (1966–1982) секретарь ЦК КПСС, Председатель Президиума Верховного Совета СССР (1960–1964, 1977–1982).

Бродский Иосиф – поэт.

Брунов Борис – артист эстрады.

Брэйн Джон – английский писатель.

Буденный Семен – советский военачальник.

Булатов Эрик – художник.

Булгаков Михаил – писатель.

Бунин Иван – писатель.

Бьёрнстьерне Бьёрнсон – норвежский писатель.

Бьёркегрен Ханс – шведский писатель и переводчик.

Быков Дмитрий – писатель.

Вальтер Антон – муж Гинзбург Евгении, отчим Аксенова Василия.

Василевская Ванда – коммунистическая писательница польского происхождения.

Васильев Сергей – поэт.

Васильева Светлана – писательница, театровед, жена Попова Евгения.

Вахтин Борис – писатель, востоковед-синолог.

Величанский Александр – поэт.

Вертинский Александр – певец, актер, композитор, поэт.

Верченко Юрий – оргсекретарь СП СССР, по слухам – большой чин КГБ.

Виан Борис – французский писатель.

Визбор Юрий – бард, актер.

Витез Антуан – французский режиссер.

Виттих Владимир – джазовый пианист, профессор, доктор технических наук, директор Института проблем управления сложными системами РАН.

Влади Марина – французская актриса, член ЦК французской компартии.

Владимов Георгий – писатель.

Вознесенский Андрей – поэт.

Войнович Владимир – писатель.

Волков Олег – писатель.

Волков Соломон – журналист, писатель, музыковед.

Волконский Андрей – композитор, музыкант, дирижер, создатель ансамбля старинной музыки «Мадригал».

Володарский Эдуард – киносценарист.

Волчек Галина – актриса и режиссер.

Вольтер Мари Франсуа – французский философ, писатель.

Воннегут Курт – американский писатель.

Ворошилов Климент – советский военачальник.

Ворошильский Виктор – польский поэт, прозаик, переводчик.

Высоцкий Владимир – актер, поэт.

Гавел Вацлав – чешский драматург, диссидент, государственный деятель, последний президент Чехословакии (1989–1992) и первый президент Чехии (1993–2003).

Гайдар Аркадий – писатель.

Галич Александр – поэт-бард.

Гамсун Кнут – норвежский писатель.

Гастев Алексей – российский революционер, поэт и писатель, теоретик научной организации труда.

Гастев Юрий – математик, философ, общественный деятель, сын Гастева Алексея.

Гашек Ярослав – чешский писатель.

Гевара Че – кубинский революционер.

Гейдеко Валерий – критик.

Генделев Михаил – поэт, считается одним из основателей русскоязычной литературы в Израиле.

Гессе Герман – немецкий писатель.

Александр Кабаков

Гёте Иоганн – немецкий поэт, мыслитель.

Гиллеспи Диззи – джазовый музыкант.

Гинденбург Пауль – немецкий военачальник и политик.

Гинзберг Ален – американский поэт.

Гинзбург Евгения – писательница, мать Аксенова Василия.

Гинзбург Лев – писатель, переводчик.

Гладилин Анатолий – писатель.

Глезер Александр – поэт, коллекционер, культуртрегер.

Глюксман Андре – французский философ.

Гнеушев Валентин – поэт, прозаик.

Говорухин Станислав – кинорежиссер, актер.

Гоголь Николай – писатель.

Голсуорси Джон – английский писатель.

Горбачев Михаил – последний Генеральный секретарь ЦК КПСС (1985–1991), инициатор «перестройки», первый и последний президент СССР (1990–1991).

Горбачева Раиса – социолог, общественный деятель, жена Горбачева Михаила.

Горенштейн Фридрих – писатель.

Горин Григорий – драматург.

Городницкий Александр – поэт-бард.

Горчаков Овидий – писатель.

Горький Максим – писатель.

Градский Александр – рок-певец.

Гранин Даниил – писатель.

Грасс Гюнтер – немецкий писатель.

Грибачев Николай – поэт, функционер Союза писателей СССР.

Гримм Юрий – рабочий, диссидент.

Гроссман Василий – писатель.

Груша Иржи – чешский писатель-диссидент.

Губарев Виталий – советский писатель.

Гумилев Николай – поэт.

Гусинский Владимир – опальный олигарх, некогда владелец телеканала НТВ.

Гуцко Денис – писатель.

Гуэрро Тонино – итальянский киносценарист и поэт.

Евгений Попов

Давиташвили Джуна – целительница, астролог, президент Международной академии альтернативных наук. В 1997 году провозгласила себя Царицей ассирийского народа.

Дали Сальвадор – французский художник испанского происхождения.

Даниэль Юлий – писатель, осужденный за публикацию своих текстов в зарубежных издательствах.

Дементьев Андрей – поэт.

Демин Михаил – писатель, поэт.

Дени Лили – переводчица с русского на французский.

Де Сад Донасьен Альфонс Франсуа – французский аристократ, писатель и философ.

Джойс Джеймс – англо-ирландский писатель, классик мировой литературы XX века.

Джонс Тед – джазовый музыкант.

Добычин Леонид – писатель.

Довлатов Сергей – писатель.

Домбровский Юрий – писатель, узник сталинских концлагерей.

Дорошевский Юрий – историк, саксофонист, парторг Художественного фонда РСФСР.

Дос-Пассос Джон – американский писатель.

Достоевский Федор – писатель.

Дравич Анджей – польский литературовед-русист.

Дробот Галина – писательница.

Евдокимов Николай – писатель.

Евтушенко Евгений – поэт.

Егидес Петр – диссидент, философ, социалист.

Егорчиков Борис – геолог.

Екатерина II – русская царица.

Ельцин Борис – коммунист, ставший антикоммунистом, первый президент РФ (1991–1999).

Ерофеев Венедикт – писатель.

Ерофеев Виктор – писатель, литературовед.

Есенин Сергей – поэт.

Александр Кабаков

Жемчужина Полина – жена Молотова Вячеслава.

Жигулин Анатолий – поэт.

Жид Андре – французский писатель.

Жуков Юрий – журналист-международник.

Журавлев Дмитрий – актер, мастер художественного слова.

Заламбани Мария – итальянская славистка.

Залыгин Сергей – писатель.

Замятин Евгений – писатель.

Зарова-Дмитриева Лия – одноклассница Аксенова Василия.

Зверев Анатолий – художник.

Зиновьев Александр – философ, писатель.

Зощенко Михаил – писатель.

Зулкарнеев Ринат – врач-хирург, профессор.

Зыкина Людмила – певица.

Ибатуллин Ильгиз – врач-хирург, профессор.

Ибсен Генрик – норвежский драматург.

Иванько Сергей – советский функционер.

Ильичев Леонид – секретарь ЦК КПСС и председатель идеологической комиссии ЦК КПСС.

Ильф Илья и **Петров Евгений** – писатели-соавторы.

Ионеско Эжен – французский драматург.

Искандер Фазиль – писатель.

Кабаков Александр – писатель, один из авторов этой книги.

Кабаков Илья – художник.

Каверин Вениамин – писатель.

Кадар Янош – коммунист, лидер Венгрии, бессменный Генеральный секретарь Венгерской социалистической рабочей партии (1956–1988).

Казаков Юрий – писатель.

Капица Петр – физик.

Капоте Трумэн – американский писатель.

Карабчиевский Юрий – поэт, прозаик.

Карелин Лазарь – писатель.

Евгений Попов

Кармен Роман – кинорежиссер, оператор, сценарист.

Карпинский Лен – российский общественно-политический деятель, секретарь ЦК ВЛКСМ, затем диссидент и «прораб перестройки».

Карпов Владимир – писатель, функционер Союза писателей СССР.

Картер Джеймс – политик, 39-й президент США (1977–1981).

Катаев Валентин – писатель, основатель журнала «Юность».

Кафка Франц – австрийский писатель.

Кербабаев Берды – туркменский писатель-лауреат.

Керенский Александр – политический деятель, председатель Временного правительства (1917).

Керуак Джек – американский писатель.

Кибиров Тимур – поэт.

Кизи Кен – американский писатель.

Кикабидзе Вахтанг – грузинский эстрадный певец.

Киселев Евгений – тележурналист.

Климов Элем – кинорежиссер.

Кобенко Виктор – функционер Союза писателей СССР.

Кожинов Вадим – критик и литературовед.

Козаков Михаил – актер и режиссер.

Козлов Алексей – джазовый музыкант.

Колобов Евгений – дирижер.

Конецкий Виктор – писатель.

Конский Алексей – легендарный замдекана в Московском геологоразведочном институте им. С.Орджоникидзе.

Конский Григорий – актер, режиссер, брат Конского Алексея.

Копелев Лев – писатель.

Кормер Владимир – писатель, философ.

Кортасар Хулио – аргентинский писатель.

Косыгин Алексей – советский государственный и партийный деятель.

Конецкий Виктор – писатель.

Кочетков Михаил – поэт-бард.

Кочетов Всеволод – советский писатель-функционер.

Kramaroff Saveli – популярный киноактер, эмигрировавший в США.

Александр Кабаков

Красаускас Стасис – художник.

Красин Виктор – экономист, правозащитник.

Красин Леонид – большевик, революционер.

Крелин Юлий – писатель, врач.

Кропивницкий Лев – художник, поэт, искусствовед.

Крупская Надежда – жена Ленина.

Крылов Дмитрий – телеведущий.

Кублановский Юрий – поэт.

Кузнецов Анатолий – советский писатель, убежавший на Запад.

Кузнецов Феликс – литературный деятель, критик, литературовед, первый секретарь Московского отделения Союза писателей, прославился гонениями на альманах «МетрОполь». Член-корреспондент АН СССР (с 1987), РАН (с 1991).

Куняев Станислав – поэт и публицист.

Купер Фенимор – американский писатель.

Куприн Александр – писатель.

Кэллоуэй Кеб – американский джазовый эстрадный музыкант.

Ланкастер Берт – кинозвезда, один из самых успешных актеров в истории американского кино.

Лаппо Дмитрий – сибирский политик, кадет.

Ларни Мартти – финский писатель.

Левитанский Юрий – поэт.

Леклезио Жан-Мари Гюстав – французский писатель.

Ленин Владимир – Ленин.

Леоне Серджио – итальянский кинорежиссер.

Леонтьев Константин – российский мыслитель религиозно-консервативного направления.

Лермонтов Михаил – поэт.

Лесков Николай – писатель.

Лигачев Егор – политик, коммунист.

Лимонов Эдуард (Савенко Эдуард Вениаминович) – писатель.

Липкин Семен – поэт.

Лиснянская Инна – поэт.

Литвинов Павел – физик, правозащитник.

Лихачев Дмитрий – филолог.

Луис Мэл – джазовый музыкант.

Лундстрем Олег – джазовый музыкант.

Любимов Юрий – актер, режиссер.

Маевский Валерий – американский физик польского происхождения.

Макаров Анатолий – писатель.

Максимов Владимир – писатель, создатель антисоветского журнала «Континент».

Мандельштам Осип – поэт.

Мао Цзэдун – китайский политик.

Маркс Карл – философ, экономист.

Марченко Анатолий – писатель, правозащитник, диссидент, умер в советской тюрьме.

Матич Ольга – американская славистка.

Махфуз Нагиб – арабский писатель.

Маяковский Владимир – поэт.

Медведев Дмитрий – третий президент РФ (с 2008).

Меир Голда – политический деятель государства Израиль.

Мень Александр – священник Русской православной церкви.

Мережковский Дмитрий – писатель, поэт.

Мессерер Борис – художник.

Миллер Артур – американский драматург, прозаик.

Милош Чеслав – польский поэт, переводчик.

Михайлов Михайло – югославский диссидент, философ.

Михалков Михаил – писатель, брат Михалкова Сергея.

Михалков Никита – актер, кинорежиссер, сын Михалкова Сергея.

Михалков Сергей – детский поэт, баснописец, автор трех версий государственного гимна СССР–РФ.

Михалков-Кончаловский Андрей – кинорежиссер, сценарист, сын Михалкова Сергея.

Млынарж Зденек – чехословацкий политик, деятель «Пражской весны».

Молотов Вячеслав – известный политический деятель СССР.

Моммзен Теодор – немецкий историк.

Монтан Ив – французский певец.

Александр Кабаков

Монро Мерилин – американская киноактриса, певица, секс-символ Америки.

Морозов Александр – геолог.

Морозов Савва – русский предприниматель и меценат.

Моцарт Вольфганг – австрийский музыкант, композитор.

Мощенко Владимир – писатель.

Музиль Роберт – австрийский писатель.

Мэтлок Джек – американский дипломат.

Набоков Владимир – писатель.

Нагибин Юрий – писатель.

Найдин Владимир – писатель, врач.

Найман Анатолий – поэт.

Найпол Видиадхар Сурайпрасад – англоязычный писатель индийского происхождения.

Наумов Владимир – кинорежиссер, актер, сценарист.

Невский Александр – русский князь-полководец.

Некрасов Виктор – писатель, умер в эмиграции.

Некрасов Всеволод – поэт-концептуалист.

Некрасов Николай – поэт.

Николай II – последний русский царь.

Никсон Ричард – политик, 37-й президент США (1969–1974).

Новодворская Валерия – бывшая диссидентка, оппозиционный публицист.

Нолев-Соболев Юрий – художник, московский джазовый человек.

Овечкин Валентин – публицист.

Окуджава Булат – поэт-бард.

Олби Эдвард – американский драматург.

Олеша Юрий – писатель.

Орбакайте Кристина – актриса, эстрадная поп-певица.

Орджоникидзе Серго – коммунист, революционер.

Оруэлл Джордж – английский писатель.

Оснос Питер – американский журналист, издатель.

Островский Александр – драматург.

Павлов Борис – искусствовед, культуролог.

Павловский Глеб – бывший диссидент, политолог.

Палах Ян – чехословацкий студент.

Панова Вера – писательница.

Паркер Чарльз – джазовый музыкант.

Пастернак Борис – поэт.

Паустовский Константин – писатель.

Пахмутова Александра – композитор, автор знаменитых советских эстрадных шлягеров.

Петрушевская Людмила – писательница.

Пикассо Пабло – французский художник испанского происхождения.

Пильняк Борис – писатель.

Пиночет Аугусто – военный и государственный деятель Чили.

Питерсон Оскар – джазовый музыкант.

Платонов Андрей – писатель.

Плисецкий Герман – поэт.

Плотников Валерий – фотограф.

Подгорный Николай – член Политбюро ЦК КПСС.

Поженян Григорий – поэт.

Полевой Борис – прозаик, главный редактор журнала «Юность» после того, как оттуда выгнали В.Катаева.

Поляков Юрий – писатель, лауреат премий Московского комсомола (1982), Ленинского комсомола (1986), кавалер ордена Почета (2010), главный редактор «Литературной газеты», член Совета при Президенте Российской Федерации по культуре и искусству.

Попов Василий – фотограф, крестник Аксенова Василия, сын Попова Евгения.

Попов Гавриил – политический деятель.

Попов Евгений – писатель, один из авторов этой книги.

Попцов Олег – прозаик, журналист.

Потапов Виктор – священник.

Пригов Дмитрий Александрович – поэт, прозаик, критик, художник.

Приставкин Анатолий – писатель.

Проффер Карл и **Элендея** – издатели русской неподцензурной литературы, владельцы знаменитого американского издательства «Ардис».

Александр Кабаков

Пруст Марсель – французский писатель.

Пугачев Емельян – русский бунтовщик.

Путин Владимир – политик, второй президент РФ (2000–2008), премьер-министр РФ.

Пушкин Александр – поэт.

Пушкин – пес Аксеновых тибетской породы.

Пьянов Алексей – поэт-сатирик, бывший главный редактор журнала «Крокодил».

Ранкович Александр – коммунист, югославский политик.

Распутин Валентин – писатель.

Рассадин Станислав – критик и литературовед.

Рахлин Сэм – датский журналист.

Ревзин Григорий – журналист.

Рейган Рональд – политик, 40-й президент США (1981–1989).

Рейн Евгений – поэт.

Ремарк Эрих Мария – немецкий писатель.

Ремизов Алексей – писатель.

Рифеншталь Лени – немецкий кинорежиссер, любимица Гитлера.

Роб-Грийе Ален – французский писатель.

Рогинский Арсений – историк, правозащитник, общественный деятель, председатель правозащитного и благотворительного общества «Мемориал».

Рождественский Роберт – поэт.

Розов Виктор – советский драматург.

Рокотов Ян и **Файбишенко Владислав** – дельцы теневой экономики, расстрелянные при советской власти «за валюту».

Ромм Михаил – кинорежиссер.

Роом Абрам – кинорежиссер.

Рот Филипп – американский писатель.

Рубинштейн Лев – поэт.

Рубцов Николай – поэт.

Русаков Эдуард – писатель.

Русланова Лидия – певица.

Саврасов Алексей – художник.

Сагдеев Роальд – американский физик русского происхождения.

Садовников Георгий – писатель, сценарист.

Сапгир Генрих – поэт.

Сартр Жан-Поль – французский писатель и философ.

Сахаров Андрей – физик, диссидент, отец советской водородной бомбы.

Свифт Джонатан – англо-ирландский писатель.

Северянин Игорь – поэт.

Семенов Георгий – писатель.

Семенов Юлиан – советский писатель, по роману которого был снят эпохальный шпионский телесериал «Семнадцать мгновений весны».

Сенкевич Генрик – польский писатель.

Силлитоу Алан – английский писатель.

Симонов Константин – поэт, прозаик, драматург.

Синявский Андрей – писатель, осужденный за публикацию своих текстов в зарубежных издательствах.

Славкин Виктор – драматург.

Славуцкая Вильгельмина – бывшая коминтерновка, близкая подруга Гинзбург Евгении.

Смородина Галина – студентка.

Соболь Марк – поэт.

Соколов Саша – писатель.

Солженицын Александр – Солженицын.

Солнцев Роман – поэт, прозаик, драматург.

Сологуб Федор – писатель.

Соул Джон – канадский журналист и писатель.

Стайрон Уильям – американский писатель.

Сталин Василий – сын Сталина Иосифа.

Сталин Иосиф – коммунист, любимый ученик Ленина.

Стейнбек Джон – американский писатель.

Суворов Александр – русский полководец.

Суров Анатолий – литератор, активист борьбы с «безродными космополитами».

Александр Кабаков

Суслов Михаил – коммунист, идеолог КПСС.

Сучков Федот – прозаик, поэт, скульптор, старый зэк.

Сысуев Олег – политик, мэр Самары (1992–1997).

Сэлинджер Джером – американский писатель.

Сякин Владимир – редактор отдела прозы журнала «Молодая гвардия».

Табаков Олег – актер.

Таран Лев (Александр Лещев) – поэт.

Твардовский Александр – поэт.

Твен Марк – американский писатель.

Терехов Александр – писатель.

Тито Иосип Броз – коммунист, югославский политик.

Токарев Вилли – певец и автор-исполнитель. Эмигрировал из СССР в Америку, сейчас вернулся в Россию.

Токарева Виктория – писательница.

Толстой Алексей – писатель.

Толстой Лев – писатель.

Трифонов Юрий – писатель.

Тростников Виктор – религиозный философ.

Троцкий Лев – коммунист, второй любимый ученик Ленина.

Тургенев Иван – писатель.

Туриянский Владимир – поэт-бард.

Уолкотт Дерек – тринидадский поэт и драматург.

Ур Анатолий – художник.

Уэйн Джон – английский писатель, принадлежал к писательской группе «рассерженных молодых людей».

Фадеев Александр – писатель, в течение почти двадцати лет руководил Союзом писателей СССР.

Фаст Говард – американский писатель.

Фицджеральд Фрэнсис – американский писатель.

Фолкнер Уильям – американский писатель.

Форман Милош – чешский режиссер-эмигрант, живущий в США.

Фосс Роберт – американский кинорежиссер.

Франко Франсиско – правитель и диктатор Испании (1939–1975).

Хаксли Олдос – английский писатель.

Харатьян Кирилл – журналист, сын Петрушевской Людмилы.

Хармс Даниил – прозаик, поэт, философ.

Хемингуэй Эрнест – американский писатель.

Хини Шеймус – ирландский поэт.

Хлебников Велимир – поэт.

Ходорковский Михаил – российский предприниматель, бывший секретарь Фрунзенского районного комитета ВЛКСМ г. Москвы, к началу 2004 года считался самым богатым человеком в России и одним из богатейших людей в мире, ныне сидит в тюрьме.

Холин Игорь – поэт.

Хрущев Никита – Первый секретарь ЦК КПСС (1953–1964), Председатель Совета Министров СССР (1958–1964), инициатор «десталинизации».

Хрущева Юлия – внучка Хрущева Никиты.

Цветаева Марина – поэт.

Целков Олег – художник.

Чалмаев Виктор – литературный критик.

Черненко Константин – Генеральный секретарь ЦК КПСС (1984–1985), Председатель Президиума Верховного Совета СССР (1984–1985).

Черниченко Юрий – публицист.

Черчилль Уинстон – британский политик.

Чехов Антон – писатель.

Чубайс Анатолий – политический и хозяйственный деятель.

Чудакова Мариэтта – литературовед, общественный деятель.

Чуйков Иван – художник.

Шагинян Мариэтта – писательница.

Шаламов Варлам – писатель.

Шатров Михаил – драматург.

Шатько Евгений – писатель.

Александр Кабаков

Шафаревич Игорь – диссидент, математик, философ, публицист и общественный деятель.

Шевцов Иван – писатель.

Шестов Лев – философ, эмигрант.

Шишкин Иван – художник.

Шойинка Акинванде Воле Бабатунде – нигерийский писатель.

Шолохов Михаил – писатель.

Штейнбук – доцент, марксист-ленинист. Имя его утрачено.

Шукшин Василий – писатель.

Шумаров Георгий – писатель.

Шундик Николай – писатель.

Эдлис Юлиу – драматург.

Эйзенхауэр Дуайт – политик, 34-й президент США (1953–1961).

Эйхенбаум Борис – литературовед.

Эллингтон Дюк – джазовый музыкант.

Эренбург Илья – прозаик, публицист, поэт.

Эстерхази Петер – венгерский писатель.

Эчегарай-и-Эйсагирре Хосе – испанский драматург и математик.

Юрьенен Сергей – писатель.

Якир Петр – историк, правозащитник.

Яковлев Александр – коммунист, секретарь и член Политбюро ЦК КПСС, затем – антикоммунист, активный деятель перестройки.

Ярославский Емельян – коммунист, академик АН СССР, воинствующий безбожник.

Литературно-художественное издание

**Кабаков Александр Абрамович,
Попов Евгений Анатольевич**

АКСЕНОВ

Заведующая редакцией *Е.Д.Шубина*
Ответственный редактор *А.С.Шлыкова*
Литературный редактор *Е.С.Холмогорова*
Технический редактор *Т.П.Тимошина*
Корректоры *М.Ю.Музыка, Н.П.Власенко*
Компьютерная верстка *Н.Н.Пуненковой*

ООО «Издательство Астрель»
129085, г. Москва, проезд Ольминского, д. 3а

ООО «Издательство АСТ»
141100, Московская обл., г. Щелково, ул. Заречная, д. 96

Электронные адреса:
www.ast.ru
E-mail: astpub@aha.ru

Отпечатано с готовых файлов заказчика
в ОАО «Первая Образцовая типография»,
филиал «УЛЬЯНОВСКИЙ ДОМ ПЕЧАТИ»
432980, г. Ульяновск, ул. Гончарова, 14